L'ESPRIT DE LA CITÉ

Du même auteur

Maine de Biran. La science de l'homme, Paris, Vrin, 1995.

DIRECTION D'OUVRAGE

L'Institution de la raison. La révolution culturelle des idéologues, Paris, Vrin, 1992.

OUVRAGES EN COLLABORATION

De Königsberg à Paris. La réception de Kant en France (1788-1804), Paris, Vrin, 1991 (avec Dominique Bourel).

Paul Ricœur. La Critique et la conviction, Paris, Calmann-Lévy, 1995 (entretiens avec François Azouvi et Marc de Launay).

FRANÇOIS AZOUVI

DESCARTES ET LA FRANCE

HISTOIRE D'UNE PASSION NATIONALE

Ouvrage publié avec le concours du Centre national du livre

FAYARD

À Muriel et Cyril

INTRODUCTION

Depuis bientôt deux cents ans, nul n'y peut, Descartes incarne la France. Selon une logique qui s'est constituée progressivement mais s'est imposée avec une rigueur de plus en plus souveraine, il sert aux Français à dire ce dont ils veulent pour leur pays ou ce qu'ils repoussent avec horreur. Car l'adjectif *cartésien*, après avoir suivi le cours normal d'un terme dérivé du nom d'un philosophe, a échappé – c'était au début du XIXe siècle – à son registre d'origine et commencé d'acquérir des significations dérivées. Par une sorte d'extension généralisée, le philosophe français a conféré à la nation tout entière certains traits attribués à sa philosophie : ainsi, la France est devenue « cartésienne » et les Français ont acquis « l'esprit cartésien ».

La chose, il faut le dire d'emblée, est singulière : les Allemands ne se disent pas kantiens ni les Anglais lockiens ou humiens, quelque estime qu'ils aient pour « leurs » philosophes. Les Français, en revanche, se décrètent cartésiens. C'est-à-dire méthodiques, rationnels, peu portés aux enthousiasmes mystiques ou romantiques, épris de clarté langagière. Qu'on n'essaie pas de leur en remontrer, à ces arrière-neveux de l'auteur du *Discours de la méthode* ! Ils ne sont pas de ceux qui tombent dans le piège des propos creux ou fumeux.

Non que Descartes fasse pourtant l'unanimité. Depuis sa mort, il n'a même cessé de diviser les Français. Les catholiques ne se sont jamais vraiment réconciliés avec lui depuis les temps lointains où ils mettaient à l'Index ses œuvres – ils préféreront toujours Pascal, qu'ils « joueront » régulièrement contre lui ; la droite nationaliste, Maurras mis à part, l'a conspué. Mais les droites modérées, les gauches parlementaires, les universitaires, les laïcs, en ont fait un héros. Loin d'être sans relief, l'histoire des rapports entre Descartes et la France est depuis le premier jour conflictuelle, chaotique, riche en rebondissements. Rien de moins irénique que les relations du philosophe de la méthode avec le pays qui a donné à tant de rues de ses villes, à tant de ses lycées, le nom de *Descartes*. Mais ceux qui ne l'aiment pas comme ceux qui le portent aux nues s'accordent pour dire qu'il est la France.

Comment qualifier ce que les premiers abhorrent en Descartes et dans l'esprit français ? Le mieux est sans doute de leur laisser la parole. Ainsi Marcel Aymé : lorsque celui-ci décrit des Français « solides, pondérés, cartésiens comme des bœufs [1] », on peut penser que son jugement est pour le moins réservé. Celui de Bernanos est sans équivoque quand il fait de l'un de ses personnages, le curé de Luzarnes, « bon prêtre, assidu, ponctuel, qui n'aime pas qu'on trouble sa vie, [...] tirant de toutes choses un petit profit, né fonctionnaire et moraliste », un *cartésien* ; que ce prêtre cesse au contraire de voir clair en lui, qu'il soit touché par la grâce du désarroi, il cessera du même coup d'être cartésien mais deviendra enfin catholique [2]. Trop de rationalité mal comprise et mécaniquement appliquée, pas assez d'humanité, pas assez d'« âme », voilà ce que reprochent à la France ses contempteurs, récents ou non. À quoi il convient d'ajouter : pas assez de disponibilité poétique ; ce n'est pas n'importe quel poète qui le dit, c'est Saint-John Perse lorsqu'il reçoit le Grand Prix national des lettres en 1959 [3].

Inversement, les autres saluent dans l'esprit français et cartésien ses qualités d'ordre et de clarté, mais aussi son sens de la liberté. Passons sur l'utilisation de Descartes pour baptiser toute entreprise où se marque une certaine rationalité, comme faisait naguère Le Corbusier en qualifiant de « cartésiens » ses gratte-ciel. Combien significatif, en revanche, le recours au patronage du philosophe par le commissaire à l'Information durant la drôle de guerre : Jean Giraudoux. En 1939, l'auteur de *Siegfried et le Limousin* invitait la France à résister à l'Allemagne sous le drapeau du philosophe français : « La ligne Descartes et la ligne Wagner, disait-il dans un bel élan, tiendront quand auront cédé la ligne Maginot et la ligne Siegfried [4]. » Du reste, Giraudoux se souvenait peut-être que, durant la Première Guerre mondiale, on avait déjà puisé à pleines mains dans l'héritage cartésien pour fouetter le sang des Français. Pourquoi ne pas recourir à nouveau à ce remède héroïque quand la France est menacée par la barbarie nazie ? « Descartes – Pour la liberté » : ce sera d'ailleurs le titre d'une collection antinazie publiée par les éditions Albin Michel à partir de 1939 et saisie aussitôt par les Allemands[5]. Et ne croyons pas que ce souvenir se soit perdu avec la paix : en 1987, à l'occasion du 350e anniversaire du *Discours de la méthode*, André Glucksmann publiait un livre intitulé *Descartes, c'est la France* où il plaidait à son tour pour une certaine idée de ce pays, idée faite de résistance à la sujétion et dont Descartes exilé à Amsterdam et de Gaulle à Londres furent en leur temps, disait-il, les avocats inspirés.

On n'en finirait pas de citer ceux qui, depuis deux ou trois siècles, rapportent à Descartes ce qu'ils aiment en la France ou ce qu'ils détestent en elle. Singulier destin d'un philosophe que rien, semblait-il, ne prédisposait à incarner une nation. Qu'y avait-il dans sa philosophie qui pût donner lieu à tant d'imputations, qui pût ainsi servir de test projectif à tant d'hommes sur une si longue durée ? Pourquoi Voltaire, Michelet, Péguy, mais aussi Balzac, George Sand, Jules Ferry, Jaurès, Claudel, Gide, pour ne citer qu'eux, se croiront-ils tenus de consacrer des pages à ce philosophe mort en 1650 ? Comment se peut-il faire que, en parlant de lui, tant d'auteurs, sur plus de trois siècles, aient eu le sentiment qu'ils parlaient de la France et de leur temps ? Voilà l'énigme de Descartes, l'énigme du seul philosophe autour duquel se soit constitué un mythe national d'identité.

En France, c'est bien souvent autour de lui, ou avec son concours involontaire, que l'on s'anathématise. On en verra dans ce livre de nombreux exemples. Évoquons ici un moment resté fameux dans l'histoire littéraire du XXe siècle. La scène se passe dans le grand amphithéâtre de la Sorbonne, le 11 mars 1947. La séance est présidée par Jean Cassou, résistant de la première heure et maintenant compagnon de route du Parti communiste français. L'orateur est Tristan Tzara. Lui n'est pas compagnon de route mais réellement communiste depuis qu'il a rompu avec le mouvement Dada et les surréalistes ; il a marqué son soutien aux républicains espagnols en 1936 et participé à la résistance en organisant le Comité national des écrivains dans le sud-ouest de la France. Justement, la conférence qu'il prononce le 11 mars 1947 s'intitule « Le surréalisme et l'après-guerre ». Tzara reproche à ses anciens amis leur passivité face aux fascismes, au nom d'une tradition française d'insoumission qui a fait la Résistance, mais aussi la Commune, 1789, bref, tous les épisodes où une certaine France a pris les armes pour défendre la liberté quand une autre baissait les bras. Cette France, Tzara la place résolument dans l'héritage du « rationalisme cartésien », ce rationalisme qui est désormais tellement incarné dans la pensée française qu'« il semble difficile de savoir s'il est une propriété permanente de l'esprit français ou une création particulière du génie particulier de Descartes[6] ». Contre Tzara se dressent alors les surréalistes au nom de la libre insurrection de l'esprit. Comment leur révolte ne prendrait-elle pas la forme d'une apostrophe contre le philosophe de la méthode ? André Breton crie « Chien ! » à l'adresse de l'orateur, et au public : « Écoutez, M. Tzara parle de Descartes en 1947 ! »

Il est clair que, pour le grand prêtre du surréalisme, la Sorbonne, Descartes et le rationalisme français sont trois choses absolument équivalentes en indignité. Tzara, lui, est fidèle à l'orientation prise par le Parti communiste français depuis 1934 et illustrée notamment par le discours du premier secrétaire du parti, le 2 mai 1946. Maurice Thorez, ce jour-là, après avoir inscrit Descartes dans la généalogie de Marx et d'Engels, avait conclu en disant : « Le monde aime la France parce que, dans la France, il reconnaît Descartes. » Cinquante ans plus tard, un autre premier secrétaire, Robert Hue, signera dans *L'Humanité* un article intitulé « À propos de Descartes et des communistes français »...

Ces clivages autour du philosophe de la France, ces dissensions, ne doivent rien à la singularité des individus mais tout aux options politiques de chacun. Comment Descartes en est-il arrivé à symboliser la France ? Comment le cartésianisme est-il devenu, à un certain moment de l'histoire française, l'équivalent d'un *marqueur* des identités politiques ? Telles sont les questions auxquelles ce livre tâche de répondre.

•

Qu'on ne s'attende donc pas à trouver ici une histoire de la philosophie cartésienne en France. Pareille entreprise se heurterait aussitôt à ce qu'il y a d'arbitraire dans le fait de découper un objet qui n'a aucune raison de devoir à ses frontières géographiques une quelconque légitimité. En disant *Descartes et la France*, j'entends m'attacher à une question tout autre, à la fois neuve et que sa limitation ne grève pas d'emblée. Dans le couple qu'ils forment, c'est du point de vue de la France que j'étudie le devenir du cartésianisme. Ce qui m'intéresse ici, ce n'est pas tant Descartes qu'un épisode de la constitution de l'identité culturelle et politique française par le biais du sort – ou *des* sorts – qu'elle réserve à l'auteur du *Discours de la méthode* depuis sa mort jusqu'à la période contemporaine. Bien entendu, Descartes n'est ni tout à fait absent ni tout à fait innocent de ce qui est arrivé à sa philosophie pendant plus de trois siècles. Mais on lui a prêté opinions et intentions avec une telle libéralité, une telle imagination, qu'il n'y a pas lieu de lui demander toujours des comptes ; et il est vrai que le lecteur familier du *Discours de la méthode* ou des *Méditations métaphysiques* aura quelque peine à reconnaître leur auteur dans la prose de Lamennais, de Barrès ou d'Aragon.

Dira-t-on d'eux qu'ils se trompent sur Descartes ? Certainement, au regard d'une histoire classique de la philosophie, rompue à la connaissance de la littéralité des propos et des textes. Mais ce n'est pas de ce genre que ressortit le livre qu'on va lire. Il participe plutôt de ce que j'ai appelé naguère, dans un article largement programmatique, une histoire philosophique des idées[7]. L'histoire des idées n'a pas bonne presse dans la contrée des philosophes ; on la tient pour incertaine dans ses procédures, contestable dans ses présupposés et, au total, bien fade. En lui adjoignant l'épithète « philosophique », ai-je pu conjurer la malédiction qui pèse sur elle ? Ai-je su apercevoir, dans cette longue séquence d'événements, ses discontinuités, discontinuités à l'égard desquelles l'histoire classique des idées est accusée de cécité ? Ai-je su respecter les dénivellations entre grands auteurs et *minores* ? Toutes questions subordonnées à la capacité du praticien de l'histoire philosophique des idées de faire surgir le *problème* dont les faits historiques sont l'écorce.

On trouvera dans cet ouvrage le récit de quantité d'épisodes auxquels le nom de Descartes est associé, et qui n'ont pourtant pas de rapport avec la philosophie proprement dite. Ou encore, plus d'attention portée par exemple au cartésianisme affadi, édulcoré, d'un Victor Cousin qu'à celui d'un Malebranche ou de tel autre disciple original et puissant de Descartes. Qu'on veuille bien en conclure non pas à mon insensibilité aux différences d'altitude philosophique, mais plutôt au fait que mon objet est décidément autre que celui de l'historien de la philosophie. Ce dernier doit avant tout se préoccuper des enchaînements logiques qui régissent les doctrines. Celui qui pratique l'histoire philosophique des idées n'a pas à reconstituer un système de concepts mais à déchiffrer et à narrer des séquences historiques auxquelles sont mêlées, parmi d'autres éléments, des *traces* conceptuelles. Il lui appartient de leur donner l'importance qu'elles méritent, non pas de les surévaluer au détriment des autres composants de la séquence considérée. Ai-je eu raison de m'attacher à cet objet et de procéder de la sorte ? C'est une autre question, et celle-là n'est évidemment pas de mon ressort.

•

Il m'est agréable de remercier ceux qui ont lu et corrigé une première version de ce livre : Jean Azouvi, Frédéric de Buzon, Marcel Gauchet et Ran Halévi – ce dernier doublement, bien entendu. Que soient remerciés aussi Pierre Nora pour avoir accueilli dans *Les Lieux de mémoire* une ébauche de ce texte, mes étudiants de l'EHESS pour leur patience, et enfin, *last but not least*, Babette pour avoir stoïquement supporté ma longue infidélité avec Descartes.

I

LE SIÈCLE DE LOUIS XIV

Chapitre I

DESCARTES À L'INDEX

Tout a mal commencé dans les relations de la France avec celui qui allait être un jour son philosophe national. Le cartésianisme a été l'objet, dans la seconde moitié du XVIIe siècle, d'une forme de persécution : son enseignement a été prohibé ; l'Église et le pouvoir royal ont multiplié décrets et censures pour tâcher d'en venir à bout et en ont fait, pour mieux le proscrire, une variante du jansénisme puis un avatar du protestantisme. Nul n'en est mort, mais il a tout de même fallu aux premiers apôtres de Descartes beaucoup de dévouement pour imposer, par des voies détournées, une philosophie dont ne voulaient d'abord ni les jésuites ni Louis XIV.

Et d'ailleurs, avant même d'être un philosophe proscrit, Descartes avait été un homme exilé. Plus de la moitié de sa vie s'était passée aux Pays-Bas où il avait décidé de se fixer très jeune – au seuil de sa carrière, en 1628, à l'âge de trente-deux ans. Non qu'il fût déjà en délicatesse avec les théologiens, comme l'affirmèrent certains qui trouvèrent d'emblée suspect qu'un auteur promis à la notoriété décide ainsi de renoncer à elle, quitte sa patrie, ses amis et se retire dans un pays étranger. Une étymologie douteuse venait même au service de cette interprétation malveillante : Descartes, c'est-à-dire « d'Escartes », quelqu'un qui vit toujours « dans quelque petite ville à l'écart », « se cache et ne se montre que fort rarement [1] ». C'est qu'il y avait chez cet homme un réel goût de l'indépendance et, sans doute plus fort que tout, le désir de travailler et d'expérimenter librement – n'oublions pas que ce philosophe fut aussi un physicien et un physiologiste qui avait besoin de liberté pour pratiquer les dissections. Croyons-le sur parole lorsqu'il écrit en 1637 dans le *Discours de la méthode* qu'il résolut, neuf ans auparavant, de se retirer « parmi la foule d'un grand peuple fort actif, et plus soigneux de ses propres affaires, que curieux de celles d'autrui », où, sans manquer d'aucune des commodités qui font le charme des grandes villes, il pourrait vivre « aussi solitaire et retiré que dans les déserts les plus écartés[2] ».

À ceci près, toutefois, que sa solitude fut toute relative et son « désert » plutôt peuplé. Empruntons à l'un de ses nombreux visiteurs, le professeur à l'université de Leyde Samuel Sorbière, sa belle description de l'une des innombrables résidences du philosophe, celle d'Endegeest en 1642 :

> Il était dans un petit château en très belle situation, aux portes d'une grande et belle université, à trois lieues de la Cour, et à deux petites heures de la mer. Il avait [...] un assez beau jardin, au bout duquel était un verger, et tout à l'entour des prairies d'où l'on voyait sortir quantité de clochers plus ou moins élevés [...]. Il allait à une journée de là par canal à Utrecht, à Delft, à Rotterdam, à Dordrecht, à Haarlem, et quelque fois à Amsterdam où il avait deux mille livres de rente en banque. Il pouvait aller passer la moitié du jour à La Haye et revenir au logis, et faire cette promenade par le plus beau chemin du monde, par des prairies et des maisons de plaisance, puis dans un grand bois qui touche ce village, comparable aux plus belles villes de l'Europe[3].

Le dernier voyage

Pourtant, ce n'est pas non plus dans ce lieu idyllique que Descartes finira sa carrière mais dans une ville encore plus septentrionale et lointaine : Stockholm, où l'avait invité à séjourner la reine Christine de Suède.

Rappelons les faits de ce voyage qui nourrira longtemps les imaginations. En février 1647, Christine a eu l'attention attirée par une lettre sur l'amour que Descartes a envoyée à Pierre Chanut, ami du philosophe et résident de France à Stockholm. En septembre, toujours par l'intermédiaire de Chanut, elle le sollicite sur une autre question de morale, celle du souverain bien. Descartes s'exécute et adresse à la reine une longue lettre à laquelle il joint le manuscrit de son futur traité, *Les Passions de l'âme*. Le 12 décembre 1648, Christine l'en remercie et lui exprime tout le bien qu'elle pense de lui. Et le 27 février 1649, elle l'invite officiellement à Stockholm, désireuse, comme dira son biographe Adrien Baillet, d'« apprendre sa philosophie de sa bouche[4] ».

Pourquoi accepte-t-il un voyage dont tout atteste qu'il l'entreprend avec d'infinies hésitations et non sans pressentir qu'il n'en reviendra pas ? Il est vrai que Christine n'est pas n'importe quelle reine. La fille unique de Gustave Adolphe a vingt et un ans quand elle fait savoir à Descartes qu'elle s'intéresse à lui. On lui prête de la beauté, des amants, une grande habileté politique. Elle a su transformer cette cour éloignée en une sorte d'Athènes du Nord en y invitant l'élite intellectuelle du moment : historiographes et juristes y côtoient libertins érudits, philosophes et artistes. Luthérienne mais pas au point de renoncer aux fêtes fastueuses ; légère si l'on veut, mais pas au point d'être dénuée de préoccupations religieuses – elle se convertira au catholicisme, abdiquera en 1654 et finira confite en mysticisme.

Au reste, l'invitation de Christine tombe plutôt bien. Depuis déjà quelques années, Descartes traverse une période de conflits aigres aussi bien avec les jésuites de France qu'avec les théologiens des Pays-Bas.

Du côté français, c'est le père Bourdin qui a déclenché la colère du philosophe en faisant soutenir en 1640, au collège de Clermont à Paris, des thèses anticartésiennes sans en avertir l'intéressé. Et l'année suivante, le même Bourdin a commencé à amasser contre les *Méditations métaphysiques* de Descartes une nouvelle série d'objections, que le philosophe a trouvées désespérément faibles. Du côté hollandais, le recteur de l'université d'Utrecht et professeur de théologie, Gisbert Voet, s'est emparé du premier prétexte pour attaquer le philosophe français, qu'il tient à l'œil depuis la parution du *Discours de la méthode* et des *Essais.* Que lui reproche-t-il ? Exactement ce que toutes les autorités politiques et religieuses ne vont cesser de lui reprocher pendant un bon demi-siècle : d'élaborer une philosophie dangereuse pour l'État et pour la vraie religion, qui ruine l'explication traditionnelle des phénomènes naturels – ce sont les fameuses « formes substantielles » révérées par les scolastiques –, qui ne reconnaît aucune autorité à la Révélation comme telle puisqu'elle enseigne l'autonomie de la raison individuelle, qui tient le jugement des Anciens pour nul et non avenu et qui professe en outre d'étranges théories : n'enseigne-t-elle pas que les animaux sont de simples machines, que toutes les choses naturelles s'expliquent par des causes entièrement mécaniques et non par des intentions, et que l'univers est infini ? Accusations qui déboucheront fort logiquement sur la mise à l'Index de ses œuvres, le 20 novembre 1663.

Aux jésuites comme aux théologiens, Descartes a répondu en publiant successivement une *Lettre au P. Dinet*, provincial de la Compagnie de Jésus en France, et une *Lettre à Voet*. Elles n'ont pas apaisé les esprits, tant s'en faut : faites pour déplaire à leurs destinataires, elles ont parfaitement rempli leur but. Aussi la polémique a-t-elle repris, et il a fallu l'intervention du prince d'Orange pour calmer la tempête – provisoirement d'ailleurs.

En 1647, de nouveaux incidents, à Leyde cette fois, obligent le philosophe à reprendre les armes. Il a maintenant le sentiment qu'une « inquisition » plus sévère que celle d'Espagne le talonne. Il songe alors à la France, qu'il a quittée vingt ans auparavant pour avoir, justement, la liberté. Il s'y rend durant l'été et on lui fait miroiter la possibilité d'une pension royale, pour laquelle il se déplace à nouveau l'année suivante. Mais en fait de pension, c'est la Fronde qu'il trouve, le désordre partout, l'indifférence à sa personne et à son œuvre. Sans s'éterniser dans un pays qui, décidément, ne sait pas reconnaître sa valeur, il s'en retourne très vite – au mois d'août 1648 – dans sa résidence néerlandaise, sans même prévenir ses amis. Trois mois plus tard, il reçoit de Christine elle-même une lettre qui s'achève sur ces mots : « J'embrasserai avec plaisir toutes les occasions qui me permettront de vous témoigner que vos mérites vous ont acquis l'estime et l'affection de Christine[5]. » Comment ne ferait-il pas la comparaison entre la reine de Suède et le roi de France ?

Le 1er septembre 1649, il s'embarque pour Stockholm où il parvient au début d'octobre, non sans avoir fait l'admiration du pilote du navire – c'est du moins ce que l'on rapporte – qui aurait dit à la reine : « Madame, ce n'est pas un homme que j'ai amené à Votre Majesté, c'est un demi-dieu. Il m'en a plus appris en trois semaines sur la science de la navigation et des vents que je n'avais fait en soixante ans qu'il y a que je vais sur mer. Je me crois maintenant capable d'entreprendre les voyages les plus longs et les plus difficiles[6]. »

La mort ne se fera guère attendre : à peine cinq mois plus tard. La reine, jugeant qu'elle aurait besoin de tout son esprit pour entendre la philosophie de son nouveau professeur, choisit pour sa leçon un horaire plutôt rude : « M. Descartes – c'est toujours Baillet qui parle – reçut avec respect la commission qu'elle lui donna de se trouver dans sa bibliothèque tous les matins à cinq heures. » Avec respect, sans doute, mais certainement aussi avec déplaisir, lui qui aimait au contraire se lever tard et paresser au lit, lui « à qui l'air de ces quartiers paraissait formidable ». Dans les premiers jours de février – le froid est intense, les couloirs du château glacés –, il ressent quelques frissons, qu'il croit pouvoir combattre par un demi-verre d'eau-de-vie. Mais ce remède est bien entendu sans force contre la pneumonie qu'il a, en fait, contractée. Et il meurt le 11 février 1650, après avoir refusé longtemps la saignée ; c'est là qu'il aurait, dit-on, prononcé ce mot fameux que reprendront à l'envi ses biographes, désireux de montrer combien il fut patriote : « Messieurs, épargnez le sang français ! » Mais aussi ces autres paroles plus pieuses et fort utiles, lorsqu'elles sont révélées au public en 1657, pour rappeler que la fin du grand philosophe fut parfaitement chrétienne : « Ça, mon âme, il y a longtemps que tu es captive ; voici l'heure que tu dois sortir de prison, et quitter l'embarras de ce corps ; il faut souffrir cette désunion avec joie et courage[7]. » Ce qu'il fait, nous dit-on, au matin du 11 février, en présence du père Viogué qui l'avait confessé le premier jour de sa maladie : Descartes, qui ne peut plus parler, lève les yeux au ciel en signe de soumission à la volonté de Dieu et se retire « content de la vie, satisfait des hommes, plein de confiance en la miséricorde de Dieu, et passionné pour aller voir à découvert, et posséder, une vérité qu'il avait recherchée toute sa vie[8] ».

Premières censures

Pourquoi cette insistance, en 1657, sur la fin chrétienne du grand philosophe ? Sans doute d'abord parce que la chose est conforme au genre du grand récit de mort qui a cours au XVIIe siècle : une « belle mort », ou une « mort très chrétienne », comme on le dit par exemple de celle de Louis XIII, c'est tout un. Mais aussi pour des raisons plus circonstancielles. Des rumeurs ont aussitôt circulé sur la fin de Descartes : n'a-t-il pas été enterré à la sauvette, au cimetière des enfants morts sans baptême, par la volonté de Chanut que tout le monde a trouvé étrange ? Ne dit-on pas qu'il aurait embrassé la religion du pays où il est mort ? À moins qu'il n'ait été tout simplement athée : plusieurs le prétendent, qui se souviennent peut-être des accusations lancées par Gisbert Voet du vivant du philosophe.

D'ailleurs, après sa mort, bien peu d'années sont nécessaires pour que soient lancées les premières accusations, annonciatrices de la décision romaine de 1663. En 1658, un professeur de médecine de la faculté des arts de Louvain, Plemp, avec qui Descartes avait correspondu et qu'il tenait pour l'un de ses amis, invite ses collègues à proscrire la philosophie cartésienne « pernicieuse à l'État » et dangereuse pour la santé des malades. Mais dès 1654, Plemp avait joint à la troisième édition de ses *Fundamenta medicinae* un appendice dans lequel trois professeurs de théologie censuraient la philosophie cartésienne qu'ils accusaient d'être incompatible avec le sacrement de l'eucharistie. Au même moment, le père Viogué écrit à l'exécuteur testamentaire du philosophe, Claude Clerselier, pour lui demander des éclaircissements sur la très controversée doctrine cartésienne de la transsubstantiation et lui confie son doute : « Et pourquoi le sentiment de Luther ou même celui de Calvin ne serait-il pas vrai, dans l'hypothèse que l'extension soit l'essence des corps[9] ? » La persécution du cartésianisme est en route, et c'est la question de l'eucharistie qui la déclenche[10].

Non que cette question théologique surgisse de rien en 1654. Elle avait été mise sur le tapis par Antoine Arnauld, dans les objections qu'il avait adressées à Descartes en 1641. À vingt-neuf ans, le tout neuf licencié en théologie, bientôt docteur en Sorbonne, commençait une carrière qui allait le placer très exactement au cœur de tous les débats philosophiques et théologiques de la seconde moitié du siècle : qui d'autre pourrait un jour se flatter d'avoir échangé des correspondances considérables avec trois des plus grands philosophes du temps – Descartes, Leibniz, Malebranche – tout en jouant dans la floraison de Port-Royal un rôle de premier plan ? Dans ses *Objections* à Descartes, Arnauld signalait tout particulièrement, au titre des points susceptibles de fâcher les théologiens, la doctrine de la substance étendue qui bat en brèche l'enseignement de l'Église touchant au mystère de la présence réelle du Christ dans l'hostie. Si, comme l'affirme l'auteur des *Méditations*, les qualités sensibles – les « accidents » – ne peuvent être conçues séparément de la substance qu'elles qualifient, si l'étendue est en effet l'essence des corps, comment se peut-il que « tous les accidents du pain demeurent en un lieu où le pain n'est plus et où il y a un autre corps à la place[11] » ? Arnauld, qui ne doutait pas de la catholicité de Descartes, l'invitait cependant à se demander si, en défendant la cause de Dieu contre les libertins, il ne leur avait pas mis les armes en main[12]. Trente ans plus tard, les champions de l'anticartésianisme transformeront l'interrogation en certitude.

Dans ses *Réponses* à Arnauld, Descartes répliquait longuement à l'objection mais sans donner l'explication convaincante qu'on était en droit d'attendre de lui. À son tour, le jésuite Mesland était venu à la charge et avait prié Descartes de s'expliquer vraiment. Les lettres que celui-ci lui avait adressées en février et en mai 1645 contenaient l'analyse la plus fournie de ce sujet délicat entre tous. Qui, à part Mesland, avait pu en prendre connaissance ? Certainement le père Vatier, puisque Descartes l'avait suggéré à son interlocuteur ; Clerselier lui-même ; mais aussi beaucoup d'autres à qui ceux-ci les avaient sans doute montrées. En même temps, Descartes restait prudent : sa lettre de février 1645, il priait Mesland de la « rompre », estimant qu'elle ne valait pas la peine d'être conservée ; et à Arnauld qui lui demandait de nouveau en 1648 des explications sur le même sujet, il répondait qu'il aimait mieux dire ses conjectures de vive voix.

La suite appartient à la fortune posthume du cartésianisme, puisque cette entrevue avec Arnauld n'aura jamais lieu. Tâchons ici d'établir la séquence des faits, car ils préparent directement la mise à l'Index. En 1654, je l'ai dit, le père Viogué demande à Clerselier des précisions sur la doctrine cartésienne de la transsubstantiation. Clerselier lui répond le 22 mai et le 5 juin en lui envoyant des morceaux de la lettre à Mesland de février 1645 ; peu convaincu, Viogué rétorque le 25 juin qu'il préfère « ne pas voir si clair, pour laisser plus de place à la foi véritable[13] ». Évidemment conscient que la publication des lettres à Mesland serait pour le moment inopportune, Clerselier s'abstient dans le premier volume de la correspondance inédite de Descartes qu'il publie en 1657, comme dans le second (1659), de les livrer au public. Mais il y songe tout de même, car il écrit au père Bertet, le 27 août 1659, à propos des textes de Descartes sur l'eucharistie : c'est « le dernier travail auquel je songe me destiner pour mettre fin à tous les ouvrages de M. Descartes[14] ». Qui est ce Bertet ? Un jésuite cartésien, un homme imprudent ou un agent double[15] ? En tout cas quelqu'un qui sait gagner la confiance de Clerselier en lui faisant une démonstration de l'orthodoxie de Descartes : « M. Descartes est parfaitement catholique. Je puis dire que j'ai remarqué cette qualité dans ce grand homme sans fourberie et que l'existence de Dieu et l'immortalité de l'âme [...] sont les premiers principes sans lesquels sa philosophie du corps ne pourrait subsister[16]. » D'ailleurs, ce jésuite cartésien n'est-il pas au-dessus de tout soupçon puisqu'il s'est lui-même attiré des ennuis en enseignant le cartésianisme à Grenoble ?

Cependant, Bertet communique les pièces du dossier à « deux des grands hommes du monde », dont l'un – qui est « à Rome pour les mécontentements que cette philosophie lui a causés » – est « si fort [son] ami et si sincère » que, sans en avoir l'air, il saura par lui ce qu'on pense à Rome de la théorie cartésienne. Clerselier va l'apprendre très vite, mais à ses dépens, car cet ami si sincère et si cartésien du père Bertet est un jésuite dont Descartes a dit naguère tout le mal qu'il pensait : le père Fabri. Celui-ci a publié en 1657 un ouvrage au titre éloquent : *Una Fides, unius Ecclesiae Romanae contra indifferentes hujus seculi* (« Une seule foi, d'une seule Église, contre les indifférents de ce siècle »). C'est un adversaire résolu de l'héliocentrisme qui se ridiculisera en attaquant en 1660, sous le pseudonyme d'Eustache Divini, le *Systema Saturnium* de Huygens[17]. À Rome, où il occupe les fonctions de grand pénitencier, il est surtout l'ami intime du cardinal Albizzi qui, même s'il a quitté en 1654 la charge d'assesseur, est demeuré au Saint-Office dans la fonction de juge[18]. Le 15 avril 1660, le père Fabri envoie à Clerselier une *censura* où la physique cartésienne est épinglée sous couvert de celle de Démocrite, déclarée erronée et contraire à la foi[19]. Il est clair que l'on s'achemine à grands pas vers la mise à l'Index de 1663.

Quelqu'un voit très bien les maladresses de Clerselier, le piège tendu par Bertet et l'imminence de la condamnation romaine, c'est le bénédictin Antoine Vinot vers qui Clerselier se tourne, à qui il envoie tout le dossier et qui lui répond en 1660 : « Vous ne pouviez pas porter à la philosophie de M. Descartes un coup plus mortel [...] qu'en communiquant vos vues sur l'eucharistie à ces gens. » Ces gens, ce sont bien entendu les jésuites, dont le bénédictin se méfie comme de la peste. Et il adresse à Clerselier ce conseil qui ne sera pas entendu : « Si j'étais à votre place, je laisserais les choses en l'état où elles sont. Croyez-moi, une fois pour toutes, ils cesseront plutôt d'enseigner qu'ils ne rejetteront la philosophie d'Aristote[20]. »

La *censura* du père Fabri, adressée à Clerselier, demeurait privée. Celle de l'internonce de Belgique, Vecchi, du 29 août 1662, est en revanche publique. Elle intervient après une série d'avertissements adressés à des professeurs de l'université de Louvain : le 10 mai 1662, un « cardinal romain », comme écrivait Victor Cousin, s'adressant à un théologien de Louvain, s'étonne de voir que les erreurs de la philosophie cartésienne sont propagées jusque dans cette ville, « car elles viennent d'une crasse ignorance » et mènent droit à l'athéisme. Le 1er juillet, Vecchi dénonce à la faculté des arts de Louvain la philosophie de Descartes comme pernicieuse pour la jeunesse catholique. La soutenance d'une thèse de médecine, prévue pour le 29 août, fournit la cause occasionnelle de la condamnation : deux jours avant, le nonce écrit au recteur en lui signalant la thèse suspecte dans laquelle le candidat s'apprête à soutenir l'idée que les corps ne consistent qu'en mouvement, repos, figure et grandeur, ce qui contredit le saint mystère de l'eucharistie. Il recommande l'expurgation des propositions suspectes ou leur suppression pure et simple. « Vous ferez en cela, ajoute-t-il pour conclure, et toute l'université, une chose fort agréable à Sa Sainteté qui s'informera de votre vigilance. » De fait, le 29 août, la faculté de théologie de Louvain rend un décret condamnant la définition cartésienne de la substance, l'étendue comprise comme attribut essentiel de la matière, l'infinité du monde et réaffirmant l'existence des accidents réels [21].

Sait-on qui est le cardinal romain dont parlait Victor Cousin ? Il s'agit en fait d'Albizzi, l'ami du père Fabri responsable de la *censura* de 1660. Au début de 1662, en effet, Albizzi a reçu à Rome François Van de Venne, venu faire au nom de l'archevêque de Malines la *visitatio ad limina* et informer le Saint-Siège des entreprises de ses ennemis. Est-ce à la suite de cette visite, s'interrogeait Lucien Ceyssens, qu'Albizzi aurait demandé au nonce de sévir contre la philosophie cartésienne [22] ? Il est infiniment probable que l'on peut répondre par l'affirmative : Albizzi n'a certainement ignoré ni la *censura* du 15 avril 1660, ni les discussions autour de la question eucharistique, ni par conséquent les raisons qui ont poussé Fabri à adresser à Clerselier une première mise en garde. Informé par Van de Venne que la physique cartésienne continue à inspirer des thèses et à être enseignée, il aura estimé que la chose méritait cette fois censure officielle.

« *Donec corrigantur* »

Un peu plus d'un an après, le 20 novembre 1663, tombe la condamnation romaine : les œuvres de Descartes sont mises à l'Index *donec corrigantur*.

Il faut, si l'on veut comprendre la décision du Saint-Office, la replacer dans son véritable contexte où le cartésianisme n'est qu'un élément, vraisemblablement pas le plus important. Il n'est pas douteux en effet que la « persécution » de la philosophie cartésienne s'inscrive dans celle du jansénisme, et cette fois il faut ôter les guillemets au terme persécution. C'est là le fond même de l'affaire, ce qui en constitue la dynamique véritable. La guerre du cartésianisme est un épisode de la guerre implacable que se livrent jésuites et jansénistes, guerre qui met aux prises deux conceptions inverses de la Contre-Réforme comme du rapport à l'autorité politique et religieuse. Sur quoi se greffe une opposition philosophico-théologique décisive, puisque les premiers sont et demeurent thomistes, depuis qu'en 1594 Clément VIII a imposé saint Thomas en docteur de la Compagnie, tandis que les seconds mettent toute leur ardeur à se dire vrais disciples de saint Augustin. Or il y va, comme on sait, de rien de moins que la question de la prédestination, sur laquelle s'affrontent le maximalisme janséniste – qui n'est pas sans ressembler parfois à celui des réformés – et l'« humanisme » jésuite.

On remarquera d'abord que la lutte contre le jansénisme et celle contre le cartésianisme suivent la même chronologie, partent des mêmes lieux et sont le fait des mêmes hommes. C'est à Louvain qu'a été publié en 1640 l'*Augustinus* de Jansénius, Louvain où les jésuites sont puissants et d'où ils ont organisé la lutte contre l'ouvrage de l'évêque d'Ypres et obtenu, le 6 mars 1642, la signature de la bulle *In Eminenti* contenant la condamnation explicite de l'*Augustinus*[23]. C'est aussi de Louvain que procéderont les premières condamnations du cartésianisme, en 1654 de la part de Plemp, en 1662 de la part du nonce Vecchi. Ce n'est assurément pas le fait du hasard : on a dit plus haut le rôle joué par Albizzi, recevant en 1662 à Rome Van de Venne mandaté par l'archevêque de Malines. Celui-ci est fort hostile aux disciples de Jansénius, tout comme Albizzi lui-même, « parvenu, nous dit-on, à la pourpre pour avoir fait une guerre ouverte au jansénisme[24] ». Et, si le nonce Vecchi censure la philosophie de Descartes, c'est sans nul doute dans le cadre des pouvoirs spéciaux qu'il a reçus du cardinal Albizzi pour éradiquer l'hérésie janséniste[25].

Mais Rome et Louvain ne sont pas les seuls lieux où se recoupent l'histoire du cartésianisme et celle du jansénisme. Rappelons le contexte. À Paris, en 1661, la mort de Mazarin a conféré à Louis XIV un nouveau rôle, de premier plan cette fois. Non certes que le souverain ait ignoré jusque-là les démêlés avec les jansénistes, les bulles condamnant les cinq propositions de l'*Augustinus* et les tentatives pour faire plier les évêques récalcitrants. Mais lorsqu'il entreprend, en 1661, de considérer l'état de son royaume, c'est pour constater que les différends religieux augmentent chaque jour « avec la chaleur et l'opiniâtreté des esprits », que des « intérêts humains s'y mêlent » et qu'un schisme, en somme, menace l'Église. D'où l'engagement qu'il dira avoir pris au seuil de son règne : « Je m'appliquai à détruire le jansénisme, et à dissiper les communautés où se fomentait cet esprit de nouveauté[26]. » Le décide-t-il spontanément, ou cède-t-il à la pression de son confesseur jésuite, le père Annat, lequel est l'ami intime du cardinal Albizzi depuis qu'il a été assistant des jésuites de France à Rome, entre 1648 et 1652 ? Annat est sans tendresse pour l'augustinisme : il l'a montré en combattant en 1630 un ouvrage de l'oratorien Gibieuf – correspondant de Descartes ; il l'a montré en insistant auprès de Mazarin pour que la bulle *Cum Occasione* (31 mai 1653) soit reçue sans la distinction du *fait* et du *droit*. Quoi qu'il en soit, dès le 23 avril 1661, un arrêt du Conseil d'État prescrit cette fois la signature du formulaire désavouant l'*Augustinus* et en étend l'obligation aux religieuses et aux maîtres d'école. Le même jour, les pensionnaires et les postulantes de Port-Royal sont expulsées, tandis que les directeurs n'échappent à des lettres de cachet que par la fuite.

Il est clair que, dès la prise en main par Louis XIV des affaires du royaume, la dissidence janséniste cesse d'être admissible et que l'on va vers les événements de 1664 : la dispersion de douze religieuses de Port-Royal, dont Angélique de Saint-Jean et la mère Agnès, et la privation des sacrements pour les autres.

Or, c'est au cours de ces mêmes années que les mesures coercitives contre Descartes aboutissent à la mise à l'Index de ses œuvres. Aussi, ne soyons pas surpris de retrouver le trio Annat, Fabri, Albizzi. Le récit du père Rapin, historien jésuite du jansénisme, est ici précieux.

> Le P. Annat avait un homme de confiance, grand théologien, habile en tout, mais fort versé dans tout le manège de la cour, qu'il connaissait très bien ; c'était un jésuite nommé Honoré Fabri [...] qui depuis plusieurs années s'occupait des fonctions de la pénitencerie de Saint-Pierre. Ce jésuite s'était tellement rempli l'esprit du détail de la nouvelle opinion [il s'agit du jansénisme] qu'il n'y avait presque personne alors à Rome qui en fût mieux instruit ; et [...] il était devenu, par la

connaissance parfaite qu'il avait de cette affaire, intime ami du cardinal Albizzi, par la médiation duquel on faisait savoir au pape ce qu'il fallait qu'il sût sur le jansénisme et [il] en était toujours favorablement écouté[27].

Durant l'été de 1663, Annat, Fabri et Albizzi agissent une première fois pour faire échouer une tentative de conciliation suscitée par l'évêque de Comminges entre les jansénistes et le pape. Il serait vraiment étonnant que ce ne soient pas les mêmes hommes qui interviennent à nouveau quatre mois plus tard pour faire mettre à l'Index un philosophe que l'un – Fabri – a déjà censuré trois ans plus tôt, et que l'autre – Albizzi – a fait condamner un an auparavant par le nonce Vecchi. Quant au troisième, Annat, comment ne mettrait-il pas dans le même camp de ses ennemis Pascal qui lui a fait l'honneur de lui dédier ses deux dernières *Provinciales*, Arnauld qui a répondu à ses *Cavilli Jansenianorum* de 1654 par la distinction du droit et du fait, et Descartes dont les relations philosophiques avec Arnauld ne sont un secret pour personne, dont la doctrine nourrit la *Grammaire* et la *Logique* dites de Port-Royal, et dont les protecteurs se recrutent si souvent parmi les solitaires ou leurs proches ?

Car jansénistes et cartésiens ont souvent les mêmes amis – on le sait – et ce sont des personnages en vue : citons, sans prétendre à l'exhaustivité, le duc de Luynes dont le château de Vaumuriers est le théâtre de discussions cartésiennes où l'on retrouve Arnauld et M. de Sacy ; le marquis de Liancourt, dont l'hôtel abrite cartésiens et jansénistes ; la marquise de Sablé, à qui Arnauld soumet le discours préliminaire de l'*Art de penser* ; le cardinal de Retz, dont les sympathies pour Port-Royal sont connues de tous et qui, à la fin de sa vie, dirigera à Commercy des discussions d'une haute technicité cartésienne ; le marquis de Pomponne, dont on verra le rôle en 1666-1667 à l'occasion du transfert des cendres de Descartes ; Lamoignon, qui fera en 1671 tout ce qu'il pourra pour ne pas rendre l'arrêt du Parlement réclamé par les jésuites à l'encontre de Descartes.

Ajoutons que le jansénisme et le cartésianisme diffusent dans les mêmes milieux de la société française : parmi certains « grands » plus ou moins ex-frondeurs ; auprès des femmes – j'y reviendrai ; dans les salons, le Parlement, bref, le *public*, celui à l'intention duquel Descartes a publié, en français, le *Discours de la méthode* et Pascal, vingt ans plus tard, *Les Provinciales*. Rappelons enfin que jansénistes et cartésiens trouvent semblablement des appuis dans une même congrégation religieuse, l'Oratoire, où l'augustinisme est bien vu : car, même si le cartésianisme n'est pas le fait de tous les oratoriens, tant s'en faut, nombreux sont ceux qui déclarent leur adhésion à la nouvelle philosophie, le plus célèbre d'entre eux étant Malebranche. Et ces oratoriens sont aussi très liés au milieu de Port-Royal.

Bien entendu, les uns et les autres, s'ils ont les mêmes amis, doivent avoir également les mêmes ennemis. Du côté de l'Université, ce sont les professeurs soucieux de conserver la prérogative que leur donne l'enseignement scolastique traditionnel et qui voient avec inquiétude leurs étudiants céder aux sirènes de la philosophie nouvelle – en 1675, une *Lettre du Conseil* adressée au supérieur du collège oratorien d'Angers dira, à propos de l'enseignement du cartésien Bernard Lamy : « Nous aimons mieux voir sa classe tout à fait abandonnée d'écoliers que de souffrir que toute notre congrégation soit humiliée dans toute la France » en persistant dans un enseignement interdit[28]. Il faut croire que le fait de revenir à un enseignement traditionnel équivalait à vider le cours de ses étudiants... Du côté des religieux, on trouve évidemment les jésuites. Ce sont eux qui ont contribué plus que quiconque à fabriquer l'amalgame entre cartésianisme et jansénisme. On connaît le mot du père Daniel, en 1690 : « On vit peu de jansénistes philosophes qui ne fussent cartésiens[29]. » Certes, l'idée d'un Port-Royal massivement cartésien est une légende ; mais cette légende a sa vérité : elle exprime très exactement ce que les jésuites *perçoivent* au XVIIe siècle, à savoir un ennemi à deux têtes.

Tâchons un instant de voir cartésiens et jansénistes avec les yeux d'un membre de la Compagnie. Ils ont d'abord en commun d'être des augustiniens, c'est-à-dire des adversaires de l'aristotélisme scolastique qui nourrit leur propre doctrine. La chose est pour eux d'autant plus évidente que la parenté entre Descartes et Augustin a été signalée pour la première fois publiquement par Arnauld lui-même ; depuis, elle a été constamment soulignée y compris par les cartésiens afin de montrer l'orthodoxie de l'auteur des *Méditations métaphysiques.* Cartésiens et jansénistes ont aussi une même façon de réserver les droits de la conscience individuelle et de résister au pouvoir : Descartes, parce qu'il confère à la conscience individuelle un primat sur l'autorité ; les jansénistes parce qu'ils refusent de se sentir liés par les décrets de Rome et qu'ils estiment n'avoir de comptes à rendre qu'à Dieu. Enfin, les uns et les autres ont une sorte de parenté avec le calvinisme dont ils partagent, croit-on, l'idée de transformer le rapport de la créature au Créateur en une affaire privée. Dès les années 1640, l'amalgame entre calvinisme et jansénisme a été opéré ; et la confusion entre cartésianisme, jansénisme et calvinisme sera chose courante dans les années 1660-1690 [30].

Il n'est guère difficile de comprendre alors dans quel esprit Louis XIV peut considérer les cartésiens : comme des gens susceptibles de diviser davantage encore l'État en renforçant les positions des jansénistes et des calvinistes. Le cartésianisme vu de Versailles n'est pas une philosophie mais un « parti », une « secte [31] ». Or, diviser l'État, c'est précisément un péché mortel puisque c'est aller contre ce qui en a permis la constitution. L'État français, qui s'est imposé « comme le *pacificateur* par excellence [32] » en mettant fin aux guerres de Religion et en transférant sur lui une dimension nouvelle de sacralité, ne peut que s'opposer violemment à des « partis » qui, outre qu'ils le divisent, le contestent dans ses choix politiques.

D'ailleurs, le souverain le dira très clairement un jour de 1678 au père Braglion de Saillant, venu lui rapporter les délibérations de la XVIe Assemblée générale de l'Oratoire où la philosophie de Descartes se trouvait frappée d'interdiction « pour de bonnes raisons » : « Oui, dira le roi, pour de très bonnes raisons. Non pas que je veuille empêcher qu'on l'enseigne comme on l'enseigne à Monseigneur [le Dauphin], mais je ne veux pas qu'on en fasse un fondement de doctrine [33]. » Un fondement de doctrine, autrement dit un « parti ».

Chapitre II

LA PERSÉCUTION DU CARTÉSIANISME

Hors de France, aux Pays-Bas notamment, le cartésianisme fait aussi l'objet de censures répétées ; mais parce que le pouvoir n'y est pas centralisé, elles sont loin d'avoir le même effet. En dépit de la condamnation des curateurs de Leyde en 1647, du synode de Dordrecht en 1656, de celui de Delft en 1659 et de la nouvelle condamnation de 1676, à Leyde, à Utrecht, à Groningue, Franeker, Breda ou Louvain, « le cartésianisme est presque normal », pour reprendre la formule de Theo Verbeek[1], normal ne voulant pas dire, bien entendu, qu'il règne seul mais qu'il est enseigné et discuté.

La fortune du cartésianisme en France

En France, dans la seconde moitié du XVIIe siècle, c'est d'une tout autre façon que la philosophie cartésienne pénètre dans l'espace public. Sa diffusion est d'abord le fait d'un groupe d'hommes constitués en réseau. Elle est même, pour une part, une affaire de famille : Chanut, qui a hérité des papiers de Descartes, est le beau-frère de Clerselier ; celui-ci a pour gendre Jacques Rohault, qui va jouer dans l'histoire du cartésianisme un rôle non négligeable. Tous ces hommes sont nés entre 1610 et 1630 ; ils ont été les contemporains de Descartes et étaient pour la plupart d'âge mûr au moment de sa mort. L'âme du groupe est sans conteste Clerselier. Nous avons déjà eu l'occasion de rencontrer cet avocat au parlement de Paris ; il a fait la connaissance de Descartes en 1644, en même temps que Chanut ; il a su gagner sa confiance puisque l'auteur des *Méditations* a accepté de lui faire traduire les *Objections* et les *Réponses*. Placé par la démission de Chanut en position d'exécuteur testamentaire, il va s'acquitter de sa charge avec un infatigable zèle. Il surveille toutes les polémiques autour de « son » grand homme, calme les uns, revient à la charge auprès d'autres. Il n'est pas toujours adroit – on l'a vu avec le jésuite Bertet – mais toujours bien intentionné. Jusqu'à sa mort en 1684, il confondra sa propre carrière avec celle du philosophe à la mémoire duquel il s'est voué. Sans lui, il n'est pas sûr que les cartésiens eussent constitué un clan.

Ce réseau est d'autant plus efficace qu'il s'inscrit dans une autre configuration, celle des circuits savants mis en place dans les années 1630 en marge de l'institution universitaire à l'exemple du bureau d'adresses de Théophraste Renaudot. C'est par ces milieux qu'en France le cartésianisme va connaître une première réception. Or, on aurait tort de croire que les modalités de celle-ci soient sans effet sur son avenir. En suivant en premier lieu d'autres canaux que ceux de l'enseignement, le cartésianisme ne fait que différer provisoirement son introduction dans la culture scolaire. Mais il se place en revanche dans le droit fil de la culture scientifique la plus avancée, celle qui fabrique le terreau d'où va bientôt surgir l'Académie des sciences. C'est là, dans ces assemblées extra-universitaires, que se met en place une habitude de l'expérimentation et de la discussion qui va faire la science moderne ; et c'est là que s'infiltrent les cartésiens de la première génération.

Les « mercredis » de Rohault sont un bon exemple de ce type de réunions où vont « prélats, abbés, courtisans, docteurs, médecins, philosophes, géomètres, régents, écoliers, provinciaux, étrangers, artisans, en un mot des personnes de tout âge, de tout sexe, et de toute profession [2] », réunis par la curiosité devant une doctrine dont on fait tant de bruit. Jacques Rohault est de ces bons esprits qui ont pris goût aux sciences exactes et à l'expérimentation et qui se sont trouvés ainsi tout naturellement portés vers le cartésianisme. Dans sa maison de la rue Quincampoix, le mercredi, on se réunit pour assister à des expériences commentées de physique, au cours desquelles les nouvelles idées sont défendues contre les sectateurs d'Aristote [3]. Mais au même moment, les curieux peuvent aussi aller à l'académie de l'abbé Bourdelot, qui regroupe un noyau de cartésiens fervents parmi lesquels Rohault, Géraud de Cordemoy, Claude Gadrois, René Fédé – Fédé qui publiera en 1671 une édition des

Méditations métaphysiques de René Descartes... divisées par articles, avec des sommaires à côté, et avec des renvois des articles aux objections... pour en faciliter la lecture et l'intelligence, et « qui possède tellement, dit-on, le système de M. Descartes, dont il est *defensor acerrimus*, qu'il pourrait le redonner tout entier s'il était perdu [4] ». Mais ils se rendent également chez Habert de Montmor dont la petite académie, plus baconienne celle-là, a succédé à celle qui se tenait chez Mersenne ; c'est à Montmor que le très cartésien Louis de La Forge dédiera en 1661 son *Traité de l'esprit de l'homme*.

Ne croyons pas toutefois que ces conférences cartésiennes soient réservées à Paris : Pierre Daniel Huet, futur évêque d'Avranches, avant de devenir un anticartésien résolu fonde en 1662 à Caen une société où l'on se réunit pour discuter de physique, de médecine et de métaphysique dans le style de la nouvelle philosophie [5]. On dit que Pierre Cally, par exemple, établit la vérité du cartésianisme par l'Écriture et par Aristote [6]. À Toulouse, vers 1665, Pierre Sylvain Régis, lui aussi cartésien du premier cercle, remue toute la ville – c'est Fontenelle qui parle – par des conférences conçues sur le modèle de celles de Rohault chez qui il s'était formé. Entraîné par le marquis de Vardes, il ira ensuite prêcher la bonne parole cartésienne à Aigues-Mortes et à Montpellier ; ce n'est qu'en 1680 qu'il montera à Paris où les mêmes conférences lui vaudront, de la part de l'archevêque, la « prière » de les suspendre [7].

Un trait, surtout, distingue ces petites écoles des établissements scolaires et les désigne à la faveur du public : l'ouverture d'esprit affichée. Aucun parti n'est imposé, Aristote y est écouté au même titre que Descartes ou Gassendi. Et le seul attachement que déclarent ces esprits affranchis est l'attachement à la vérité, recherchée « dans les choses mêmes » plutôt que dans les livres [8]. Même leçon des conférences de Rohault : chacun peut interrompre l'orateur et faire état de ses réticences ; une « dispute paisible et honnête » s'ensuit, au terme de laquelle la netteté et la lumière des réponses sont censées convaincre seules l'objecteur [9]. Liberté d'ailleurs inscrite dans les statuts mêmes de l'académie Montmor où il est stipulé que celui qui préside demandera à deux personnes informées de donner leur avis sur la question débattue sans user d'autorité, laissant toute liberté aux autres pour exprimer leur opinion [10]. L'Anglais George Tullie en est assez frappé pour prendre le soin de communiquer son impression à l'un de ses amis, étudiant à Trinity College : « Descartes et Gassendi ont chacun assez de prosélytes, chacun des assemblées publiques où leurs hypothèses sont défendues par d'ingénieuses personnes, où quiconque qui ne ressemble pas à un mendiant ou à un vagabond pénètre et a la liberté de discourir, d'objecter, etc. » Et il ajoute qu'à ses yeux des réunions comme celles-là seraient extrêmement souhaitables dans les universités anglaises, tout en remarquant que, précisément, elles ont lieu « en ville » car elles ne sont du goût ni des jésuites ni de l'Université[11].

Très tôt, les partisans de la nouvelle philosophie ont eu en effet à cœur de montrer que l'autorité ne compte pas pour eux, pas plus celle de Descartes que de quiconque. Tous l'ont dit, ceux qui ont mis leurs pas dans les siens en affirmant qu'ils suivaient la droite raison et rien d'autre, ceux qui l'ont beaucoup contredit, soutenant que c'était au nom d'un droit que Descartes avait fondé en raison. Ainsi se dessine ce qui sera l'un des traits les plus constants attachés au cartésianisme : l'idée qu'invoquer Descartes, ce n'est pas en appeler à une autorité mais c'est s'autoriser d'une liberté de raisonner et de contredire dont il a donné l'exemple. Fontenelle conférera à ce thème son air définitif lorsqu'il écrira en 1688 : « C'est lui, à ce qu'il me semble, qui a amené cette nouvelle méthode de raisonner, beaucoup plus estimable que sa philosophie même, dont une bonne partie se trouve fausse ou fort incertaine, selon les propres règles qu'il nous a apprises[12]. » Opération d'immense portée, car elle permettra à toute la postérité de se dire cartésienne sans avoir à adhérer aux contenus d'une philosophie que le temps va falsifier très tôt – au moins pour ce qui est de la physique. Être cartésien, ce ne sera croire ni en l'existence des tourbillons, ni aux idées innées, ni au dualisme ; ce sera révoquer toute autorité intellectuelle, tout magistère, comme fit Descartes à l'égard d'Aristote, et Aristote à l'égard de ses prédécesseurs.

Publications et propagande

Tandis que ces académies diffusent le cartésianisme et l'accréditent auprès du public extrascolaire comme la doctrine la plus avancée, les cartésiens de cette génération publient : pour faire connaître des écrits du grand homme encore ignorés mais aussi pour répondre aux accusations d'irréligion.

De 1657 à 1667, Clerselier donne trois volumes de correspondance ; entre le deuxième et le troisième, il intercale *L'Homme de*

René Descartes et un Traité de la formation du fœtus, avec les remarques de Louis de La Forge (1664). La même année paraît *Le Monde de M. Descartes, ou le Traité de la lumière*, et en 1668, par le père Poisson, le *Traité de la mécanique composé par M. Descartes ; de plus l'Abrégé de musique du même auteur.*

Les trois volumes de correspondance obéissent chacun à des stratégies éditoriales différentes et complémentaires. Le premier, qui comprend, outre les lettres à Thomas More et à Regius, celles adressées à la princesse Élisabeth de Bohême, à Christine de Suède et à Chanut, est destiné à montrer que Descartes s'intéressait non seulement à des questions théoriques, mais à la morale et aux matières qui préoccupent tout le monde ; c'est un message à l'intention des adversaires du philosophe, à ceux qui l'accusent de s'être attaché aux choses vaines dont « la science enfle l'esprit ». Le deuxième s'efforce tout au contraire de faire droit à l'attente d'un public spécialisé, en physique comme en métaphysique : soixante-sept lettres à Mersenne en constituent le morceau de choix. Le message vise cette fois les esprits libres, ceux qui sont capables, après avoir eu des préventions contre la nouvelle philosophie, de renoncer à leurs anciens maîtres et d'embrasser la doctrine de l'incomparable philosophe. « On a même vu, ajoute le préfacier, des académies tout entières prendre la même route. » Ce n'est certes pas en France que Clerselier l'a vu, mais on devine ce qu'il pense : il devrait n'être pas interdit aux universités françaises de suivre l'exemple des nations voisines... Le troisième volume, qui paraît trois ans après la mise à l'Index, est déterminé par les circonstances ; aussi comprend-il les principales pièces du débat : la polémique avec les jésuites et la *Lettre apologétique aux magistrats d'Utrecht* notamment. Quant à la préface, elle est tout entière consacrée à défendre l'image du philosophe et à rappeler que « le plus grand [...] philosophe chrétien qui ait jamais été » a établi, mieux que quiconque, l'existence de Dieu et l'immortalité de l'âme. Tandis que les deux premiers volumes cherchaient encore à se concilier les faveurs du parti adverse, celui-ci, publié sous l'empire d'une juste colère, prend acte de la guerre en cours et s'y engage : il vise, lui, l'opinion publique[13].

Au même dessein apologétique, mais en inscrivant le cartésianisme dans l'héritage augustinien, répond la publication en français, un an après la condamnation romaine, du *Traité de l'homme* avec l'importante préface de Florent Schuyl[14]. Schuyl, qui a été professeur de philosophie à l'illustre école de Bois-le-Duc et qui vient d'être fait docteur en médecine, met en scène l'avènement du cartésianisme sous l'angle de la Providence. Avant Descartes, la vérité était « bannie de son trône », outrageusement déformée par les subtilités vaines et impénétrables des péripatéticiens ; l'esprit humain était en esclavage et personne ne pouvait le restaurer « dans toutes ses franchises ». « Jusqu'à ce qu'enfin, par une faveur toute particulière du Ciel, René Descartes est venu à paraître. » Qu'a-t-il fait ? D'abord, il a remis la philosophie dans sa liberté première, « dans son lustre et dans sa splendeur, ayant commencé à la réformer dès ses premiers fondements ». Comprenons : Descartes a enjambé la scolastique et Aristote pour retrouver l'éclat de la philosophie platonicienne comme avait fait avant lui saint Augustin. Ensuite, ayant fait « rentrer l'Esprit en soi-même », il a « pour ainsi parler restitué l'Esprit à l'Esprit ». D'où sa victoire sur les athées, les preuves invincibles de la spiritualité de l'âme, de l'existence de Dieu et de la dépendance absolue des créatures à l'égard de leur Créateur [15]. Viennent ensuite de longs développements pour montrer la supériorité de la doctrine cartésienne de l'animal-machine sur celle des scolastiques, incapable de mettre la différence qui convient entre l'homme et la bête, et sa parfaite conformité avec la théologie du grand Augustin fondée sur la Révélation.

•

Mais les disciples du grand philosophe ne se contentent pas de publier ses inédits ; eux aussi ont des choses à dire, qu'ils disent dans une série de livres publiés dans ces mêmes années et où l'intention apologétique est très présente également : chacun à sa façon s'efforce de faire rentrer le cartésianisme dans la droite ligne de la philosophie chrétienne. En 1661, Louis de La Forge publie un *Traité de l'esprit de l'homme* dont la préface est destinée à montrer la similitude de la doctrine cartésienne de l'âme avec celle de saint Augustin. En 1666, c'est au tour de Géraud de Cordemoy, avocat au parlement de Paris, de faire paraître une *Dissertation philosophique sur le discernement de l'âme et du corps* à laquelle il joindra en 1670 une « Lettre écrite au R. P. Cossart de la Compagnie de Jésus, pour montrer que tout ce que M. Descartes a écrit du système du monde et de l'âme des bêtes semble être tiré du premier chapitre de la Genèse ». Au point que Descartes, selon Cordemoy, « semble n'être devenu philosophe que par la lecture de ce prophète ». Et

Cordemoy de détailler le récit de la Genèse, jour après jour, en montrant que, si Descartes a écrit pour faire connaître la nature, et Moïse pour faire admirer l'Auteur de la nature, néanmoins les deux systèmes du monde se correspondent exactement. Si le premier est dangereux, le second ne doit pas l'être moins[16].

Enfin, dans cette liste des écrits cartésiens des années 1660 et 1670, on ne saurait omettre ni le *Traité de physique* de Jacques Rohault, qui constituera longtemps l'exposé classique de la physique dans l'esprit de la nouvelle philosophie – supérieur même, diront certaines mauvaises langues, à la doctrine du maître –, ni bien entendu la *Recherche de la vérité* de Malebranche, qui paraît en 1674 et qui ouvre la voie d'une originale philosophie chrétienne en contexte cartésien. Ni enfin la publication en 1662, par Arnauld et Nicole, de *L'Art de penser*, ou *Logique de Port-Royal*, dont le premier Discours annonce d'emblée sa dette à l'égard d'« un célèbre philosophe de ce siècle, qui a autant de netteté d'esprit qu'on trouve de confusion dans les autres », et dont la seconde édition intègre de grands morceaux des *Regulae ad directionem ingenii* de Descartes, communiqués en manuscrit à Arnauld et Nicole par Clerselier.

« Bon catholique » et « bon Français »

Simultanément, ces apôtres du cartésianisme qui s'efforcent d'établir que l'on peut être cartésien et « bon catholique » s'attachent à faire vibrer la corde patriotique de leurs lecteurs en montrant qu'on doit être aussi « bon Français » en philosophie, et qu'il faut préférer l'auteur des *Méditations* à un païen et un Grec comme Aristote. Descartes, en somme, n'aurait-il pas toutes les raisons de convenir aux deux moitiés irréconciliées de la France ?

Après avoir été lancé par Jacques du Roure en 1654, le thème est repris par plusieurs cartésiens du premier cercle : La Forge, Poisson, Clerselier lui-même. Tous disent leur étonnement que la France soit le dernier pays à reconnaître la grandeur de Descartes, comme si une philosophie, pour être française, devait nécessairement ne convenir qu'à des ignorants ou à des femmes savantes. Nul ne s'est montré à cet égard aussi persuasif que Poulain de La Barre. Nous retrouverons ce théologien atypique qui s'est fait l'avocat de l'égalité des hommes et des femmes avant de se convertir au calvinisme et d'émigrer à Genève. L'ouvrage qu'il publie en 1679 met en scène Stasimaque, précepteur, et son élève Eulalie. Stasimaque est chargé de guider Eulalie dans ses lectures et il lui compose un programme où la nouvelle philosophie règne sans partage : Descartes, Cordemoy, Rohault, la *Logique de Port-Royal*, etc. Mais Eulalie n'ignore pas que ces auteurs sont mal vus : que devra-t-elle répliquer lorsqu'on la questionnera sur ses choix ? « Ayant dessein, lui expose Stasimaque, de vous épargner la peine et le temps qu'il faut pour apprendre le latin et le grec, [...] j'ai cru que je devais vous donner une philosophie française. » Car ceux qui suivent Aristote ne peuvent passer ni pour « bons catholiques » ni pour « bons Français ». « Pour ce qui est de la nation, il me semble que l'on devrait plutôt suivre un Français et un catholique comme Descartes ou Gassendi que non pas un païen et un Grec[17]. »

En brossant de Descartes un portrait en « bon Français » *et* « bon catholique », les cartésiens savent ce qu'ils font. Contre les jésuites, toujours suspects d'incarner le parti de l'étranger, ils suggèrent que Descartes répond à l'exigence gallicane qui est au cœur de la politique de Louis XIV et qui a fait l'État français en le mettant à l'abri des pressions romaines ; ainsi peuvent-ils escompter avoir de leur côté les adversaires traditionnels de l'ultramontanisme – les parlements, peut-être l'Université, en tout cas l'opinion. « Bon catholique » aussi : ainsi Descartes satisfait-il aux deux tendances qui définissent la stratégie de la France depuis la fin des guerres de Religion, bien exprimées dans ce propos de 1625 : « Ne laisser perdre la religion ni l'État, et encore moins être espagnol ni huguenot ; mais bons chrétiens, catholiques français, bons patriotes, pour vivre et mourir dans l'Église sous l'obéissance de nos rois[18]. » C'est la première fois, mais non la dernière, que la cause cartésienne revêt une portée explicitement politique.

•

Rien ne montre mieux le désir qu'ont les cartésiens de marquer le double caractère du philosophe, bon Français et bon catholique, que le transfert de ses cendres en 1667, de Stockholm à Paris. Descartes, on s'en souvient, avait été enterré dans la plus grande simplicité. La reine Christine, rappelle Baillet qu'il faut suivre ici, avait souhaité qu'il reposât dans un lieu digne de lui, avec les grands de la cour de Suède. C'est Chanut qui avait tenu au contraire à ce qu'il fût placé au cimetière de l'Hôpital des orphelins, qui était celui des étrangers et de ceux qui n'étaient pas de la religion du pays. Mais, toujours selon Baillet, « les amis du défunt ne pouvaient souffrir qu'avec chagrin que son corps demeurât ainsi dans une terre étrangère, où il ne leur était point libre de chanter les cantiques du Seigneur, et d'offrir leurs vœux au Ciel sur son tombeau[19] ». Un bon Français, un bon catholique, ne peut être enterré qu'en France.

De fait, c'est bien à la fibre nationale de Colbert qu'en appelle en 1666 le marquis de Pomponne, alors ambassadeur de France à Stockholm, lorsqu'il lui écrit le 8 mai : « Quelques gens d'étude et de mérite, qui se font honneur à Paris de porter le nom de disciple d'un si grand maître, ont cru qu'il n'était pas moins de la vénération qu'ils ont pour sa mémoire que de l'intérêt de leur pays, de rendre à la France tout ce qui reste d'un si grand homme, et que lui ayant donné la naissance, il était gloire de faire connaître à la postérité par son tombeau, qu'elle a produit un philosophe dans notre siècle capable d'obscurcir tous ceux des siècles passés[20]. »

Mais c'est surtout l'aspect « bon catholique » qu'il importe, quatre ans après la mise à l'Index, de mettre en avant. Ce souci apologétique se marque déjà au choix que les cartésiens font de l'église de Sainte-Geneviève-du-Mont, « qui est placée au milieu de cette célèbre université, et en est comme le Parnasse où les muses habitent depuis tant de siècles[21] ». C'est le révérendissime abbé Blanchard, général de la congrégation des chanoines réguliers de Sainte-Geneviève, qui dira la messe, tandis que le père Lallemant, chancelier de l'université, sera chargé de l'oraison funèbre. Le faste de la cérémonie, décrit par Baillet avec tout le soin qui convient, est clairement destiné à clamer haut la catholicité de Descartes. Le 24 juin, le cercueil part de l'église Saint-Paul où a lieu la levée de corps, entouré d'une pompe funèbre composée du clergé de la paroisse, d'un grand nombre de « pauvres revêtus de neuf au nom du défunt », portant torches et flambeaux, et d'une suite de carrosses pleins de personnes de qualité, des amis du philosophe et de ses partisans. Paré des habits pontificaux, « la mitre sur la tête et la crosse à la main », accompagné des chanoines tenant chacun un cierge, l'abbé Blanchard accueille le corps à son arrivée à Sainte-Geneviève où l'on chante solennellement les vêpres des morts. Le lendemain, la messe est célébrée « pontificalement » avec la même magnificence que la veille ; puis le cercueil est béni une dernière fois, tandis que les proches de Descartes présentent aux religieux de la paroisse les certificats attestant sa catholicité, « l'intégrité de ses mœurs, et l'innocence exemplaire de sa vie[22] ».

Ces certificats sont une pièce importante dans la lutte que les cartésiens mènent pour établir l'orthodoxie religieuse de Descartes. Ceux de Clerselier, de Chanut, du père Viogué surtout, ne manquent déjà pas de poids ; mais celui de Christine de Suède est certainement le plus spectaculaire du fait de la conversion de la reine au catholicisme en 1654. Car, après avoir dit tout le bien qu'elle pensait d'un si grand professeur, elle ajoutait : « Nous certifions même par ces présentes qu'il a beaucoup contribué à notre glorieuse conversion, et que la Providence s'est servie de lui et de nôtre illustre ami le sieur Chanut pour nous en donner les premières lumières[23]. »

Au récit de Baillet, il ne manquera le rappel ni de l'épisode cocasse – l'arrestation et l'ouverture du cercueil de Descartes à Péronne, par des douaniers trop zélés – ni de l'épisode scandaleux : au moment de la cérémonie, un ordre – « de la cour », dit Baillet – interdit au père Lallemant de prononcer l'oraison funèbre prévue, au motif que cela reviendrait à approuver tacitement la doctrine de ce philosophe condamné par Rome.

L'étiquette janséniste

L'événement est symptomatique du durcissement du pouvoir à l'égard du cartésianisme et surtout du fait que l'autorité politique vient maintenant en renfort de l'autorité religieuse : il s'agit avant tout d'empêcher que l'enseignement ne soit contaminé par le poison cartésien, comme il l'est déjà hors de France.

Au vrai, ni les congrégations religieuses ni les universités n'ont attendu 1667 sinon pour se déclarer hostiles au cartésianisme, du moins pour réaffirmer haut et fort la nécessité d'enseigner Aristote. En 1652, l'oratorien André Martin a dû quitter Marseille « pour ses désobéissances continuelles[24] ». Est-ce en enseignant Descartes que le père Martin désobéissait ? On ne le sait pas exactement, mais on connaît son jugement sur la physique cartésienne : à l'hôtel du duc de Liancourt, sans doute au début des années 1670, il dira : « Ce qu'il y a de bon dans Descartes sont ses principes, qui vont à exclure toutes les qualités, toutes les formes substantielles, hors l'âme de l'homme[25]. » On peut supposer qu'en 1652, à Marseille, il enseignait déjà une physique débarrassée des formes substantielles, qui posait donc la question de la transsubstantiation. En 1654, toujours à l'Oratoire, le père Bourgoing, général de l'ordre, a envoyé à tous les collèges une circulaire interdisant aux professeurs d'enseigner Platon au lieu d'Aristote[26]. En 1661, des thèses favorables au cartésianisme ont été proscrites au Mans[27]. Et en 1664 et 1666, l'université de Paris a rappelé l'obligation de fonder les cours de physique sur la philosophie aristotélicienne[28].

Dans ces années, ce sont d'ailleurs bien souvent les publications des cartésiens qui mettent le feu aux poudres. En 1670, le père Poisson, oratorien, déclenche l'alarme de son ordre avec son projet de publier un commentaire du *Discours de la méthode* ; le 18 juillet, il est sommé d'apporter à Paris tous les exemplaires du livre[29]. L'année suivante paraissent coup sur coup les *Entretiens sur la philosophie* de Rohault et surtout les *Considérations sur l'état présent de la controverse touchant le très saint sacrement de l'autel*, publiées anonymement mais que tout le monde sait être du bénédictin Desgabets.

Rohault est sans nul doute impeccablement cartésien quand il plaide, à propos de la question eucharistique, pour la séparation de la raison et de la foi. Mais il manque singulièrement d'adresse. Car c'est précisément ce à quoi les théologiens ne pourront consentir de sitôt. Tout le danger de cette philosophie, à leurs yeux, réside dans le fait de croire qu'il serait possible de soutenir en philosophe, impunément, des thèses contraires aux dogmes de la religion. La porte serait alors grande ouverte à l'hérésie, dont la menace pèse si lourd en ces années. Même un Bossuet, pourtant acquis pour l'essentiel au cartésianisme, ne pourra s'empêcher d'évoquer le danger, pour l'Église de demain, d'une vérité découplée de la tradition et des dogmes « de nos pères[30] ».

Mais c'est surtout le petit livre de dom Desgabets qui déclenche la guerre. Singulier personnage que le bénédictin Robert Desgabets, longtemps prieur de l'abbaye de Breuil près de Commercy. Il n'est pas moins à son aise dans les discussions métaphysiques avec le cardinal de Retz que dans des expérimentations pour le moins audacieuses sur la transfusion sanguine. Rien d'étonnant en un sens s'il s'estime capable aussi de fournir l'explication manquante du mystère de la transsubstantiation. Pourtant, il ne peut ignorer que le terrain est miné puisque sa brochure a été communiquée avant publication à Arnauld et Nicole, qui ont jugé la doctrine contraire à la tradition. Desgabets est-il passé outre, ou l'ouvrage a-t-il été publié en dépit de lui ? Le bénédictin n'épargne en effet ni la tradition ni la scolastique, tant il est convaincu qu'on est en mesure enfin, par la réunion de la nouvelle philosophie et des mathématiques, de donner du mystère de l'eucharistie une explication cherchée en vain pendant des siècles. La doctrine des aristotéliciens ? On « ne la regarde plus dans le monde que comme une antiquaille hors d'usage ou comme un poison dangereux qui a corrompu un grand nombre d'esprits en les précipitant dans le libertinage[31] ». Propos peu faits, on en conviendra, pour s'attirer la bienveillance de ceux qui enseignent encore ces « antiquailles ».

Aussi apprend-on sans surprise que la brochure est remise entre les mains du roi par son confesseur jésuite, le père Ferrier, avec ces mots : c'est « un livre hérétique et très pernicieux ». De là, le livre passe à l'archevêque de Paris, avec ordre de le faire censurer. Deux mesures en découlent immédiatement. Au procureur général des bénédictins, Mgr de Harlay écrit pour demander de sévir contre Desgabets, lequel doit s'expliquer devant ses supérieurs. D'autre part et surtout, le 4 août 1671, tombe l'« ordre verbal du roi, déclaré par Monseigneur l'archevêque de Paris, Messire François de Harlay, à Messieurs les députés de l'Université de Paris ». Le texte ne mentionne pas Descartes mais, faisant état d'« opinion qui pourrait porter quelque confusion dans l'explication de nos mystères », il est assez clair ; et il suffit qu'il rappelle l'obligation de n'enseigner aucune autre doctrine que celle inscrite dans les statuts de l'Université[32] – autrement dit celle d'Aristote – pour qu'il vaille contre Descartes.

Les choses se précipitent alors. Le roi demande à l'archevêque de faire pression auprès du Parlement pour obtenir de lui un arrêt général proscrivant l'enseignement du cartésianisme. Mis au courant par le président Lamoignon que le Parlement s'apprête à renouveler l'arrêt de 1624[33], et pour éviter la chose, Boileau et Bernier – celui-ci, de retour d'Inde, vient de publier un livre à succès, *Histoire de la révolution du Grand Mogol* – décident de jouer la carte de la dérision et font paraître, le 12 août 1671, l'*Arrêt burlesque donné en la grand-chambre du Parnasse en faveur des Maîtres ès arts, médecins et professeurs de l'Université de Stagyre au pays des chimères pour le maintien de la doctrine d'Aristote*. Notant que, « depuis quelques années, une inconnue nommée la Raison, aurait entrepris d'entrer par force dans les écoles de la dite Université », « se serait mise en état d'en expulser le dit Aristote, ancien et paisible possesseur des dites écoles », « aurait changé et innové plusieurs choses en et au-dedans de la nature », l'*Arrêt burlesque* « maintient et garde ledit Aristote en la pleine et paisible possession et jouissance des dites écoles », « enjoint au cœur de continuer d'être le principe des nerfs », « ordonne pareillement au chyle d'aller doit au foie, sans plus passer par le cœur », « fait défense au sang d'être plus vagabond, errer ni circuler dans le corps », « remet les entités, identités, virtualités, eccéités » « en leur bonne forme et renommée », fait défense à la Raison d'entrer dans les écoles « à peine d'être déclarée janséniste et amie des nouveautés[34] ».

En même temps, celui qui est maintenant le Grand Arnauld fait circuler un texte intitulé *Plusieurs raisons pour empêcher la censure ou la condamnation de la philosophie de Descartes*. Sur le fond, il trouve dangereux d'attacher le mystère de l'eucharistie à une philosophie déterminée : c'est le rendre fragile et donner aux protestants l'occasion de dire partout que, si d'éminents philosophes comme sont les cartésiens sont incapables de fonder en raison le dogme de la présence réelle, c'est que ce dogme est absurde[35]. Sur la forme, il n'est pas moins net. D'abord, il est convaincu qu'aucun arrêt d'aucun parlement ne contraindra ceux qui ne le veulent pas à embrasser l'aristotélisme. Et puis cette affaire lui en rappelle une autre, où il a joué un rôle de premier plan : celle des cinq propositions tirées de l'*Augustinus*, une quinzaine d'années auparavant. Il sait mieux que quiconque que de semblables condamnations ouvrent d'interminables polémiques.

Du reste, Arnauld sait parfaitement que ceux qui réclament à corps et à cris l'arrêt proscrivant le cartésianisme ont en tête un dessein plus politique : « renouveler les brouilleries » entre le pape et le roi, et faire voler en éclats la paix qu'ils viennent de conclure[36]. Preuve supplémentaire, s'il en était besoin, que le sort du cartésianisme est lié à celui du jansénisme. Car la paix à laquelle songe ici Arnauld est la « paix de l'Église », ou paix clémentine, que Louis XIV a en effet conclue avec Innocent IX deux ans auparavant pour mettre fin à la guerre avec les jansénistes. Donner satisfaction aux jésuites en leur concédant la mesure anticartésienne qu'ils demandent, c'est, suggère Arnauld, s'exposer à les voir revenir à la charge contre un accord qu'ils n'ont pas du tout apprécié. On sait en effet que les « criailleries » – c'est le mot de Lionne, secrétaire d'État des Affaires étrangères – du père Annat avaient redoublé à l'annonce de la paix clémentine ; on sait aussi que ce dernier avait écrit à Rome et que le cardinal Albizzi avait fait pression auprès du pape, mais en vain[37]. On sait enfin que le père Fabri avait rédigé à ce sujet une lettre qui fut brûlée par ordre du parlement de Paris, le 26 mars 1669, et que le père Rapin, désireux lui aussi de voir les négociations de paix échouer, avait fait dans ce but le voyage à Rome et venait de publier tout un livre pour montrer que la nouvelle philosophie est préjudiciable aux bonnes mœurs et à la religion.

En dépit des efforts des jésuites, l'*Arrêt burlesque* de Boileau et l'écrit d'Arnauld calment provisoirement les esprits : le Parlement ne rend pas l'arrêt attendu. Mais tout de même : le 1er septembre, le doyen Morel obtient de la faculté de théologie de l'université de Paris l'interdiction d'enseigner les opinions nouvelles de Descartes[38]. À la fin de décembre, Clerselier est convoqué par l'archevêque de Paris pour rendre compte du livre de Desgabets qui fait parler de lui en Sorbonne et à la cour ; il y retourne le 1er janvier 1672 avec un extrait d'un interrogatoire de Desgabets et une lettre de lui. Les propos que Mgr de Harlay tient à l'éditeur de Descartes sont d'un grand intérêt parce qu'ils confirment les vues d'Arnauld quant à l'arrière-plan de l'affaire. L'archevêque distingue en effet deux aspects. « Dans le particulier », il se dit intéressé par ce que Clerselier ou Desgabets peuvent écrire concernant le problème de la transsubstantiation. En revanche, interdiction leur est faite de publier tout ce qui pourrait donner lieu à des contestations de la part des théologiens. Et voici la raison de cette alarme – elle est d'État : « Le roi, ayant apaisé les derniers troubles qui s'étaient mis entre les théologiens sur des questions difficiles et épineuses, et ayant par ce moyen mis la paix et la tranquillité dans son État », désire la conserver. Or la philosophie cartésienne semble « alarmer les savants et jeter les semences d'une division qui pourrait à la fin s'allumer s'il n'y était pourvu de bonne heure ». La conséquence se tire d'elle-même : les cartésiens doivent demeurer cois pour éviter que « ceux du parti contraire » ne redéclenchent les hostilités[39]. L'archevêque de Paris et le théologien janséniste sont, une fois n'est pas coutume, du même côté : ils s'accordent à penser que les autorités ont tout intérêt à ne pas alimenter la fureur des jésuites, et les cartésiens à ne provoquer personne.

Mais ni Arnauld ni Harlay ne peuvent empêcher les choses d'aller leur cours. La polémique rebondit en 1674, cette fois à Angers et à Saumur, plus exactement dans les collèges oratoriens de ces deux villes où un enseignement cartésien a continué d'être dispensé ; ajoutons qu'à Saumur, une académie protestante forme aussi les étudiants à la nouvelle philosophie sous l'impulsion de Jean Robert Chouet[40]. Au collège d'Anjou (Angers), dès avant l'ordre verbal du 4 août 1671, le 31 mai de cette même année, le père Senault a adressé une lettre demandant de n'enseigner aucune doctrine nouvelle ou suspecte[41]. Le nom de Descartes n'était pas prononcé, mais il l'était dans la réponse des régents du collège réclamant pour eux ce qui, justement, fait problème : la liberté d'enseigner « une doctrine complètement vraie, évidente, naturelle, qui ne s'appuie pas sur des raisons trompeuses mais bien sur l'expérience et les arguments les plus palpables et les plus vrais[42] ». Sans concession à l'égard ni de la Sorbonne, ni d'Aristote, ni même de l'archevêque de Paris, accusé d'incohérence, cette lettre, qui vaudra à son auteur d'être exclu de l'Oratoire la même année, invoquait pour la première fois Descartes pour appuyer une tentative de résistance à l'autorité.

À Saumur, au Collège royal des catholiques qui est l'un des deux établissements tenus par les oratoriens, Bernard Lamy a soutenu des thèses cartésiennes qui lui ont valu, en 1673, un blâme ; on l'a muté au collège d'Anjou, où il va durant les années 1674-1675 défendre envers et contre tout des vues ouvertement cartésiennes, notamment sur la question si sensible de la substance étendue et des formes substantielles[43].

Que Lamy se trouve bientôt « en butte aux péripatéticiens », comme l'écrit à Malebranche un correspondant anonyme, que l'on cherche même à le faire passer pour hérétique[44], lui et l'évêque d'Angers qui le soutient – on notera qu'il s'agit d'Henri Arnauld, frère du Grand Arnauld, et que c'est l'un des évêques ayant refusé de signer le formulaire antijanséniste –, il n'y a rien là de vraiment étonnant. D'autant que les jésuites n'ont aucune raison de laisser passer ce cadeau qu'on leur fait : ils sont les concurrents directs des oratoriens dans cette région où, avant l'implantation de leurs rivaux, leur collège de La Flèche passait pour le *nec plus ultra* en matière de formation intellectuelle. Aujourd'hui, leurs étudiants sont réduits à un petit nombre, écrit Quesnel qui ajoute : « Voilà la source générale des cabales que les jésuites y ont formées de tout temps contre l'Oratoire, et la raison particulière qui leur a fait choisir la ville d'Angers pour en faire le théâtre d'une sanglante persécution[45]. »

« Sanglante » est de trop, mais « persécution » est cette fois assez juste. Pour l'organiser, deux hommes vont travailler ensemble :

l'abbé de La Barre, chancelier de l'Université, et Claude Voisin, recteur de l'université d'Angers.

Ce dernier, à la fin de 1674, écrit au roi pour lui signaler qu'on enfreint ses ordres en enseignant au collège d'Angers des opinions cartésiennes qui mettent en danger la vraie religion et conduisent à l'athéisme. Et Voisin conclut en demandant d'arrêter par tous les moyens la propagation de ces nouveautés. Avec Descartes, dit de son côté l'abbé de La Barre, les enfants pensent dès le ventre de leur mère, et, devenus grands, ils ont moins besoin de professeurs que de « moniteurs qui rappellent dans leur esprit les anciennes idées de toutes choses[46] ». Autrement dit, Descartes ruine le métier.

Mais dans les thèses défendues par Lamy et transmises au secrétaire d'État par Voisin figure aussi une opinion jugée « injurieuse aux souverains et aux monarques et tendant au renversement de l'état politique et civil ». Lamy, dit-on, « préfère l'état démocratique à la monarchie ». Bien entendu, Lamy n'affirmait rien de tel ; mais il considérait que la soumission à une monarchie héréditaire, avec ce qu'elle présente d'injustifiable rationnellement, ne se comprend que par l'état de corruption de l'humanité. Propos, jugeront ses censeurs le 19 octobre 1675, « plus propres à exciter dans le cœur des sujets des sentiments de révolte et d'aversion pour la personne sacrée des rois, pour les gouverneurs et magistrats, qu'à inspirer la vénération et le respect qui leur sont dus[47] ».

De la part des opposants à Lamy, s'agissait-il seulement d'ajouter une dimension politique à cette affaire pour la rendre plus suspecte[48] ? Sans doute aussi. Mais l'équivalence cartésianisme/démocratie jouera un rôle suffisamment important dans la fabrication du mythe cartésien, après la Révolution, pour que l'on ne salue pas sa première occurrence, bien avant 1789.

La dénonciation de Lamy au roi, par le recteur Voisin, déclenche aussitôt la sanction : le 30 janvier 1675, le roi répond au recteur et lui ordonne expressément de faire en sorte que l'on cesse d'enseigner les opinions de Descartes, et ce dans l'intérêt de la chose publique. Les professeurs du collège d'Anjou ne cèdent pas facilement : le père Coquery en appelle même au parlement de Paris qui, à la fin de juin, accueille favorablement sa requête. Mais le 2 août, le roi casse le jugement du Parlement et promulgue l'arrêt qui demeurait en suspens depuis 1671 : Sa Majesté « ordonne d'abondant d'empêcher qu'il ne soit enseigné et soutenu aucune opinion fondée sur les principes de Descartes et fait très expresse défense audit parlement de Paris de passer outre sur ledit appel, à peine de nullité et cassation des procédures[49] ». La cause est entendue et Lamy, après avoir frôlé l'embastillement, est exilé à Saint-Miséré, près de Grenoble, par un arrêt du Conseil d'État du 4 décembre.

Entre-temps, le 11 juin, les bénédictins de Saint-Maur ont pris les devants et décrété que les professeurs de théologie et de philosophie devront s'abstenir d'enseigner la nouvelle opinion relative à l'essence des corps et tout ce qui pourrait avoir rapport avec les dogmes de la foi. Deux ans plus tard, le 3 mai 1677, c'est au tour de la faculté de théologie de Caen de déclarer les *Principes de la philosophie* hors la loi, tandis que le successeur de Lamy au collège d'Anjou, le père Pellaut, accusé lui aussi de jansénisme et de cartésianisme, est exilé à Brives. L'année suivante, ce sont les chanoines de Sainte-Geneviève qui emboîtent le pas, associant dans une même condamnation jansénistes et cartésiens. Puis, le 23 septembre 1678, la XVIe Assemblée générale de l'Oratoire bannit Jansénius et Baïus en théologie, et Descartes en philosophie[50]. Interdiction est faite, bien entendu, d'enseigner sa physique mais aussi, et d'abord, de « parler de l'état de nature pure, ni de la politique, ni des lois des princes, ni de la monarchie, ni d'aucune chose qui regarde l'État ». Manifestement, les oratoriens ont gardé en mémoire les propositions scandaleuses de Lamy sur la démocratie et tiennent à se garder de ce côté-là aussi.

L'abbé de La Barre pourra avec raison se réjouir de cette double victoire et du rôle qu'y a joué l'université d'Angers, qui a su affronter comme il convenait « les deux plus grands ennemis qu'ait à présent l'Église, les jansénistes et les cartistes ». Ils sont maintenant défaits, les uns comme les autres[51].

L'inculpation de calvinisme

À partir des années 1680, l'accusation de jansénisme adressée à la philosophie de Descartes cède devant celle de calvinisme. C'est que l'heure est maintenant à l'éradication des protestants auxquels, par conséquent, il convient prioritairement d'assimiler les cartésiens. Dans le fond, l'objectif demeure inchangé ; seul le moyen varie.

En 1680, le jésuite Le Valois publie (sous le pseudonyme de La Ville) le livre clé dans l'histoire de la persécution du cartésianisme[52], livre dont il faut donner le titre complet car il résume la thèse :

Sentiments de M. Descartes touchant l'essence et les propriétés du corps, opposés à la doctrine de l'Église et conformes aux erreurs de Calvin sur le sujet de l'eucharistie. Décisif en effet, ne serait-ce que par la salve de répliques qu'il suscite de la part des cartésiens, mais surtout parce qu'il formule avec la plus grande netteté l'accusation majeure contre Descartes. L'Épître dédicatoire aux archevêques et évêques de France commence ainsi : « Je cite devant vous M. Descartes et ses plus fameux sectateurs : je les accuse d'être d'accord avec Calvin et les calvinistes, sur des principes de philosophie contraires à la doctrine de l'Église. » Le Valois sait qu'il a pour lui, à cette date, le roi décidé à en finir sous peu avec les protestants, l'archevêque de Paris qui a à cœur de faire durer une paix de l'Église déjà chancelante, et enfin Rome qui a condamné Descartes en 1663. Aussi peut-il dire aux évêques et aux archevêques : « Vous ne hasardez rien à vous servir de votre autorité. Le Saint-Siège approuvera en ce point tout ce que vous ferez ; et j'ose dire que le roi a déjà assez fait connaître, non seulement ce qu'il attend de vous, mais encore ce que vous pouvez attendre de lui[53]. »

Le père Le Valois ne tarde pas à faire école : après lui, beaucoup d'autres vont répétant que les cartésiens sont des crypto-calvinistes et que leur doctrine erronée de la raison et de son rapport à la foi conduit la chrétienté aux pires désastres. Ainsi par exemple le père La Grange, le père Rochon ou même Du Vaucel, pourtant bien proche d'Arnauld ; tous déploient une argumentation dont on verra les catholiques intransigeants du XIXe siècle user à leur tour : la raison humaine a été rendue incertaine par le péché originel et c'est folie de s'y fier. Bien mieux vaut faire confiance à la tradition : elle a pour elle la très longue durée. D'ailleurs, comment ne pas penser que, des choses naturelles auxquelles elle est aujourd'hui limitée, l'arrogante raison cartésienne sera bientôt étendue aux choses de la foi ? Même Bossuet, comme on sait, partage ces craintes et souhaite qu'entre cartésiens et catholiques il y ait dès maintenant une entente[54].

Mais à cette date, qui pratique la conciliation ? Les anathèmes lancés par le père Charles-Joseph en 1682 sont bien plus révélateurs du climat ambiant que les positions nuancées d'un Bossuet. Dès la première page de *La Philosophie de M. Descartes contraire à la foi catholique*, Charles-Joseph pose le principe général qui doit limiter les prétentions de la raison : pour que la philosophie ne soit pas blâmable, il faut qu'elle ait « assez de discrétion » et qu'elle se règle sur la foi et sur les vérités révélées par Dieu à son Église. Autrement, elle est pernicieuse et « débauche les cœurs des fidèles ». C'est bien le cas de la philosophie de Descartes, qui rend « les plus saints mystères ou incroyables ou ridicules ». D'où sa parenté profonde avec le calvinisme : les cartésiens sont d'ailleurs « condamnables comme cet hérésiarque s'ils veulent demeurer opiniâtres en leur opinion ». Et le père Charles-Joseph d'exhorter « messieurs les cartésiens de quitter ce mauvais maître et de suivre plutôt Jésus-Christ ». Le remède pour cela est simple, et nous aurons souvent l'occasion de l'entendre vanter à nouveau : les cartésiens doivent humilier leur orgueilleuse raison « au joug de Jésus-Christ et de la foi », considérer « qu'ils sont philosophes chrétiens » et non pas « philosophes païens ». « C'est donc à vous de choisir », leur dit-il pour finir : ou bien vous soumettre entièrement à l'Église, ou bien vous rebeller contre elle, sachant qu'il n'y a pas de position intermédiaire et que l'Église regarde ceux qui s'éloignent d'elle « comme des enfants bâtards et illégitimes, et comme des hérétiques ». Et le père d'ajouter : « Voyez ce que vous voudriez avoir fait quand vous serez à l'article de la mort, [...] et que vous n'aurez plus les yeux ouverts qu'à votre salut[55]. »

Les relations des catholiques et de Descartes, qui constituent une pièce essentielle de l'histoire du cartésianisme en France, ont commencé leur cours chaotique, contrasté, bien souvent violent.

Chapitre III

LE SIÈCLE DE DESCARTES

Les relations conflictuelles du cartésianisme avec les autorités politiques et religieuses dans la seconde moitié du XVIIe siècle ne constituent pourtant que l'une des modalités de sa présence dans la culture française durant ce qu'il est convenu d'appeler « le siècle de Louis XIV ». À bien des égards, le siècle de Louis XIV est aussi celui de Descartes et, du reste, c'est ainsi que beaucoup le baptisent. Contradictoires, ces deux faces du même processus ? Moins qu'il n'y paraît. Le même pouvoir monarchique qui censure la doctrine cartésienne, dont il craint qu'elle ne fabrique un État dans l'État, ne peut que voir d'un bon œil le fait qu'elle participe à l'édification et à la gloire d'un règne salué par tous les Modernes. Car – et c'est là l'énigme qu'il faut ici tâcher de résoudre – cette philosophie qui n'invente pourtant ni la liberté de philosopher, ni le rejet de la scolastique, ni même la nouvelle manière de construire la science va, en quelques décennies, incarner à elle seule ces trois composantes des temps nouveaux et supplanter largement toutes les autres doctrines.

Descartes règne

Lorsque l'évêque d'Avranches écrit, aux alentours de 1700 : « Je voyais avec stupeur le triomphe de la philosophie, ou plutôt, de la corruption cartésienne[1] », il exprime une opinion que ne partagent pas seulement les adversaires du philosophe : ses partisans, à ceci près qu'ils ne voient aucun signe de « corruption » dans la diffusion généralisée du cartésianisme, sont les premiers convaincus du triomphe de la doctrine pour laquelle ils œuvrent.

On ne s'en étonnera pas. Comment auraient-ils la victoire modeste, eux qui ont connu les traverses de la persécution ? Entre autres témoignages, recueillons celui de la nièce du philosophe, Catherine Descartes, qui adresse en 1693 à Mlle de La Vigne – Mlle de La Vigne fait partie des cartésiennes militantes – un poème où règne l'optimisme. La domination d'Aristote, fait-elle valoir, n'est pas encore achevée mais elle appartient d'ores et déjà au passé. C'est Descartes qui est censé parler :

> Bientôt tous les savants me vont avoir pour maître ;
> Tout suivra votre exemple, et par vous quelque jour
> J'aurai de mon côté la Sorbonne et la Cour.
> Ces grandes vérités qui parurent nouvelles
> Paraîtront désormais claires, solides, belles[2].

Mais les partisans de Descartes peuvent être exagérément favorables à son endroit ; leur avis doit être suspecté. Aussi vaut-il mieux se tourner vers les adversaires du philosophe.

Voici le père Daniel, auteur d'une fable intitulée *Voyage du monde de M. Descartes*, dans laquelle un voyageur imaginaire est chargé par Descartes de circuler dans le vaste monde et de lui faire un rapport sur la place faite à sa philosophie. L'intention de l'ouvrage est satirique et son auteur n'a aucune raison de faire du cartésianisme un portrait flatteur. Pourtant, son avis est très semblable au précédent : « Vous avez eu, confie le voyageur à Descartes, le bonheur d'effacer en quelque façon tout ce qui a paru de nouveaux philosophes en même temps que vous et depuis vous. » Ainsi, de même qu'en Espagne on appelle *luthériens* tous les hérétiques, en France on appelle *cartésiens* tous ceux qui, depuis Descartes, « se sont mêlés de raffiner en matière de physique ». Et encore : « On n'imprime quasi plus de cours de philosophie selon la méthode de l'école, et presque tous les ouvrages de cette espèce qui paraissent en France sont des traités de physique qui supposent les principes de la nouvelle philosophie[3]. » La « nouvelle philosophie » : c'est bien là le point essentiel. Car il ne fait nul doute pour le père Daniel que le cartésianisme la résume à lui seul. La philosophie de Descartes n'a pas été seulement une doctrine nouvelle parmi d'autres ; elle est celle qui a incarné la nouveauté comme telle[4]. Dans le livre hostile du père La Grange, *Les Principes de la nouvelle philosophie, contre les nouveaux philosophes*, qui représente ces « nouveaux philosophes » ? Descartes, Rohault, Régis, Gassendi, le père Maignan. Quatre cartésiens sur cinq.

L'historien ne peut que donner raison au père Daniel et au père La Grange : autour de 1690, la physique et la médecine élaborées selon les principes de la nouvelle philosophie triomphent en France sous la forme d'une adhésion très générale au mécanisme, c'est-à-dire au cartésianisme. Le mécanisme, lit-on dans le *Journal des savants* de 1693, est une « maxime constante parmi les philosophes modernes[5] ». Sans nul doute ; mais cette maxime, c'est à Descartes qu'on l'impute bien plus qu'à quiconque et, par exemple, qu'à Gassendi. C'est un fait que confirme notamment l'enseignement dans les collèges : si les cours de physique, à partir des années 1690, sont gagnés eux aussi au mécanisme, c'est à celui de Descartes et non pas à celui de Gassendi[6].

On connaît la remarque de la Marquise de G. à laquelle Fontenelle, dans les *Entretiens sur la pluralité des mondes habités*, expliquait la nouvelle manière de philosopher, par figure et mouvement : « La philosophie est devenue bien mécanique. » Et ce grâce à qui, demandait-elle, pour répondre aussitôt : « À Descartes et quelques autres modernes[7]. » Les auteurs modernes auxquels songe Fontenelle ne font qu'escorter celui que son génie a rendu capable de quitter les Anciens pour ne suivre que la raison, heureuse audace qui lui a valu beaucoup de mécomptes[8]. Pourtant, Gassendi avait lui aussi quitté les Anciens ; il avait même écrit tout un livre contre eux, dénoncé le principe d'autorité qui prévalait chez eux sur le souci de la vérité, stigmatisé leur verbiage, la barbarie de leur langage et célébré la *libertas philosophandi.* Comme disait Huygens, Gassendi a « reconnu et découvert les inepties des aristotéliciens ». Mais c'était pour ajouter qu'il n'avait « pas assez d'invention et de mathématique pour en faire un système entier ». Au contraire, Descartes, à l'égard de qui Huygens est fort critique par ailleurs, ne s'est pas borné à dégoûter de l'ancienne philosophie, mais il a remplacé son verbalisme par l'exploration des vraies causes des phénomènes naturels[9].

De cette capacité qu'a eue la philosophie cartésienne de tirer à elle tout ce que le siècle a inventé de neuf, en particulier dans les sciences de la nature, on peut prendre divers exemples, comme celui de Nicolas Liénard, médecin de la faculté de Paris dont il sera fait doyen en 1680. Liénard est partisan de Guillaume Lamy, gassendiste notoire qui fait appel dans l'explication des phénomènes psycho-physiologiques, contrairement à Descartes, à la traditionnelle âme sensitive. Liénard se dit lui-même « novateur ». Et, de fait, il publie en 1659 une *Dissertation sur la cause de la purgation* où il fustige ses confrères qui dressent des autels aux auteurs anciens, oubliant que le seul culte auquel ils devraient sacrifier est celui de la vérité. En bon moderne, il s'en prend aux humeurs peccantes, aux sympathies et aux facultés occultes. De ses adversaires, il affirme orgueilleusement qu'il a sur eux l'avantage de la curiosité d'esprit et le souci de pousser plus loin l'explication que ne l'ont fait Aristote, Hippocrate et Galien ; voici quelqu'un qui a « suivi pas à pas les modernes ». Qui sont ces modernes auxquels pense le gassendiste Liénard ? Descartes et un cartésien, Rohault[10] !

De même Claude Perrault qui, pour être moins célèbre que son frère Charles, n'en est pas moins un personnage remarquable dont les compétences variées – en physique, en physiologie, en architecture, en histoire naturelle – sont celles d'un *virtuoso* bien de son temps. Ni sa physique – qui doit beaucoup à Gassendi – ni sa psychologie – qui se fonde sur la thèse d'une âme étendue qui évoque les physiologistes Stahl et Willis plutôt que Descartes – ne sont d'une parfaite orthodoxie cartésienne. Aussi Perrault se croit-il tenu d'avertir ses lecteurs que sa doctrine ne sera « pas tout à fait conforme à la philosophie d'aujourd'hui », par quoi il entend celle qui explique tous les mouvements des corps animés par la structure des parties et la quantité de mouvement : autrement dit celle de Descartes[11]. Et lorsque le médecin Pierre Petit écrit en 1660 un ouvrage contre Descartes, son premier mot est pour dire le risque qu'il encourt en attaquant une doctrine dont la renommée est aujourd'hui installée partout, dont les thèses sont tenues pour des dogmes et les écrits pour des monuments sacrés[12]. « On s'accoutume peu à peu à tout », lit-on dans les *Nouvelles de la République des lettres* en février 1685, « il a été un temps qu'un médecin qui passait pour cartésien faisait peur à un malade, et à toute la parenté, parce qu'on s'imaginait qu'avec sa matière subtile, ses parties cannelées, ses globules et ses tourbillons, [...] il hasarderait beaucoup afin d'éprouver ses nouveautés. Présentement, on s'effarouche beaucoup moins de toutes ces choses[13] ».

C'est d'ailleurs ce que dit aussi Fontenelle – mais il est vrai que Fontenelle est un admirateur inconditionnel de Descartes – dans ce texte officiel s'il en est que constitue la *Préface sur l'utilité des mathématiques*, publié en tête du premier volume de l'*Histoire de l'Académie royale des sciences* (1702) dont il est depuis peu, mais pour quarante ans, le secrétaire perpétuel. Même si Descartes n'est pas nommé, c'est à lui qu'est consacré tout un paragraphe sur l'esprit géométrique dont il faut citer quelques lignes tant elles sont prophétiques à l'égard du siècle qui s'ouvre : « L'ordre, la netteté, la précision, l'exactitude qui règnent dans les bons livres depuis un certain temps, pourraient bien avoir leur première source dans cet esprit géométrique qui se répand plus que jamais et qui en quelque façon se communique de proche en proche à ceux mêmes qui ne connaissent pas la géométrie. » L'esprit géométrique – qui deviendra bientôt l'esprit cartésien – est donc cette inestimable conquête susceptible d'être appliquée à des domaines éloignés de son champ d'origine : la morale, la politique, la critique, l'éloquence même.

Ainsi, le XVIIe siècle, vu du XVIIIe naissant par Fontenelle, est devenu le siècle de Descartes[14].

Cette association de Descartes et de « son » siècle, le premier illustrant le second et le second prêtant au premier sa grandeur, est faite très tôt et au premier chef par les cartésiens eux-mêmes. Déjà Clerselier concluait en 1667 sa préface au tome III des *Lettres* en décernant au philosophe français l'éloge d'avoir été « le plus grand géomètre et philosophe chrétien qui ait jamais été[15] » ; et Malebranche, en 1674, n'hésitait pas à écrire que Descartes a découvert en trente ans plus de vérités que tous les autres philosophes depuis deux mille ans ; d'ailleurs, si plusieurs philosophaient comme lui, on saurait « avec le temps » la plupart des choses qui sont nécessaires pour vivre aussi heureux que possible dans un monde que Dieu a maudit[16]. On soulignera l'expression « avec le temps » : Descartes, pour ses partisans, marque le commencement d'une ère où le savoir devient cumulable, où les connaissances se rectifient les unes les autres parce qu'elles sont enfin exactes.

C'est cependant à dom Desgabets qu'on doit, dans ce domaine, les accents les plus enflammés. Parmi d'innombrables exemples, je n'en retiendrai qu'un parce qu'il figure dans une lettre adressée par lui à Bossuet et qu'il conjugue deux registres : celui de l'exaltation nationale et celui de la ferveur providentialiste. Le 5 septembre 1671, un mois après la condamnation par l'archevêque de Paris de sa brochure sur la transsubstantiation, Desgabets soutient à l'évêque de Meaux que la découverte par Descartes des véritables principes de la nature n'est rien moins que « le plus grand événement [...] dans le monde après la publication de l'Évangile » ; événement auquel la France est directement intéressée : « Votre grandeur ne peut souffrir que la France se déclare contre sa propre gloire ; au contraire, il semble que la Providence lui ayant donné précisément en même temps la personne du roi et les découvertes inestimables d'un de ses sujets, cela oblige à mettre au nombre de tant de merveilles d'un règne incomparable la première ouverture qui s'est faite du second œil de l'âme, qui est celui de la raison naturelle [17]. »

En associant ainsi la gloire de la France, la personne du roi et celle de Descartes, Desgabets parle le langage des Modernes contre celui des Anciens. Et sans doute tient-on là un des éléments de réponse au problème que formulait l'évêque d'Avranches : comment comprendre le triomphe de ce qu'il appelait la « corruption cartésienne » ? Comment comprendre le rapide et incontestable succès d'une philosophie qui partageait avec celles de son temps plusieurs des traits par lesquels nous croyons à tort qu'elle se singularise ? C'est que le cartésianisme a été, et lui seul, capable de *confluer* [18] avec quelques-uns des courants les plus forts du siècle, qu'il a servi d'appui à quelques-unes des causes les plus riches d'avenir et pris ainsi une place éminente dans l'élaboration de cette instance qu'on appellera bientôt l'*opinion publique.* Instance critique de légitimation, indépendante de l'État et de la cour mais exerçant un magistère plus puissant que les puissants puisqu'elle sera même capable de les détrôner parfois [19]. Assurément, ce n'est pas Descartes lui-même qui a opéré, même s'il a fourni les philosophèmes pour le faire, cette annexion de sa doctrine à des enjeux en principe extérieurs à elle ; ce sont les cartésiens, de plus ou moins stricte observance d'ailleurs, qui l'ont fait à sa place et qui ont permis, à terme, l'installation du cartésianisme là où il est dans notre culture. À quoi il faut ajouter le remarquable coup de pouce fourni à la cause cartésienne par ses détracteurs, les jésuites, et par ses censeurs romains et français : grâce à leurs condamnations, le cartésianisme s'est trouvé en position d'incarner éminemment la modernité contre le conservatisme du pouvoir monarchique et de l'institution religieuse. Quand les hommes des Lumières, antidespotiques autant qu'anticléricaux, feront de Descartes le fondateur d'une lignée où ils s'inscriront eux-mêmes, ce sera en partie pour cette raison.

Comment s'est opérée la *confluence* du cartésianisme et de la cause des Modernes, c'est ce qu'il faut montrer maintenant.

La caution des Modernes

Dom Desgabets, que je citais il y a un instant, n'est pas le seul à voir dans l'avènement cartésien un signe de la providence et à en attendre la déroute des athées et des libertins : en cela, il partage l'opinion de plusieurs catholiques, comme Arnauld par exemple, mais aussi de certains réformés comme le théologien Isaac d'Huisseau, ou encore Bayle, qui voient dans le cartésianisme l'occasion inespérée de refaire l'unité de la chrétienté sous le signe de la raison[20]. Comment tous les chrétiens ne se réuniraient-ils pas sous une même profession de foi, dès lors qu'auront été impitoyablement rejetées, par un examen rationnel, toutes les superstitions anciennes ?

Mais d'autres inscrivent la venue du philosophe français dans une perspective séculière et séculaire, celle du Grand Siècle et de la suprématie de la langue française, langue universelle parce qu'elle est seule à suivre l'« ordre naturel » de la pensée.

La caution puissante apportée par le cartésianisme à la cause des Modernes est un avatar posthume de cette philosophie. Cependant, Descartes avait par avance rendu possible cet usage de sa doctrine. N'avait-il pas dit dans le *Discours*, avant même que ne soit ouverte la guerre entre les Anciens et les Modernes, toute sa confiance dans un siècle qui lui paraissait au moins aussi fécond en grands esprits que ceux de l'Antiquité ? Bien mieux encore : son refus de l'érudition et de la sujétion aux auteurs du passé avait été illustré par sa décision de publier directement en français quelques-uns de ses écrits majeurs, le *Discours de la méthode* et les *Essais*, ainsi que *Les Passions de l'âme*. En français, comme il l'écrivait dans la péroraison du *Discours*, « qui est la langue de mon pays, plutôt qu'en latin, qui est celle de mes précepteurs ». En français, pour être compris et jugé par quiconque est doué de bon sens plutôt que par les seuls pédants[21]. Ainsi Descartes prenait-il place, résolument, dans une histoire de la consécration de la langue française et de son « génie » propre, préparée de loin certes, mais à laquelle il allait apporter lui-même un surcroît décisif de légitimité.

C'est Vaugelas, on le sait, qui fixera la spécificité du français ; or ce sera en des termes tels que cette langue semblera taillée sur mesure pour correspondre aux critères cartésiens de clarté et de distinction, avec le refus de l'éloquence, le goût du style naturel et le rejet de l'affectation : « Il n'y a jamais eu de langue, affirme Vaugelas en

1647, où l'on ait écrit plus purement et plus nettement qu'en la nôtre, qui soit plus ennemie des équivoques et de toute sorte d'obscurité, plus grave et plus douce tout ensemble [...]. Il n'y en a point qui observe plus le nombre et la cadence dans ses périodes que la nôtre, en quoi consiste la véritable marque de la perfection des langues[22]. » En 1660, avec la *Grammaire générale et raisonnée* de Port-Royal, puis en 1668 avec le *Discours physique de la parole* de Cordemoy, la greffe du cartésianisme sur la doctrine classique du style français est fondée en raison : l'ordre naturel du discours est défini comme celui dans lequel le nombre et les relations des signes sont équivalents à ceux des idées ; or la langue française brille entre toutes par son aptitude à la netteté, à l'expression des choses de la façon la plus naturelle et la moins contournée[23]. C'est celle dans laquelle les constructions les plus courantes suivent étroitement l'« ordre naturel » des mots, celui qui gouverne l'apprentissage des enfants et fait le lien logique des idées[24]. D'où cette proposition si importante pour le futur destin du cartésianisme en France : le français est la langue des idées claires et distinctes ; donc elle est universelle, et Descartes est son prophète. Cette langue universelle à laquelle lui-même avait songé sans y croire vraiment, mais dont il savait en tout cas qu'elle ne pouvait être aucune des langues déjà existantes[25], devient autour de 1660 et en référence à des philosophèmes forgés par lui, la langue française.

À partir de 1667, cette conception cartésienne de l'excellence et de l'universalité de la langue française est mise au service des Modernes par Le Laboureur, ami de Cordemoy. Rappelons-le : la question qui lance la Querelle est de savoir s'il convient que le Dauphin soit formé, dans ses premières années, au latin ou au français. Le Laboureur, en s'autorisant de Cordemoy, plaide pour le français et son aptitude éminente à exprimer toutes les pensées dans l'ordre même de leur conception. La raison qu'il invoque n'est pas inintéressante, et nous la verrons utilisée à nouveau par Poulain de La Barre à l'appui d'une autre cause. C'est que la langue française, soutient Le Laboureur, tient plus de l'esprit que du corps : étant dénuée d'accent, il n'y a lieu, pour la parler, ni d'ouvrir beaucoup la bouche ni de frapper la langue entre les dents comme font les étrangers lorsqu'ils parlent celle de leur pays[26]. À la limite, un pur esprit (*mens*), celui même qui apparaît à l'issue du *cogito* dans la *Méditation seconde*, pourrait parler le français mais aucune autre langue.

L'appui que les thèmes cartésiens fournissent aux Modernes est encore plus significatif chez ceux qui ne se réclament pas du cartésianisme. C'est le cas notamment de François Charpentier qui publie en 1676 une *Défense de la langue française pour l'inscription de l'Arc de triomphe*. Il s'agit cette fois de savoir si l'Arc de triomphe célébrant la gloire militaire du roi doit porter des inscriptions latines ou françaises. Comme les autres Modernes, Charpentier salue en la personne de Louis XIV le Grand Siècle lui-même : « Nous voici dans un siècle où la face de la France se renouvelle, non pas pour prendre l'apparence d'une jeunesse faible ou inexpérimentée, mais d'une jeunesse pleine de force et de connaissance. Les grandes choses que Sa Majesté a faites pour le royaume attirent sur nous non seulement les yeux, mais même la jalousie de toute la terre. » Pourquoi cette nation qui est le point de mire de tous les peuples renierait-elle sa langue au moment de célébrer la gloire de celui qui est à sa tête ? Est-ce au moment où tout le monde tirerait fierté d'être français qu'il conviendrait de parler latin ?

Or, c'est avec des arguments de bout en bout cartésiens que Charpentier justifie le choix du français et la relégation du latin. D'abord, le grand respect que l'on a pour le latin n'est rien d'autre que le résultat des « impressions qu'on nous donne en jeunesse » ; on nous fait lire les auteurs latins avec un esprit *prévenu*, nos précepteurs sont la cause de ce *préjugé* « parce que nous faisons cette lecture en un âge où nous n'avons pas tout le jugement nécessaire pour en remarquer les beautés et les défauts ». Voici pour la partie critique du raisonnement : on voit qu'elle brode sur le thème cher à Descartes du « pour ce que nous avons été enfants avant que d'être hommes ». Mais la partie positive n'est pas moins cartésienne : nos paroles, estime Charpentier, sont les images de nos pensées, et la langue française a des constructions plus droites que la latine et la grecque, elle est plus juste, plus naturelle et plus conforme au bon sens. Et il est frappant de voir Charpentier justifier finalement le choix du français au nom de la même loi historique que les cartésiens faisaient valoir pour appuyer le remplacement d'Aristote par Descartes : les Grecs et les Latins ont été, en leur temps, des novateurs ; ces novateurs ont imposé l'usage de leur langue au détriment de celle de leurs prédécesseurs ; il est donc juste de les traiter comme ils ont traité ceux-ci[27].

D'autres Modernes, en se référant explicitement à Descartes, contribuent à nouer étroitement son règne au Grand Siècle. C'est le cas de Charles Perrault, chef de file du clan. Celui qui a été vingt ans durant le très proche collaborateur de Colbert, élu académicien depuis 1672 et directeur avec Chapelain de la propagande royale, publie en 1687 *Le Siècle de Louis XIV*. Pour lui, ce siècle est le plus grand à cause d'une conjonction sans précédent : élévation des arts et des sciences à leur dernière perfection, prolifération des grands hommes et règne d'un monarque très chrétien, ce monarque dont Bouhours disait d'ailleurs que « le bon sens est la règle qu'il suit en parlant[28] ». « Tous les siècles, écrit Perrault, ont donné de grands hommes, mais tous les siècles n'en ont pas été également prodigues. Il semble que la nature prenne plaisir de temps en temps à montrer sa puissance dans la richesse des talents qu'elle répand sur ceux qu'elle aime[29]. » Descartes est sans nul doute l'un de ceux que la nature a aimés, puisque Perrault lui consacre une bonne partie du cinquième Dialogue du *Parallèle des Anciens et des Modernes*. Mais quel Descartes ? Pas le métaphysicien – la preuve de l'existence de Dieu n'est pas « son bel endroit[30] » – ni, semble-t-il, le physicien : « les petites anguilles dont M. Descartes veut que l'eau soit composée », les petits carrés de matière qui se meuvent en rond, les animaux-machines, tout cela paraît bien peu défendable. Que reste-t-il ? Une manière de philosopher infiniment préférable à celle d'Aristote, telle qu'on lui sera redevable de toutes les découvertes qui se feront désormais. « Avec le temps », écrit Perrault qui retrouve sous sa plume le mot de Malebranche, et en suivant le chemin ouvert par Bacon, Galilée et Descartes, nous serons à même de connaître toutes choses[31]. Même idée, en 1688, même renvoi à Descartes et à la nouvelle façon de raisonner, même référence au « progrès des choses », chez cet autre adversaire des Anciens qu'est Fontenelle.

L'enrôlement de Descartes dans le camp des Modernes le place ainsi à l'orée d'une époque qui se prévoit elle-même comme celle d'un progrès indéfini. Non seulement le philosophe de la méthode a triomphé d'Aristote, mais il a annoncé un temps dans lequel le respect des maîtres ne sera plus la règle : si on allait un jour « s'entêter de Descartes », ce ne serait pas la peine d'avoir abattu Aristote, écrit Fontenelle à la dernière page de sa *Digression*[32].

On ne peut surestimer l'importance de ce dernier trait : moins de quarante ans après la mort du philosophe, on détache déjà de son œuvre un contenu déclaré périmé mais on lui attribue tout ce qui se fera d'exact et de vrai dans les temps à venir. En l'identifiant ainsi à la cause de la modernité, Charpentier, Le Laboureur, Perrault, Fontenelle, le font participer à une cause gagnante et, partant, à tout l'avenir de la pensée. Pour un très long temps, cartésianisme sera synonyme de progrès.

La cause des femmes

C'est aussi du « bon » côté – je veux dire, du côté des causes appelées à gagner – que vient tout naturellement se placer le cartésianisme dans la question controversée du statut des femmes, et en particulier de leur éducation ou de leur aptitude aux disciplines de l'esprit. Le père Daniel l'a dit un jour, sans doute pour ajouter au discrédit dont il souhaitait que la philosophie cartésienne fût recouverte : « Ce furent ces Messieurs [de Port-Royal] qui mirent sa philosophie à la mode parmi les dames[33]. » Là encore, Descartes avait rendu possible pareille appropriation de sa philosophie : n'avait-il pas entretenu avec la princesse Élisabeth et la reine Christine des correspondances si fameuses que Clerselier, les jugeant à leur exacte importance, s'était empressé de les publier dès le premier volume des *Lettres* posthumes ? Le *Discours de la méthode* n'était-il pas écrit en français pour être entendu même des femmes ? De fait, le cartésianisme a *conflué* aussi avec le vaste mouvement de réévaluation de la condition féminine, dont la préciosité avait été l'un des moments.

D'où l'importance du fait, noté par le père Daniel et tant d'autres, que cette philosophie ait été bien accueillie chez les femmes et dans plusieurs des salons en vue. Les contemporains ont remarqué qu'aux mercredis de Rohault assistaient des « personnes de tout âge, de tout sexe et de toute profession[34] », qu'aux conférences de Régis, « les dames même faisaient de la foule ». Cordemoy fréquentait le salon de Mme de Bonnevaux dont une contemporaine, Marguerite Buffet, disait que « jamais la philosophie de Descartes n'a reçu plus d'honneur et n'a été plus estimée que depuis l'approbation de cette illustre dame, qui en a dissipé les ténèbres en la mettant dans le plus beau jour qui fût jamais[35] » ; Fontenelle cite le cas d'une des « premières dames de Toulouse » qui soutint en *français* une thèse de pur cartésianisme et résolut au cours de la soutenance plusieurs difficultés considérables[36]. Marie Dupré, nièce de Desmarets de Saint-Sorlin, était, paraît-il, surnommée « la cartésienne ». Cartésienne, il fallait aussi que le fût Anne de La Vigne pour que Catherine Descartes écrivît son poème, « L'ombre de M. Descartes à Mlle de La Vigne », où le philosophe, entendant dire que certains savants ne se sont pas encore rendus à ses raisons, compte sur la jeune femme pour joindre à la persuasion un utile stimulant érotique :

> Tel Docteur qui sans vous n'eût jamais cédé
> Dès que vous parlerez sera persuadé.
> Quand la vérité sort d'une bouche aussi belle,
> Elle force l'esprit le plus rebelle.
> [...]
> J'aperçois nos deux noms toujours joints l'un à l'autre,
> Porter chez nos neveux ma gloire avec la vôtre,
> Et j'entends déjà dire en cent lieux divers,
> Descartes et La Vigne ont instruit l'univers.

Mlle de La Vigne ne manque pas de répondre à cette flatteuse sollicitation venue du séjour des morts. Mais elle se dérobe, pour conserver à la femme qu'elle est la modestie et l'effacement qui lui siéent :

> Je n'ai d'un vieux Docteur ni l'air ni les façons,
> Et ne me sens point propre à donner des leçons.
> Aux grandes vérités je puis céder sans peine,
> Mais de les débiter je ne suis point si vaine.
> [...]
> Je laisse à nos savants l'art de les étaler,
> Et je ne les apprends que pour n'en point parler.
> [...]
> Pour porter votre nom au temple de la mémoire,
> J'en laisse à vos amis le plaisir et la gloire :
> J'en connais quelques-uns dignes de cet emploi,
> Qui s'en font un honneur, et qui s'en font une loi[37].

Mlle de La Vigne redoutait-elle de passer pour l'une de ces *femmes savantes* à qui Molière, signe des temps, avait fait tenir des propos cartésiens ? On l'a noté depuis longtemps, Philaminte, Bélise et Armande sont férues de physique cartésienne, parlent de tourbillons, de matière subtile, de « mondes tombants » et de substance étendue, qu'elles savent très bien distinguer de la substance pensante[38].

Mais que l'on ne s'y trompe pas : le salon de ces femmes savantes n'est que la caricature des vrais salons où le cartésianisme nourrissait effectivement les conversations. Au salon de la marquise de Sablé, on se demandait si la philosophie cartésienne était compatible avec le mystère de l'eucharistie et si elle conduisait ou non à la doctrine impie de Spinoza. Autour de la duchesse du Maine, réputée pour connaître Descartes aussi bien que son catéchisme[39], gravitent le cardinal de Polignac, futur auteur du très cartésien *Anti-Lucrèce*, l'abbé Genest convaincu lui aussi que Descartes a illustré son siècle comme personne d'autre[40], Bougainville, qui met sur le même plan la duchesse et la reine Christine. Et, bien entendu, l'on ne saurait passer sous silence Mme de Grignan connue pour savoir « à merveille » la philosophie cartésienne et en parler « divinement[41] ». Sa mère, Mme de Sévigné, ne lui citait le nom de Descartes qu'en ajoutant : *votre père*[42]. Et, un jour que Corbinelli et La Mousse lui avaient exposé plus longuement le cartésianisme, elle écrivit à sa fille : « Tous deux parlent de votre père Descartes. Ils ont entrepris de me rendre capable d'entendre ce qu'ils disent ; j'en serais ravie, afin de n'être point comme une sotte bête, quand ils vous tiendront ici. Je leur dis que je veux apprendre cette science comme l'hombre, non pas pour jouer, mais pour voir jouer[43]. » Et le 26 juin 1680, elle apprend à sa fille que c'est au tour de Mme de Vins, belle-sœur du marquis de Pomponne, de s'initier à la philosophie de Descartes en même temps qu'elle-même reprend la lecture des *Conversations chrétiennes* de Malebranche[44]. Car beaucoup, comme elle ou comme Mlle de Launay, lisent simultanément Descartes et son grand disciple, confondus sous l'étiquette de *cartésianisme*[45].

« Notre philosophe, écrivait Baillet, ne se déplaisait point à la conversation des femmes. [Il] avait dit à quelqu'un de ses amis qu'en matière de philosophie, il trouvait les dames qu'il avait entretenues sur ce sujet plus douces, plus patientes, plus dociles, en un mot plus vides de préjugés et de fausse doctrine que beaucoup d'hommes[46]. » On remarquera que le privilège conféré aux femmes par Descartes en matière de philosophie est très exactement celui que les défenseurs du français leur confèrent en matière de langage, et ce pour les mêmes raisons que résume ce mot de Vaugelas : « Dans les doutes du langage, il vaut mieux consulter les femmes et ceux qui n'ont point étudié[47]. » Et Bouhours de justifier le recours aux femmes françaises pour la détermination du bon style en invoquant le fait que leur langage est le plus juste, le plus naturel, que les mots dont elles se servent « semblent tout neufs, et faits exprès pour ce qu'elles disent » ; et que, si la nature elle-même voulait parler, « elle emprunterait leur langue pour parler naïvement[48] ».

Ainsi se dessine avec plus de netteté le public visé par une philosophie écrite en français et débarrassée du jargon de l'École : c'est bien le public de l'« honnête homme », lequel comprend, comme on sait, les femmes[49], puisque leur esprit n'est pas d'emblée prévenu par une éducation fautive et un enseignement obsolète. Rien d'étonnant par conséquent, et le fait dépasse de beaucoup son intérêt anecdotique, à ce que l'on trouve tant de salons, tant de femmes de renom autour des cartésiens et du cartésianisme, comme on en trouve – ce sont souvent les mêmes – dans les milieux pénétrés de jansénisme. Les raisons qu'ont les professeurs de se méfier de cette philosophie, parce qu'elle incarne la nouveauté, parle français, dispense du grec et du latin et attire les jeunes, sont exactement celles pour lesquelles les femmes y trouvent de l'intérêt et le font savoir. Le cartésianisme devient ainsi, pour des femmes en quête de légitimité intellectuelle, un puissant instrument de promotion sociale ; mais il reçoit d'elles, en retour, un bénéfice considérable puisqu'il se trouve de la sorte associé au puissant mouvement de fabrication d'une nouvelle élite, que le XVIIIe siècle fera briller d'un éclat singulier[50]. Un siècle après Mme de Grignan, en 1784, Mme de Genlis – elle occupe elle aussi une place importante dans l'histoire de la promotion des femmes de lettres – montrera dans une pièce intitulée *Le Club des dames ou le retour de Descartes*, que le souvenir de ce que le philosophe a fait pour les femmes ne s'est pas perdu : « S'il est vrai, comme on le dit, qu'il soit le premier qui nous ait découvert une âme, il est bien juste que nous lui rendions la vie[51] », écrit-elle. Et un avertissement titré « Aux dames » et placé dans la bouche d'un homme insiste sur l'importance du legs cartésien :

> On prétendit longtemps que vous n'aviez point d'âme ;
> C'était orgueil, et non pas préjugé.
> Descartes écrit, votre sexe est vengé.
> De courroux, le nôtre s'enflamme.
> Grande rumeur : on s'était arrangé
> Pour régner seul, pour dominer la femme ;
> Il faut céder. Descartes est outragé.

Que dis-je ! contre lui, la guerre se déclare.
On le hait, on le chasse, on le pille, on s'empare
De sa gloire et de ses écrits.

Sans doute Mme de Genlis avait-elle lu Poulain de La Barre. Car il revient incontestablement à celui-ci d'avoir isolé les thèmes susceptibles d'effectuer *de jure* l'inscription du cartésianisme dans l'histoire de la promotion des femmes, en montrant pour quelles raisons elles ont tout intérêt à se déclarer cartésiennes. La question qui l'occupe est traditionnelle : c'est celle de leur éducation. Doivent-elles, peuvent-elles, recevoir la même que les hommes ? Deux ouvrages y sont consacrés : *De l'égalité des deux sexes* (1673), *De l'éducation des dames pour la conduite de l'esprit et dans les mœurs* (1679). Ajoutons que Poulain de La Barre est aussi l'auteur – et cela ne surprendra pas – des *Rapports de la langue latine avec la française, pour traduire élégamment et sans peine*[52].

Tout est cartésien dans *De l'égalité des deux sexes*, depuis les premières lignes qui récusent l'autorité des grands hommes au même titre que celle de l'Écriture sainte, et ne reconnaissent que celle de la raison et du bon sens. Invocation aussitôt suivie de l'invitation à douter de l'enseignement reçu, d'un appel à la méfiance à l'égard des préjugés et de la nécessité de critiquer ceux-ci pour obtenir des connaissances claires et distinctes. La première partie de l'ouvrage, où l'auteur montre qu'il faut admettre entre les deux sexes une parfaite égalité, commence par rappeler, au titre des préjugés qu'un examen rationnel dissipe, la croyance au géocentrisme et en l'âme des bêtes : en prenant parti pour l'opinion contraire, Poulain de La Barre signe aux yeux de tous son appartenance au cartésianisme.

Pour montrer que les femmes ont plutôt plus de bon sens que les hommes, l'auteur leur fait tenir un langage cartésien : interrogées sur ce qu'est leur âme, par exemple, elles ne disent pas que *c'est une flamme fort subtile ou la disposition des organes de leur corps* ; en médecine, elles ne parlent pas de *la faculté coctrice*, et elles se moquent, lorsqu'elles voient sortir du sang d'une artère, de ceux qui nient la circulation. Autrement dit, elles s'expriment spontanément dans les termes de la *Méditation seconde* et du *Discours de la méthode*. D'ailleurs, elles ne veulent parler qu'en français et ne peuvent « souffrir que leurs enfants mêmes parlent latin en leur présence ».

Le véritable argument se trouve dans la seconde partie, et il est, lui, authentiquement cartésien. En vertu du dualisme, et puisque l'âme n'est rien d'autre qu'une substance pensante et spirituelle, Poulain de La Barre est conduit à chercher du côté du corps les différences liées au sexe. D'où cette formule en effet forte : « L'esprit [...] n'a point de sexe » – formule dont on peut penser qu'elle a transité jusqu'à Rousseau qui fait demander à Julie par la bouche de son amie Claire : « Dis-moi, mon enfant, l'âme a-t-elle un sexe[53] ? » Un esprit cartésien n'est ni masculin ni féminin ; c'est seulement au moment où cet esprit sans sexe est uni à un corps que surgit la différence sexuelle. Une rigoureuse égalité des conditions et des capacités en résulte : « C'est Dieu qui unit l'esprit au corps de la femme, comme à celui de l'homme, et qui l'y unit par les mêmes lois. Ce sont les sentiments, les passions et les volontés qui font et entretiennent cette union, et l'esprit n'agissant pas autrement dans un sexe que dans l'autre, il y est également capable des mêmes choses[54]. »

•

Arnauld s'était étonné un jour que les censeurs romains eussent mis à l'Index l'auteur des *Méditations métaphysiques* dans lesquelles l'existence de Dieu est démontrée plutôt que son objecteur, Gassendi, qui invectivait Descartes en l'appelant, afin de le ridiculiser, « ô esprit », et qui déployait toute sa virtuosité pour ruiner les démonstrations cartésiennes ; en somme, le contrepoison plutôt que le poison[55]. Mais les censeurs romains avaient fait preuve de clairvoyance : c'est Descartes, et non Gassendi, qui incarne la modernité philosophique dans ce qu'elle a de déterminé et même de péremptoire. Rappelons ce que notait Huygens : Gassendi, à la différence de Descartes, n'avait pas assez d'invention pour élaborer un système complet. Et le père Goudin, auteur d'un manuel thomiste souvent réédité jusqu'au XIXe siècle, disait dans un registre différent quelque chose d'analogue lorsqu'il conférait plus de mérite à Gassendi qu'à Descartes, « parce qu'il propose avec modestie ses opinions comme de simples conjectures[56] ». Entre les deux philosophes, il y a cette différence que le premier semble demeurer par son langage, par l'obscurité de ses constructions et finalement par l'indécision de plusieurs de ses thèses, du côté de la philosophie d'autrefois, même si son œuvre côtoie souvent la libre-pensée ; le second, au contraire, s'impose d'emblée comme l'auteur d'un nouveau système du monde et le représentant incontesté de l'esprit de nouveauté[57]. Aussi l'Église, au XVIIe siècle, a-t-elle moins cherché querelle au premier qu'au second. La postérité sera là-dessus d'un avis différent de celui des contemporains. Mais ce sera, comme l'écrivait Clerselier à Desgabets en 1671, « après un siècle où les vieux de ce temps-là, ayant été les jeunes de ce temps-ci, se trouveront imbus de nos principes et ne seront plus effarouchés de la nouveauté[58] ».

II

LUMIÈRES ET ANTI-LUMIÈRES

Chapitre IV

UN PAYSAGE BOULEVERSÉ (1680-1730)

Le triomphe de Descartes à la fin du XVIIe siècle a pourtant quelque chose d'équivoque : dans les mêmes années où sa philosophie s'impose si puissamment dans la culture française, elle essuie ses plus graves revers. C'est que la chronologie juxtapose en fait deux phases inverses du processus de réception.

En 1686 paraissent les *Entretiens sur la pluralité des mondes habités* de Fontenelle, suivis un an plus tard, en raison de leur immense succès, d'une version augmentée : le cartésianisme s'y montre sous sa forme la plus euphorique ; et la marquise convertie à la nouvelle cosmologie peut s'exclamer au terme du *Cinquième soir* : « J'ai dans la tête tout le système de l'univers ! Je suis savante [1] ! » Mais c'est aussi en 1686 que les *Nouvelles de la République des lettres* donnent le court article d'un homme de quarante ans qui, pour avoir peu publié, n'en est pas moins déjà reconnu : Leibniz. Sa « Brève démonstration d'une erreur mémorable de M. Descartes » attaque la physique du philosophe français sur un point dont l'importance est centrale : le principe de la conservation du mouvement dans la loi du choc des corps. C'est le coup d'envoi d'une polémique sur les forces, d'où le cartésianisme sortira vaincu dans sa prétention à construire une physique mathématisée. Un an plus tard, ce sont les *Philosophiae naturalis principia mathematica* de Newton, réplique aux *Principia philosophiae* de Descartes sur un mode dont la rigueur n'est plus seulement conceptuelle mais mathématique. À terme, les *Principia* de Newton impliquent la transformation des *Principia* de Descartes en un « roman », pour reprendre un mot de Voltaire, et de sa physique en un « palais enchanté[2] ». L'année suivante encore paraît dans la *Bibliothèque universelle et historique* d'Amsterdam un abrégé en français de l'*Essai philosophique concernant l'entendement humain* de Locke – avant-première remarquable, puisque l'ouvrage lui-même ne sera publié en anglais que deux ans après, la traduction française intégrale paraissant dès 1700. Leibniz et Newton attaquent le cartésianisme par sa physique ; Locke par sa psychologie et sa théorie de la connaissance. Ceci n'est pas moins important que cela : quelque admiration que les meilleurs esprits du XVIIIe siècle aient pour le restaurateur de la philosophie, ils ne croiront pas davantage aux idées innées battues en brèche par Locke qu'aux fameux « tourbillons » dont Newton a montré l'inanité.

Au regard des textes de Leibniz, Newton et Locke, la *Censura philosophiae cartesianae* que Pierre Daniel Huet lance en 1689 paraît d'un autre âge : car l'évêque d'Avranches argumente contre Descartes au nom d'une philosophie scolastique dont les jours sont maintenant comptés, tandis qu'avec Newton, Locke et Leibniz, c'est du camp des Modernes qu'est conduite cette fois la critique du cartésianisme, même si Leibniz s'attache, jusqu'à un certain point, à restaurer la philosophie des Anciens et même s'il noue, pour des raisons essentiellement tactiques d'ailleurs, des relations cordiales avec l'auteur de la *Censura*.

Mettons donc provisoirement Leibniz à part. Mais Newton et Locke sont bien des modernes. La preuve, c'est justement qu'ils commencent par Descartes, salué comme un libérateur, avant d'estimer que le cartésianisme ne tient pas ses promesses. À Cambridge, le jeune étudiant Isaac Newton est formé à la physique scolastique, mais c'est Descartes qu'il découvre avec ferveur et dont il recopie des extraits des *Opera philosophica*. Par ses proches, nous savons qu'il fut un temps – sans doute au début des années 1660 – où il partagea le sentiment de Descartes[3]. Aussi est-ce contre celui-ci que, très naturellement, s'inscrivent ses premiers textes. Même chose avec Locke : ce sont les livres de Descartes qui lui donnent le goût de la philosophie et qui le convainquent en même temps qu'il faut philosopher d'une autre façon. Mais cet anticartésianisme, à la différence de celui de Huet par exemple, ne procède d'aucune conviction scolastique, et c'est de Gassendi que Locke est cousin, non d'Aristote, lorsqu'il acquiert la conviction que *nihil est in intellectu quod prius non fuerit in sensu*[4]. Au milieu du XVIIIe siècle, Condillac s'étonnera de ce que Locke ait cru bon de consacrer tant de pages à réfuter la chimère des idées innées. C'est simplement que, autour de 1680, et même outre-Manche, l'œuvre de Descartes est incontournable. Pour quiconque veut avancer dans la voie de la modernité, elle bouche la vue.

La façon dont ces modernes adversaires de Descartes vont s'attacher à démanteler la forteresse cartésienne, la façon dont celle-ci va résister ; les multiples réfections que les cartésiens eux-mêmes vont apporter à la physique du maître, la capacité de cette partie de sa philosophie à subir des déformations sans se rompre, tout cela va non seulement bouleverser le paysage intellectuel français des années 1680-1720 mais aussi déterminer le sort du cartésianisme au siècle des Lumières. C'est pourquoi il est important de retracer l'histoire de ces avatars d'un cartésianisme modifié dans ses détails mais sauvegardé dans ses options épistémologiques.

Les stratégies de Leibniz

L'offensive anticartésienne des deux Anglais a été précédée de peu par celle de Leibniz qui publie en 1686 sa « Brève démonstration d'une erreur mémorable de M. Descartes ». Qui est Leibniz lorsqu'il intervient ainsi dans un domaine où Descartes a régné, celui de la mécanique ? Quelqu'un avec qui il faut compter et dont les compétences sont multiples, philosophe, juriste, politicien – en 1672, il a été envoyé à Paris pour tâcher de persuader Louis XIV d'entreprendre la conquête de l'Égypte. Sa mission a échoué mais il est tout de même parvenu à rencontrer Arnauld, avec lequel il s'est entretenu de diverses questions philosophiques et théologiques au centre desquelles ont été Descartes et l'avenir du cartésianisme. Car c'est une question qui le préoccupe beaucoup : si la méthode cartésienne est aussi féconde que son inventeur l'a cru, elle doit continuer à donner des résultats positifs. Est-ce le cas ? Leibniz est persuadé du contraire. Et de retourner aux cartésiens l'accusation que ceux-ci adressent aux aristotéliciens : ils sont incapables d'inventer quoi que ce soit et ne savent jurer que par les écrits du maître.

La « Brève démonstration » de Leibniz porte la critique au cœur du cartésianisme. Et ce, doublement. En montrant que Descartes a fait une grossière erreur dans sa formulation de l'un des principes sur lesquels repose la physique – la conservation de la même quantité de mouvement dans l'univers – ; et en incriminant sa fameuse méthode[5].

Le coup porte puisque, après avoir d'abord dépêché un petit abbé pour répondre à Leibniz, Malebranche en personne réplique. C'est, pour le philosophe allemand, une sorte de consécration. Car Malebranche est sans nul doute le plus considérable des disciples français de Descartes. Il est entré à l'Oratoire en 1660 et a découvert le cartésianisme au cours d'un épisode qui s'apparente fortement à une conversion. En 1674, il a publié *La Recherche de la vérité* qui demeurera, à travers quantité de rééditions, son œuvre la plus lue. En 1687, lorsqu'il entre dans le débat ouvert par Leibniz, c'est un cartésien incontesté au chapitre du cartésianisme, même si la philosophie qu'il déploie dans ses œuvres est authentiquement originale. Son rapport à Descartes, de dépendance et de liberté, il l'a exprimé une fois pour toutes dans un propos célèbre : « Je dois à M. Descartes les sentiments que j'oppose aux siens et la hardiesse de le reprendre. »

C'est ce qu'il fait dans son article d'avril 1687, en réponse à celui de Leibniz. Donnant acte à celui-ci de sa critique, annonçant une refonte globale des lois cartésiennes, Malebranche lance le mouvement de réfection de la physique cartésienne qui va occuper les meilleurs des cartésiens jusqu'au milieu du siècle suivant et permettre la longue résistance du cartésianisme au newtonianisme. Non sans honnêteté, Malebranche avoue qu'il n'avait pas pris toute la mesure des erreurs contenues dans les lois formulées par Descartes et s'engage à y regarder de plus près, dès qu'il en aura le loisir[6].

Leibniz a réussi. Du coup, il pousse son avantage et adresse aussitôt à Malebranche une réponse où il expose pour la première fois son principe du continu – tout se suit dans l'univers, il n'y a pas de discontinuités et la nature n'est pas faite « à bâtons rompus » – et déplore que Descartes ne l'ait pas aperçu. Une physique amputée des causes finales, oublieuse de Dieu, en est résultée. Les conséquences, nous les connaissons : le divorce de la nouvelle doctrine et de la religion, les censures ecclésiastiques et la confusion préjudiciable à tous de la « philosophie réformée » et de l'irréligion. D'où ce programme où Leibniz voit le moyen de ravir à Descartes la première place dans la république philosophique des lettres et de réussir là où celui-ci avait échoué, en convainquant les jésuites sans désespérer les esprits modernes : « Il faut réconcilier la piété avec la raison [ainsi] on pourra satisfaire aux gens de bien qui appréhendent les suites de la philosophie mécanique ou corpusculaire comme si elle pouvait éloigner de Dieu [...], au lieu qu'avec les corrections requises [...] elle nous y doit mener[7]. »

L'ombre écrasante de Newton

C'est aussi en 1687 que paraissent les *Philosophiae naturalis principia mathematica* de Newton, œuvre mûrie pendant près d'un quart de siècle et rédigée en moins de deux ans par un savant déjà fameux avant d'avoir publié le livre qui fera sa gloire. Les *Principia* vont modifier en profondeur le paysage intellectuel, dominé désormais par une figure dont les titres à incarner l'anticartésianisme d'inspiration moderne seront, à terme, bien plus légitimes que ceux de Leibniz.

Car l'ouvrage de Newton, qui donne la formule mathématique de la loi de gravitation universelle, heurte de plein fouet les principes de la cosmologie cartésienne et, plus important peut-être, son paradigme d'intelligibilité. Descartes, on le sait, avait rendu compte du mouvement circulaire des corps célestes par l'hypothèse de tourbillons d'une matière « subtile » qui remplissait complètement un univers d'où le vide était banni. Ainsi pouvait-il se flatter d'avoir remplacé les forces dites « occultes » des scolastiques – au premier rang desquelles, l'attraction – par des explications mécaniques, ne faisant intervenir que matière et mouvement. En définitive, tout mouvement ressortissait d'une impulsion. La science moderne paraissait liée pour toujours à ces règles qui marquaient le franchissement d'une véritable frontière séparant les esprits avancés des derniers scolastiques.

Nulle surprise, par conséquent, dans le fait que les trois premières réactions aux *Principia mathematica* fassent référence, implicitement ou explicitement, à Descartes.

En Angleterre, la *Bibliothèque universelle et historique* publie, de la plume de Locke, un compte rendu de tonalité positive. Chez Newton, d'emblée, Locke loue la méthode géométrique et l'application des mathématiques à la physique. Il ne manque pas de s'arrêter sur l'utilisation faite par l'auteur de la notion de *force attractive*, mais, en bon lockien, il considère qu'il n'y a pas lieu de se mettre martel en tête pour une simple question de vocabulaire.

Enfin, Locke note la portée anticartésienne de l'ouvrage en soulignant le discrédit définitif dont il frappe l'hypothèse des tourbillons[8].

Tout autre, évidemment, est la recension donnée en France dans le *Journal des savants*. Elle émane peut-être de Régis, en tout cas d'un cartésien fidèle. « L'ouvrage de M. Newton est une mécanique la plus parfaite qu'on puisse imaginer. » Oui, mais cette *mécanique* n'a rien à voir avec une physique, car les principes qui y président sont arbitraires. M. Newton est invité, s'il veut faire un véritable ouvrage de physique, à remplacer ses hypothèses par de « vrais mouvements ». Sous-entendu : comme Descartes l'a fait dans ses *Principes de la philosophie*[9].

La troisième réaction à l'ouvrage de Newton est celle de Leibniz. Celui-ci séjourne en Italie lorsqu'il apprend, par un article des *Acta eruditorum*, la parution des *Principia mathematica.* Aussitôt, avant même d'avoir eu l'ouvrage en main et sans nul doute quant au fait que son auteur va être appelé à un premier rôle, il publie dans le même périodique un « *Tentamen de motuum coelestium causis* » (« Essai concernant les causes des mouvements célestes ») pour prendre date et place dans le nouvel espace ainsi créé.

Comme Newton, mais par une autre voie et sans le nommer, Leibniz établit la loi d'attraction en raison inverse des carrés des distances. Mais *attraction* a ici un sens non newtonien puisque, au lieu de recourir à une force attractive, Leibniz conserve l'idée que « les planètes sont mues chacune par l'éther qui l'enveloppe » et que « l'éther fait tout entier avec les planètes sa révolution par le mouvement du Soleil autour de son centre, comme l'eau mue par un bâton tournant autour de son axe au milieu d'un vase immobile ». Autrement dit, comme le notait Koyré, Leibniz reste dans le cadre de la théorie cartésienne des tourbillons, l'attraction n'étant ici qu'un autre nom de l'impulsion. Pour autant, crédite-t-il le philosophe français d'un avantage sur l'Anglais ? Ce serait mal connaître Leibniz. C'est « l'incomparable » Kepler qu'il félicite « d'avoir le premier fait voir la véritable cause de la gravité » et conçu l'idée des tourbillons. En sorte que Descartes peut se retrouver dans la posture de pilleur où Leibniz aime le placer : « à son habitude », il a utilisé l'invention et « dissimulé l'inventeur ». De plus, soit qu'il ait été incapable de concilier cette découverte avec ses propres dogmes, soit qu'il n'en ait pas soupçonné la portée, Descartes n'a pas cherché à rendre raison des lois képleriennes[10]. Et c'est ainsi qu'un article destiné à marquer plutôt son opposition à Newton et son appartenance au camp des « tourbillonnaires » se transforme en une charge contre Descartes.

Cartésien et anticartésien : une frontière mouvante

L'article de Leibniz montre bien quelle complication résulte de l'introduction de Newton dans le champ polémique autour de Descartes. Car on se trouve désormais en présence d'anticartésianismes de provenances et de significations très variées, qui suscitent en réplique des versions du cartésianisme très différentes entre elles : l'intérêt considérable que présente ce moment est précisément qu'il place les cartésiens devant la nécessité tout à la fois de remanier la doctrine du maître sur un certain nombre de points et de tracer la frontière au-delà de laquelle il n'y a plus de sens à se dire encore « cartésien ».

Il y a un spectre de l'anticartésianisme, comme il y a un dégradé des cartésianismes. Commençons par le plus simple, par l'anticartésianisme jésuite, d'inspiration scolastique. L'évêque d'Avranches, Pierre Daniel Huet, en rassemble une dernière fois tous les traits dans sa *Censura philosophiae cartesianae* (1689), à laquelle répliquent en 1690 Régis à Paris, Schwelling à Brême, Peterman à Leipzig, en 1691 Schotan à Franeker et en 1695 Volder à Leyde. Invalidité du *cogito* et du critère d'évidence, distinction erronée de l'âme et du corps, fiction des idées innées, caractère non convaincant de la preuve de l'existence de Dieu par l'idée d'infini et, pour couronner le tout, orgueil démesuré de l'homme lui-même : tels sont les motifs qui déterminent Huet à vouloir censurer la philosophie cartésienne.

À cet anticartésianisme scolastique, Leibniz donne sa caution publique en 1693, en publiant dans le *Journal des savants*, à l'occasion du livre de Huet, une longue philippique contre Descartes accusé notamment d'avoir méconnu les découvertes de Kepler récemment avérées et contre « Messieurs les cartésiens » à qui Leibniz conseille de suivre les édifiantes leçons de l'évêque d'Avranches [11]. Mais cet anticartésianisme est profondément différent en réalité de celui au secours duquel il vole ; il n'en est solidaire que stratégiquement, pour perdre Descartes et pour obtenir les faveurs des jésuites dont Huet est bien vu. La façon dont Leibniz a réagi aux *Principia* de Newton l'a d'ailleurs montré : en refusant l'attraction et le vide, en reprenant l'hypothèse des tourbillons, il s'est placé plus près de Descartes – quoi qu'il dise – que de l'évêque d'Avranches.

Dans le spectre de l'anticartésianisme, c'est dans ces parages qu'il faudrait situer également Christiaan Huygens. Son père Constantin a correspondu avec Descartes ; lui-même a grandi dans la proximité de l'œuvre et de la personne du philosophe français. À Paris, il a beaucoup fréquenté les milieux scientifiques où le cartésianisme a diffusé, avant d'être l'un des premiers élus à l'Académie royale des sciences. Cet authentique savant est d'une grande sévérité à l'égard de la physique cartésienne dont il conteste les lois du choc, la théorie de la lumière, l'explication de la pesanteur et, finalement, les tourbillons. Son livre *La Pluralité des mondes* s'achève sur une déclaration d'anticartésianisme déjà dans l'esprit du siècle de Voltaire, où la cosmologie cartésienne est traitée de pure fiction [12]. Mais cet anticartésien sans concession, quand il entend parler des *Principia mathematica* avant leur publication, s'exclame aussitôt : « Je souhaite de voir le livre de Newton. Je veux bien qu'il ne soit pas cartésien pourvu qu'il ne nous fasse pas des suppositions comme celle de l'attraction [13]. » Lorsqu'il aura lu l'ouvrage, et quelque mérite qu'il reconnaisse à Newton, il ne pourra se résoudre à accepter l'attraction dont il dit à Leibniz qu'elle lui semble « absurde [14] ». Et le *Discours de la cause de la pesanteur* qu'il publie en 1690 contient cette réserve sur laquelle il ne reviendra jamais : « Je ne suis pas d'accord d'un principe [...] qui est que toutes les petites parties, qu'on peut imaginer dans deux ou différents corps, s'attirent ou tendent à s'approcher mutuellement. Ce que je ne saurais admettre, parce que je crois voir clairement que la cause d'une telle attraction n'est point explicable par aucun principe de mécanique [15]. » Et d'opposer, comme on le verra faire tout au long du XVIIIe siècle, la « vraie philosophie », celle qui donne les causes mécaniques des phénomènes, et la fausse, qui admet des principes occultes et renonce à l'espoir de comprendre [16]. Aussi Huygens restera-t-il dans l'idée qu'il faut remplacer les tourbillons, certes, mais par une autre explication mécaniste.

Les cartésiens ne subissent pas moins les effets des coups portés par Leibniz et Newton. Aussi travaillent-ils à la réfection de la physique de Descartes. L'entreprise de rénovation menée par Malebranche, effectuée principalement en deux temps, aboutit en 1699 avec l'unification de la physique au moyen d'une théorie tourbillonnaire désormais généralisée. L'oratorien fait leur place à de « petits tourbillons » auxquels n'avait pas songé le maître. Avec cette correction à la théorie cartésienne, Malebranche est maintenant convaincu d'avoir découvert le vrai principe général de la nature dont dépendent tous les phénomènes particuliers. Changement d'importance, donc, apporté par le disciple de Descartes à la physique cartésienne mais qui ne place à aucun moment son auteur en position de rupture. Son adversaire demeure celui de toujours : Aristote, qu'il y a lieu d'attaquer dans « sa manière de philosopher », si différente de celle des Modernes[17].

C'est dans cette même voie que vont s'engouffrer au XVIIIe siècle un grand nombre de cartésiens soucieux de défendre pied à pied la théorie tourbillonnaire contre les objections de plus en plus pressantes accumulées par les newtoniens. Autour de Malebranche, bien souvent dans sa chambre et avec les livres de sa bibliothèque, on verra Joseph Saurin, Pierre Rémond de Montmort, Pierre Varignon, Joseph Privat de Molières, pour ne citer qu'eux, discuter, commenter et s'employer à rectifier autant qu'ils le peuvent le détail de l'explication tourbillonnaire sans jamais en abandonner le principe[18]. Ces cartésiens que Montesquieu appellera « mitigés[19] » montrent que le cartésianisme est susceptible de réformes sans que disparaisse pour autant le sentiment qu'ont les réformistes de demeurer dans le sillage du maître. À condition toutefois de ne transiger ni sur la question de l'attraction ni sur celle du vide : en deçà de cette ligne rouge, on demeure cartésien quelque aménagement que l'on fasse subir à la physique du maître ; au-delà commencent « les ténèbres des *qualités occultes* que la philosophie des Anglais a prétendu rétablir par des suppositions absurdes[20] » : il n'y a plus de cartésiens, seulement des adversaires.

La réception des « Principia » et de l'« Optique »

C'est ainsi qu'il convient sans doute d'interpréter l'accueil différent fait en France, y compris de la part des cartésiens, aux *Principia* de Newton et à son *Optique*. Les *Principia*, par la place qui y est faite à l'attraction, heurtent de front l'idéal méthodologique cartésien et amènent, on l'a vu, des anticartésiens comme Leibniz ou Huygens jusque dans les parages du cartésianisme. L'*Optique*, au contraire, attaque le cartésianisme sans en contester les options fondamentales ; des arrangements avec l'adversaire sont donc possibles.

Malebranche, encore une fois, donne l'exemple. Dès que l'ouvrage de Newton est traduit en latin (1706), l'oratorien l'examine avec soin et entreprend d'ajuster ses propres conceptions de la nature de la lumière avec les expériences décrites par l'Anglais. Expériences jugées « décisives », si « exactes » même qu'il est impossible qu'elles ne soient pas vraies. Et en 1712, Malebranche est conduit à corriger en plusieurs points ce qu'il tenait jusque-là pour vrai : il admet avec Newton que la lumière blanche est de nature complexe et que les réfractions des différentes couleurs ont toujours le même rapport entre elles. Mieux : il abandonne le dogme de la transmission instantanée de la lumière, dont Descartes faisait l'un des points de rupture de sa doctrine et il admet que la lumière se transmet, non pas instantanément, mais six cent mille fois plus vite que le son[21].

Ce que Malebranche se permet, *a fortiori* peuvent se le permettre les malebranchistes de l'Académie des sciences : Saurin, Montmort, Reyneau, Privat de Molières, Mazière, à qui il faut ajouter les Bernoulli. Sur la valeur en physique des notions d'attraction et de vide, et sur l'impossibilité de les intégrer à un système des idées claires, leur jugement est sans faille, au moins jusqu'aux années 1730. Il vaudrait mieux renoncer à comprendre le mouvement, dit par exemple Joseph Saurin en 1709, que de le considérer à la suite de Newton comme une qualité inhérente aux corps et « ramener les idées tant décriées de qualité occulte et d'attraction ». Et il ajoute ces mots qui valent comme la charte du groupe tout entier : « Ne laissons pas de philosopher toujours sur des principes clairs de mécanique ; si nous les abandonnons, toute la lumière que nous pouvons avoir est éteinte, et nous voilà replongés de nouveau dans les ténèbres du péripatétisme, dont le Ciel veuille nous préserver[22]. » En 1730, alors même que le système des tourbillons est devenu difficile à défendre, c'est toujours au nom de « principes clairs et intelligibles », contre des « principes dont on ne peut se former aucune idée », que Bernoulli plaide en faveur du cartésianisme. « On sera peut-être surpris, prévient-il, que j'ose reproduire sur la scène les tourbillons célestes, dans un temps où plusieurs philosophes, particulièrement des Anglais, les regardent comme des pures chimères et n'en parlent qu'avec le dernier mépris[23]. » Mais la « savante compagnie » à laquelle Bernoulli soumet ces vues cartésiennes les trouve raisonnables puisqu'elle leur décerne un prix, comme elle l'avait fait à Crousaz en 1720, à MacLaurin en 1724, à Mazière en 1726, à Bulfinger en 1728, comme elle le fera encore à Bouguer en 1731, à Poleni en 1733, de nouveau à Jean Bernoulli en 1734 et 1736, toujours pour des mémoires qu'inspire un cartésianisme rectifié mais intransigeant sur le vide et l'attraction.

Pourtant, ces cartésiens malebranchistes qui bloquent les *Principia* aussi longtemps qu'ils le peuvent continuent de montrer beaucoup d'intérêt pour l'*Optique.* Les historiens de la réception de Newton l'ont souligné : ce sont les malebranchistes qui acclimatent en France les idées et les expériences du savant anglais[24]. En 1715, l'Académie des sciences envoie à Londres un groupe de savants dont la plupart sont des malebranchistes. La raison avouée de l'expédition est d'observer une éclipse solaire invisible de Paris ; mais la raison inavouée est d'assister aux expériences que Jean Théophile Désaguliers pratique depuis un an pour vérifier les découvertes de Newton en optique : la délégation française revient persuadée de leur validité. Lorsqu'à leur tour des Français, en 1719, effectuent ces mêmes vérifications, c'est à l'instigation du cardinal de Polignac et à ses frais. Or le cardinal, auteur de l'*Anti-Lucrèce*, est partisan du cartésianisme « le plus rigide » qui soit[25] ; son vaste poème, qui charmait le duc de Bourgogne et le duc et la duchesse du Maine, est tout entier un hymne à celui qui a sorti le genre humain des ténèbres du péripatétisme. Il est frappant aussi que ce soit à l'initiative du mathématicien Varignon et du chancelier d'Aguesseau, cartésiens l'un et l'autre, qu'est publiée en 1722 la traduction française de l'*Optique* par Coste. Les mots par lesquels Varignon, certainement le plus authentique savant dans l'entourage immédiat de Malebranche, introduit le traité de Newton sont révélateurs de l'estime en laquelle il est loisible à un cartésien de tenir l'auteur de l'*Optique* et de ses limites : « Il m'a paru que ce Traité, par la nouveauté des choses qu'il découvre, par les surprenantes expériences dont ces nouveautés y sont appuyées, et par la profonde capacité dont son illustre et savant auteur y fait paraître, comme depuis longtemps par tout ce qu'on a vu jusqu'ici de lui, méritait fort d'être traduit en notre langue[26]. »

Un exemple encore : Rémond de Montmort, un proche de Malebranche, l'un de ceux qui le défendent en philosophie comme en physique, a fait partie du voyage à Londres de 1715 mais il intervient en 1718 contre le newtonien Taylor du côté des défenseurs des tourbillons et des idées claires ; sa profession de foi cartésienne est inentamée : « L'éclat des découvertes de M. Newton, tant de beaux théorèmes, tant de difficiles problèmes dont son livre est rempli et qui le font passer avec raison pour le plus grand géomètre et pour la plus forte tête qu'il y ait en Europe, tout cela, Monsieur, nous donne autant d'admiration qu'aux Anglais mêmes, mais ne peut nous séduire à l'égard de la physique qui, selon nous, est et ne doit être autre chose qu'une explication mécanique des problèmes[27]. »

Locke en sourdine

Au regard de ce que produisent dans le champ polémique du cartésianisme les *Principia* et l'*Optique* de Newton, au regard aussi de la formidable vague que va susciter en France, à partir des années 1730, l'*Essai philosophique concernant l'entendement humain* de Locke, la publication de cet ouvrage en français, en 1700, est d'abord un événement de faible portée. Prenons ici la mesure de ce retard dans la réception d'une doctrine qui sera bientôt la bible des philosophes des Lumières, bible où ils puiseront une grande partie de leurs raisons d'être anticartésiens en philosophie de la connaissance.

Les périodiques francophones d'obédience protestante assurent pourtant à Locke un appui sans faille. C'est la *Bibliothèque universelle*, on l'a vu, qui publie en 1688 des bonnes feuilles de l'*Essai*, et qui accueille un long compte rendu de l'ouvrage dès sa parution en Angleterre, en 1690. Celui-ci y est présenté sous un jour favorable et son anticartésianisme y est fortement souligné[28]. En 1699, les *Nouvelles de la République des lettres* donnent deux extraits de l'importante controverse de Locke avec Stillingfleet, qui pose une question que tout le XVIIIe siècle évoquera avec gourmandise : la matière ne serait-elle pas susceptible de penser ?

Mais, contrairement à ce qu'on aurait attendu, l'empirisme lockien ne fait pas forte impression sur les jésuites des *Mémoires de Trévoux* : acquis à l'idée aristotélicienne que les idées procèdent de l'expérience sensible, ils auraient pu trouver sympathique l'entreprise lockienne de dérivation de toutes les connaissances à partir des sensations. Mais il n'en est rien. S'ils reconnaissent à Locke, dans le compte rendu de l'*Essai* (1701), un « esprit pénétrant, qui médite beaucoup et qui trouve », et lui donnent raison contre Descartes sur la question des animaux, c'est pour lui asséner trois critiques de fond : sa doctrine est peu compatible avec le dogme de la Trinité ; sa théorie de l'espace implique qu'il peut y avoir une substance incréée autre que Dieu ; enfin, l'idée que Dieu pourrait faire que la matière pense est l'indice d'un matérialisme qui ne dit pas son nom. Et l'article de s'achever sur ces mots prudents : « On prie les lecteurs de se souvenir qu'en faisant les extraits des ouvrages, on n'adopte pas les sentiments des auteurs[29]. » Quant à l'article nécrologique que consacre à Locke le périodique des jésuites, il se résume à ceci : « M. Locke est mort à la campagne ; on dit qu'il imprimera son ouvrage sur l'Écriture sainte. Le *Livre de l'entendement humain* vous l'a fait connaître comme un impie sadducéen, qui nie toute substance immatérielle ; un tel homme n'était guère propre à commenter l'Écriture[30]. »

Le *Journal des savants*, converti au cartésianisme dans les années 1680, ne se montre pas plus enthousiaste que son concurrent. Un article de 1703 évoque le sentiment de M. Locke, savant d'Angleterre, selon lequel « Dieu peut ajouter à un être des propriétés qui n'appartiennent pas à son essence, par exemple donner la raison à une pierre[31] ». Un autre, de 1705, signale que la nature des idées est expliquée par Locke « d'une manière qui paraît aller à l'établissement du pyrrhonisme » ; et l'article suggère de lire, au titre d'antidote, le dernier ouvrage du père Malebranche, impeccable celui-là[32]. L'année suivante, en rendant compte d'un livre du très cartésien Bernard Lamy, le même périodique oppose les bons principes de ce dernier à ceux du nouveau philosophe anglais qui nie que les hommes naissent avec la connaissance des règles de la justice divine[33]. Loin d'aller en diminuant, la sympathie du *Journal des savants* à l'égard du cartésianisme ne fera que croître dans les décennies suivantes, à mesure que l'empirisme lockien paraîtra avoir davantage partie liée avec le matérialisme.

Jusqu'aux ouvrages de Buffier et surtout de Voltaire, dans les années 1730, l'*Essai philosophique* de Locke ne modifie pas sensiblement la donne intellectuelle. Dans les quinze premières années du siècle, les auteurs qui réfutent l'innéisme cartésien ignorent Locke ou ne le citent pas. Non, sans doute, qu'ils ne lui doivent rien ; mais c'est que sa légitimité n'est pas encore établie. Voici par exemple le cas d'un médecin de tendance empiriste ou même franchement matérialiste, Maubec, qui soutient en 1709 des thèses anticartésiennes. Les idées innées sont décrites comme de « pures fictions », des « hypothèses admises sans fondement » ; la doctrine cartésienne de la substance – pensante aussi bien qu'étendue – est réfutée de part en part. Or Maubec ne parle pas de Locke, et ce sont les Anciens qu'il crédite du *nihil est in intellectu*... Et il se montre plein de circonspection lorsqu'il s'agit pour lui d'adopter une opinion que Descartes a rejetée, ou inversement[34]. Il est clair que l'autorité de Locke est encore loin de contrebalancer celle de Descartes.

L'exemple d'Abraham Gaultier est de tous le plus éloquent. Gaultier élabore en 1714 une doctrine matérialiste fondée sur l'idée spinoziste d'une substance unique dont tous les phénomènes sont les modes. Une réfutation en règle du spiritualisme cartésien et malebranchiste s'impose à l'auteur qui s'en prend successivement à la prétendue immatérialité de l'âme, à la démonstration de l'existence de Dieu, à la théorie de l'animal-machine et à l'idée que « la matière ne peut acquérir du sentiment ». À aucun moment Locke n'est mentionné. Or, si Gaultier n'a pas lu l'*Essai*, on sait qu'il en a lu l'*Abrégé* publié en 1688 dans la *Bibliothèque universelle et historique*[35]. D'une part, donc, l'*Essai* lui-même ne jouit pas d'une notoriété suffisante pour que ce médecin de Niort le consulte ou le cite ; d'autre part, le nom de Locke n'est pas encore une autorité que l'on invoque et derrière laquelle, à l'occasion, on s'abrite. Dans les années 1700-1720, s'il y a un écho aux thèses de Locke, c'est en philosophie politique qu'il faut le chercher, du côté de Barbeyrac, de De Noodt (1707) et de Grotius (1720). Mais le cartésianisme n'y est pas impliqué et n'en subit aucune déformation.

Le ralliement des jésuites

La forte résistance du cartésianisme à Newton et à Locke, dans les premières décennies du XVIIIe siècle, montre combien cette doctrine est solidement implantée déjà dans la culture française. Et d'ailleurs, ses principaux adversaires – les jésuites – abandonnent eux-mêmes entre 1700 et 1720 leur politique d'ostracisme.

En 1691, l'archevêque de Paris a encore une fois sommé le recteur et les professeurs de philosophie de l'Université de ne pas enseigner une série de onze propositions pour la plupart d'inspiration cartésienne ; interdiction renouvelée en 1704, 1705 et 1707[36]. En 1706, la XVe Congrégation générale des jésuites, réunie à Rome, dresse à son tour une liste de trente propositions prohibées dans les écoles de la Compagnie ; de nouveau, c'est surtout Descartes qui est visé.

C'est aussi la période où le père André connaît ses déboires. Né en 1675, ce jésuite malebranchiste a pu correspondre avec l'oratorien quelques années avant la mort de ce dernier ; il rédige alors une *Vie du R. P. Malebranche avec l'histoire de ses ouvrages* qui constitue une mine documentaire. L'année de la XVe Congrégation, il est sommé de quitter Paris en raison du « trop d'attachement » qu'il montre à des opinions encore qualifiées de « nouvelles ». L'année suivante, le père Guymond lui apprend qu'on l'a surpris à plusieurs occasions, « en pleine récréation », à faire l'éloge de Descartes et de Malebranche et à parler avec mépris d'Aristote et de saint Thomas ; or les consignes de la Compagnie sont de combattre cette doctrine au même titre que celle de Calvin. « Au reste, l'affaire est sérieuse », ajoute le père Guymond[37]. Elle l'est en effet pour André, qui sera obligé de quitter successivement La Flèche, Hesdin, Amiens, Rouen, Alençon, et qui, suspect en outre de jansénisme, fera même un séjour à la Bastille en 1718. Il est vrai qu'entre-temps André avait fait des émules : on connaît notamment le cas du père La Pillonnière et celui du père Dutertre. Le premier finira par renier le catholicisme et publiera en 1715 un pamphlet contre les philosophes modernes ; le second, obligé de quitter La Flèche en 1713, cédera aux pressions, abjurera son cartésianisme et partira en guerre contre une philosophie qu'il avait aimée.

Cependant, on aurait tort de conclure de ces faits à une persécution du cartésianisme semblable à celle du siècle précédent. Outre qu'il faut faire la part de la maladresse et de l'entêtement dans les malheurs du père André, il faut relativiser la portée des interdictions que l'on vient de dire. Le « Journal des contradictions que j'ai eues à soutenir de la part de la Sorbonne, depuis l'année 1704 jusqu'en 1707 », rédigé par Petit de Montempuys, professeur au collège Du Plessis, est à cet égard révélateur. Certes, Montempuys est en butte à des tracasseries parce qu'il enseigne le cartésianisme. Mais en dépit des pressions subies, il continue de professer, dans l'un des principaux collèges de l'université de Paris, la philosophie qu'il croit bonne. Et d'ailleurs, il a pour lui le principal du collège, Durieux[38]. On en dirait autant du père André : en dépit de ses désobéissances, il ne cesse ni d'exercer sa fonction ni de faire des disciples.

Même leçon lorsqu'on considère la Congrégation générale des jésuites de 1706. Une lettre du père d'Augières au père général donne un aperçu de la réalité à laquelle l'interdiction est censée mettre fin. Il est vrai, argumente le bon père, que certains principes cartésiens sont contraires non seulement à l'aristotélisme mais encore aux mystères de la foi ; mais il faut bien reconnaître que certains disciples de Descartes ont découvert en suivant sa méthode de nombreux phénomènes qui, ajoute-t-il de façon significative, « méritent d'être exposés dans les cours de philosophie, notamment en physique, si nous ne voulons pas passer pour étrangers dans les sciences naturelles, parfaitement ignares, et écarter de nos classes les auditeurs[39] ! » Plutôt que comme un décret prohibant formellement le cartésianisme dans les collèges, la liste dressée par la XVe Congrégation doit être vue comme une mesure destinée à limiter une pratique déjà très fortement ancrée.

C'est du reste ce que confirme l'examen des cours : durant ces mêmes années, le cartésianisme s'introduit partout, y compris dans les collèges jésuites. Entre 1680 et 1720, l'enseignement des professeurs se transforme profondément, et ce dans toutes les disciplines du cursus. En logique, le cours est progressivement débarrassé des traditionnelles *quaestiones* qui accompagnaient l'exposé de l'*Organon* aristotélicien : le dernier à le faire encore est le jésuite Buhon, à Lyon, en 1723[40]. Et au lieu des *quaestiones*, on trouve à partir du début du siècle des développements sur les idées, la certitude et la méthode dont l'inspiration cartésienne et port-royaliste est patente.

Même chose en métaphysique : dès avant le début du XVIIIe siècle, la traditionnelle ontologie est subvertie par des éléments cartésiens. Une discussion sur les principes et sur la question de savoir lequel est premier occupe les professeurs à partir de 1670 environ. Si le *cogito* n'est généralement pas accepté comme premier principe de la connaissance – du moins pas avant 1720 –, il l'est comme premier principe de l'existence dès la fin du XVIIe siècle. Par ailleurs, dans la seconde partie du cours d'ontologie consacrée aux substances immatérielles, la section intitulée *pneumatologia* prend de plus en plus d'importance à mesure qu'est davantage discutée la question du dualisme cartésien. Quant à la physique, dont l'importance dans l'enseignement va croissante au cours du siècle, en quantité comme en qualité, elle aussi subit dans la même période de façon manifeste et générale l'influence du cartésianisme. Après avoir été, jusqu'aux années 1690, exposé seulement pour être critiqué, le mécanisme remplace à partir de là l'explication traditionnelle par les qualités.

L'université de Paris y est acquise au début du siècle, et autour de 1720, plus un seul collège de plein exercice n'enseigne autre chose.

D'ailleurs, pourquoi chercher si loin ? Le jésuite Berthier, directeur des *Mémoires de Trévoux*, l'a dit lui-même très simplement : on n'a jamais pu persuader les congrégations générales d'abandonner le décret en faveur d'Aristote parce que ce philosophe « a été approuvé dans les premiers temps, et lorsqu'on n'avait rien de mieux ». Mais « l'usage est bien qu'on s'embarrasse peu d'Aristote dans les écoles des jésuites, surtout en France[41] ». Comprenons : maintenant que l'on a quelque chose « de mieux » à enseigner – le cartésianisme –, c'est cela qui prévaut très naturellement.

Cet état de fait, l'université de Paris l'entérine en 1720 par la plume de son recteur, Rollin, qui fait officiellement sa place à Descartes et aux « philosophes récents » dans son *Projet de nouveaux statuts pour la faculté des arts.* En logique comme en physique, à côté des textes traditionnels, il conseille désormais d'avoir recours à l'*Art de penser* de Port-Royal, à la *Méthode* et aux *Méditations* de Descartes, dans lesquels il salue une forme de platonisme acclimaté au christianisme[42]. Ces vues restées manuscrites formeront en 1726 la matière de son *Traité des études* où l'on voit le recteur de l'université de Paris faire l'apologie des temps modernes, marqués par une exactitude accrue dans les ouvrages de l'esprit, une justesse et une solidité toutes nouvelles. Et il ajoute : « Plusieurs croient, et ce n'est point sans fondement, qu'on doit cette manière de penser et d'écrire aux progrès extraordinaires qu'on a faits depuis un siècle dans l'étude de la philosophie[43]. » Les livres qu'il recommande, il les a vus utilisés avec succès au collège : ce sont ceux de Descartes, de Malebranche, d'Arnauld et Nicole.

Le revirement des jésuites est certainement la plus spectaculaire des transformations dont le cartésianisme est le théâtre entre 1700 et 1720. Faut-il y voir une manière de combattre sur son terrain le gallicanisme janséniste, plus vif que jamais dans la décennie qui voit la publication de la bulle *Unigenitus* ? Faut-il penser que les jésuites découvrent, par contraste avec le système newtonien, que la cosmologie cartésienne est finalement mieux accordée au catholicisme ? Quelles qu'en soient les causes, le changement est patent. Il est visible dans les *Mémoires de Trévoux* comme nulle part ailleurs. Dans ses premières années, le journal des jésuites a manifesté une attitude pour le moins réservée à l'égard de Descartes. Le père Tournemine, qui le dirige, a, dit-il en 1703, quitté les préjugés de l'École comme le recommandent les cartésiens, mais aussi « tous les préjugés dont la philosophie de M. Descartes a rempli plusieurs esprits[44] ». C'est d'ailleurs surtout le cartésianisme dans sa version malebranchiste que Tournemine brocarde, allant jusqu'à lui préférer le système de Leibniz. Et il n'est pas le seul à faire profession de méfiance à l'endroit du cartésianisme : beaucoup reprennent les vieilles accusations de scepticisme et d'irréligion, et jugent utile de rappeler les multiples condamnations dont le philosophe a été naguère l'objet[45].

Passons le cap de la première décennie : tout s'inverse. Le père Tournemine loue maintenant Descartes pour avoir séparé avec clarté « ce qui appartient au corps de ce qui appartient à l'esprit. Il n'y a rien, ajoute-t-il, de plus sublime ni qui soit plus utile à la religion[46] ». Ce « ralliement à Descartes[47] » des jésuites de Trévoux va de pair avec leur opposition grandissante à Newton ; il en est évidemment l'autre face. Quelques exemples le montreront. L'édition latine de l'*Optique* est recensée en 1709 ; le compte rendu en est plus que réservé : car si Newton a rendu l'histoire de la nature « plus complète », il a aussi rendu la recherche des causes « plus difficile ». Car M. Newton ne donne pas « dans le goût de nos physiciens, qui mettent la mécanique à tout » ; lui, il « met les astres au large dans de vastes espaces où ils se soutiennent par leur gravité naturelle[48] ». Février 1710 : « Les qualités occultes et surtout celles d'attraction et de pesanteur paraissaient être si absolument bannies de la physique [...] par M. Descartes, le plus grand des géomètres, qu'il n'en était plus fait mention pour servir d'exemple des faux raisonnements fondés sur les préjugés de l'enfance. » Et l'auteur d'opposer à cette doctrine des idées claires la « crédulité » de Newton et des géomètres anglais[49]. 1717 : le système cartésien du flux et du reflux est jugé si ingénieux « qu'on doit souhaiter qu'il soit entièrement vrai[50] ». 1721, à propos du newtonien Willem 'S Gravesande qui renchérit sur le *hypotheses non fingo* de Newton : « Ces sortes d'aveux sont assurément dignes d'un philosophe ; mais un livre tout plein de pareils aveux, était-ce la peine de le faire ? » Et puis, « on n'ose pas franchir de bonne grâce le mur de séparation que Descartes a mis entre notre siècle et les siècles précédents[51] » ; Newton ressuscite « les amitiés, les exigences, les appétits, les appétences, des philosophes nos aïeux, dont Descartes avait débarrassé la science[52] ».

Celui qui écrit ces lignes est le jésuite Castel. Peu d'années le séparent de ces « aïeux » un peu frustes qui recouraient aux amitiés et aux aversions des choses. Mais ces quelques années sont celles où la physique newtonienne produit la recomposition du champ intellectuel que nous avons vue, et dont le ralliement des jésuites à Descartes n'est pas le moindre des effets.

L'introuvable consensus

On le voit : dès la seconde décennie du siècle, et en dépit de quelques abcès de fixation, les jésuites ne procèdent plus qu'à des condamnations formelles du cartésianisme ; chez eux comme hors de l'Église, la grandeur de Descartes est exaltée, son rôle de pionnier souligné et sa stature est celle d'un génie à qui seuls des envieux sont susceptibles d'en vouloir.

Ce portrait de Descartes en héros, bientôt national, est célébré dans un écrit qui remporte en 1710 le prix de l'Académie des jeux floraux de Toulouse, premier jalon d'une métamorphose du philosophe en symbole académique qui s'opérera à la fin du siècle.

Les traits de ce *Descartes*[53] en vers sont importants par leur nouveauté et parce qu'on les retrouvera sous d'innombrables variantes tout au long du siècle ; son auteur n'est certes pas un grand poète, mais sortons-le néanmoins de l'ombre où, prudemment, tout le monde l'avait laissé jusqu'à présent.

Avant Descartes, nous dit-on, les ténèbres régnaient :

> L'erreur captivait les esprits [...]
> Enfantait mille affreux écrits.
> La prévention en furie,
> L'obscurité, la barbarie
> Partout répandaient leur poison [...].

Avec lui, au contraire, apparaît la lumière : on sera sensible à cet usage de la métaphore lumineuse au seuil d'un siècle qui se baptisera lui-même « des Lumières » :

> Mais à l'aspect de ta lumière,
> Ces sombres enfants de la nuit [...]
> N'ont que la honte qui les fuit. [...]
> Par toi la vérité sincère,
> Qui luit aux décillés mortels,
> A relevé ses saints autels.

À ce tableau ne peut manquer la jalousie des rivaux :

En vain l'entêtement rebelle
Contre la doctrine nouvelle,
Trame cent complots odieux ;
Le Ciel, garant de ta victoire,
A dû, pour augmenter ta gloire,
Te susciter des envieux.

L'œuvre de Descartes est ensuite présentée dans sa dimension cosmologique – il « enfanta un monde nouveau » – et anthropologique – il a révélé à l'âme qu'elle est « exempte des lois du trépas ». Enfin, c'est Uranie qui couronne le philosophe :

Dans tes écrits qu'elle contemple,
La déesse admire un exemple
De ce que peut l'esprit humain,
Et par des solennels suffrages,
Elle déclare tes ouvrages
Dignes d'une immortelle main.

On aura noté que l'immortalité promise au philosophe par Uranie est immédiatement attachée au fait qu'il a révélé toute l'étendue de « l'esprit humain ». La notation doit nous arrêter, pour la promotion remarquable dont elle honore Descartes. Car désormais l'histoire du philosophe français cesse d'être celle d'un homme pour coïncider avec celle des « progrès de l'esprit humain ».

Les progrès de l'esprit humain : Fontenelle vient de trouver sous sa plume cette formule, en faisant l'éloge de l'abbé Galois [54]. Depuis 1688, depuis sa *Digression sur les anciens et les modernes,* la formule, si l'on ose dire, couvait. C'est là qu'il avait forgé l'idée sans laquelle elle eût été impossible : la comparaison des hommes de tous les siècles à un seul. « Un bon esprit cultivé est, pour ainsi dire, composé de tous les esprits des siècles précédents ; ce n'est qu'un même esprit qui s'est cultivé pendant tout ce temps-là. » On connaît la suite : un tel esprit a une naissance, une enfance, une maturité, mais pas de vieillesse ; autrement dit, « les hommes ne dégénèreront jamais, et [...] les vues saines de tous les bons esprits qui se succéderont s'ajouteront les unes aux autres [55] ». Mais il faut, semble-t-il, attendre 1707 pour qu'apparaisse l'expression « progrès de l'esprit humain », promise à un si bel avenir : jusqu'à Rousseau, l'idée régnera sans partage, du moins chez les partisans des Modernes.

C'est assez dire par conséquent l'importance du fait que, dès 1710, dans l'*Ode* primée aux Jeux floraux de Toulouse, Descartes soit associé à l'odyssée de l'esprit humain et qu'une place insigne lui y soit concédée, celle d'instructeur du genre humain. Car c'est une nouvelle figure, *historicisée*, de Descartes et du cartésianisme que l'on voit se dessiner ici, très précocement donc. Or ses possibilités sont considérables : d'une part, en étant installé dans cette posture de fondateur, le philosophe devient susceptible d'être revendiqué par tous, y compris par ses adversaires ; d'autre part, en faisant désormais partie de l'économie générale de l'« esprit humain », il peut être crédité de tout ce qui s'est fait d'illustre après lui ; avantage immense au moment où, la supériorité de Newton en physique étant avérée, le besoin se fait sentir d'opposer au savant anglais un savant aux couleurs de la France.

C'est cette figure qui prévaut dans l'ouvrage de Du Pont-Bertris (1726), *Éloges et caractères des philosophes les plus célèbres depuis la naissance de J.-C. jusqu'à présent*, destinés à servir de suite à l'*Abrégé de la vie des anciens philosophes de Fénelon*. Le Descartes de Du Pont-Bertris n'a plus rien à voir avec celui contre lequel, à peine quinze ou vingt ans auparavant, Leibniz se battait encore : ce n'est plus un contemporain dont on accepte ou dont on réfute les idées, c'est déjà un objet d'histoire.

L'éloge commence par un trait qui n'est pas sans rappeler le *Descartes* des Jeux floraux : « Nous voici arrivés au célèbre Descartes, qui par l'excellence de ses ouvrages originaux a fait voir à toutes les nations jusqu'où peut aller l'esprit français dans les sciences les plus sublimes et les plus épineuses. » Ce n'est pas ici de « l'esprit humain » que Descartes a montré toutes les capacités, mais de « l'esprit français ». La notation n'est pas moins importante : si l'insertion de Descartes dans l'histoire de l'esprit humain assure à son œuvre une portée universelle, le fait de représenter éminemment l'esprit français permet à chacun, en France, de revendiquer une part de sa gloire. Descartes a été un « héros » en philosophie et en mathématiques, et c'est comme tel qu'il est reconnu aujourd'hui par tous les savants. Comprenons : ceux-ci ne voient plus en lui un contemporain mais un pionnier. D'où l'insistance sur ce thème de l'héroïsme, qui traversera les siècles et auquel Péguy saura prêter son lyrisme ; plus Descartes recule dans le temps, plus il est aisé de mettre en relief ce que fut son courage et ce que furent ses persécutions. « Les savants révoltés au bruit de la nouvelle philosophie qui paraît, ne tardent guère à éclater : tout est en combustion parmi eux. Descartes a déjà sur les bras Fermat, Roberval, Gassendi, Arnauld, adversaires tous dignes de lui et tous illustres depuis par leurs écrits. Il voit des universités s'élever contre sa doctrine et la prescrire absolument ; l'orage se déclare de tous les côtés : vains efforts. Toutes ces traverses ne servent qu'à rehausser la gloire du nouveau philosophe. Descartes fait face à ses adversaires ; il les désarme la plupart par lui-même, les autres par ses disciples ; enfin sa doctrine prend le dessus. » Lorsque d'Alembert, dans le *Discours préliminaire* de l'*Encyclopédie*, fera de Descartes un « chef de conjurés », il n'inventera rien : il ne fera que recueillir un trait devenu déjà, en 1751, lieu commun[56].

Héros, Descartes l'a été en brisant l'idole de l'Antiquité et de l'autorité et en leur substituant le seul joug de la raison. Lorsqu'on sait combien le XVIIIe siècle aimera se reconnaître dans le refus de la soumission intellectuelle, on mesure toute l'importance du fait que soit conféré à Descartes un rôle d'initiateur dans l'histoire de l'insurrection de l'esprit. « Il a donné à tout, continue Du Pont-Bertris, le premier branle dans la République des lettres, et par une heureuse révolution dont l'époque est d'autant plus glorieuse à Descartes que probablement il y a fort influé, c'est de son temps que toutes les sciences ont commencé à changer de face[57]. » Cette « révolution » au cours de laquelle tout change de face et dont Descartes marque les commencements, n'en doutons pas, c'est l'avènement des Lumières. La représentation que les Philosophes se feront de leur origine et du siècle qui porte leur nom inclura ainsi, au titre de précurseur, l'auteur du *Discours de la méthode*, distingué soigneusement de celui des *Méditations métaphysiques* [...] *dans lesquelles l'existence de Dieu et la distinction réelle entre l'âme et le corps sont démontrées*. Il reviendra aux catholiques, dans la seconde moitié du siècle, de faire que cette autre partie de l'héritage cartésien continue d'être vivante ; ce sont eux qui la légueront à Victor Cousin et au XIXe siècle.

•

Prenons la mesure de la rapidité avec laquelle on est passé du Descartes qui divise au Descartes qui fait l'unanimité. 1697 : Leibniz publie sa célèbre lettre à l'abbé Nicaise où il dénonce l'impiété de la philosophie cartésienne et demande qu'elle soit « châtiée par le retranchement des erreurs qui sont mêlées avec la vérité ». 1710 : les Jeux floraux de Toulouse font le premier éloge académique de Descartes, où il lui est reconnu un rôle éminent dans l'histoire de l'esprit humain. 1720 : l'université de Paris recommande la lecture des œuvres de Descartes à côté de celles d'Aristote et les jésuites sont ralliés au cartésianisme. 1726 : Du Pont-Bertris publie un éloge du philosophe où celui-ci est présenté comme le champion de l'esprit français. En une vingtaine d'années, Descartes a acquis la stature d'un héros dont l'importance dans le patrimoine national n'est plus guère contestée.

Descartes vrai Français

Les jésuites ne sont pas les moins empressés à saluer maintenant en Descartes un « vrai Français ». La publication en 1724 du *Traité de physique* du père Castel est l'occasion de le vérifier. Vu de loin, le célèbre inventeur du clavecin oculaire, qui fit rêver les amateurs de *curiosa*, est un cartésien. Il soutient les tourbillons contre l'attraction, nie le vide et, comme tant d'autres à la même époque, ne célèbre en Newton que le génie mathématique. Mais vu de plus près, il se démarque grandement des « cartésiens rigides » qui suivent aveuglément leur maître. Le grand Descartes, qui a tant fait pour la restauration des sciences, a conçu maintes hypothèses arbitraires dont Castel estime qu'elles doivent être revues. Dans la physique cartésienne, il voit quelque chose de facile et de brillant, qui s'est vite dégradé « jusqu'au niveau des génies les plus médiocres et les plus paresseux ». À quoi s'est ajouté « le caractère élégant, ingénieux, de la nation » qui fait que même les femmes ont été « agréablement flattées de se voir à portée de philosopher et presque de raisonner[58] ». À la nation française, marquée par la superficialité, il oppose le peuple anglais dont le goût pour les sciences physico-mathématiques est bien connu : « Nous n'avons rien, surtout en géométrie, qui surpasse ce qui nous vient d'Angleterre », avoue-t-il. Témoin le sublime Newton, « le philosophe qui a le mieux compris et le plus approfondi ce qui regarde le système de la gravité ; ce n'était presque qu'en bégayant, et d'une manière incertaine, qu'on avait parlé de la pesanteur des astres ; chez M. Newton, elle devient une science affirmative et presque géométrique[59] ».

L'attaque dont le père Castel est l'objet dans les *Mémoires de Trévoux* est riche d'enseignements. Car le déterminant national de la querelle apparaît en pleine clarté. « Ce père », écrit son censeur, « semble prétendre que dans tous les corps il y a une pesanteur innée et intrinsèque ; en vérité, il faudrait laisser cela aux Anglais modernes et aux anciens Arabes : les cartésiens, les Français, ne passeront jamais cet article. » Et il ajoute ce propos auquel, bien entendu, Castel se sentira tenu de répondre : « Je ne voudrais pas néanmoins assurer tout à fait que le père Castel ne soit pas bon Français en ce point[60]. »

Puisque être cartésien, c'est être bon Français, il ne reste à Castel qu'à faire profession de cartésianisme : « L'auteur a raison de n'oser pas assurer tout à fait que je ne suis pas bon Français sur l'article de la pesanteur, qu'il me soupçonne sans raison de croire innée et intrinsèque », répond-il une première fois, sans contester, on l'aura noté, l'équivalence bon Français/cartésien[61]. Une seconde réponse, un peu différente, commence par une déclaration de révérence à l'endroit de Descartes, se poursuit par le rappel des erreurs qu'il a, néanmoins, commises, et s'achève sur une autre manière de se dire bon cartésien et bon Français : il est entendu que le système de Descartes est battu en brèche, que les newtoniens sont de plus en plus nombreux chaque jour ; mais que prouve l'argument du nombre, sinon que « la manière de Descartes n'était pas de faire des esclaves, et que les Français ne sont pas trop nés pour l'être[62] » ? Des deux côtés, donc, c'est en termes de nationalité qu'est affichée la position à l'égard de Descartes : pour les recenseurs des *Mémoires de Trévoux*, on est bon Français en étant cartésien quant au refus des qualités occultes ; pour Castel, on est encore bon Français en étant cartésien sur le chapitre de l'indépendance d'esprit.

Un autre jésuite, le père Laval, estime qu'en dernier ressort le choix entre les deux systèmes est un choix entre deux « modes », et qu'il est entièrement commandé par l'appartenance nationale. En France, la mode des mots creux, inintelligibles, est passée, ou du moins « reléguée en quelques écoles » – c'est un jésuite qui parle... « Elle y restera apparemment longtemps, et je ne conseillerais pas aux nouveaux physiciens de s'attacher à l'en chasser. » Si en Angleterre les qualités occultes triomphent, qui s'en plaindra sinon les péripatéticiens qui penseront qu'on les leur vole ? « Il y a diverses modes pour la physique ; l'une peut plaire en Angleterre, l'autre en France ; les modes de France peuvent agréer autant et être aussi commodes que celles d'Angleterre. Quand ces Messieurs, comme Aristote et Platon, ne seront plus à la mode, quelqu'un autre prendra leur place et trouvera un autre système, qu'il croira fondé sur un plus grand nombre d'expériences[63]. »

Mais nul sans doute n'a fait vibrer si fortement la fibre patriotique que le jésuite Du Baudory, professeur au collège Louis-le-Grand. Il est lui aussi sans pitié pour la philosophie scolastique qui encrasse les esprits avec un fatras ridicule d'entités, de qualités, de modalités, etc. Proportionnelle à sa haine des scolastiques, son apologie du cartésianisme revêt des accents très nouveaux, où l'on perçoit déjà l'idée d'une sorte de consanguinité entre Descartes et la France. « Un nouveau système s'élance à la lumière [...]. Déserteur du rite antique, Descartes donne pour ainsi dire comme fondement à sa révolte une nouvelle méthode de douter. » Le philosophe va donc devoir se battre. Mais c'est en « vrai Français » qu'il le fait, à ciel ouvert, avec les mots de tout le monde, de façon à être compris de tous. Tandis que Newton, lui, « se bat dans l'ombre », en se dérobant aux yeux de la plupart derrière des termes obscurs. Aussi, dans l'affrontement entre les deux hommes, le père Du Baudory invite-t-il ses lecteurs à voir un combat entre deux nations : ou la France l'emporte sur Newton, ou l'Angleterre sur Descartes[64].

Chapitre V

L'EFFET VOLTAIRE

Jusqu'aux années 1730, le cartésianisme est demeuré un bloc. Descartes lui-même l'avait dit au seuil de ses *Principes* lorsqu'il avait comparé la philosophie à un arbre dont les racines sont la métaphysique, le tronc la physique, les branches toutes les autres sciences, les principales d'entre elles étant la médecine, la mécanique et la morale. Il est vrai que tous ceux qui, à un moment donné, s'étaient dit cartésiens, n'avaient pas pour autant embrassé l'ensemble du système ; mais aucun d'eux, et d'ailleurs pas davantage leurs adversaires, n'avait songé à tailler dans ce bloc et à séparer par exemple la métaphysique de la physique.

En une génération, ce sera chose faite. Il y aura une « philosophie » cartésienne considérée de fait comme indépendante des hypothèses sur la formation de l'univers, sur le mouvement des corps célestes ou sur la nature des animaux. Au mitan du siècle, il sera permis de faire son tri dans une doctrine dont toutes les parties n'ont pas vieilli au même rythme. On verra apparaître ainsi de nouvelles espèces, des cartésiens en métaphysique partisans de la physique newtonienne, et des newtoniens (ou des lockiens) qui conservent une estime inentamée au *Discours de la méthode*.

L'importance de cette étape va sans dire : tous les blocs sont fragiles, et quand on ne peut plus les prendre tels quels, on les abandonne tels quels. Au contraire, une doctrine qui se montre capable de survivre à ses démentis en se recomposant une nouvelle figure a toutes les chances de connaître l'immortalité. Comment, en une vingtaine d'années, le cartésianisme est-il passé du statut de système à celui de pièces détachées, comment les cartésiens ont-ils accepté cette sorte de parricide ? C'est aux coups de boutoir de Voltaire et, en sous-main, à Newton et Locke, que l'on doit cette décomposition-recomposition de la doctrine du philosophe français.

Premières sentences

Dix ans avant les *Lettres philosophiques* de Voltaire, le père Buffier a donné le véritable coup d'envoi de la réception de la philosophie lockienne en France. Ce rédacteur des *Mémoires de Trévoux*, professeur au collège Louis-le-Grand, est un jésuite bien de son temps. Il n'a pas la moindre sympathie à l'égard de la scolastique dont l'ont dégoûté tous les bons esprits : Descartes bien entendu, mais aussi Gassendi et tant d'autres qui ont tiré à boulets rouges sur la vieille terminologie des docteurs de l'Université : les *quiddités*, *eccéités* et autres *modalités* ont vécu pour lui comme pour ses confrères. Mais cet adversaire des scolastiques est aussi un anticartésien décidé. Le *je pense, je sens, j'existe* lui paraît d'une évidence invincible ; mais à quoi sert-il ? Quant au doute, s'il consiste à n'admettre de vérité qu'après l'avoir scrupuleusement examinée, il s'apparente fort à l'opération d'enfoncer une porte ouverte. D'ailleurs, à la faveur de ces vérités premières, Descartes s'est empressé de restaurer les mots vides de sens dont il voulait purger la philosophie et une nouvelle tyrannie s'est insensiblement établie sur les ruines de l'ancienne. Enfin Locke vint... Et, en matière de psychologie, il substitua « l'histoire » au « roman [1] ». Voltaire, qui avait lu Buffier, fera son miel de cette terminologie et, par lui et ses *Lettres philosophiques*, elle passera à la postérité.

L'idée de composer ce livre a germé dans l'esprit de Voltaire lors de son exil en Angleterre des années 1726-1728. Ce qui a précédé dans sa vie est bien connu : son premier grand succès en 1718 avec *Œdipe*, son voyage de 1722 en Hollande où il a découvert les vertus de la tolérance religieuse et de la prospérité commerciale, la bastonnade du 4 février 1726 suivie d'un bref séjour à la Bastille. En mai 1726, Voltaire s'installait à Londres. À cette date, était-il pour ou contre Descartes ? Son amitié avec lord Bolingbroke l'avait préparé à être plutôt du côté de Locke en philosophie. Mais en physique ? Ses *Notebooks* de la période anglaise montrent qu'il s'intéressait à la polémique entre cartésiens et newtoniens sans qu'un parti très clair s'imposât encore à lui[2]. En mars 1727, il assistait aux funérailles grandioses que l'Angleterre avait réservées à Newton ; et en 1729, il pouvait lire l'*Éloge de M. Newton*, dans lequel Fontenelle brossait un parallèle entre Descartes et l'auteur des *Principia mathematica* où il n'est pas aventureux de voir le contre-modèle des futures *Lettres philosophiques.*

Arrêtons-nous un instant sur cet *Éloge* et sur le début des années 1730, qui marquent une nouvelle rupture. Fontenelle ne pouvait pas ne pas reconnaître à Newton de considérables mérites : une géométrie magnifique, une physique très neuve, des observations et des expériences aussi pressantes qu'adroites, bref, un génie de premier ordre tel qu'il n'en advient que trois ou quatre par siècle. Mais le secrétaire perpétuel de l'Académie des sciences était aussi un défenseur entêté de la cosmologie cartésienne, qui publiera à quatre-vingt-quinze ans une ultime défense des tourbillons contre l'attraction. Dans son *Éloge de Newton*, il ne cessait de comparer les deux grands savants, le Français et l'Anglais, tous deux attachés à la belle entreprise de mathématisation de l'univers : Descartes, avec sa hardiesse coutumière, était allé d'emblée aux premiers principes, s'en était rendu maître par quelques idées claires et fondamentales puis était redescendu aux phénomènes comme à des conséquences ; Newton, plus timide, plus modeste peut-être, avait commencé par les phénomènes pour remonter ensuite aux principes. Les mérites des deux savants sortaient-ils égaux de cette confrontation ? Pas tout à fait si l'on y regardait bien, car, dans le couple, Descartes était celui qui « part de ce qu'il entend nettement pour trouver la cause de ce qu'il voit », tandis que Newton était celui qui « part de ce qu'il voit pour en trouver la cause, soit claire, soit obscure[3] ». N'importe quel lecteur était capable d'ajouter : avec la prétendue force attractive, précisément, on est dans le cas où la cause est tout ce qu'il y a d'obscur.

Ordre déductif contre ordre inductif, *a priori* contre *a posteriori*, hardiesse contre modestie : Fontenelle, en une page, avait fixé les termes d'une comparaison qui reviendra *ad nauseam* tout au long du siècle.

Mais son *Éloge* contenait aussi un autre élément, fort utile pour faire vibrer la corde patriotique en faveur de Descartes : l'inégalité de traitement, de la part de chacun des deux pays, à l'égard de leur gloire nationale. À Newton, une célébrité et des hommages durant toute sa vie ; à Descartes, un triomphe posthume. Au premier, des funérailles grandioses – son corps exposé sur un lit de parade, son transport à Westminster entouré du grand chancelier et de cinq autres pairs, le service religieux accompli en grande pompe par l'évêque de Rochester ; au second, un enterrement dans une ville lointaine, au cimetière des enfants morts sans baptême. Bref moment d'anglophilie que pouvait se permettre Fontenelle, puisqu'il servait en fait à grandir son héros.

Cela dit, l'*Éloge* de Fontenelle appartenait encore au passé. Tout autre était le *Discours sur les différentes figures des astres* de Maupertuis, si important dans la genèse des idées de Voltaire. Qui était Maupertuis en 1732 ? Un savant formé à l'école cartésienne de Saurin et Terrasson, installé par eux, dès 1723 – il n'avait encore rien publié ! – sur un strapontin de l'Académie des sciences, qui s'était ensuite frotté aux newtoniens à Londres avant d'être initié aux arcanes du calcul différentiel par Johann I Bernoulli. Quelqu'un de décidé à se faire sa place et que la cause newtonienne, à laquelle il était désormais acquis, allait puissamment servir[4]. Le problème traité dans le *Discours* de 1732 était celui de la forme du globe terrestre. Depuis longtemps, cartésiens et newtoniens l'avaient transformé en une question cruciale susceptible de falsifier ou d'avérer leur doctrine. Maupertuis reprenait la question de l'attraction, dont il montrait qu'elle n'est pas le « monstre métaphysique » que l'on a dit ; il faisait d'elle une simple « question de fait » et retournait aux cartésiens l'accusation d'utiliser des qualités occultes : sans doute est-ce très beau de tout expliquer par la matière et le mouvement, mais à condition de ne pas supposer des matières et des mouvements *ad hoc*. « Lorsqu'on voit un corps tendre vers un autre, dire que ce n'est point qu'il soit attiré, mais qu'il y a quelque matière invisible qui le pousse, c'est à peu près raisonner comme ferait un partisan de l'attraction qui, voyant un corps poussé par un autre se mouvoir, dirait que ce n'est point par l'effet de l'impulsion qu'il se meut, mais parce que quelque corps invisible l'attire[5]. »

À partir de là, les jours des tourbillons étaient comptés. Si Fontenelle ne pouvait s'empêcher de réitérer ses réserves à l'égard de l'attraction, les *Mémoires de Trévoux* prenaient acte, l'année suivante, de l'irrémédiable déroute des tourbillons cartésiens qu'aucune réfection ne pouvait désormais sauver[6]. D'ailleurs, à l'Académie des sciences, le *Discours* de Maupertuis suscitait aussitôt une rafale d'études – Godin, La Condamine, Bouguer, Manfredi – montrant toute la portée de ses vues. Surtout, les mesures des méridiens terrestres allaient pouvoir se poursuivre sur une plus grande échelle ; or elles étaient cruciales puisqu'elles permettaient de trancher sans discussion entre Descartes et Newton, celui-ci ayant montré que, dans l'hypothèse de l'attraction, les pôles terrestres devaient être légèrement aplatis. Le 23 décembre 1733, la décision était prise d'effectuer des observations à l'équateur ; l'expédition, qui comprenait La Condamine, Godin et Bouguer, partira le 16 mai 1735. Maupertuis, lui, partira pour la Finlande le 2 mai 1736 ; il en reviendra en novembre 1737 avec la confirmation de la théorie de Newton. La cause sera alors entendue.

1734, une année charnière

C'est dans ce contexte électrisé que paraissent en 1734 les *Lettres philosophiques* de Voltaire, précédées d'une édition anglaise. Si elles ont été, pour l'essentiel, composées entre 1729 et 1731, les passages concernant Newton ont grandement profité de la lecture de Maupertuis et même de ses conseils.

Que les *Lettres philosophiques* soient une machine de guerre contre Descartes, on peut s'en convaincre dès avant la fameuse *Treizième Lettre*, celle qui consacre Locke. La *Douzième*, « Sur le chancelier Bacon », confère à celui-ci le rôle de fossoyeur de la scolastique qui avait été jusque-là le moins contesté des mérites attribués à Descartes. D'ailleurs, dans le *Traité de métaphysique* composé à la même époque, Voltaire se montre presque plus tolérant à l'égard de la terminologie de l'École qu'à l'égard de la chimère des idées innées censée l'avoir supplantée[7]. Bacon, donc, est promu « père de la philosophie expérimentale », « précurseur de la philosophie[8] ». Par Voltaire, fait ainsi son entrée dans la doctrine officielle des Lumières une représentation de leur histoire et de leur fondation où Bacon joue un rôle au moins équivalent à celui de Descartes. Jusqu'à Destutt de Tracy et Degérando, qui feront au début du siècle suivant l'opération inverse, les Lumières françaises vivront sur cette conception de leur propre passé.

Le lecteur est donc préparé, lorsqu'il aborde la *Treizième Lettre*, à une généalogie anglaise des Lumières. « Notre Descartes, né pour découvrir les erreurs de l'Antiquité mais pour y substituer les siennes, et entraîné par cet esprit systématique qui aveugle les plus grands hommes... » : d'emblée, la cause principale de l'échec de Descartes est désignée, et cette cause est de portée générale puisqu'elle concerne « les plus grands hommes » – c'est le fameux esprit de système, ce monstre auquel les Lumières n'en finiront pas de livrer bataille et dont Shaftesbury avait dit déjà qu'il constituait le plus sûr moyen de devenir fou. L'esprit de système est l'inverse exact de la « sagesse », de la « modestie », qui sont le fait de Locke comme de Newton. Son principal effet, on l'aura noté, est qu'il *aveugle.* Aveugler, ce n'est pas seulement le contraire d'*éclairer*, en quoi se résume la devise du siècle ; c'en est la négation par excès. L'aveuglement qu'engendre l'esprit de système est un *éblouissement* ; l'excès d'une lumière artificielle, les idées *brillantes* et hardies, plongent l'esprit dans une cécité non moins redoutable que celle qui régnait avant que la lumière ne parût. Dans un poème de 1740, Voltaire a d'ailleurs explicitement distingué, s'agissant de Descartes, *éclairer* et *éblouir* :

> Songeur de la nouvelle loi,
> Il éblouit plus qu'il n'éclaire,
> Dans une épaisse obscurité
> Il fait briller des étincelles.
> Il a gravement débité
> Un tas *brillant* d'erreurs nouvelles
> Pour mettre à la place de celles
> De la bavarde antiquité[9].

Le moment cartésien se caractérise donc par une brève période de lumière entre deux périodes de cécité : d'une part, « Descartes donna la vue aux aveugles[10] » ; d'autre part, aveuglé à son tour, il mit ses erreurs brillantes en lieu et place de celle des anciens.

Ces erreurs brillantes, Voltaire en fera la liste à plusieurs reprises, comme dans les *Questions sur l'Encyclopédie* de 1770. Dans les *Lettres philosophiques*, il s'en tient aux deux principielles : Descartes a fait de la pensée l'essence de l'âme, et de l'étendue l'essence des corps. La première a engendré le « roman des idées innées », que Voltaire ne se lassera pas de brocarder. Voici par exemple ce qu'il fait dire à ce sujet au cartésien de *Micromégas* : « L'âme est un esprit pur qui a reçu dans le ventre de sa mère toutes les idées métaphysiques et qui, en sortant de là, est obligée d'aller à l'école et d'apprendre tout de nouveau ce qu'elle a si bien su et qu'elle ne saura plus[11]. » C'est par rapport à ce « roman de l'âme » que l'entreprise de Locke est baptisée du terme d'« histoire » : le philosophe anglais a suivi « pas à pas » les progrès de l'entendement au lieu de s'intéresser à son essence, d'ailleurs inconnaissable ; il n'a eu alors aucune peine à constater ce que tout le monde peut savoir en s'observant : que nous ne pensons qu'à l'occasion des sensations [12].

La seconde erreur de Descartes, sur la nature des corps, entraîne en cascade la chimère d'un esprit pur, l'absurde théorie des animaux-machines et le refus de l'attraction. Suivons le raisonnement de Voltaire qui utilise habilement le thème de l'ignorance des causes premières pour suggérer à son tour des hypothèses relatives à ces mêmes causes, mais qui n'ont plus l'air d'être des hypothèses. Admettons donc avec Locke que nous ne connaissons pas l'essence de la matière et que Dieu peut fort bien l'avoir dotée de propriétés que nous ignorons ; on se contentera alors de dire : « Je suis corps et je pense », sans attribuer à une cause inconnue ce que nous pouvons si clairement attribuer à la matière [13]. Avançons encore d'un pas : on estimera que c'est la même cause qui agit chez les animaux et chez les hommes, mais en rapport avec leurs organes respectifs, et que ce principe commun est un « attribut donné par Dieu à la matière [14] ». Enfin, avec Newton, on fera de l'attraction « l'effet certain et indispensable d'un principe inconnu, qualité inhérente dans la matière », dont de plus habiles trouveront un jour, peut-être, la cause [15].

La quatorzième des *Lettres philosophiques* reprend le principe du parallèle entre Descartes et Newton esquissé par Fontenelle dans son éloge du savant anglais. Mais c'est pour en offrir une version toute différente. Tandis que Fontenelle les plaçait tous deux dans une stricte contemporanéité, Voltaire les dispose dans l'histoire de l'esprit humain l'un du côté des savoirs périmés, l'autre du côté des savoirs que leur scientificité réserve à des spécialistes. Dans le meilleur des cas, on dira que Descartes a été le précurseur de Newton – dans les mathématiques de l'infini, dans la théorie de l'arc-en-ciel, et surtout dans la géométrie. Pour le reste, la science vraie de l'Anglais a définitivement anéanti les tourbillons, grands et petits. Bref, la doctrine de Descartes est un « essai », celle de Newton un « chef-d'œuvre ».

À ce portrait de Descartes en inventeur d'une méthode aussitôt abandonnée par lui, Voltaire ajoute un autre trait, positif celui-là, et déjà connu, mais auquel il donne un éclat neuf et de grande portée : Descartes a dû fuir sa patrie pour philosopher en liberté ; l'inventeur de tant de preuves de l'existence de Dieu a été accusé d'athéisme ! Voltaire dispose là d'une inférence à toute épreuve : « Tant de persécutions supposaient un très grand mérite et une réputation éclatante : aussi avait-il l'un et l'autre. » De ce Descartes-là, Voltaire se sentira toujours proche et même un peu frère : à Frédéric II le 20 janvier 1740, à Damilaville le 23 avril 1766, comme dans *Le Siècle de Louis XIV*, il se plaît à dire : « Dès qu'un homme d'esprit n'est pas fanatique, les bigots l'accusent d'être athée. [...] On doit toujours se souvenir que Descartes et Gassendi ont essuyé les mêmes reproches [16]. » Et, lorsqu'il félicitera Thomas pour son *Éloge de René Descartes* en 1765, il aura un mot spécial pour le passage où sont relatés les démêlés du philosophe avec les infâmes théologiens d'Utrecht : « Quel morceau que la persécution du nommé Voet contre Descartes ! [...] un coquin absurde qui ose poursuivre un grand homme [17]. » Bien plus qu'à Descartes inventeur de la dioptrique, c'est à Descartes persécuté par des coquins que Voltaire sait réserver toute sa tendresse. « Mon cher frère en Bayle, en Descartes, en Lucrèce [18] », écrit-il à Tison : vu sous l'angle du combat contre le fanatisme, Descartes est inscrit dans une lignée dont Voltaire se sent solidaire. Les tourbillons et les idées innées sont alors oubliés au profit de la grande fraternité des persécutés.

De ce trait, dont Fontenelle nourrissait seulement son sentiment de l'ingratitude nationale, Voltaire tire bien entendu des enseignements de philosophie politique. Si Newton a vécu tranquille toute sa vie, c'est parce que l'Angleterre est un pays libre, que la scolastique n'y règne pas et que la raison seule y est cultivée. Transposons : un pays qui persécute ses grands hommes, oblige Descartes à fuir et embastille Voltaire est un pays dont les institutions sont mauvaises.

La controverse des « Lettres philosophiques »

Il est certain que les *Lettres philosophiques*, venant après le *Discours sur les différentes figures des astres* de Maupertuis, marquent une véritable rupture. Maupertuis a visé, et atteint, le public savant ; Voltaire, lui, obtient la faveur du public tout court. Les *Lettres*, considérées par le Parlement comme propres à inspirer le libertinage le plus dangereux, ont beau être saisies et jetées au feu dès leur parution, cela n'empêche pas, bien au contraire, qu'elles soient rééditées plusieurs fois jusqu'en 1739, pour être à partir de là démembrées et dispersées dans les « Mélanges » de ses *Œuvres*. Ce sont, au bas mot, plus de vingt mille exemplaires qui sont vendus en cinq ans, chiffre record pour l'époque, du moins pour cette catégorie d'ouvrages.

Dans l'histoire du cartésianisme, leur effet est patent. À l'égard des Philosophes, elles mettent au point une sorte de vulgate : d'Alembert y puisera à pleines mains pour rédiger le *Discours préliminaire* de l'*Encyclopédie*. Le rôle de Bacon, la position de Locke en inventeur de la véritable psychologie, la valeur de référence suprême conférée à Newton, et la (petite) place faite à Descartes en champion d'une méthode aussitôt trahie par lui, tous ces thèmes seront dès les années 1740 des lieux communs que l'*Encyclopédie* morcellera et disséminera en autant d'articles. Le versant « Lumières » du XVIIIe siècle ne fera guère autre chose de Descartes que ce qu'en fait Voltaire en 1734.

Mais le rôle des *Lettres philosophiques* et des *Éléments de la philosophie de Newton*, que Voltaire publiera en 1738, ne sera pas moins sensible sur le versant anti-Lumières où, s'agissant de Descartes, ces ouvrages produiront un notable effet de bascule. Par la caution qu'ils semblent apporter au matérialisme et à l'irréligion, ils obligeront une partie importante des catholiques à répliquer dans les termes d'une métaphysique adaptée à l'adversaire. Or la traditionnelle scolastique n'est pas ici opératoire. Discréditée par les attaques dont elle est l'objet depuis bientôt deux siècles, elle présente en outre l'inconvénient de proposer une théorie de la connaissance qui n'est pas sans rapport avec l'empirisme lockien. Sur la genèse des idées à partir de la sensation, ni Aristote ni les péripatéticiens n'offrent une doctrine suffisamment distincte de celle de Locke. Quelle métaphysique opposer alors aux matérialistes, sinon celle de Descartes, où l'on trouve une théorie des idées qui n'inscrit pas de dépendance à l'égard des sensations, et une distinction franche de l'âme et du corps d'où il est aisé de tirer une démonstration convaincante de l'existence de Dieu ? Si bien que, au même moment où la physique des tourbillons perd son crédit auprès des savants et bientôt auprès de tout le monde, la métaphysique spiritualiste qui en était le pendant va s'en trouver séparée et commencer en terrain catholique une carrière autonome de grande importance.

La réaction des *Mémoires de Trévoux* aux *Lettres philosophiques* donne le coup d'envoi de cette récupération. Les tourbillons, on l'a dit, ont commencé à lasser les jésuites. En 1734, à propos des *Leçons de physique* du cartésien Privat de Molières, ils ont concédé à la « physique anglaise » un incontestable avantage sur la « physique française », sans pour autant renoncer au plein et à l'impulsion [19]. La même année, à propos du *Traité de l'aurore boréale* de Dortous de Mairan, ils ont dit : « Il est temps de reconnaître que Descartes ne nous a donné là-dessus que des hypothèses purement ingénieuses, avec son soleil de pure matière subtile, qui pourrait même être vide, et avec ses encroûtements écumeux [20]. » Il est temps, donc, d'abandonner le vaisseau cartésien qui fait eau de toutes parts.

Mais c'est aussi l'année où paraissent les *Lettres philosophiques* dont les jésuites estiment qu'elles attaquent la religion, les mœurs, le gouvernement et tous les bons principes. Le combat entre les Philosophes et les catholiques vient en somme de commencer. Et Descartes y est aussitôt impliqué, à cause du faible rôle que Voltaire lui a laissé jouer dans l'histoire des progrès de l'esprit humain. Voltaire, dit l'un des recenseurs des *Mémoires de Trévoux*, a décidé que Bacon a été le restaurateur de la philosophie en France et le précurseur de Newton. A-t-il eu tort ? Et que faut-il lui répondre ? Simplement, estime le jésuite, que Descartes est français et qu'il est normal, en France, de le préférer à Newton, comme il est normal à un Italien d'estimer que rien ne vaut la philosophie expérimentale de Galilée et Torricelli. « Chaque nation a ses prétentions là-dessus [21]. » Voltaire a donc été bien naïf de s'en prendre à une question d'orgueil national puisque Descartes appartient au patrimoine. La chose semble assez peu contestable pour n'avoir même pas à être argumentée.

Il y a plus. Dans sa *Treizième Lettre*, Voltaire a exploité la suggestion lockienne concernant la possibilité que Dieu ait doté la matière de la faculté de penser. Il a cru désamorcer ce propos explosif en disant qu'il ne s'agissait pas là de religion, que c'était une question purement philosophique, indépendante par conséquent de la foi et de la Révélation. Or le jésuite se souvient très bien de la dernière fois où un philosophe a tenu un propos impie en prétendant aussi que c'était une question purement philosophique : c'était lorsque Descartes faisait de l'étendue l'essence des corps, rendant inintelligible le changement du pain en corps du Christ dans l'hostie. Voilà donc un recenseur qui a la mémoire longue et qui ne paraît pas disposé à faire à Descartes le moindre cadeau. Mais ce jésuite, comment argumente-t-il contre la proposition impie de

Locke, reprise par Voltaire ? En remettant à l'endroit leur *cogito* parodique qui s'énonce sous la forme : *je suis corps et je pense.* Et pour ce faire, il a besoin de Descartes. Suivons-le lorsqu'il retrouve le chemin des *Cinquièmes Objections* et de leurs *Réponses* : « *Répondez-moi, ô corps, puisque vous n'êtes que cela* », répliquait autrefois Descartes à Gassendi, qui lui avait par ironie adressé ces mots : « *Répondez-moi, ô esprit.* » Non que le jésuite tienne pour vraie la position cartésienne. Mais il l'estime incomparablement plus philosophique que celle de Locke parce qu'elle met plus haut l'esprit que le corps ; une telle erreur est « bien plus pardonnable, plus noble au moins » que celle de l'Anglais, car elle rehausse notre condition, fût-ce aux dépens de la vérité[22]. Il est clair que le jésuite n'a rien d'autre que le spiritualisme cartésien à objecter à Locke et à Voltaire.

C'est aussi le cas du père Tournemine dont on se souvient qu'il n'avait pas toujours été très enthousiaste à l'égard de Descartes. Voltaire s'est plaint à lui du rôle rétrograde joué par les jésuites de France dans l'avènement de la vraie physique. Comme Leibniz cinquante ans plus tôt, il s'étonne que les jésuites, si prompts à introduire les mathématiques dans les écoles, n'aient pas été les premiers à reconnaître la supériorité de Newton en physique. À l'heure où les savants de l'Académie des sciences, en tout cas « ceux qui n'ont pas cru indigne d'apprendre ce qu'ils ne savaient pas », se convertissent à une vérité dont l'Angleterre est depuis longtemps instruite, les jésuites auraient mieux à faire que de plaider pour les tourbillons[23]. Le père Tournemine répond sans concéder à Newton l'avantage réclamé par Voltaire. Mais ce qui l'intéresse surtout, c'est de répliquer au matérialisme qui inspire les *Lettres philosophiques.* « Ah ! Monsieur, notre esprit souffre impatiemment qu'on le dégrade, il perce les ténèbres dont on l'offusque [...], l'immensité de ses désirs réclame pour son origine. » Voilà le jésuite sur la pente d'un augustinisme qui ne peut que l'amener à Descartes. De fait, voici ce qu'il dit : « J'ai un corps » – c'est l'esprit qui parle – « mais je ne suis pas ce corps, je suis supérieur à ce corps. » Mais où, chez Descartes, cet augustinisme amène-t-il le père Tournemine ? Très exactement à la *Méditation seconde*, au moment où l'esprit, à peine parvenu à la certitude du *je pense*, se demande ce qu'il est. Redonnons la parole au jésuite : « Je ne me reconnais ni dans un air épuré, ni dans une flamme subtile : ils sont divisibles, ils ne peuvent penser et je pense. » Et plus loin, cette démonstration appuyée sur un *cogito* qui procède à grandes enjambées : « Je suis sûr que je pense. Je suis donc sûr que je ne suis point matière[24]. »

Dans cette voie, une grande part de l'apologétique du siècle va s'engager sans tarder : tout se passe comme si, à l'occasion des *Lettres philosophiques*, les catholiques s'avisaient de ce qu'ils ont sous la main, avec le cartésianisme, la meilleure réplique au matérialisme, celle qui ne fait avec l'adversaire aucun bout de chemin. Au point que Montesquieu pourra un jour remarquer : Descartes « fut sans cesse accusé d'athéisme, et l'on n'emploie pas aujourd'hui, contre les athées, de plus forts arguments que les siens[25] ».

•

La publication par Voltaire des *Éléments de la philosophie de Newton* en 1738 s'inscrit dans un paysage marqué d'un côté par l'incontestable montée en puissance du newtonianisme – Maupertuis est rentré de Laponie l'année précédente et il a communiqué à l'Académie des sciences les résultats de ses mesures, favorables à l'hypothèse newtonienne de l'aplatissement de la Terre aux pôles – et de l'autre par la contre-offensive des catholiques sur le terrain de l'anti-athéisme : si, jusque-là, ils avaient eu plutôt pour politique de faire silence sur les ouvrages hostiles à l'Église, désormais, ils sont lancés dans la bataille[26].

Sur le fond, les *Éléments de la philosophie de Newton* – œuvre qui a beaucoup profité des leçons de Maupertuis – soumettent la physique cartésienne à une réfutation en règle dont on ne trouvait pas l'équivalent quatre ans plus tôt dans les *Lettres philosophiques*. En outre, l'ouvrage ajoute un élément de poids : il montre que le système newtonien conduit nécessairement à un « Être suprême », créateur *ex nihilo*, tandis que le système cartésien, par son refus du vide, mène à la proposition : Dieu égale matière. Bien entendu, Descartes lui-même est exempté de ce crime horrible ; mais c'est pour reporter sur les disciples l'erreur dont le germe était déjà chez le maître. Une édition ultérieure des *Éléments* nommera le plus célèbre d'entre eux : Spinoza[27]. La leçon est claire : un cartésien cohérent est un athée ; un newtonien cohérent est un théiste.

Vingt ou trente ans plus tôt, ces propos n'eussent probablement suscité aucune indignation : le souvenir des démêlés de Descartes avec les autorités catholiques était encore frais. La vigueur des répliques aux *Éléments de la philosophie de Newton* montre que, autour de 1740, on ne peut plus impunément en France s'en prendre à Descartes, qui fait partie maintenant du patrimoine national. Voltaire le constate lui-même, et le déplore hautement, lorsqu'il répond à ses critiques, choqués par sa réfutation du cartésianisme : « Je vois les esprits dans une assez grande fermentation en France, et les noms de Descartes et de Newton semblent être des mots de ralliement entre deux partis. » Que le parti de Newton suscite des adeptes, continue-t-il, cela n'a rien d'étonnant : Newton démontre ce qu'il avance. Mais Descartes ? Ses lois du mouvement sont reconnues fausses depuis leur publication ; sa théorie de la lumière est controuvée ; ses tourbillons et sa matière cannelée font rire. Pourquoi est-il alors interdit de le combattre ? Uniquement parce qu'on fait « comme si c'était l'action d'un mauvais Français[28] ».

De fait, c'est bien cela qui est en cause et non plus la vérité ou la fausseté des tourbillons. Quelques exemples. Jean Banières, en 1739, qui fait de Descartes le Christophe Colomb de la philosophie, ne se soucie pas de montrer que Descartes avait raison : il lui suffit que le philosophe qui a ôté le « bandeau » qui recouvrait l'esprit humain ait été français. « Que des étrangers s'élèvent contre M. Descartes, dit Banières, [...] nous n'en serons pas surpris ; mais qu'un Français, un auteur né dans la capitale du royaume qui se fait honneur d'avoir porté le grand Descartes, veuille lui dérober son bien pour en enrichir un étranger, c'est ce qui révolte. » Ce crime a un nom : il s'appelle « pécher contre sa patrie[29] ». Le père Castel, chargé de rendre compte du livre de Banières dans les *Mémoires de Trévoux*, n'a plus qu'à emboîter le pas de ce patriotisme, lui qui, quinze ans auparavant, s'était fait accuser de n'être pas bon français parce qu'il n'était pas assez bon cartésien : « M. Banières, bon français et épris d'un vrai zèle pour Descartes », écrit le jésuite, a eu raison d'être choqué par la façon dont Voltaire a traité la nation française en la personne de Descartes ; et Castel de saluer en Banières « le zèle d'un Français pour sa nation et la bonne foi d'un philosophe plein de droiture[30] ».

Nul doute que l'un des effets des écrits de Voltaire soit précisément de renforcer cette disposition même contre laquelle il s'était insurgé dans les *Lettres philosophiques* : le préjugé national. À la cause cartésienne, non pas scientifique mais patriotique, la ruse de l'histoire fait que c'est lui qui confère le plus puissant accélérateur qu'elle ait jamais eu encore. Parce qu'il condamne au ridicule les dogmes physiques du cartésianisme, il transforme en une cause nationale ce qui était jusque-là une cause seulement scientifique. Banières l'a très bien dit : la mémoire de Descartes « est trop chère aux Français pour que nous permettions qu'on le prive de l'honneur qui lui appartient, honneur qui, retombant sur toute la nation, rend l'affaire générale[31] ». Depuis 1740, en somme depuis que l'on a cessé de tenir pour vraies la physique et la cosmologie de Descartes, l'affaire cartésienne n'a cessé en France de se généraliser toujours davantage.

L'esprit du cartésianisme sans Descartes

Tous les historiens l'ont dit : autour de 1740, le newtonianisme l'emporte sur le cartésianisme en physique. Le *Journal des savants*, traditionnellement dévoué à la cause cartésienne, accueille massivement des articles favorables à Newton[32] ; de même le *Mercure de France*[33] et les *Mémoires de Trévoux* qui, l'année même où paraissent les *Éléments* de Voltaire, adressent au cartésien Privat de Molières une lettre où Newton est jugé plus grand physicien que Descartes ; et, en 1745, le recenseur des *Leçons de physique expérimentale* de Nollet s'étonne que, « trente ans après la découverte bien constatée de l'insuffisance de l'explication de Descartes », on ait continué à la ressasser dans les écoles. Sans doute a-t-il oublié que le périodique où il publie ces remarques n'a pas peu contribué à cette prolongation indue... En 1747, dans le même journal, le recenseur des *Institutions newtoniennes* de l'abbé Sigorgne reprend un propos semblable et affirme sans réserve que la philosophie de Newton « est devenue celle de la plupart des savants et de presque toutes les académies[34] ».

La publication de cet ouvrage, et, sept ans auparavant, la nomination de son auteur au collège du Plessis, constituaient elles-mêmes des signes révélateurs : avec l'abbé Sigorgne, c'est la physique newtonienne qui faisait son entrée à l'université de Paris[35]. De fait, dans les années 1750, on voit progressivement les professeurs de physique abandonner les tourbillons et se convertir à l'attraction[36]. Avec un décalage somme toute assez mince, l'enseignement se mettait au diapason du public savant. Et en 1766, il faut croire que les tourbillons apparaissaient comme une survivance d'un autre âge puisque l'abbé Baston, fraîchement formé à la philosophie au séminaire d'Angers, découvrait avec stupéfaction qu'on les enseignait encore au collège de Château-Gontier : c'est sans doute, s'exclamait-il, « le seul asile » qui leur reste[37].

Le témoignage de l'abbé Lelarge de Lignac, cartésien et adversaire farouche de Locke, des matérialistes et de Buffon, corrobore cette périodisation. L'abbé confesse en 1760 qu'il est depuis peu devenu newtonien. « Ce n'est, ajoute-t-il, ni sans peine ni sans répugnance [...]. J'ai été si longtemps cartésien[38] ! » Bien entendu, Lignac ne veut nullement dire par là qu'il a cessé, en métaphysique, d'être du côté de Descartes et de Malebranche. Mais, en 1760, il est devenu possible de renoncer aux tourbillons et au vide sans renoncer à la philosophie de Descartes. Comment cela se fait-il ?

La première façon de résoudre la contradiction qu'il y a à se dire simultanément cartésien *et* newtonien, c'est de reprendre la distinction forgée par Fontenelle à la fin du siècle précédent entre le cartésianisme comme *contenu* et le cartésianisme comme *esprit*. Dans les années 1740, elle est bien installée. Elle est à l'œuvre chez l'historien de la philosophie Boureau-Deslandes[39] comme chez l'abbé de Saint-Pierre[40]. Mais c'est Dortous de Mairan qui trouve sous sa plume les expressions qui feront date. Ses éloges du cardinal de Polignac, de Petit ou de Privat de Molières ont pour fonction de montrer comment le cartésianisme peut survivre à Descartes sous la forme d'un « esprit du cartésianisme ». À l'Académie des sciences, dit-il volontiers, c'est « l'esprit de Descartes », bien différent du cartésianisme *stricto sensu*, qui règne. Par là il entend le goût des expériences, une certaine manière de raisonner, « en un mot, l'esprit de doute et de discussion qui caractérise son immortelle méthode[41] ». Son éloge de Privat de Molières, en 1742, est le plus précis sur ce point. Certes, l'idée des tourbillons est une grande et belle idée, que Dortous de Mairan félicite l'abbé de Molières d'avoir défendue si vaillamment ; mais le secrétaire de l'Académie des sciences sait bien qu'elle est condamnée, et d'ailleurs plusieurs cartésiens – il songe sans doute d'abord à lui – « font profession de recevoir toutes les découvertes des modernes, et principalement celles de Newton ». Pourquoi ? Parce qu'elles ne remettent jamais en cause le mécanisme ; or c'est lui qui constitue « l'esprit du cartésianisme, les explications particulières que nous a laissées Descartes n'en sont pour ainsi dire que le marc ». D'ailleurs, si Descartes revenait, fidèle à sa méthode il serait lui-même newtonien et accepterait l'attraction tout en continuant d'en chercher la cause mécanique. Cet esprit du cartésianisme, on se doute qu'il n'est pas susceptible de vieillir ; c'est lui qui communique à « l'esprit humain » son éternelle jeunesse. En revanche, le cartésianisme comme doctrine a beaucoup vieilli, il a perdu le charme que lui donnaient la jeunesse et une persécution injuste[42]. Descartes est aujourd'hui un vieillard ridé, mais l'esprit du cartésianisme est comme Dionysos : il renaît de ses cendres.

Pourquoi alors le limiter au domaine des sciences ? C'est une question que posent tous ceux qu'intéresse le progrès des Lumières. L'abbé de Saint-Pierre déplorait le fait que Descartes n'ait pas appliqué son puissant génie aux deux disciplines qui importent le plus au genre humain : la morale et la politique[43]. Mais l'abbé Terrasson, lui, ne l'entend pas de cette oreille : il estime que Descartes, en faisant advenir le règne de la raison, a perfectionné l'humanité et adouci les mœurs. « Le raisonnement humain, en matière littéraire, n'est [...] sorti de l'enfance que depuis Descartes. » Propos d'une considérable portée, qui amorce, avec le désenclavement de l'esprit cartésien, sa greffe sur l'esprit français, attaché aux belles-lettres par un lien que l'on sait indéfectible. Non que, du reste, l'abbé Terrasson ignore le rôle des sciences dans la formation de l'esprit cartésien : c'est à l'Académie des sciences, dit-il non sans perspicacité, que la philosophie de Descartes doit son établissement en France. Mais de là l'esprit de Descartes s'est émancipé sans perdre sa légitimité d'origine, et, pénétrant toutes les sphères du savoir, les a marquées de son sceau. Laissons-le le dire lui-même et marquer ainsi la vraie supériorité de Descartes sur Newton : « La philosophie de Newton, quoique merveilleuse, ne s'est pas trouvée propre comme celle de Descartes à être appliquée à toute espèce de doctrine, et l'éloquence anglaise ne s'est pas perfectionnée depuis Newton comme l'éloquence française s'est perfectionnée depuis Descartes. » Car « le système de Descartes est un système philosophique, au lieu que le système de Newton n'est que physique ou géométrique[44] ».

Autour de 1750, la physique cartésienne est presque entièrement détachée du reste du cartésianisme. Les tourbillons, le plein ou les trois éléments sont devenus de simples hypothèses auxquelles on peut croire si l'on veut mais qui n'ont plus de lien obligé avec le reste du cartésianisme. Le reste, c'est la métaphysique, et c'est là l'essentiel pour parler comme Bougainville en 1749[45].

Discrédit du savant, apologie du philosophe

Justement, voici maintenant l'autre façon d'opérer la conciliation entre cartésianisme et newtonianisme : en scindant la métaphysique et la physique de Descartes. Séparation qu'on a vue poindre dès les années 1730 en réplique à la montée du newtonianisme mais qui va être définitivement consommée lors des crises qui, depuis les *Lettres philosophiques* de Voltaire jusqu'aux ouvrages d'Helvétius et d'Holbach, marquent ce que les autorités religieuses appellent « montée du matérialisme », et les philosophes, « progrès des Lumières ». Elle est donc inséparable de l'appropriation que les catholiques font de plus en plus massivement de Descartes.

En 1745, paraît l'*Histoire naturelle de l'âme* de La Mettrie ; en 1746 les *Pensées philosophiques* de Diderot, suivies en 1747 de la *Promenade du sceptique* et des *Bijoux indiscrets* du même, et de *L'Homme-Machine* de La Mettrie ; en 1749, Diderot publie la *Lettre sur les aveugles*. En quatre ans, le « parti » des Philosophes – quelles que soient leurs dissensions – lance quelques-uns de ses brûlots les plus agressifs. Or tous, de près ou de loin, s'en prennent au cartésianisme comme à la doctrine la plus proche de l'autel. Pour Diderot comme pour La Mettrie et, plus tard, pour l'abbé de Prades, Helvétius ou d'Holbach, Descartes est *le* philosophe de l'Église, et sa doctrine, un catéchisme à peine voilé.

Comment Diderot, dans les *Pensées philosophiques*, fait-il argumenter son déiste contre un athée ? Comme quelqu'un qui, ayant d'abord essayé en vain « les subtilités de l'école », procède *more cartesiano* au moyen du doute et du *cogito*[46]. Comment l'aveugle de *La Promenade du sceptique* s'exprime-t-il pour caricaturer Descartes ? En montrant que le *je pense* ne se comprend que sur fond de pensée divine[47]. La Mettrie n'est pas d'un autre avis. Même ses célèbres hypothèses – selon lesquelles Descartes n'aurait donné à sa doctrine un tour spiritualiste que pour détourner les théologiens de leur colère[48] – montrent sous quelle allure apparaît le cartésianisme au milieu du siècle. Bien entendu, c'est contre cette doctrine, qu'elle soit ou non un déguisement, que s'inscrit toute l'œuvre de cet enfant terrible des Philosophes qu'est l'auteur de *L'Homme-Machine* : Descartes a parlé des idées sans savoir d'où elles viennent, ses définitions de l'âme et de la matière sont toutes deux erronées, il « ne sait ce qu'il cherche ni où il veut aller », il ne s'est élevé que pour tomber plus bas et pour retirer l'honneur douteux de donner son nom aux « mers dans lesquelles il s'est noyé[49] ».

Quant à la théorie cartésienne de l'âme immatérielle, accrochée à la glande pinéale, elle ne paraît pas plus crédible à La Mettrie qu'à Diderot. Le premier l'a dit sur un mode argumentatif : « Si le siège de l'âme a une certaine étendue, si elle sent en divers lieux du cerveau, [...] il faut nécessairement qu'elle ne soit pas elle-même inétendue[50]. » Le second a brodé sur ce même thème plusieurs variations savoureuses. Celle des *Bijoux indiscrets* s'offre explicitement comme une critique de Descartes. À Selim, qui avance l'idée que l'âme installée sur la glande pinéale commande aux membres par l'intermédiaire des nerfs, Mirzoza réplique en proposant une théorie de l'âme voyageuse, sise là où se concentre l'activité de l'individu : « L'âme reste dans les pieds jusqu'à l'âge de deux ou trois ans ; elle habite les jambes à quatre ; elle gagne les genoux et les cuisses à quinze. » Comme on sait, Diderot n'hésitera pas à faire monter encore un peu cette âme, puisque « la femme voluptueuse est celle dont l'âme occupe le bijou, et ne s'en écarte jamais[51] ».

Il en va de ces ouvrages comme des *Lettres philosophiques* dans la décennie précédente : ils suscitent une réaction apologétique d'une grande vigueur, qui emprunte la voie d'un cartésianisme implicite ou explicite. Implicite, celui de l'abbé Ilharat de La Chambre qui, sans se réclamer le moins du monde de Descartes, argumente en faveur de « la véritable religion » au moyen d'une sorte de cartésianisme basique : le corps est une substance étendue, l'âme une substance immatérielle qui pense, qui réfléchit, qui raisonne et qui forme des desseins[52]. Cela ne l'empêche pas de trouver que le *cogito* est une fausse découverte. Mais il soutient les idées innées, qu'il distingue des *factices* et des *acquises*, il est convaincu que les pensées ne peuvent être produites par la substance étendue en nous, et que la preuve de l'existence de Dieu par l'idée d'infini est convaincante et solide[53]. Explicite, celui du jésuite Polier de Bottens qui oppose ses *Pensées chrétiennes* aux *Pensées philosophiques* de l'impie Diderot en invoquant contre l'athéisme « la connexion et la force du raisonnement *cartésien*[54] ». Le protestant Formey leur objecte, lui, des *Pensées raisonnables* qu'inspire une « saine métaphysique » placée dans le prolongement de celle de Descartes et Malebranche[55]. Le pasteur Boullier qui attaquait en 1738 la doctrine cartésienne de l'automatisme animal tout en notant qu'elle était pleine d'avantages pour la religion, se fait en 1753 le défenseur des idées innées et de la métaphysique contre Locke, d'Alembert et les encyclopédistes. « La *métaphysique*, une science de faits ! vraiment l'idée est singulière », s'exclame l'auteur en songeant au contraire à celle de Descartes. C'est à cette dernière, « aujourd'hui si décriée », que Boullier se confie pour ce qui est des preuves de l'existence de Dieu, de l'immatérialité de l'âme et de sa distinction d'avec le corps. Nul doute : le Descartes qui intéresse Boullier, ce n'est pas le réformateur de la géométrie mais celui qui a donné à la métaphysique la profondeur, la clarté et la rigueur qui en ont fait une doctrine indépassable[56].

Mais il faudrait citer tout le monde, tant est massive la réaction apologétique d'inspiration cartésienne. Le cardinal Gerdil est un cartésien italien, le plus fidèle, le plus zélé des disciples de Descartes et de Malebranche à en croire Francisque Bouillier[57]. On n'est donc pas surpris de le voir s'opposer à Locke, sur le thème de l'immortalité de l'âme, en porte-parole du père de la nouvelle philosophie. Pour le cardinal, Descartes est le philosophe moderne qui a fourni à la religion ses meilleures preuves contre les athées et une « démonstration si belle et si lumineuse » de l'existence de Dieu que l'on n'a rien su y opposer que d'absurde et de puéril[58].

Gerdil est cartésien. Mais ni l'abbé François, ni le père Denesle, ni l'abbé Gauchat, pour ne citer qu'eux, ne le sont. Il n'empêche : les *Preuves de la religion de Jésus-Christ contre les spinozistes et les déistes*, du premier, l'*Examen du matérialisme*, du second, les *Lettres critiques* du troisième sont imprégnés de cartésianisme. Le *cogito* est pour eux trois une première vérité, la distinction de l'âme et du corps est substantielle, la preuve de l'existence de Dieu par l'idée d'infini, valide. Si Denesle estime que la doctrine de l'automatisme animal est un premier pas vers le matérialisme, l'abbé Gauchat, lui, préfère soutenir cette thèse parce qu'elle est utile pour conserver les prérogatives et la dignité de notre âme. Gauchat et Denesle se réfèrent parfois à Descartes ; mais l'abbé François jamais, alors que ses *Preuves de la religion de Jésus-Christ* sont cartésiennes de bout en bout[59] ; indice supplémentaire, s'il en était besoin, qu'une vulgate cartésienne forme maintenant la base philosophique de tous ces hommes d'Église.

L'affaire de l'abbé de Prades

De cette appropriation de Descartes par les catholiques, la fameuse affaire de l'abbé de Prades offre une illustration éclatante. Rappelons l'enchaînement des faits. Le 18 novembre 1751, l'abbé de Prades, collaborateur de l'*Encyclopédie*, soutient avec succès en Sorbonne sa « majeure ordinaire », intitulée *À la Jérusalem céleste*. Un mois plus tard, les autorités religieuses s'avisent qu'on a fait docteur quelqu'un qui s'attaque à la religion révélée, propose une conception laïque du politique et défend, en théorie de la connaissance, la doctrine sensualiste[60]. Le 17 décembre, la thèse est déférée au Parlement qui la condamne le 22 ; puis, le 27 janvier 1752, la Sorbonne censure dix propositions à tendance matérialiste. Les ecclésiastiques ne tardent pas à se mêler de l'affaire : en premier lieu l'archevêque de Paris, Christophe de Beaumont, suivi de l'évêque de Montauban puis de l'évêque janséniste d'Auxerre, Caylus. Décrété de prise de corps, Prades doit quitter la France.

Première par sa place dans la thèse, la proposition sensualiste qui, soudain, fait scandale, est d'un lockisme sans histoire : il y est dit que l'homme est « un être dont les premières idées, encore informes et à peine ébauchées, naissent des sensations. C'est là que prennent leur source toutes nos connaissances [...] ainsi que les rameaux naissent du tronc d'un arbre fécond[61] ». Les jésuites qui, deux ans plus tard, ne verront rien à redire au *Traité des sensations* de Condillac, jouent le rôle de boutefeu dans cette affaire où ils rivalisent de « zèle affecté » – la formule est du lieutenant de police, le marquis d'Argenson – avec les jansénistes.

Que ces derniers rétorquent au sensualisme de l'abbé en dénonçant la collusion entre les aristotéliciens – inventeurs malheureux de la thèse selon laquelle toutes nos idées viennent des sens – et les matérialistes, et en rappelant que, grâce à Descartes, cette opinion fâcheuse avait été bannie des écoles ; qu'ils opposent donc la détestable philosophie scolastique à la bonne philosophie cartésienne qui prépare à l'exercice de la vraie religion, voilà qui est de bonne guerre puisque c'est pour eux le moyen de vilipender une fois de plus la Compagnie de Jésus ; et d'ailleurs, n'ont-ils pas été les premiers à prendre parti pour Descartes quand il était encore un auteur impie[62] ? De même, c'est sans surprise qu'on lit l'*Instruction pastorale* de Caylus, évêque d'Auxerre et l'un des derniers évêques jansénistes : il propose contre l'abbé lockien une lecture de la Genèse qui nous ramène aux temps héroïques où Cordemoy montrait la conformité de la physique cartésienne et du récit biblique. « L'homme réel de la Genèse, écrit Caylus, est un composé de deux substances, l'une matérielle et étendue, l'autre spirituelle et immatérielle. » Cet homme réel, contrairement à ce que soutient l'abbé de Prades, se connaît lui-même ; il a la persuasion la plus intime que son âme pense, perçoit, veut, juge. C'est elle qui voit, et non les yeux « du corps », c'est elle qui entend, et non les oreilles. Caylus soutient les idées innées, la priorité logique de l'idée d'infini sur celle de fini, et le caractère inné de la loi naturelle[63]. Inutile de demander si, selon lui, Descartes est un philosophe authentiquement chrétien. Quant au non moins janséniste Chaumeix, qui fondera *Le Censeur hebdomadaire* après avoir publié la bagatelle de huit volumes de *Préjugés légitimes contre l'Encyclopédie*, il oppose lui aussi au sensualisme de Prades, de Voltaire et des encyclopédistes la métaphysique de Descartes au grand complet : doute, cogito, dualisme, idée de Dieu, etc. ; et il fait de la méthode cartésienne la seule adéquate à l'esprit humain[64].

Il est déjà plus significatif de voir l'archevêque de Paris reprocher à l'abbé de Prades de n'avoir dit nulle part « en termes exprès » que l'âme est une « substance spirituelle[65] » ; ou d'entendre l'évêque de Montauban prêcher dans un langage qui emprunte à Descartes le cheminement de l'esprit vers Dieu. « Votre âme pense, la pensée ne peut convenir qu'à un esprit, votre âme est donc spirituelle et par conséquent immortelle. Vous reconnaissez un être suprême dont vous dépendez essentiellement, il faut donc lui rendre un hommage et par conséquent un culte[66]. » Mais il est encore plus significatif de lire la déclaration faite par l'abbé Hooke qui, comme tant d'autres avant et après lui, avait sans doute présidé le jury de la thèse sans l'avoir lue... « Je déclare, dit-il devant la faculté de théologie de Paris, que cette doctrine qui veut que la connaissance humaine provienne des sensations, soutenue de façons diverses par les péripatéticiens et les épicuriens, par Gassendi, Locke et beaucoup d'autres philosophes plus récents, a toujours été étrangère à mon esprit. » Et pour que les choses soient vraiment claires, Hooke est tenu d'ajouter : « Et que dans mes écrits j'ai suivi Platon, saint Augustin, Descartes et les autres qui ont mis la plus grande distinction et séparation entre les *sens* et l'*intelligence*[67]. »

L'extraordinaire capacité de la Sorbonne à pratiquer ici l'amnésie volontaire – Diderot ne se fera pas faute de le noter[68] – nous donne au moins l'un des plus précieux témoignages sur l'orientation philosophique qui prévaut au milieu du siècle. Ironie de l'histoire ou ruse de la raison : sans Voltaire, Diderot, d'Alembert et les encyclopédistes, sans leur anticartésianisme, Descartes aurait-il accompli ce dont il rêvait au moment où il publiait ses *Principia philosophiae* – faire que sa philosophie fût enseignée dans les écoles et choisie comme philosophie chrétienne à la place de la scolastique. Cent dix ans après sa mort, un défenseur de l'*Encyclopédie* peut s'exclamer, non sans quelque raison : « Faut-il être cartésien pour être rangé au nombre des chrétiens[69] ? » Et d'Holbach, lorsqu'il veut en 1770 mettre un nom sur l'auteur du « système de la spiritualité tel qu'on l'admet aujourd'hui », n'a pas à chercher longtemps : c'est Descartes et personne d'autre[70]. Au point que le père Paulian ne parvient plus à comprendre pourquoi et comment on a pu, au siècle précédent, proscrire le cartésianisme comme contraire à la saine théologie[71] ; et l'archevêque de Paris, dom Mayeul Chaudon, de s'insurger contre les tentatives faites par « quelques incrédules » – sans doute songe-t-il surtout à La Mettrie – pour mettre Descartes à leur tête : l'auteur des *Méditations* n'a-t-il pas respecté toute sa vie les vérités révélées, ne les a-t-il pas regardées comme supérieures à la raison ? Partout il a distingué le philosophe du chrétien et n'a parlé qu'avec soumission des objets de la foi[72]. Un siècle plus tôt, son prédécesseur disait exactement le contraire et fondait sa condamnation du cartésianisme sur le fait, précisément, qu'il n'était pas possible de séparer le philosophe et le chrétien, la raison et la foi.

Descartes grand homme

Revanche posthume de Descartes, il est vrai, mais revanche amère ; car au moment où les catholiques font de lui leur philosophe, les Philosophes, eux, lui accordent un statut plus que dévalué. Lorsqu'il triomphe chez les jésuites et à l'archevêché de Paris, il entame sa traversée du désert chez les meilleurs esprits du temps.

Certes, ceux-ci s'accordent à faire de lui un « grand homme », le « réformateur de la philosophie », l'auteur d'une « révolution » dans l'histoire de l'esprit humain, le « génie », le « précepteur du genre humain ». En lui, tous saluent le héros qui a brisé les idoles scolastiques : d'Alembert, on l'a vu, en fait même « un chef de conjurés qui a eu le courage de s'élever le premier contre une puissance despotique et arbitraire », tandis que Turgot le compare à Samson[73].

Mais aucun d'entre eux ne prend plus au sérieux ses thèses. L'hypothèse des animaux-machines est pour La Mettrie un « amusement philosophique », l'idée de construire l'univers avec la matière et le mouvement est pour Maupertuis une « entreprise véritablement extravagante » ; Descartes, selon Condillac, ne s'y est montré « qu'ingénieux » ; son système physique est pour Rousseau « ridicule », ses « égarements » sublimes mais « frivoles » ; pour Voltaire, Descartes est un « heureux charlatan » mais un piètre philosophe[74]. Quant à l'abbé Pestré qui rédige l'article « Cartésianisme » de l'*Encyclopédie*, il est « tenté de rire » en voyant Descartes hésiter à croire qu'il y ait un monde, des corps, un lieu[75].

Est-ce à dire qu'à leurs yeux toute l'œuvre de Descartes ait sombré ? À leur façon, inverse de celle des catholiques, ils entérinent la séparation dans le cartésianisme de la « philosophie » et de la science. Certes, la physique des tourbillons est périmée, et ceux qui la défendent encore aujourd'hui ne méritent pas qu'on cherche à les convaincre : « Ce n'est point par des démonstrations qu'on peut espérer de déraciner des préjugés aussi invétérés », accrochés à l'honneur de la nation, juge d'Alembert[76]. Mais Diderot sauve de la déroute « l'application de l'algèbre à la géométrie, une *Logique*, une *Dioptrique*, une *Méthode* « ; d'Alembert épargne aussi la *Dioptrique* et l'application de l'algèbre à la géométrie ; La Mettrie, de même, « la méthode et les ouvrages géométriques » ; Voltaire tient à la géométrie et à la dioptrique qui restent, en dépit de leurs erreurs, des « monuments ». Il ajoute que les *Méditations* et le *Discours de la méthode* sont « encore estimés » ; mais il n'est pas sûr que lui-même les estime beaucoup. Pas plus qu'il n'est sûr que l'auteur de l'article « La Haie » dans l'*Encyclopédie* ait lu les *Méditations* lorsqu'il dit qu'on les « lit encore ». L'abbé Pestré « ne peut s'empêcher » de regarder les *Passions de l'âme* comme « l'un des plus beaux et des plus utiles de ses ouvrages[77] ». Le connaît-il autrement que de réputation ?

Descartes vu par les Philosophes, c'est donc un héros qui a ouvert la route, s'est égaré aussitôt en laissant toutefois quelques écrits scientifiques de grande valeur. Pour le reste ? Ils pensent tous comme l'abbé Pestré, que son système est un « assortiment de pièces qui s'écroulent ». D'ailleurs, c'est le sort de tous les systèmes : Diderot, en 1775, prophétise leur disparition – « la fureur systématique est tombée », note-t-il en passant. « Le goût de la vraie science règne de toute part[78]. » Le cartésianisme va s'évanouir, comme tous les noms en *isme*, devant le règne de la science.

Or ces mêmes hommes qui proclament la décomposition du cartésianisme contribuent à préparer à Descartes une sorte d'immortalité académique. Le mouvement vient de loin. Il se prépare dès avant le commencement du siècle, dans la façon dont se fait la réception du cartésianisme hors écoles, hors universités et hors Église, dans les salons et dans l'opinion publique. Le fait qu'il ait cause liée avec les Modernes contre les Anciens, le fait aussi qu'il participe à la promotion de la langue française, la place qu'il occupe dans *Les Hommes illustres* de Perrault comme dans la *Digression sur les Anciens et les Modernes* de Fontenelle, tout conspire à la consécration académique qui va être la sienne à la fin du XVIIIe siècle.

Descartes est donc un « grand homme ». Nul n'en doute tout au long du siècle, ni ses partisans bien entendu, ni ses adversaires. C'est même le titre qu'on lui reconnaît le plus aisément, celui qui coûte le moins : lorsqu'il s'agit de le critiquer, quoi de plus facile que de dire en même temps qu'il fut un grand homme ? Même Voltaire, on l'a vu, réunit sous cette catégorie consensuelle les deux adversaires du moment, celui qu'il démolit, Descartes, et celui dont il érige la statue, Newton. Et lorsqu'il rassemble des documents sur les grands hommes pour écrire *Le Siècle de Louis XIV*, il en demande indistinctement sur Racine, Boileau, Lully, Molière, Descartes, etc.[79]. « Je sais bien que ce grand homme n'a point été infaillible », écrit à son tour le marquis d'Argens dans des *Lettres juives* qui ne sont pas, tant s'en faut, favorables à Descartes. Mais en faisant de lui un grand homme, Argens, comme tant d'autres, paie au philosophe qui a éradiqué la scolastique le tribut que lui doit tout honnête homme[80].

L'inscription de Descartes dans le culte laïque des grands hommes, si elle est de fait jusqu'en 1739, est à partir de là de droit. C'est l'abbé de Saint-Pierre qui est ici le personnage central. Le pittoresque abbé a derrière lui une longue carrière, son élection puis son exclusion de l'Académie française, un *Projet de paix perpétuelle* qui fera réfléchir Kant. À quatre-vingt-un ans, il publie le *Discours sur les différences du grand homme et de l'homme illustre*, où il oppose le second dont les mérites peuvent être considérables mais qui manque de la « grande vertu », au premier qui triomphe par les qualités de l'esprit et les bienfaits qu'il procure à la société. À ce titre, Descartes s'impose comme un grand homme, « sans contestation », et « l'un des plus grands hommes qui aient jamais été ». Ses titres de gloire ? Ce n'est pas tant d'avoir été le plus grand physicien, le plus grand géomètre qui ait paru dans l'histoire. Certes, ces mérites pèsent, mais ils interviennent *avant* que l'abbé de Saint-Pierre ne lui décerne le titre de grand homme, lequel tient essentiellement au fait d'avoir rendu la vue au genre humain. De Voltaire, il reprend le *Nous marchions aveugles*. Mais il le convertit en un éloge que les erreurs ultérieures du philosophe n'entament pas. Quelle importance que ses faux pas, si l'on considère le trésor qu'il a légué à l'humanité ? Car il « avait pour son entreprise un motif vertueux : il ne cherchait ni les revenus ni les grands emplois ; il ne souhaitait que la gloire précieuse de rendre un très grand service à la société en général, en perfectionnant la raison humaine[81] ». On le devine : si le titre de grand homme conféré à Descartes tient moins aux *contenus* de sa doctrine qu'au fait d'avoir fait don à l'humanité de l'instrument de son affranchissement, ce titre ne souffrira aucun dommage lorsque dix, vingt ou trente ans plus tard, il sera acquis que son système a volé en éclats. En liant comme il le fait le destin du grand homme à celui de bienfaiteur de l'humanité, l'abbé de Saint-Pierre rend possible la célébration académique de Descartes par ceux-là mêmes qui feront de son œuvre un tas de poussière.

Le temps des éloges académiques

Il y contribue aussi par un second geste. En 1733, il rédige un *Projet pour rendre l'Académie des bons écrivains plus utile à l'État.* Son idée est que les concours d'éloquence de l'Académie française gagneraient à être remplacés par des éloges des grands hommes où la jeunesse puiserait d'édifiantes leçons. Quel meilleur exemple, quel meilleur traité de morale, que la vie d'un grand homme bien écrite et soumise aux applaudissements publics[82] ? On connaît la suite : lorsque Duclos est élu secrétaire perpétuel de l'Académie, il reprend le souhait de l'abbé de Saint-Pierre et transforme le prix d'éloquence en un éloge des grands hommes. Il voulait, dira d'Alembert, « que les sujets de nos prix d'éloquence fussent consacrés à l'éloge des hommes célèbres de la nation ; que les assemblées destinées à distribuer ces prix fussent des espèces d'états généraux de la littérature[83] ». Le magistère des hommes de lettres et de l'Académie qui les assemble, magistère qui est désormais le leur et qui consacre en retour l'abaissement de celui de la cour, apparaît ici en pleine lumière avec l'association des mots *nation* et *états généraux* : d'instrument de la célébration royale – la remise du prix d'éloquence, le 25 août, à la fête de la Saint-Louis, était destinée à marquer le lien de la monarchie et de l'Académie associées dans un même « commerce d'immortalité[84] » –, l'Académie devient l'instance fondée à constituer la mémoire des gloires nationales.

Déjà, Descartes avait fait son entrée dans le répertoire des thèmes académiques. Quoi de plus tentant, dans les discours de réception, que d'évoquer, comme Maupertuis, « la longue nuit dans laquelle les lettres et les sciences furent éclipsées », et leur résurrection au XVIIe siècle, « presque toujours réunies dans les grands hommes[85] » ? La philosophie des Lumières récrit de la sorte, à chaque réception, son roman des origines. D'Alembert sacrifiera lui aussi au rite en montrant que Descartes a sa place dans un plaidoyer pour l'éloquence : Descartes et Newton – d'Alembert les associe comme Maupertuis –, « ces deux législateurs dans l'art de penser, que je ne prétends pas mettre au rang des orateurs, sont éloquents lorsqu'ils parlent de Dieu, du temps et de l'espace. En effet, ce qui nous élève l'esprit ou l'âme est la matière propre de l'éloquence[86] ». Ce que d'Alembert refuse à Descartes quand il s'agit de juger de ses mérites scientifiques ou même philosophiques, il le lui concède volontiers dans le cadre d'une célébration académique : Descartes est un « législateur » même si ses idées sont fausses.

En 1755, le prix d'éloquence de l'Académie française est consacré à la question : « En quoi consiste l'esprit philosophique ? » Pour le parti des Philosophes, c'est un plaidoyer *pro domo* mais également une invite à célébrer Descartes. Le jésuite Guénard remporte le prix en montrant, sans excessive originalité, que l'esprit philosophique consiste à penser d'après soi-même. Descartes ne peut qu'en être le symbole. « Enfin paraît en France un génie puissant et hardi qui entreprend de secouer le joug du Prince de l'École. » Entreprise qui ne peut aller sans risque, car, ne l'oublions pas, la persécution d'un grand homme fait partie de ses épreuves obligées ; il faut que sa grande vertu ait l'occasion de se mesurer à de grandes épreuves. À la vue de Descartes, écrit Guénard, « toutes les écoles se troublèrent. Une vieille maxime régnait encore : *ipse dixit* ». Maxime d'esclave, qui lève contre le père de la philosophie libre, contraint à l'exil, tous les esprits faibles. Et Descartes s'enfuit, « emportant avec lui la vérité qui, par malheur, ne pouvait être ancienne tout en naissant[87] ».

Qu'on ne croie pas anecdotique ce thème de la persécution : on a vu que c'est par lui que Voltaire se sentait frère de Descartes ; c'est lui aussi qui retiendra en 1783 un jeune avocat promis à un premier rôle : Robespierre[88], comme il fournira l'argument de la pièce de Bouilly jouée à Paris en 1796, *René Descartes. Trait historique en deux actes et en prose.* Et lorsque le prix d'éloquence de l'Académie française est transformé en l'éloge des hommes célèbres de la nation, le fait de la persécution constitue l'un des motifs qui président au choix des célébrations. L'Académie est chargée d'acquitter envers ces hommes illustres « la dette de leur siècle », de compenser le déficit de reconnaissance dont ils ont été les victimes[89]. Descartes est le cinquième à figurer dans la liste de ces grands hommes en attente de la réparation due. Après Maurice de Saxe, le chancelier d'Aguesseau, Duguay-Trouin et Sully, le philosophe dont les encyclopédistes s'accordent à dire que l'œuvre a cessé d'être vivante, qu'elle est en pièces, est consacré en 1765 à l'Académie française avec l'appui de leur parti. Aujourd'hui, les raisons qui firent préférer les éloges de Thomas et de Gaillard nous échappent quelque peu, tant ces textes se ressemblent par la description qu'ils font de la vie du philosophe, par le choix de ses épisodes significatifs et par l'éclairage qu'ils portent sur l'œuvre. Tous saluent en Descartes l'auteur d'une révolution sans précédent dans l'histoire de l'humanité, celui qui a dit aux hommes : « Soyez libres », apprenez à penser. « Descartes a plus fait en un instant que n'ont fait les siècles précédents », écrit l'un des candidats dont nous aurons à reparler, Louis Sébastien Mercier.

Mais qu'a-t-il fait au juste, ce génie sublime dont le temps a détruit les opinions, mais dont subsiste, inentamée comme celle d'un héros, la gloire ? Car ces panégyristes savent qu'ils doivent plaire, non aux dévots qui aiment maintenant en Descartes le philosophe chrétien, mais à leurs adversaires qui règnent à l'Académie et ne jurent que par Locke en philosophie et par Newton en physique. C'est ainsi qu'ils concèdent sans difficulté que Locke a donné le vrai système de la genèse des idées, que la doctrine des tourbillons est tout à fait renversée, que les lois cartésiennes du mouvement sont fausses, et que Newton a raison partout. Mais c'est néanmoins « au pied de la statue de Newton qu'il faudrait prononcer l'éloge de Descartes » : car si celui-là est allé plus loin que celui-ci, c'est dans la route qu'il avait tracée et en se servant des armes qu'il avait forgées. Voilà ce que les siècles des siècles ne sauraient lui enlever, voilà sa gloire.

Aussi ces auteurs sont-ils à l'aise pour évoquer le règne de « l'esprit » de Descartes, cet esprit immortel et voyageur qui « respire à Paris, à Londres, à Berlin, à Leipzig, à Florence », « pénètre à Pétersbourg », « brille sur les Scythes » et dont « l'aurore entrouvre les yeux des nations hyperborées ». C'est depuis qu'il règne que la raison et la méthode ont pénétré partout, que les ouvrages sont bien faits, l'érudition sobre, le bel esprit décent, le génie sage et le goût pur. C'est lui qui a guidé Pascal et Corneille, Locke ou Bourdaloue, Newton et Montesquieu. Bref, c'est lui qui a fait le siècle admirable de Louis XIV et le siècle philosophique de Louis XV. Ne soyons donc pas surpris si ce grand homme fut malheureux et persécuté. Le triomphe que l'illustre Académie lui prépare donnera à son ombre l'encens qu'il n'eut pas de son vivant ; triomphe qui ne s'inscrira ni dans le « marbre qui passe » ni dans « une statue qui se brise », mais dans la mémoire ineffaçable de sa patrie. « Sois toujours, dit Mercier au moment de conclure, le philosophe dont la France s'honore[90]. »

Il n'est pas indifférent pour le culte de Descartes que Thomas ait été l'un des vainqueurs de l'épreuve. C'est que l'homme est fameux : il a remporté jusque-là tous les prix du concours d'éloquence depuis sa refonte ; il sera lui-même académicien en 1767. Thomas est du côté des Philosophes ; c'est si vrai que Voltaire, en adressant au lauréat une lettre de félicitation publiée aussitôt dans le *Journal encyclopédique* et dans les *Mémoires secrets*, ira jusqu'à promettre à l'*Éloge de René Descartes* une vie plus longue qu'à Descartes lui-même. En dépit de ce pronostic funeste, on a continué de lire Descartes, mais longtemps précédé, il est vrai, de l'*Éloge* de Thomas que Victor Cousin aura l'adresse de publier avec les œuvres complètes du philosophe. « Vous avez, disait Voltaire en connaisseur, parfaitement séparé le génie de Descartes de ses chimères[91]. »

Mais Thomas n'est pas moins apprécié des jésuites de Trévoux qui consacrent à son *Éloge de Descartes* (avec celui de l'abbé Gaillard) un compte rendu bien utile pour apprécier ce qu'est à leurs yeux le cartésianisme, trois ans après leur expulsion de France. Comme Voltaire, ils félicitent les deux auteurs d'avoir su marquer l'espèce d'immortalité acquise par ce grand homme qu'on ne cesse d'admirer alors même qu'on ne le suit plus. Comme tout le monde à cette date, ils saluent en lui celui dont les mérites comme les défauts ont préparé la « belle simplicité » du newtonianisme. Le temps n'est plus où ils voyaient dans cette belle simplicité une géométrie incapable de se convertir en physique. À la différence des auteurs des éloges, ils disent prudemment qu'on a mieux su attaquer le système des idées innées que le remplacer ; et surtout, ils rappellent que ce génie si hardi n'a parlé des objets de la foi qu'en « chrétien soumis[92] ». À ceci près, leur Descartes est le même que celui qui a obtenu les suffrages de l'Académie française. C'est un Descartes consensuel, puisque sa gloire ne dépend plus de la vérité de ses écrits mais de l'immortalité de son esprit. Tous peuvent dire comme l'abbé de Gourcy : « Ô Descartes ! ô gloire de la France, lumière de la philosophie[93]. »

Cette gloire pour laquelle Fabre de Charrin ne souhaitait ni le marbre ni la pierre appelle pourtant des témoignages plus solides que le seul papier des livres. En 1771, l'auteur du *Discours préliminaire* de l'*Encyclopédie* lit à l'Académie française un *Dialogue entre Descartes et Christine, reine de Suède, aux Champs-Élysées*. Ce n'est certes pas un hasard. Le prince héritier de la couronne de Suède, Gustave III, est en visite à Paris ; et, lui, a fait élever à Stockholm un monument à la mémoire de Descartes[94]. Écoutons d'Alembert le 7 mars 1771 :

> CHRISTINE : Ce temps de dégoût et de disgrâce est passé pour vous ; on vous rend enfin la justice [...]. Savez-vous qu'on vous élève actuellement un mausolée ?
>
> DESCARTES : Un mausolée, à moi ! La France me fait beaucoup d'honneur ; mais il me semble que si elle m'en jugeait digne, elle aurait pu ne pas attendre cent vingt ans après ma mort.
>
> CHRISTINE : Vous faites vous-même bien de l'honneur à la France, mon cher philosophe, en croyant que c'est elle qui pense à vous élever un monument. Elle y songera bientôt sans doute, et il s'en offre une belle occasion car on reconstruit actuellement avec la plus grande magnificence l'église où vos cendres ont été apportées. [...] Mais en attendant, on vous érige un mausolée à Stockholm.

Revenue de sa surprise, et de son erreur, l'ombre de Descartes imaginée par d'Alembert justifie ainsi l'immortalité de sa gloire :

> Quand je n'aurais rendu d'autres services aux philosophes que d'ouvrir la carrière d'où ils tirent les matériaux du grand édifice de la

raison, j'aurais, ce me semble, quelque droit au souvenir de la postérité[95].

Il en sera bientôt question, et d'éclatante manière. En attendant le marbre, on peut offrir à Descartes la pierre : à l'avènement de Louis XVI, la vieille idée d'un Parnasse français, « temple de mémoire » pour les hommes illustres, revient à la surface. C'est le comte d'Angiviller, directeur général des Bâtiments du roi, qui va la réaliser en aménageant, dans la Grande Galerie du Louvre, un musée où seront rassemblés des tableaux d'histoire et des statues des grands hommes français. Dans la première commande que d'Angiviller passe à l'Académie de peinture et de sculpture pour le Salon de 1777, figure une statue de Descartes à côté de celles de Sully, de Fénelon et du marquis de l'Hospital[96]. En 1777, donc, les visiteurs du Salon peuvent admirer une sculpture monumentale de Descartes en pied, sortie du ciseau d'Augustin Pajou. Un contemporain anonyme se réjouit de voir le philosophe vêtu « de manière à ne pas craindre d'être enlevé dans l'espace et emporté dans quelque planète qu'il connaîtra peut-être moins bien que celle qu'il a habitée[97] », tandis que Dupont de Nemours s'indigne de voir qu'on a indiqué sur le socle : *René Descartes, seigneur du Perron*. « Se pourrait-il, écrit-il, qu'on eût cru ajouter à la considération que mérite le restaurateur de la philosophie en gravant sur le marbre qu'il avait eu un petit fief en Touraine[98] ? » Un autre visiteur du Salon de 1777 applaudit sans réserve à « l'idée véritablement patriotique » de faire ainsi revivre les grands personnages dont s'honore la France comme au choix fait par « l'homme-citoyen » d'Angiviller : avec d'Aguesseau, on apprend à respecter les lois, avec Sully, on aime mieux sa patrie, son roi et le gouvernement, avec Descartes, on marche d'un pas plus ferme sur la route de la vérité, et avec Fénelon, on s'enflamme de l'amour de la vertu. Tous, en tout cas, contribuent à nous rendre meilleurs ; avec tous, on se « félicite d'être français[99] ». Le moralisme révolutionnaire n'est décidément pas loin.

•

« Respectons des erreurs marquées au sceau du génie », demandait Couanier Deslandes dans son *Éloge de René Descartes*. « Les tourbillons honorent la raison ; leurs ruines sont sacrées pour nous[100]. » En un sens, tout est dit là, toute l'histoire de Descartes au XVIIIe siècle : son affrontement à Newton puis sa déroute, l'abandon de la partie scientifique de l'œuvre et la constitution en « philosophie » d'une doctrine comprenant la méthode, le doute, le *cogito*, le dualisme et l'existence de Dieu ; et, surtout, l'invention d'un esprit du cartésianisme aussi immortel que sont mortels ses dogmes. Il est maintenant trop tard pour faire entrer ce grand génie à l'Académie française ; mais on peut rattraper – symboliquement – cette faute originelle, et c'est ce que l'on fait en sacralisant les ruines de son œuvre. Alors, Descartes peut être baptisé « père des *académies* », puisqu'il est incontestablement le fondateur de l'esprit philosophique[101]. Paternité qui ne jouera pas un mince rôle, on s'en doute, dans la fabrication de l'idée selon laquelle Descartes, c'est la France.

III

L'ÈRE DES RÉVOLUTIONS (1789-1848)

Chapitre VI

HÉROS DE LA NATION

Les « os vermoulus de Descartes »

Pour apprécier le statut acquis par Descartes à la fin du XVIIIe siècle, rien n'est éclairant comme les polémiques autour de sa sépulture, avec ce qu'elles révèlent des entreprises mémorielles à l'œuvre – nationale, muséographique, locale – et de leur concurrence.

C'est le marquis de Villette qui, dans un « Discours aux Jacobins » du 12 novembre 1790, évoque pour la première fois le nom de Descartes, avec celui de Voltaire, à propos du projet de transformation de l'église Sainte-Geneviève en mausolée des gloires nationales [1]. À peine six mois plus tard, le 2 avril 1791, Pastoret prononce devant le directoire du département de Paris le discours qui consacre la nouvelle église en « temple de la patrie » destiné à recevoir les cendres des grands hommes. Quels grands hommes ? Mirabeau en premier lieu, puisque c'est à l'occasion de sa mort que la proposition est faite, et le décret rendu par la Constituante dès le surlendemain. Mais en dehors de lui ? Le décret du 4 avril réserve en principe ce qui ne s'appelle pas encore le Panthéon aux « cendres des grands hommes à dater de l'époque de notre liberté [2] ». Mais justement, cette liberté n'a-t-elle pas été préparée par des hommes qui n'en ont pas connu l'avènement ? La Révolution n'est-elle pas un peu leur œuvre ? Aussi trois exceptions sont-elles proposées par Pastoret : Descartes, Voltaire et Rousseau.

Il aura donc fallu moins de deux ans pour que la Révolution française approprie l'auteur du *Discours de la méthode* à la « Nation » si récemment investie de son sens moderne, et pour qu'elle le place à proximité des héros de la liberté politique ; preuve s'il en est que depuis longtemps, en tout cas depuis l'époque où d'Alembert faisait de Descartes un chef de conjurés, cette signification du cartésianisme flottait dans l'air, accompagnant, plus ou moins inaperçue, le mouvement de politisation des Lumières.

Après le discours de Pastoret, les choses vont très vite, du moins dans un premier temps. Robespierre a demandé, et obtenu, que l'on statue immédiatement sur la panthéonisation de Mirabeau et qu'on renvoie au Comité de constitution la question des autres grands hommes, question liée aux intérêts suprêmes de la patrie et qu'il convient de traiter à tête reposée. Le 4 avril, le cercueil de Mirabeau est transporté en grande pompe à l'ancienne église Sainte-Geneviève où il est déposé à côté de celui de Descartes en attendant l'achèvement du nouvel édifice. Le 12, un petit-neveu du philosophe lit devant l'Assemblée une pétition écrite par Condorcet demandant qu'il soit accordé aux cendres du grand philosophe l'honneur d'une panthéonisation. L'argumentaire est taillé sur mesure : la superstition et le fanatisme avaient contraint Descartes à l'exil, comme ils avaient empêché qu'on prononçât un discours en sa faveur lors du rapatriement de ses restes. Mais d'une certaine façon, c'est bien ainsi : « Celui qui, en brisant les fers de l'esprit humain, préparait de loin l'éternelle destruction de la servitude politique, semblait mériter de n'être honoré qu'au nom d'une nation libre ; et le sort l'a servi d'une manière digne de lui, en le préservant des honneurs que l'orgueil du despotisme aurait souillés[3]. » Descartes, le vrai Descartes, le voici donc : ce n'est pas le philosophe chrétien auquel des générations de prêtres ont limé les griffes, c'est le précurseur lointain de l'égalité des droits. Surprenante généalogie, si l'on songe à la prudence politique du réel auteur du *Discours de la méthode*, mais d'une évidence et d'une puissance telles qu'elle vaudra vérité.

À en croire la *Chronique de Paris* du 13 avril 1791, l'Assemblée applaudit la pétition mais décide de la renvoyer au Comité de constitution afin de rendre un « décret plus authentique qui témoigne la haute estime qu'a la nation française pour le précurseur de Newton[4] ». En attendant, le marquis de Villette continue de plaider pour le rassemblement dans un même lieu des grands hommes que la France reconnaissante veut transformer en demi-dieux. Dans son imagination, ils forment une cohorte : Descartes, qui ravit le feu du ciel ; Voltaire, soutenu par les Muses ; Jean-Jacques porté par des mères et des enfants ; Mirabeau, debout comme Démosthène[5]. Rousseau devra attendre le 11 octobre 1794 ; mais les restes de Voltaire rejoignent ceux de Mirabeau et de Descartes le 11 juillet 1791 dans la vieille église Sainte-Geneviève.

•

Parallèlement, une autre séquence d'événements se déroule, non moins significative. À la suite de la décision de vendre les biens du clergé, une Commission des monuments a décidé que l'hôtel de Nesle et le couvent des Petits-Augustins recueilleraient les statues et les marbres provenant des églises. L'archéologue Alexandre Lenoir est nommé le 6 juin 1791 gardien du dépôt des Petits-Augustins où il déploie un zèle considérable pour sauver du saccage ce qui peut l'être ; le cénotaphe qui surmonte la tombe de Descartes depuis le transfert de 1667 fait partie des pièces qu'il guigne.

Pendant presque deux ans, on ne sait rien de ce qui se passe concernant Descartes. Mais le 4 mai 1793, la Commission des monuments avertit le Comité d'instruction publique que le cénotaphe et le cercueil de Descartes sont prêts pour être transportés aux Petits-Augustins et qu'elle attend pour ce faire de connaître ses intentions[6]. Petits-Augustins ou Panthéon ? Il faut décider. Le Comité charge alors Marie-Joseph Chénier de rédiger un rapport, qu'il lit le 2 octobre devant les députés de la Convention. Texte sans surprise, plutôt bref, du célèbre auteur d'*Henri VIII* et de *Caïus Gracchus*, qui s'est beaucoup investi auprès du Comité d'instruction publique où il a, en 1792, présenté un rapport sur la création des écoles primaires. Chénier vante la mémoire d'« un de ces hommes prodigieux qui ont reculé les bornes de la raison publique », un homme qui a marqué son siècle et lui a donné une impulsion décisive. Bien entendu, la persécution fait partie des arguments employés, de même que le parallèle avec Newton. Et Chénier de conclure : « C'est à vous, républicains, qu'il appartient de venger du mépris des rois la cendre de René Descartes[7]. » Au terme du rapport, la Convention décrète que « René Descartes a mérité les honneurs dus aux grands hommes » et qu'elle assistera « en corps » à la cérémonie. Et le 6 octobre, le député Guffroy propose qu'on place au Panthéon, avec son tombeau, la statue de Descartes faite par Pajou en 1777. La proposition est décrétée.

Le 8, Chénier et David sont chargés de s'occuper des modalités de la panthéonisation. On pourrait croire que celle-ci est maintenant imminente. Mais les restes de Descartes ne sont plus à Sainte-Geneviève, ils ont été transférés aux Petits-Augustins, entre mai et octobre, sans doute en même temps que le cénotaphe : pour déférer aux attentes du Comité d'instruction publique, Lenoir a fait placer les cendres du philosophe dans un cercueil de plomb recouvert de chêne, en attendant son transfert au Panthéon. L'opération s'est faite « révolutionnairement », dira son auteur en 1819, sans procès-verbal mais en présence des commissaires de la section de quartier. Et le tombeau a été placé au milieu d'une espèce de portique formé avec les six colonnes cannelées de marbre noir, prises aux Minimes [8].

D'un côté, donc, Lenoir installe Descartes et veille à donner à ce génie un emplacement conforme à sa stature ; il est évident qu'il fait comme si le dépôt dont il a la charge était plutôt un musée – ce qu'il deviendra effectivement en 1795. De l'autre, le Comité d'instruction publique tarde à fixer les détails de la cérémonie, et d'abord sa date. Le 23 décembre, Grégoire propose la date du 13 février, jour (présumé) de la mort du philosophe. Mais le Comité est alors plus occupé de la panthéonisation de Marat que de celle de Descartes : il ne décide rien.

L'année 1794 se passe sans autre initiative concernant Descartes. L'abbé Grégoire utilise à quelques reprises la référence au nom du philosophe, dans le cadre de sa lutte contre le vandalisme ou pour inciter la Convention à accorder des pensions aux gens de lettres [9] : peu de choses en somme. Si peu, d'ailleurs, que les commissaires de la section du Panthéon, au Comité d'instruction publique, invitent ce dernier, le 14 octobre, à accélérer le processus. Mais rien n'y fait : le Comité renvoie la demande à l'envoyeur et l'invite à faire... un rapport [10].

Il est vrai que la belle unanimité révolutionnaire des débuts a depuis longtemps volé en éclats, pour ce qui est des panthéonisations ; on est plus inquiet désormais d'accueillir « au séjour des demi-dieux » un « perfide [11] » qu'ennuyé de faire attendre un candidat déjà admis à l'examen de passage. Mirabeau, Marat, Le Peletier, Bara, Viala ont fait les frais de ce revirement.

Mais, pendant que la Convention dépanthéonise, Lenoir, lui, avance dans la direction qu'il s'est fixée. Le 18 juillet 1795, il adresse au Comité d'instruction publique un « Rapport tendant à la création du musée des Monuments français aux Petits-Augustins » – qui aboutira le 21 octobre à un accord de Ginguené, directeur du Comité – où il rappelle que les cendres du célèbre Descartes sont dans un « temple funèbre » où elles attendent la gloire du Panthéon [12]. Certes, mais il annonce deux mois plus tard que ces cendres ont été maintenant déposées dans le tombeau de porphyre qui avait servi de cénotaphe à Caylus dans l'église de Saint-Germain-l'Auxerrois [13]. On peut sans grand risque supposer que Lenoir n'est pas trop pressé de voir le décret de panthéonisation mis en application.

Le Directoire, avec l'arrivée des Idéologues dans les sphères proches du pouvoir, va se montrer de nouveau favorable à l'apothéose du fondateur de la philosophie moderne. La Convention thermidorienne se souvient-elle que la pétition initiale en faveur de la panthéonisation de Descartes avait été rédigée par Condorcet ? C'est elle, en tout cas, qui a décrété le 3 avril 1795, sur proposition de Daunou, la distribution gratuite de trois mille exemplaires de l'ouvrage posthume de Condorcet, l'*Esquisse d'un tableau historique des progrès de l'esprit humain*. Faut-il rappeler que l'ouvrage faisait à Descartes une place de choix, puisque la neuvième et ultime époque de cette histoire était intitulée : « Depuis Descartes jusqu'à la formation de la République française » ? Descartes n'était pas seulement, comme Bacon et Galilée, le fondateur de la science moderne, mais celui qui a donné aux esprits l'impulsion générale qui leur manquait pour faire advenir l'époque de l'entière liberté. « Il dit aux hommes de secouer le joug de l'autorité, de ne plus reconnaître que celle qui serait avouée par leur raison ; et il fut obéi parce qu'il subjuguait par sa hardiesse, qu'il entraînait par son enthousiasme. » Il est vrai que l'on disait des choses comme celles-là depuis longtemps. Mais, après 89 et la Déclaration des droits de l'homme, le propos prenait un accent nouveau. Et lorsque Condorcet écrivait à propos de la révolution cartésienne : « L'esprit humain ne fut pas libre encore ; mais il sut qu'il était formé pour l'être [14] », il lui donnait une postérité à laquelle nul ne pouvait songer dix ans auparavant.

Le 30 janvier 1796, l'Institut qui vient à peine d'être créé et dont la seconde classe regroupe les principaux philosophes de l'Idéologie, adresse aux Cinq-Cents une invitation à faire exécuter le décret de 1793. Chénier, qui en fait partie, prend la parole pour rappeler son discours du 2 octobre 1793, l'immense portée de la révolution cartésienne pour la France et pour l'Europe, les circonstances tragiques traversées depuis cette époque et l'urgence qu'il y a maintenant à honorer la dette. « Il y aurait, à ne pas exécuter le décret rendu, ajoute-t-il, une affectation dont nos ennemis ne manqueraient pas de s'emparer pour nous calomnier encore, et intenter contre nous de nouvelles accusations de vandalisme [15]. » C'est le même sentiment d'urgence qui a inspiré le discours de Lakanal sur l'établissement des écoles normales le 23 octobre 1794, celui de Daunou sur l'instruction publique du 15 octobre 1795, comme il inspirera celui de Cabanis aux Cinq-Cents, le 19 novembre 1798 : c'est la philosophie qui a commencé la Révolution française ; c'est à elle qu'il incombe de l'achever enfin. Exécuter le décret de 1793, si significativement oublié par les vandales robespierristes durant la Terreur, c'est, pour les hommes de Thermidor, faire un pas dans la bonne direction.

Mais l'hiver n'est pas une bonne saison pour l'apothéose du père de la philosophie moderne. Il faut attendre, dit Chénier en ce 30 janvier 1796, les beaux jours du printemps. Une nouvelle commission est aussitôt formée pour préparer... un rapport ; Chénier, Grégoire, Daunou la constituent. Que fait-elle en février et en mars ? Rien, semble-t-il, puisque le président du Directoire adresse aux Cinq-Cents, le 18 avril, un message pressant en suggérant la date du 10 prairial (29 mai) qui marque la fête de la Reconnaissance due aux grands hommes qui ont mérité de la patrie. « Dans ce cas, ajoute le président Letourneur, une prompte décision serait nécessaire ; car il est à désirer que cette solennité, si propre à élever l'esprit public, reçoive tous les développements et les embellissements dont elle est susceptible [16]. » De fait, le 7 mai, Chénier lit son rapport aux Cinq-Cents. Considérant sans doute que le décret du 2 octobre 1793 engage l'actuelle Convention, il fait comme si l'unique question à débattre était celle de la date : 10 prairial ou non ? Tout au plus ajoute-t-il un plaidoyer relatif aux circonstances, lesquelles imposent au Corps législatif, plus que jamais, « de payer la dette du monde » et d'honorer la philosophie en la personne de « son vieux patriarche [17] ». On connaît la suite : Louis Sébastien Mercier prend la parole après Chénier et lance contre Descartes une véritable philippique.

L'artisan de ce coup d'éclat n'est pas pour nous un inconnu : nous l'avons rencontré en 1765, à l'époque où il concourait pour le prix Descartes de l'Académie française. Entre-temps, il est devenu l'auteur à succès du *Tableau de Paris*, avec une sorte de spécialisation dans les contre-pieds. Il a accueilli avec enthousiasme 89, mais il a voté contre la mort du roi et a été emprisonné pour avoir protesté contre l'arrestation des Girondins. Thermidor est son grand moment : il est fait professeur d'histoire à l'École centrale, élu à l'Institut et aux Cinq-Cents. Il aime bien prendre à revers son monde : il le montrera de nouveau en se portant au secours de Kant au moment où tous les Idéologues feront barrage à son introduction en France. Que reproche-t-il donc à Descartes ? Son réquisitoire mêle l'ancien et le nouveau [18]. Ancien, le grief fait au philosophe d'avoir empêché l'avènement d'une science positive, soucieuse d'observations. On croit relire Voltaire à mesure que défilent les épithètes : *visionnaire*, *présomptueux*, *romanesque*, *fantastique*. Ce Descartes-là est encore celui des *Lettres philosophiques*, l'adversaire par contumace de Newton, coupable d'avoir fait des « pédants d'école » au lieu de « naturalistes observateurs ». Tout cela, en 1793, est une vieille chanson. Moins banal, le reproche d'avoir bâti une physique sans Dieu et une métaphysique trop peu fidèle aux idées innées, trop peu platonicienne en somme. Et voici qui est franchement neuf : Locke et Condillac sont placés, contre toute attente, dans la postérité de Descartes et condamnés avec lui pour avoir élaboré une philosophie grossière. Mercier inaugure ici un mouvement de rejet du XVIIe siècle de Descartes au nom du XVIIIe de Locke et de Condillac. Certes, la littérature contre-révolutionnaire a déjà commencé à attaquer le XVIIIe siècle ; mais, pour longtemps encore, c'est en lui opposant le XVIIe, le siècle de Descartes, Pascal, Bossuet et autres écrivains à l'insoupçonnable catholicisme. Mercier remonte plus loin en arrière, saute par-dessus les XVIIe et XVIIIe confondus – Rousseau excepté – pour arriver à l'admirable Platon, à Socrate et Marc Aurèle, seuls dignes de la vraie philosophie.

Avec Descartes sont ainsi rejetés du même geste l'« immoralité profonde d'une génération », les « atteintes portées à la spiritualité de l'homme », l'« esprit infernal qui provoqua tant de scènes de carnage et de deuil », la « funeste philosophie, qui n'a cherché qu'à animaliser l'homme ». Et voici l'essentiel : « C'est depuis ce fabricateur d'un univers idéal, et d'après lui, que l'orgueilleuse géométrie, sortant de son domaine, est venue avec le froid de sa méthode, la rudesse de ses termes barbares et le néant de ses abstractions, s'exercer avec un air de suffisance sur toutes sortes de sujets. » Ici encore, apprécions la nouveauté du propos : s'il ne manque pas d'auteurs pour tonner déjà contre l'esprit géométrique et ses abstractions desséchantes, Mercier est le premier à en imputer la faute à Descartes. Il semble bien qu'on ait là le prototype d'une lecture du cartésianisme à la lumière de la Terreur qui aura souvent l'occasion, au XIXe siècle, d'être réutilisée.

« Gardons-nous désormais de panthéoniser à la légère » : telle est la recommandation de Mercier, que les Cinq-Cents suivent finalement, en dépit de l'intervention du député de l'Oise et des derniers efforts de Chénier qui invite le Conseil à ne pas se montrer moins juste envers Descartes « que ne le furent les Vandales sous lesquels gémissait la Convention nationale[19] ».

Dans les jours qui suivent la séance mémorable du 7 mai, les articles pour ou contre Mercier, pour ou contre Descartes, abondent. Mais ils n'ajoutent rien d'essentiel. Le *Journal de Paris* défend le philosophe français, tandis que *Le Censeur des journaux* est pour Mercier à qui il ouvre largement ses colonnes. D'un échange d'invectives plutôt lassant, extrayons la lettre de Mercier du 8 juin 1796 qui fait le point sur les « os vermoulus » de Descartes. Après avoir rappelé l'enterrement de 1650 à Stockholm, puis le transfert de 1667, Mercier s'indigne que les restes du philosophe soient maintenant dans un tombeau de porphyre qui ne leur appartient pas et dont ils ont délogé l'illustre « antiquaire » Caylus. Simple foucade de l'auteur du *Tableau de Paris* ? Nullement. Mercier est au contraire conséquent avec lui-même. « Ce vieux monument de porphyre, écrit-il, parlait pour l'antiquaire et ne dit rien pour le géomètre[20]. » Sous une autre forme, c'est la même opposition de la tradition et de la nouveauté qui motive ici l'accusateur. Descartes est celui qui fait fi du passé, de l'antiquité des peuples et de leurs coutumes vénérables au nom d'un esprit de géométrie implacable. La présence de ses cendres dans un cercueil millénaire est la marque des temps nouveaux, où l'on usurpe l'ancienneté, où l'on dérange les morts dans leur sommeil.

Du moins est-ce ainsi que Mercier interprète l'opération effectuée par Lenoir. Le directeur du musée des Monuments français se fait évidemment une tout autre idée de ce transfert d'ancienneté sur une dépouille illustre. C'est à la poésie de l'antique et des ruines qu'il est, lui, sensible.

On le voit bien lorsque, à sa demande, est créé en 1799 dans le jardin des Petits-Augustins ce qu'il appelle un « Élysée ». Au milieu des arbres et des fleurs, Lenoir disperse divers tombeaux construits sous sa direction avec des matériaux anciens et nouveaux. Le visiteur peut ainsi voir les sarcophages de Molière, La Fontaine, Boileau, Mabillon, Montfaucon, et surtout d'Abélard et d'Héloïse. Descartes a toute sa place dans cet Élysée romantique. Comme Lenoir doit rendre au Louvre le tombeau de porphyre, il en fait construire un nouveau en pierre dure, supporté par des griffons. « Des peupliers dont la cime monte jusqu'aux nues, des ifs et des fleurs, ombragent ce monument érigé au père de la philosophie, à celui qui le premier nous apprit à penser[21]. » Descartes, s'il n'a jamais été au Panthéon, a donc été dans l'Élysée du musée des Monuments français. C'est une autre gloire qui lui est de la sorte conférée, mais qui n'est pas non plus insignifiante. Car il ne manque pas d'auteurs à la fin du siècle pour préférer une demeure « pittoresque », pour des cendres illustres, à la froide magnificence du Panthéon ; ce sont généralement les mêmes qui critiquent ces mausolées que sont, pour les vivants, les académies. La Revellière-Lépeaux l'a bien dit en 1798 : « C'est sous la voûte des cieux, au sein de la majesté des forêts, dans leurs vastes et sombres détours, en un mot dans une enceinte pittoresque, variée et tranquille, que doivent reposer ceux dont les noms sont destinés à être sans cesse présents à la mémoire des hommes[22]. »

•

Que les cendres de Descartes soient désormais une relique d'importance, investie dans des mémoires concurrentes, on en a la preuve à peine deux ans plus tard.

La scène se déplace cette fois vers la Touraine natale du philosophe et met aux prises l'autorité locale et l'autorité nationale. C'est en avril 1801 que le général de Pommereul expose devant le conseil général de la préfecture de Tours, qu'il préside, son souhait d'ériger un monument à Descartes dans le jardin du musée – les musées de province seront officiellement créés le 1er septembre mais, ici comme ailleurs, le fait a précédé le droit – et de voir rapatriées ses cendres. « L'époque de leur entrée à Tours, suggère-t-il, pourrait se combiner avec la fête de la République du 1er vendémiaire prochain, dont elle augmenterait l'intérêt et la solennité[23]. » Ne serait-ce pas justice qu'il soit ainsi mis fin aux vicissitudes des restes d'un philosophe qui est, de tous les grands hommes que le département s'honore d'avoir vus naître, le plus éminent ? Car le mausolée des Petits-

Augustins est pour ces conseillers tourangeaux à la fois « beaucoup trop modeste » et « provisoire ». Il faut à Descartes un tombeau paisible. Le lieu de cette sépulture va de soi : « Descartes, né comme il le dit lui-même, dans les jardins de la Touraine, doit y trouver son Élysée[24]. » Et Pommereul d'imaginer déjà le parcours commémoratif des futurs visiteurs, dans la lettre qu'il adresse le 13 mai au ministre de l'Intérieur, Chaptal : le voyageur qui aura visité à La Haye le berceau de Descartes s'arrêtera ensuite devant son tombeau dans le jardin du musée de Tours, « et s'en retournera plein de cette idée consolante qu'il y a une justice des siècles et qu'un grand homme persécuté pendant sa vie et après sa mort est enfin mis à sa place par la postérité et honoré même dans sa patrie ».

C'est justement tout l'intérêt de cette requête, et de la réponse de Chaptal, que le désaccord entre les deux hommes sur la juste place de Descartes : le philosophe appartient-il à sa Touraine d'origine ? Ou à la nation ?

Au préfet, Chaptal répond qu'il applaudit le zèle louable qui a dicté la sollicitation, mais que les cendres de Descartes, placées dans un Élysée national, sont la propriété de la nation tout entière, et que le gouvernement s'est réservé le droit d'en disposer[25].

Pommereul ne se le tient pas pour dit. Il revient à la charge et sollicite de Chaptal le buste du philosophe pour le placer dans sa maison natale. Chaptal n'a cette fois aucune raison de refuser : il demande le 14 mai 1802 à Lenoir, qui possède l'empreinte du buste, d'en faire un plâtre qu'il envoie à Pommereul[26]. L'inauguration de la statue, le 2 octobre 1802, donne lieu à une cérémonie présidée par le préfet dont le discours rappelle que « Descartes fut un vrai Français » et un sage persécuté qui fit aux hommes le plus beau don qu'on pût leur faire : il leur apprit à douter[27]. La relation de la fête vaut d'être citée, car c'est la première des commémorations du philosophe, non plus au plan national, mais au plan local : « Plusieurs brigades de gendarmerie, un détachement de la garde nationale, une musique nombreuse, rendaient facile et intéressante la marche du cortège. [...] Un feu de joie a été allumé sur les bords de la Creuse par l'arrière-petite-nièce de Descartes et par le général-préfet. » Un feu d'artifice et un bal viennent ensuite ; le canon tonne. Conclusion : « L'urbanité des citoyens de La Haye pour leurs nouveaux hôtes, la beauté remarquable des femmes qui habitent cette petite portion de territoire du département d'Indre-et-Loire, la sérénité du ciel, ont contribué à donner à cette journée un ton de gaieté qui n'a point nui à celui de décence que devait avoir la fête[28]. » Ce jour-là, la commune de La Haye est rebaptisée La Haye-Descartes.

Sept ans plus tard, c'est de nouveau l'instance de la mémoire nationale qui témoigne en faveur du philosophe français : de même que la rue Plâtrière avait été baptisée rue Jean-Jacques-Rousseau, la rue Bordet est appelée à partir du 7 février 1809, par décret de Napoléon, rue Descartes.

•

Mais Pommereul avait raison : le séjour des restes de Descartes dans l'Élysée des Petits-Augustins ne pouvait être que provisoire. Une ordonnance du 24 avril 1816, stipulant la reprise des travaux de l'abbaye de Saint-Denis, impliquait le démembrement du musée de Lenoir et le retour des pièces dans les églises d'où elles avaient été soustraites. Le 21 mars 1817, Chabrol, préfet de la Seine, signe un procès-verbal autorisant le transfert des dépouilles de Boileau, de Mabillon, de Montfaucon et de Descartes à Sainte-Geneviève. Mais entre-temps, les administrateurs de l'église de Saint-Germain-des-Prés ont adressé au préfet une brochure réclamant les cendres de Descartes, de Boileau, de La Fontaine, de Racine et de Pascal, au motif que leur église est la paroisse des quatre académies et de l'Institut, « asile des sciences, des arts et des lettres ». D'ailleurs, quoi de mieux qu'une église pour de tels monuments ? Ne sont-elles pas ouvertes à tous les instants et à toutes les classes de citoyens[29] ? Le 30 mars, Chaptal fait connaître sa réponse, positive : les cendres de Descartes seront transportées à Saint-Germain-des-Prés le même jour que celles de Mabillon et de Montfaucon.

La cérémonie n'aura lieu que le 26 février 1819, en présence de délégations de l'Académie des sciences et de l'Académie des inscriptions. Le discours de Sylvestre de Sacy, qui représente cette dernière, est loin d'être inintéressant. Dès ses premiers mots, l'académicien souligne la portée religieuse de l'événement, le fait qu'il va enfin permettre aux cendres des grands hommes qui ont honoré la France de retrouver l'asile de la religion. Ainsi Descartes est-il salué comme « le philosophe religieux qui enseigna aux hommes à arriver à la vérité par le doute, mais qui leur apprit aussi, par son exemple, à ne pas franchir témérairement les limites que la divine sagesse a mises à nos facultés[30] ».

Dix années décisives

Revenons un moment sur la période de l'Empire, qui marque un tournant dans la représentation que l'on se fait en France de l'avènement des Lumières et par conséquent dans l'image du philosophe français.

Qu'une réévaluation du rôle de Descartes s'opère dans les premières années du XIXe siècle, on peut le montrer sur les deux exemples de Destutt de Tracy et de Saint-Simon, que tout oppose par ailleurs.

Le chef de file du mouvement des Idéologues, celui qui avait trouvé en 1796 le terme « Idéologie » promis à l'avenir qu'on sait, se faisait à cette date une idée tout à fait traditionnelle des origines de la nouvelle philosophie. À l'instar de tous les esprits avancés de sa génération, avant tout soucieux d'exactitude, il révérait Bacon, Locke et Condillac. Pour son analyse fondatrice du rôle de la motricité dans la formation du premier jugement d'existence, il se plaçait dans le sillage du *Traité des sensations* de Condillac, dont il proposait seulement de revoir quelques traits.

Neuf ans plus tard, il publie le troisième et avant-dernier volume de ses *Éléments d'idéologie*. Il procède alors à une étonnante réinterprétation de la genèse de la modernité. Le long *Discours préliminaire* placé en tête du volume est ainsi consacré à une analyse du rôle véritable de Bacon. Les mérites du chancelier sont rappelés au long des cent huit premières pages et, à la cent neuvième, on apprend que « notre grand Descartes », qui n'avait eu connaissance d'aucun des ouvrages de l'Anglais, écrivait la même chose que lui, avec moins de pompe mais davantage de profondeur. « Car je ne vois pas qu'il y ait, poursuit le fondateur de l'Idéologie, au moins sous le rapport de la Logique, une seule chose utile dans la *grande rénovation* qui ne se trouve dans les quarante premières pages de l'admirable *Discours de la méthode.* » Tracy concède à Descartes deux avantages décisifs sur Bacon : la réduction de la méthode à quatre fameux principes – reproduits en note, car, pour être fameux, ils sont, semble-t-il, tout à fait inconnus en 1805, du moins des lecteurs d'un Idéologue – et surtout la découverte de ce que la philosophie commence à l'étude de l'entendement lui-même, dont le premier acte est une position d'existence : « *Je pense,* donc *je suis*, est le mot le plus profond qui ait jamais été dit, et le seul vrai début de toute saine philosophie », écrit-il comme s'il s'en avisait ce jour-là. Ce que Bacon a seulement souhaité faire – l'instauration d'un nouveau système de pensée –, Descartes l'a effectivement accompli[31].

En lisant ces pages, on a le vif sentiment qu'il y a là pour Tracy, et aussi surprenant que cela puisse paraître, quelque chose comme une découverte récente. En 1796, à propos de cette même question du « vrai début de toute saine philosophie », il faisait comme si Descartes n'avait ni écrit ni existé. Du *Je pense*, il n'était pas fait mention. En 1805, c'est de l'auteur du *Discours de la méthode* que Tracy se dit maintenant l'héritier, héritier d'une découverte qu'il lui incombe de prolonger et d'approfondir.

Il en va exactement de même de Saint-Simon, dont on peut comparer les jugements sur Bacon, Newton et Descartes dans son premier ouvrage, publié en 1803, et dans ses écrits de 1808-1810. En 1803, lorsqu'il veut ouvrir une souscription pour financer des travaux originaux en science et entamer la réorganisation de la société, c'est devant le tombeau de Newton que le grand prophète des temps modernes lance son appel. C'est Dieu en personne qui a confié à l'auteur des *Lettres d'un habitant de Genève* les décisions qu'il a prises : Rome va renoncer à la prétention d'être « le chef-lieu » de l'Église ; les évêques et les prêtres, à l'idée de parler en son nom ; et Newton, qui siège à sa droite, sera chargé d'assurer la direction des lumières et le commandement des habitants de la planète. Ce rassemblement des génies est décrit par Saint-Simon de façon à l'opposer en tous points à la situation qui règne dans les académies, où l'on s'emploie seulement à conserver des opinions toutes faites. L'esprit académique caractérise la France, tandis que le génie est le fait de l'Angleterre. Le nom de Descartes n'est pas prononcé, mais on le lit entre les lignes d'un texte tout entier à la gloire de Newton[32] ; gageons qu'en 1802, Descartes est pour Saint-Simon du côté des académies plutôt que du génie...

Tout est différent dans l'*Introduction aux travaux scientifiques du dix-neuvième siècle* (1807-1808) et dans les *Lettres au Bureau des longitudes* (1808). Saint-Simon met désormais sa mégalomanie au service de Napoléon et de la France, qu'il gémit maintenant de voir sous le joug anglais. « J'ai conçu, dit-il sans rire, un projet dont l'exécution couvrira de gloire la Nation française. Sa rivale sera forcée de reconnaître que la France mérite le titre de grande nation, et qu'elle est digne de marcher sous les ordres du grand

NAPOLÉON. » Aussitôt vient le nom de celui sous la bannière duquel Saint-Simon veut désormais combattre : Descartes. Descartes, qui « arracha le sceptre du monde des mains de l'imagination et le plaça dans celles de la raison ». Bacon ? un grand novateur, mais que Descartes domine de la tête et des épaules. Newton ? l'inventeur de la gravitation universelle ; mais, comme Locke, il n'a fait qu'arpenter des contrées que Descartes a su voir de bien plus haut, et n'a pas aperçu la portée d'une loi dont Saint-Simon, lui, révèle la valeur générale[33].

En Descartes, Saint-Simon loue maintenant indifféremment la théorie des tourbillons, la méthode *a priori*, et l'éradication des superstitions et du règne de l'Église. En sorte que le « pas napoléonien » qu'il faut maintenant faire accomplir à la France, en réorganisant la société à partir d'une rénovation du système des sciences, est un pas cartésien : à Napoléon, il faut un « lieutenant scientifique » à sa hauteur, il faut « un second Descartes ». L'Empereur saura-t-il se montrer moins ingrat à l'égard du second que Louis XIII et Louis XIV à l'égard du premier[34] ?

Double identification qu'il faut prendre comme un fait : de Saint-Simon à Descartes, et de Descartes à la France. Même si la guerre contre l'Angleterre et le désir de flatter l'Empereur jouent leur rôle, il reste que cette double identification est en 1810 *possible*, et que c'est le nom de Descartes qui s'impose à Saint-Simon en remplacement de celui de Newton. « L'honneur de la découverte du système positif appartient à Descartes comme individu, et aux Français comme nation », écrit-il encore. C'est pourquoi il est insupportable de ne trouver aucun ouvrage du plus grand des savants français à la bibliothèque de l'Observatoire, alors qu'abondent ceux de Newton et de ses épigones. « Messieurs, dit-il aux savants français, votre oubli de Descartes est un crime de lèse-majesté scientifique et national[35]. »

Ce crime, dénoncé d'ailleurs déjà par Destutt de Tracy en 1806, va obtenir réparation, au moins partielle, en 1811. L'abbé Émery, qui dirige le séminaire de Saint-Sulpice, publie cette année-là des *Pensées de Descartes sur la religion et la morale* précédées d'une introduction longue et très documentée, destinée à rappeler, et d'abord à montrer, que Descartes a été dans son siècle le premier en géométrie, en métaphysique et en physique. Des trois disciplines, l'abbé concède que la troisième est la plus fragile. Mais les mérites du philosophe dans les deux premières sont tels que, si les nations devaient concourir en ayant chacune à sa tête un philosophe, la France, avec Descartes, aurait sur ses rivales une victoire aisée.

Bien entendu, le Descartes de l'abbé est tout différent de celui de l'utopiste : c'est un génie religieux. Même sa théorie de l'eucharistie est sauvée de l'hérésie et présentée comme la seule possible aujourd'hui, en des temps où la raison a vocation à tout comprendre. Aussi Émery publie-t-il, pour la première fois, les fameuses lettres de Descartes au père Mesland de 1645, qui avaient, en 1671, lorsque Clerselier les faisait circuler manuscrites, attiré les foudres de l'archevêque de Paris. Et Émery de citer à profusion les traits de la vie de Descartes qui établissent sans conteste qu'il fut le plus pieux des hommes[36].

Aucun consensus ne règne donc dans la façon d'interpréter le philosophe français, à la fin de l'Empire ; si ce n'est que les uns et les autres s'accordent pour faire commencer à lui la modernité et pour l'ériger en représentant éminent de la nation française. Les péripéties relatives à sa sépulture, ses premières commémorations, sont l'autre face du même processus d'incarnation nationale du philosophe, inséparable du mouvement général qui voit la constitution de l'idée moderne de nation, avec ce qu'elle suppose d'emblée de tensions entre l'universel et le particulier, le central et le local, la sacralité de la capitale et celle du territoire. Le processus de nationalisation ne prendra toute son ampleur qu'au cours du XIXe siècle. Mais c'est indéniablement sous la Révolution et l'Empire que s'en édifient les bases.

Chapitre VII

DESCARTES RELU PAR LES ULTRAS

Les seize années de Restauration vont fournir au processus d'inscription du philosophe dans la conscience nationale, amorcé sous la Révolution et l'Empire, sa véritable condition de possibilité. L'apparition de la droite ultra, qui marque les commencements de la vie politique française au sens moderne, avec son clivage entre droite et gauche, signifie aussi la promotion de la « question Descartes » au statut de révélateur des identités politiques. Les ultras vont détester *collectivement* Descartes dont ils vont faire le symbole du monde nouveau ; un ultra se reconnaîtra à sa haine du cartésianisme, associée chez lui au refus de l'autonomie de la raison individuelle.

Un clivage politique va donc sous-tendre à partir de la Restauration l'acceptation ou le rejet du cartésianisme ; on sera pour ou contre Descartes selon le lieu de l'échiquier politique où l'on se placera. En sorte que les grandes lignes de faille qui séparent entre elles la gauche et la droite, les gauches et les droites, se révéleront dans la façon qu'auront les uns et les autres de déclarer leur sentiment à l'égard du philosophe de la méthode. Cette capacité que manifeste le cartésianisme de coller à la géographie politique française suppose, bien entendu, le long travail d'identification du philosophe à la France, commencé dès la fin du XVIIe siècle, poursuivi au XVIIIe par les Lumières comme par leurs adversaires, et soudain accéléré sous la Révolution et l'Empire ; sans ce processus au long cours, sans ses péripéties et ses épisodes conflictuels, jamais le XIXe siècle n'aurait pu donner à lire ses conflits dans les termes du cartésianisme et de l'anticartésianisme. Au moment de la Restauration, les forces politiques en voie de constitution trouvent toute faite une image de Descartes qui a l'avantage de se prêter aisément à une série d'identifications : Descartes n'est-il pas le promoteur de l'autonomisation de la raison individuelle, le champion de la séparation entre raison et foi, l'inventeur d'une doctrine qui égalise les esprits et leur confère des droits équivalents ? De là à le faire figurer dans l'arbre généalogique de la Révolution, il n'y a qu'un pas, et nous avons vu qu'il a été franchi dès 1791.

On tient là sans doute la raison essentielle qui fait de Descartes le puissant marqueur politique qu'il va être : sous son invocation va se jouer en réalité le rapport que les diverses forces politiques entretiennent avec la Révolution française et, plus généralement, avec la modernité. Si la « question Descartes » revêt au XIXe siècle un caractère brûlant, comme le remarqueront tant de contemporains, c'est qu'elle recroise la plupart des dilemmes du siècle, lesquels ont tous une relation avec le bouleversement de 1789. Individu ou collectivité, égalité ou hiérarchie, raison individuelle ou raison générale, science ou foi, autorité ou liberté, tous ces débats, posés invariablement en termes cartésiens, sont au fond des variantes de la même question : faut-il ou non accepter la société issue des Lumières et de la Révolution ?

Ce que le cartésianisme va gagner de son insertion dans la réalité historique, politique et religieuse du siècle n'est rien de moins que sa transformation en mythe national rayonnant bien au-delà des cercles érudits où il demeurait jusque-là contenu. Désormais, le cartésianisme va être l'affaire de tous les Français.

De la Contre-Révolution à Lamennais

Il reste que la droite ultra ne s'empare pas immédiatement de Descartes : il faut attendre Lamennais et les années 1820 pour qu'elle érige le philosophe en symbole de tout ce qu'elle déteste. Pourtant, tous les thèmes recueillis et noués en gerbe par Lamennais – refus de la philosophie, rejet de la passion égalitaire, désaveu de la raison géométrique, et, par-dessus tout, haine de la Révolution – circulent dès avant 1800 dans les œuvres des contre-révolutionnaires de la première heure. Mais il faudra quelque vingt ans pour qu'ils se rassemblent autour de Descartes.

Parcourons rapidement la littérature de la Contre-Révolution avant que Lamennais n'entre en scène. On ne trouve rien contre Descartes, par exemple, dans les *Considérations sur la nature de la Révolution en France* de Mallet du Pan ; ici, ce sont Rousseau et les « métaphysiciens déclamateurs », Sieyès et Marat, qui prennent tous les coups [1]. Rien non plus chez l'abbé Barruel, dont les *Mémoires pour servir à l'histoire du jacobinisme* sont pourtant loin d'être parcimonieux quand il s'agit de dénoncer les membres de la conspiration révolutionnaire ; comme chez Mallet du Pan, c'est le XVIIIe siècle – celui de Voltaire, d'Alembert, Frédéric II, Diderot et Sieyès – qui est accusé d'avoir couvé l'œuf du serpent. Barruel s'en prend au « philosophisme », c'est-à-dire à la manie de tout réduire à sa propre raison et de rejeter tous les mystères [2]. Mais Descartes n'est pas encore identifié comme l'un des fauteurs de ce crime. D'ailleurs, dans le roman qu'il avait publié en 1781, *Les Helviennes*, Barruel s'était parfois moqué de la physique cartésienne à cause de ses extravagances, mais il n'en considérait pas moins Descartes comme un génie, et de l'espèce religieuse de surcroît [3]. Même chose dans l'ouvrage de Sénac de Meilhan, *L'Émigré*, de 1797.

Maistre, Bonald et même Chateaubriand ont-ils une opinion très différente du philosophe français ? Les *Considérations sur la France* (1797), la *Législation primitive* (1802) et le *Génie du christianisme* (1802) fournissent assurément tous les grands motifs de la partition contre-révolutionnaire : l'idée qu'on ne peut pas instituer une société à neuf, qu'il ne faut pas écouter les raisonneurs (« qu'est-ce que cette lumière tremblotante que nous appelons *Raison ?* », demande Maistre bien avant Barrès), que le philosophisme, « dissolvant universel », est le responsable direct des malheurs de la monarchie, que toute doctrine « qui n'est pas aussi ancienne que l'homme est une erreur », et que partout où la raison individuelle domine, rien de grand n'existe. Mais ni Descartes ni le XVIIe siècle ne sont condamnés par ces auteurs sourcilleux au chapitre du catholicisme ; tout au plus discutent-ils telle ou telle thèse avec laquelle ils marquent un désaccord au reste limité. À leurs yeux, c'est seulement au XVIIIe siècle que le cours des choses s'est inversé et qu'a été prononcée la séparation funeste de la philosophie et de la théologie [4].

•

Avant l'*Essai sur l'indifférence* de Félicité de Lamennais, le catholicisme de Descartes ne semble donc faire de doute pour personne. Pas davantage pour Lamennais lui-même, d'ailleurs, jusqu'à son ordination en 1816. À vingt-six ans, « Féli » a publié des *Réflexions sur l'état de l'Église en France pendant le* XVIIIe *siècle et sur sa situation actuelle* où il s'en est pris, comme il convient, au protestantisme et au XVIIIe siècle des Philosophes, mais ni au XVIIe en général ni à Descartes en particulier.

Un an après avoir été ordonné prêtre, il fait paraître le premier volume de l'*Essai sur l'indifférence*, suivi en 1820 du second et d'une *Défense de l'Essai*. Immense succès qui lui vaut immédiatement la célébrité et l'admiration de plusieurs parmi les meilleurs esprits du temps. La société, écrit-il dans cet ouvrage clé, est aujourd'hui peuplée d'*indifférents* : « Roulant d'abîme en abîme, parcourant dans leur chute tous les degrés de l'erreur, sans pouvoir s'arrêter dans aucun, affaissés sous le poids vengeur des vérités qu'ils blasphèment, ils tombent et s'enfoncent dans les gouffres ténébreux de l'indifférence, où le crime, stupidement tranquille, s'endort entre les bras de la volupté, aux pieds de l'affreuse idole du néant. » Le commencement de l'apocalypse, Lamennais le fait remonter à la Réforme. Jusque-là, l'Europe marchait vers la perfection à laquelle le christianisme destine depuis toujours les individus et les peuples. Luther est venu, il a remplacé le principe d'autorité par le principe d'examen, la raison divine (ou encore *générale*) par la raison humaine. Tout s'en est suivi : l'hérésie, le déisme, l'athéisme et, enfin, la Révolution. Lamennais, dont la prose est souvent profuse, a parfois le sens des formules ramassées : « Luther et ses disciples persuadent à une partie de l'Europe que la souveraineté réside dans le peuple ; et bientôt le sang des rois ruisselle sur les échafauds. »

À cette tragédie participe pleinement la philosophie, laquelle n'est d'ailleurs que l'autre face du protestantisme. Lamennais n'a de cesse de montrer l'intime connexion de la religion réformée avec la philosophie moderne tout entière, dont l'essor suppose la promotion de la raison individuelle. Philosophie que l'on retrouve à l'autre bout de l'histoire, dans les crimes de la Révolution, « sur l'échafaud où montaient chaque jour et le prêtre, et le noble, et le savant, et le riche, et le pauvre, et l'enfant même ». Dans cette doctrine où souvent la véhémence l'emporte sur la subtilité, la thérapeutique est aussi simple que le diagnostic est sommaire : puisque sans Dieu il n'y a ni morale, ni vertu, ni devoir, ni société, ni pouvoir authentique, il faut et il suffit de retrouver le chemin de Dieu. Allons plus loin : sans pape il n'est point d'Église, et sans Église il n'est point de société ; donc « la vie des nations européennes a [...] sa source, son unique source, dans le pouvoir pontifical ». L'ultramontanisme le plus radical découle de cette série de propositions. Où, ailleurs qu'à Rome, trouverait-on en effet un pouvoir *un, universel, perpétuel* ?

Ultramontanisme si radical, du reste, qu'il conduit l'abbé à dénoncer la « vaste démocratie » qu'est la monarchie restaurée de Louis XVIII et de Charles X. Ni les Chambres, qui ne sont que des « assemblées démocratiques », ni les ministres, qui gouvernent selon les directives des Chambres, ni le roi, qui est seulement « le souvenir vénérable du passé, l'inscription d'un temple ancien qu'on a placée sur le fronton d'un autre édifice tout moderne », ne constituent une monarchie au sens véritable du terme. La monarchie selon la Charte est une imposture, le triomphe de l'« omnipotence parlementaire[5] ».

Haine du protestantisme et de la raison individuelle, détestation du cours pris par les sociétés modernes, rejet absolu du principe démocratique et du régime parlementaire, refus de séparer raison et foi, ultramontanisme enfin : on a là *tous* les ingrédients de l'anti-cartésianisme à l'état pur, sans mélange d'aucune sorte. On ne cessera de les retrouver les uns et les autres au long du XIXe siècle ; mais jamais sans doute ainsi réunis chez un même auteur.

Car Lamennais fait à Descartes un sort particulier, qu'on lit dans le second volume de l'*Essai* et dans la *Défense* qui l'escorte. Descartes est ici le prototype du philosophe moderne qui préfère la raison individuelle à la raison générale. Or c'est pour Lamennais la définition même de la folie : « Nier le témoignage général, lui préférer sa raison particulière, est en effet le caractère propre de la folie ; et tout homme ayant droit de commander à son esprit, est fou[6]. » Notre temps est fou, note encore Féli au seuil de la *Défense* ; et c'est la philosophie qui l'a rendu tel. D'où l'extraordinaire dialogue placé en tête de l'ouvrage, entre un cartésien et un fou, où Lamennais joue sur le registre classique du renversement de l'imputation de folie. Le fou prétend être Descartes. Le cartésien répond que c'est folie, puisque Descartes est mort depuis plus de cent cinquante ans. À quoi le fou répond qu'il a une perception claire et distincte du fait qu'il est Descartes ; donc il l'est. À bout d'arguments, le cartésien se confie alors à l'opinion générale : « Consultez, dit-il, tous les autres hommes, ils vous assureront comme moi que vous n'êtes point Descartes. » Mais le fou a beau jeu de rétorquer que c'est là user d'un argument d'autorité et que lui, Descartes, a justement interdit d'y recourir. On est donc au rouet. « Nul doute, commente Lamennais, que cet homme n'ait perdu l'esprit ; mais le cartésien n'a pas le droit de le déclarer fou ; car en affirmant qu'il est Descartes, il suit rigoureusement les principes de la philosophie cartésienne. » Descartes est ainsi désigné comme le père de toutes les folies des siècles, passés et présent, de l'hérésie, du déisme et de l'athéisme[7].

Il aura fallu donc plus de vingt ans au catholicisme ultra pour forger le thème d'un anticartésianisme synonyme d'antimodernisme. Comment comprendre pareil délai ? Et pourquoi, autour de 1820, cette innovation ? À ces deux questions, on ne peut répondre qu'en les liant. Dans la longue période d'incubation nécessaire aux ultras pour dégager l'idée d'un Descartes adversaire du catholicisme, sans doute faut-il voir avant tout le fait de la profonde transformation subie par le catholicisme. Dans la seconde moitié du XVIIIe siècle, c'était surtout un clergé gallican qui se faisait le champion du cartésianisme, où il voyait le meilleur rempart contre le matérialisme des philosophes. Aussi longtemps que le gallicanisme ne se trouvait pas mis en question, les catholiques contre-révolutionnaires – même ceux qui imputent aux philosophes la Révolution, l'anéantissement de la société d'Ancien Régime et la mort du roi – n'avaient aucune raison de déchirer l'image pieuse de Descartes léguée par leurs bons maîtres. Tout change lorsque, dans la seconde décennie du XIXe siècle, a lieu la rencontre de l'ultracisme politique et de l'ultramontanisme. L'année 1817 est à cet égard une date charnière, puisqu'elle voit à la fois la fin de la partie de bras de fer qui oppose Louis XVIII et Pie VII au sujet des évêques réfractaires au Concordat – elle se termine à l'avantage de Rome – et la publication du premier volume de l'*Essai sur l'indifférence*.

Ni Chateaubriand ni Bonald n'avaient appelé les catholiques de France à mettre en question le gallicanisme ; leur dévotion à la tradition d'une monarchie absolue de droit divin, dont Louis XIV offrait le modèle, était sans faille. Lamennais, lui, voue l'Église de France et son roi aux mêmes critiques. Comme l'a très bien vu Royer-Collard, ce qui s'effectue à partir de Lamennais, ce n'est rien de moins que le mariage de l'idée catholique de théocratie – avec ce qu'elle implique d'ultramontanisme – et du thème politique de la Contre-Révolution [8]. Alors peut sauter le dernier verrou qui empêchait la constitution d'un anticartésianisme catholique. Que Descartes soit français ne pèse plus en sa faveur aux yeux de l'abbé dont le regard est fixé sur Rome. La doctrine ultra est désormais libre de s'en prendre à un philosophe que la Révolution honnie a d'ailleurs honoré comme l'un de ses héros.

Il se peut qu'elle y soit en outre incitée, indirectement il est vrai, par la façon dont les libéraux – Royer-Collard et « le jeune et intéressant Cousin », pour parler comme Maine de Biran – ont présenté le cartésianisme dans les dernières années de l'Empire et au début de la Restauration. Sans employer bien entendu les imprécations de l'*Essai sur l'indifférence*, ils ont accrédité en fait une idée très proche de celle sur laquelle Lamennais va faire fond : celle d'un Descartes coupable du scepticisme moderne. N'ont-ils pas montré que Descartes s'est efforcé de construire tout l'édifice de la connaissance sur la base unique de la pensée, avec les idées pour tout matériau ? Tâche impossible, devant laquelle a sombré la philosophie ultérieure et qu'il faut aujourd'hui renoncer à poursuivre. Même Cousin, en 1815, a tenu des propos dont on doit rappeler la teneur pour le contraste qu'ils font avec ceux qu'il prononcera un peu plus tard : « C'est Descartes, Messieurs, qui imprima à la philosophie moderne ce caractère systématique et audacieux, et qui la jeta d'abord dans une direction sceptique, en attribuant à la conscience l'autorité suprême. [...] L'impulsion une fois donnée par la main puissante de Descartes, tout fut entraîné et suivit sans retour ; l'unité systématique devint la chimère universelle et la conscience fut mise en possession de créer le monde avec la raison pour seul instrument [9]. »

Lamennais a-t-il sous les yeux ces textes lorsqu'il rédige ses ouvrages de 1820 ? Y songe-t-il ? Rien ne permet de l'affirmer. Tout au plus peut-on rappeler que, jusqu'en 1828 environ, les « nouveaux catholiques » voient Cousin plutôt d'un bon œil : le légitimiste Louis de Carné évoquera avec faveur dans ses souvenirs la « décharge électrique » éprouvée par les auditeurs du jeune professeur de philosophie en 1820 ; et l'abbé Gerbet, l'un des proches de Lamennais, de saluer en décembre 1826 la parution des *Fragments philosophiques* de Cousin, qui rendent un service inestimable à la religion. D'ailleurs, en 1825, Cousin et Lamennais échangeront une brève mais chaleureuse correspondance, à fronts renversés puisque l'abbé se défendra d'être « un ennemi de la raison humaine », et le philosophe dira que son objectif a été de ramener « ce siècle si occupé d'intérêts mobiles et fugitifs à l'étude de ce qui ne passe point, au culte de la pensée et par conséquent au christianisme[10] ».

Le choc de l'« Essai sur l'indifférence »

Quoi qu'il en soit de l'origine des vues exposées dans l'*Essai sur l'indifférence*, leur effet est massif et immédiat du côté des catholiques ultras. C'est que 1820 marque aussi, avec l'assassinat du duc de Berry le 13 février, le virage à droite de la monarchie restaurée. La Charte de 1814 avait rétabli le catholicisme apostolique et romain dans sa dignité de religion d'État. Mais après le bref épisode de la Chambre introuvable, les ultras avaient été, d'élection en élection, réduits à la portion congrue. Il faut l'événement du 13 février pour que cristallise soudain le mouvement catholique, contre-révolutionnaire et passéiste demeuré dans une opposition résolue à cette monarchie de compromis. En quelques mois, le vent tourne : 26 mars, suspension des libertés individuelles ; 30 mars, rétablissement pour la presse de l'autorisation préalable et de la censure ; 12 juin, loi du double vote qui permet aux électeurs les plus riches de voter deux fois ; 27 février 1821, mise de l'Université sous tutelle ecclésiastique ; octobre 1822, fermeture de l'École normale supérieure et interruption des cours de Guizot, de Cousin et de Villemain à la Sorbonne. Le 29 mai 1824, Charles X renoue avec le rite séculaire du sacre à Reims, et en 1825 est votée la loi sur les sacrilèges. L'immense succès de Lamennais dans les années 1820 – quarante mille exemplaires des deux volumes de l'*Essai* vendus en quelques mois – n'est pas séparable de ce contexte qui en forme l'horizon d'attente.

Or, aussitôt qu'il est lancé, le thème de l'anticartésianisme accompagne fidèlement la vague mennaisienne, et d'abord dans les journaux acquis à la cause du prêtre imprécateur. Ainsi l'abbé Genoude, dans *Le Défenseur* du 21 octobre 1820. Comme Lamennais, c'est toute la philosophie que Genoude entraîne dans sa critique de la raison individuelle, derrière et avec Descartes. Ni Aristote ni les Grecs ne sont épargnés dans ce coup de balai. Mais une mention spéciale est accordée à l'époque moderne où Descartes, précédé par Luther, « établit le doute universel ». Ainsi encore l'abbé Rohrbacher, dans le même journal, les 6 et 21 janvier 1821. C'est surtout à l'« abîme d'incertitude » où Descartes a précipité le genre humain que l'abbé est sensible : comment donner tort, se demande-t-il, au protestant, au déiste, au matérialiste, à l'athée, tous réunis dans un *temple de la raison individuelle*, dès lors que chacun se fonde sur une conviction clairement et distinctement aperçue ? Seule l'autorité peut ramener ces égarés à l'unité de la foi.

Lorsqu'il est fondé en 1824 par deux des plus fidèles disciples de Lamennais, les abbés Salinis et Gerbet, le *Mémorial catholique* s'emploie à son tour à diffuser cet anticartésianisme de très large amplitude puisqu'il enveloppe, avec le rejet généralisé de la philosophie, le protestantisme et le romantisme, tous fils spirituels de la même raison individuelle[11]. Luther et Descartes : ils avaient déjà été associés au début du siècle par Saint-Simon qui préférait, et de loin, le second au premier. Les catholiques du groupe mennaisien les confondent, eux, dans un même discrédit : « Le principe d'indépendance de la raison individuelle, que Luther jeta dans le monde [...] fut étendu et appliqué par Descartes à toutes les croyances humaines », écrit l'abbé Gerbet en 1825, en réponse, d'ailleurs, à un imprudent article du *Globe*, du 20 août 1825, dans lequel il était dit : « C'est la gloire [de Descartes] d'avoir protesté contre *l'école* [...]. Aujourd'hui, grâce à Descartes, nous sommes tous protestants en philosophie. » Et l'article ajoutait, *cum grano salis* : « jusqu'à M. Lamennais lui-même, qui certes a bien fait preuve d'indépendance d'esprit et de liberté de critiquer[12] ». Le *Mémorial catholique* s'en prend aux « catholiques cartésiens » et entreprend de leur montrer tout ce que le cartésianisme, qu'ils défendent si ingénument, a produit de funeste. « Les Apôtres n'étaient pas cartésiens, lit-on dans un article de 1827. Les Pères de l'Église ne l'étaient pas non plus[13]. » En 1828, des « Observations pacifiques aux catholiques cartésiens » se terminent sur cet appel : « Écoutez, et protestants, et incrédules, [...] c'est Descartes qui leur a ouvert la porte, c'est Descartes qui leur a frayé le chemin, ils ne font que marcher à la suite de Descartes et tirer les conséquences de ses principes[14]. » Un long article de 1827 impute à la méthode cartésienne et à la Réforme le triomphe malheureux des sciences, leur hostilité à l'égard de la religion, leur matérialisme et l'abrutissement qu'elles produisent. « Ce qu'il faut faire, conseille l'auteur, c'est de désespérer leur philosophie, c'est de leur arracher toutes les ressources de leur raison[15]. »

Le cartésianisme apparaît à tous ces auteurs si puissant et si présent dans la société que leur époque se résume pour eux à l'affrontement entre deux doctrines, et deux seulement : la « méthode *cartésienne* et la méthode *d'autorité*[16] ». Tout se passe comme si, soudain, à la lumière des écrits de Lamennais, l'horreur du monde contemporain semblait à ces néocatholiques provenir d'une source unique : l'indépendance rationnelle, mise en route par Luther mais appliquée partout par Descartes. « Nous savons le mal affreux que fait dans l'Église de Jésus-Christ la lumière intérieure de l'esprit privé, que chaque hérétique s'imagine avoir reçue du ciel [...]. Je soupçonne que Descartes, qui a vécu longtemps parmi eux, a appris d'eux-mêmes une doctrine qui ressemble si fort à la leur », lit-on dans une « Lettre sur la philosophie cartésienne » publiée dans l'*Amico d'Italia* et reproduite dans le *Mémorial* en 1827[17].

Le Catholique du baron d'Eckstein appuie à sa façon, qui est singulière, la croisade de Lamennais contre Descartes. C'est que le baron est lui-même un homme singulier. C'est un protestant que la politique napoléonienne à l'égard du pape a jeté vers le catholicisme en 1809. De sa formation à l'université de Heidelberg, il a gardé un tropisme fort vers la science et la littérature germaniques, mais aussi une grande curiosité à l'égard de la culture de l'Inde. Il en est résulté un curieux mélange de symbolisme oriental et d'idéalisme allemand que vient croiser le catholicisme théocratique de Lamennais. Le milieu des ultras lui est familier depuis qu'en 1816 il a été nommé commissaire général de police pour le département des Bouches-du-Rhône. En 1826, il fonde *Le Catholique*, « ouvrage périodique dans lequel on traite de l'universalité des connaissances sous le rapport de l'unité de doctrine ». Quelle doctrine ? Celle qui se propose de « faire entrer la science dans la vie[18] ». C'est ici que la trajectoire du baron d'Eckstein rencontre le cartésianisme, identifié à un rationalisme desséchant. « Un vice secret affecte le rationalisme, écrit-il, qui n'est pas une philosophie de la vie, mais un système d'abstraction. » La vie est mystère, la vie est partout, tout est mystère, « tout est article de *foi* et non pas article de *doute*[19] ». Sans méconnaître l'immense mérite de celui qui a renversé la scolastique, il s'inquiète néanmoins du mur de séparation élevé par Descartes entre la philosophie et les autres disciplines : théologie, histoire et physique. « La nature entière et son immense richesse, conclut-il, disparaissent sous les formes de l'abstraction, comme l'homme disparaît et s'évapore dans l'analyse des facultés de l'entendement[20]. »

Descartes corrupteur de l'Église ?

La détestation de Descartes par le néocatholicisme s'autorise en outre d'une dénonciation de son influence sur l'enseignement jusque dans le sein de l'Église. Obsession ou réalité ? Tous les contemporains l'ont dit : jusqu'aux années 1840, à tout le moins, c'est une « scolastique cartésienne » (Renan), « amalgame des débris de la philosophie scolastique avec le fonds de la philosophie cartésienne » (Degérando), qui nourrit effectivement l'enseignement dispensé dans les séminaires de France[21]. On s'en convainc aisément en consultant les manuels en vigueur. Qu'il s'agisse de la *Philosophie de Tours* (Gley), de la *Philosophie du Mans* (Bouvier) ou de la célèbre *Philosophie de Lyon* (Valla), toutes professent un « cartésianisme mitigé », pour reprendre le mot de Renan, à base de dualisme, d'une pincée d'occasionalisme malebranchiste et, jusqu'à un certain point, d'innéisme. Ces manuels partagent en tout cas la même conviction : en dépit de ses erreurs, qui du reste n'ont jamais été vraiment dangereuses, le cartésianisme contient des vérités précieuses qui valent d'être transmises. Certes, il ne faut pas attendre de cette philosophie une explication des dogmes, mais elle permet d'« apprécier les motifs sur lesquels repose la certitude de la révélation[22] ». Aucun de ces auteurs ne va, bien entendu, jusqu'à se dire cartésien, mais tous estiment comme Valla que *admittenda est methodus cartesiana*[23]. Un régent de philosophie note en 1840 ces mots : « Jusqu'à Pâques, l'enseignement de la philosophie a été fait en latin [...]. Les cahiers dictés par le régent forment une espèce de catéchisme, tellement appris de mémoire que les élèves ne veulent répondre sur chaque question que dans la langue où elle a été traitée. Toutes les réponses sont faites et extraites de la *Philosophie de Lyon* à l'usage des séminaires[24]. » Or il ne semble pas que ce régent rapporte un cas unique.

La conviction que la présence du cartésianisme dans l'enseignement ecclésiastique équivaut à une infection forme une conviction forte chez les néocatholiques. Là encore, c'est Lamennais qui a lancé l'idée en 1820 en affirmant que la philosophie du doute universel s'est établie, non seulement chez les sceptiques, ce qui va de soi, mais chez les croyants qui en ont fait la base de leur enseignement. Une fois diagnostiqué, le mal est dénoncé par tous les catholiques ultras : l'abbé Laurentie, l'abbé Gerbet, l'abbé Combalot, par exemple. Tous s'indignent que des chrétiens continuent d'accorder leur faveur à une doctrine qui a montré, au XVIIIe siècle et avec la Révolution, de quelle postérité monstrueuse elle était grosse. Il est temps, disent-ils d'une même voix, de choisir ce que l'on veut être : cartésien ou chrétien, protestant ou catholique, étant entendu que « le cartésianisme est le protestantisme en philosophie, comme le protestantisme n'est que le cartésianisme en religion[25] ». On apprend dans les séminaires une philosophie morte, « une théologie scolastique mêlée de cartésianisme », écrit de son côté Eckstein[26]. Notons-le : pour aucun d'entre eux, il ne s'agit de remplacer cette philosophie morte par saint Augustin ou saint Thomas ; englobés dans la scolastique honnie, ils sont l'un comme l'autre rejetés par les néocatholiques des années 1820 et 1830 exactement comme Descartes. En 1831, le chanoine Foisset adresse aux *Annales de philosophie chrétienne* une série d'articles sur l'éducation du clergé. Comme ses collègues, il est convaincu que, si le clergé doit se relever, c'est en réformant un cursus infecté par le cartésianisme et dont l'enfant sort « le cœur froid ». À Descartes, Foisset préfère-t-il Aristote ? Pas le moins du monde : le Stagirite n'a su remplacer « la touchante simplicité de l'Évangile » que par un jargon inintelligible ; il ne saurait être question d'y revenir[27].

Situation neuve pour ces catholiques, si l'on y réfléchit. La scolastique, ils la détestent comme la détestait le clergé du XVIIIe siècle. Mais celui-ci disposait de Descartes pour asseoir sa théologie sur une philosophie compatible avec les grands principes du catholicisme. Descartes révoqué, que reste-t-il pour s'opposer à la montée du modernisme ? Ni la philosophie du XVIIe siècle – elle est trop rationaliste –, ni la philosophie grecque – elle est païenne. D'où ce repli sur l'Évangile, seul texte insoupçonnable.

•

Personne n'a exprimé plus fortement son dégoût devant cette scolastique cartésienne, qui a corrompu le clergé catholique jusqu'à la moelle, que l'abbé Bautain. Contrairement à Lamennais et à beaucoup d'autres néocatholiques, Louis Bautain vient de l'Université ; il a eu Victor Cousin pour professeur à l'École normale en 1813 ; Jouffroy et Damiron sont ses amis. Il a été à vingt ans chargé de cours à l'université de Strasbourg et il a même accompagné Cousin dans son voyage de 1818 en Allemagne, et rencontré avec lui Hegel, Fichte, Jacobi. Autant dire qu'il n'a pas commencé par la détestation du monde moderne. Mais en 1819, il a traversé un épisode dépressif dont il est sorti catholique fervent, imprégné d'un mysticisme découvert chez Baader. C'est donc un converti : il en a toute la violence. Ses ennuis commencent en 1822, lorsqu'il reprend ses cours et qu'il entreprend de saper la philosophie qu'il est censé enseigner. La *Philosophie de Lyon* est justement au cœur de ses difficultés : le recteur de l'université de Strasbourg lui fait obligation de suivre ce manuel, ce qu'il refuse[28]. Il décide alors de se faire prêtre et rassemble autour de lui des disciples dans ce qui devient bientôt « l'école de Strasbourg ». Après 1830, l'évêque de la ville, Mgr de Trévern, lui confie la direction du petit séminaire ; en même temps, Bautain garde un pied dans l'université. Mais il n'est pas au bout de ses peines : la brochure qu'il publie en 1833, *De l'enseignement de la philosophie en France au XIXe siècle*, où il attaque de front tout le monde – l'éclectisme de Cousin, Lamennais et le clergé – le met en délicatesse avec Mgr de Trévern qui lui retire la direction du petit séminaire. Bautain ira jusqu'à Rome.

À ses yeux, le cartésianisme est le symbole même de ce qu'il y a de plus exécrable au monde : la tiédeur. Beaucoup de catholiques ardents comme lui le rediront au XIXe siècle ; mais lui l'a dit le premier, et avec une chaleur sans pareille, en parlant de la *Philosophie de Lyon* : « Cette prétendue philosophie était contraire à notre conviction, à notre vie entière. *Nous n'étions entrés dans l'Église que pour échapper au rationalisme*, avec la persuasion profonde de son impuissance dans toutes les questions métaphysiques, et par conséquent religieuses. [...] C'est la foi qui nous avait tirés du doute et de toutes les misères qu'il entraîne avec lui [...]. Comment après cela reprendre ce que nous avions quitté, retourner à ce que nous avions vomi ? » Rien n'est éloquent comme cet affrontement entre un évêque octogénaire, Mgr de Trévern, qui ne conçoit « d'autre philosophie que celle qui s'enseignait il y a soixante ans aux élèves de théologie » – ce n'est pas Bautain qui le dit, mais le préfet de Strasbourg au ministre de l'Instruction –, et le Jeune Turc du catholicisme pour qui Descartes et la *Philosophie de Lyon* sont des vieilleries. Il y a tout un siècle entre le prélat et lui, écrit-il à Guizot le 4 avril 1834. Sinon un siècle – Mgr de Trévern est né au moment de l'affaire de l'abbé de Prades et Bautain est de la même génération qu'Auguste Comte, Michelet et Hugo –, du moins un abîme : celui qui sépare l'Ancien Régime de la nouvelle société. « Enseigner ce qu'il demande, continue-t-il, et comme il le demande, ce serait renier toute notre vie, ce serait nous suicider moralement. »

Singulier retournement : Bautain retrouve à un siècle de distance l'indignation du père André, contraint de professer, lui, une scolastique aristotélicienne hors d'âge au lieu de la « nouvelle philosophie », celle de Descartes et Malebranche : « J'ai consenti, Monseigneur, dit encore Bautain, à enseigner la *Philosophie de Lyon* [...] malgré les inepties et les absurdités que nous y avons rencontrées [...]. Mais je ne puis faire assez abnégation de mon intelligence pour n'enseigner que cela. »

Une lettre de Bautain à l'abbé Riambourg, de 1834, va au fond des choses ; or le fond des choses est cartésien. Comment prouver la divinité de l'Église, demande Bautain : « Si vous posez l'Église sur un fondement humain, et la critique historique ne peut en donner d'autres, vous l'établirez rationnellement, humainement, et votre théologie est appuyée sur du sable. C'est ce qui arrive à la théologie rationaliste de nos jours, qui est, comme vous le dites très bien, toute cartésienne, et c'est pour cela qu'elle est stérile, impuissante, morte. » Bautain et Riambourg font partie de ceux qui estiment qu'on ne prouve pas plus l'Église qu'on ne prouve la lumière, la chaleur, le mouvement, la vie. Tout ce qu'on prouve est douteux ; Dieu seul donne la conviction, qui transcende les preuves. « Voilà, Monsieur, ce qui perd aujourd'hui l'influence du clergé, ce qui le paralyse complètement. L'enseignement de la théologie et de la religion en général est devenu tout rationnel à la suite de Descartes ; c'est un système humain tout comme un autre, et voilà pourquoi il est sans force et sans vertu. Dieu n'est pas avec lui [29]. » Aucune cause, assurément, ne sera plus importante pour le catholicisme du XIXe siècle que celle de la raison, car elle les englobe toutes ; et c'est bien pourquoi Descartes sera tout au long du siècle si âprement disputé.

L'ouvrage de Bautain, *De l'enseignement de la philosophie en France au XIXe siècle*, appuie fortement l'idée que l'Église, devenue cartésienne c'est-à-dire rationaliste, marche sans le savoir main dans la main avec ses ennemis, ceux qui ont précipité la société européenne dans l'abîme. Le premier, il effectue une série d'équivalences sémantiques qui seront très vite fixées dans la langue française : pour lui, cartésien égale sec, stérile, impuissant, mesquin. Donnons-en quelques exemples : « rationalisme mesquin », celui de Descartes, plus « étroit » que tout autre, qui enferme l'homme dans le cercle dérisoire de sa raison, « dans la formule d'un syllogisme » ; la philosophie du clergé « est *cartésienne* dans son esprit, et c'est ce qui explique sa sécheresse et sa stérilité ». « Aussi, quoi de plus aride, quoi de plus stérile, quoi de plus fastidieux que cet enseignement[30] ? »

Si la force d'un thème se mesure au nombre de ses variations et à la durée de son emploi, alors celui-là doit être considéré comme l'un des plus puissants. Car il ne cessera désormais de courir, offrant à des auteurs que tout sépare par ailleurs – de l'extrême gauche à l'extrême droite – une commune façon de dire ce dont ils ne veulent pas pour la France : l'étroitesse.

La résistance du clergé à l'anticartésianisme ultra

Non que le clergé tout entier se mette à ce diapason, tant s'en faut. Il se divise en profondeur et, comme on sait, durablement. Il se divise donc aussi sur le rapport à Descartes, et ceci pour la première fois de la sorte : jusque-là, les catholiques avaient été, selon les époques, pour ou contre Descartes, mais généralement en bloc. Même au XVIIe siècle, le conflit entre jansénistes et jésuites n'avait jamais suivi exactement la ligne de faille du cartésianisme : Port-Royal, en dépit de ce que voulaient bien croire les contemporains, n'avait pas été unanime derrière le philosophe de la méthode ; pas plus, d'ailleurs, que les jésuites n'avaient manifesté une solidarité de corps dans sa condamnation. Avec le néocatholicisme des années 1820 et son ultramontanisme impérieux, la fracture entre partisans et adversaires de Descartes passe au milieu des catholiques, qu'elle sépare, et cette fois rigoureusement, selon qu'ils sont intransigeants ou modérés.

Aussi les adversaires de Lamennais sont-ils invariablement des défenseurs de Descartes. Les gallicans, sulpiciens en tête, se portent à la défense du grand philosophe français derrière Mgr Frayssinous, évêque d'Hermopolis, ministre de l'Instruction publique et des Cultes en 1824, qui s'efforce de frayer une voie entre les écrivains « étrangers », pourfendeurs du christianisme de Bossuet – entendons : les ultramontains – et les écrivains « téméraires », apologistes des libertés les plus extrêmes[31]. Les entreprises des sulpiciens aboutiront en 1835 à la publication d'une liste de cinquante-six propositions condamnées chez Lamennais et ses disciples. Mais dans l'intervalle plusieurs d'entre eux, dont l'abbé Boyer, directeur du séminaire, auront volé au secours du philosophe français et du gallicanisme en montrant dans une série d'ouvrages qu'il s'agit là des deux faces d'une seule et même question. Lamennais, en attaquant Descartes et en se faisant le champion de l'ultramontanisme, a commis une erreur dont les deux faces sont solidaires[32].

Mais ils ne sont pas les seuls à s'en prendre à Lamennais et à défendre Descartes. Plusieurs ecclésiastiques proches de l'Université – l'abbé Flottes, l'abbé Bataillé, l'abbé Baston – les ont précédés en embrassant dans une même défense l'Église de France et l'illustre philosophe dont ils plaident la cause en des termes franchement patriotiques. Ainsi l'abbé Bataillé. « Accourez donc ici, hommes savants, écrit-il par exemple, car quelle que soit la science que vous avez embrassée, vous devez quelque chose à Descartes ; [...] venez surtout, Français, on attaque la gloire d'un de vos plus illustres compatriotes : il n'y eut jamais un procès plus important, une affaire plus sérieuse[33]. » Deux ans plus tard, l'abbé Baston publie un *Antidote contre les erreurs et la réputation de l'Essai sur l'indifférence* dont il n'y aurait pas de raison de faire mention si l'on ne se souvenait que ce même abbé, alors jeune docteur, s'était indigné en 1766 d'entendre soutenir au collège de Château-Chinon la doctrine des tourbillons. Sans doute n'est-il pas devenu sur ses vieux jours adepte de la physique cartésienne ; mais « quand on attaque un homme de la réputation de Descartes, dit-il à Lamennais, on donne des preuves de ce qu'on avance ». Et l'abbé Baston de s'en prendre à l'inconséquente doctrine mennaisienne de la certitude, inférieure en tout point à celle de Descartes[34].

Les jésuites ne sont pas moins empressés à critiquer Lamennais. Le père Rozaven, assistant de France de la Compagnie, a exprimé aussitôt ses réserves expresses quant à la doctrine de l'*Essai* et de la *Défense* : « Tout porte sur un principe faux », a-t-il écrit en 1821. Et, à Mme Swetchine, il dira en 1825 que Lamennais semble « toujours dépasser la vérité[35] ». Dès 1823, il a fait interdire dans les collèges jésuites l'enseignement de sept propositions mennaisiennes relatives à la certitude, à la raison générale et à la foi. En 1829, il intervient une première fois dans la polémique autour du cartésianisme, en répondant dans *L'Ami de la religion* à un article critique à l'égard de Descartes du père Ventura – nous aurons l'occasion de croiser à nouveau le chemin de cet anticartésien passionné, dont le rôle dans le renouveau de la philosophie scolastique sera décisif[36]. Mais la pièce principale est l'ouvrage que le père Rozaven publie en 1831. Si l'adversaire explicite est l'abbé Gerbet, il est entendu pour tout le monde que c'est au premier chef Lamennais qui est visé. Son attaque contre le système mennaisien de la certitude ne se présente d'ailleurs pas comme une apologie de Descartes ; mais au nom de la justice, le jésuite réplique à la caricature de cartésianisme qui a cours chez les mennaisiens. D'ailleurs Rozaven connaît beaucoup de cartésiens « qui récitent le Symbole avec une conviction tout aussi pleine que peut l'être celle de M. Gerbet lui-même, et qui confessent avec toute simplicité que les mystères de la Trinité, de l'Incarnation, sont inconcevables à leur raison[37] ».

Dans cette même direction s'engagera aussi en 1834, de façon quelque peu tortueuse il est vrai, l'ancien compagnon de route de Lamennais, Lacordaire. Peut-être a-t-il eu des doutes quant à la validité catholique des vues de Lamennais dès avant les condamnations romaines de 1832 et de 1834. Mais il a attendu celles-ci pour prendre toutes ses distances à l'égard de son ami, devenu l'auteur scandaleux des *Paroles d'un croyant*. C'est alors seulement qu'il publie ses *Considérations sur le système philosophique de M. de La Mennais*. Comment éviterait-il à son tour de prendre position sur la question de Descartes ? Il ne croit pas, contrairement à Lamennais, à une présence forte du cartésianisme dans l'enseignement de l'Église. Le doute ? Il y a longtemps qu'il a été abandonné dans les écoles chrétiennes. Quant à Descartes, Lacordaire semble hésiter entre l'admiration pour la force de tête du philosophe, sa conception « originale et sublime », la façon dont « ce jeune gentilhomme avait osé philosopher sans Aristote », et le souci de montrer que tout cela fait maintenant partie du passé et n'a de raison d'obséder personne. L'œuvre de Descartes a péri avec le doute méthodique, et c'est la preuve que « la vérité ne doit pas être cherchée par des tours de force », Dieu ayant fait de la foi le seul chemin naturel vers le vrai[38].

Chapitre VIII

POSITIVISTES ET DOCTRINAIRES

Si Descartes obsède à ce point la droite ultra, c'est donc qu'il incarne la société moderne en ce qu'elle a à ses yeux d'indifférent à la religion et de politiquement dégradé. Une société faite d'individus égaux, choisissant à leur gré conviction et culte, persuadés de la valeur souveraine de la raison, voilà ce que le catholicisme ultra ne pardonne pas au philosophe français. Autant dire que le rapport à Descartes vaut désormais comme indice du rapport à la modernité. Le vérifie-t-on *a contrario* sur les exemples du positivisme et du libéralisme doctrinaire, situés sur l'autre bord politique ?

Descartes précurseur de l'âge positif

Au départ, pourtant, les saint-simoniens partagent avec les nouveaux catholiques le refus de ce qu'il y a de dissolvant dans la philosophie du XVIIIe siècle et le sentiment qu'il faut décidément rompre avec l'héritage de la Révolution. Pareil sentiment devrait les mettre au diapason anticartésien de ceux avec qui ils font un bout de chemin. Saint-Simon lui-même l'avait dit, de plus en plus nettement : « La philosophie du XVIIIe siècle a été critique et révolutionnaire, celle du XIXe sera inventive et organisatrice [1]. » L'« ancien système » est mort et avec lui la croyance en Dieu, dans les Saintes Écritures, les prêtres et les papes. Et le nouveau ne sera achevé que lorsque les savants seront réunis en un corps qui prendra le nom d'Église et auquel sera confié l'enseignement de la science et de la morale[2]. L'heure n'est plus à l'analyse mais à la synthèse, elle n'est plus à la critique mais à l'organisation. C'est bien pour cela que, au règne de Newton, Saint-Simon souhaitait qu'on substituât celui de Descartes.

Les premiers articles d'Auguste Comte dans *L'Organisateur* puis dans *Le Producteur*, autour de 1820, non seulement ne reniaient pas, mais soulignaient tous ces traits : la nécessité d'une réorganisation après la désorganisation critique et révolutionnaire ; l'idée que la société contemporaine est travaillée par un ferment d'anarchie ; la certitude qu'on ne mettra pas fin à la crise en fabriquant une Constitution supplémentaire, chimère qui témoigne d'une ignorance fondamentale de la marche des sociétés[3]. De même que Saint-Simon avait plusieurs fois rappelé sa dette à l'égard de Bonald, Comte rendait hommage à Lamennais en reconnaissant en 1820 que « la liberté illimitée de conscience et l'indifférence théologique absolue » sont un seul et même mal, dont les conséquences sont la destruction du pouvoir spirituel et, au plan politique, l'anarchie révolutionnaire[4]. Quant à Maistre, Comte ne lui marchandera pas son admiration ; et il dira en 1839 l'heureuse influence exercée sur lui, lorsqu'il était encore imbu de l'esprit révolutionnaire, par le catholicisme en général, et par l'ouvrage de Maistre, *Du pape*, en particulier[5]. Voilà pourquoi le disciple comme le maître, Comte comme Saint-Simon, seront toujours loin d'être enthousiastes à l'égard de la Réforme qui a été incapable de produire une véritable réorganisation de la société après en avoir sapé l'un des fondements. « Il n'y a pas de société, écrivait Comte en 1822, en proclamant la souveraineté de chaque raison individuelle[6]. » Le jeune secrétaire de Saint-Simon passait là très près de l'anticartésianisme contre-révolutionnaire des ultras. Si près, d'ailleurs, que le *Mémorial catholique* rendait compte avec faveur, et un peu de surprise, des articles publiés par lui au début des années 1820.

Mais on sait que Saint-Simon et Comte ne partagent avec l'« école rétrograde » que le diagnostic sur le mal dont souffrent les sociétés modernes. Leur thérapeutique est inverse, comme le sentiment qu'ils ont du véritable emplacement du « paradis terrestre » : « L'âge d'or du genre humain, a écrit Saint-Simon en 1814, n'est point derrière nous, il est au-devant, il est dans la perfection de l'ordre social ; nos pères ne l'ont point vu, nos enfants y arriveront un jour ; c'est à nous de leur en frayer la route[7]. » Quand le jeune élève Auguste Comte prend la plume, en juin 1816, un an après la

Terreur blanche, ses premiers mots sont pour fustiger l'effroyable anarchie de 93. Mais sa seconde remarque est pour dire son opposition au « dogme de la légitimité tel qu'on l'enseigne aujourd'hui ». Personne, écrit-il en prenant déjà à témoin les Français, « ne nie à présent que le régime qu'on appelle *ancien* ne fût un très mauvais régime ». *Personne*, car il faut tenir pour négligeable l'avis de ceux qui, justement, pensent le contraire et ne rêvent que de *restauration*. Le « régime de l'éteignoir » que ceux-ci voudraient mettre en place ne vaut pas mieux à ses yeux que le « régime de la terreur » de 93 [8]. Lorsque Comte troque ses habits de polytechnicien pour ceux de secrétaire chez le « père Simon », s'il atténue son jugement sur le gouvernement de Louis XVIII, il ne change pas d'avis sur ceux qui voudraient faire tourner l'horloge de l'histoire à l'envers. Jusqu'où faudrait-il remonter pour trouver une société conforme à leur nostalgie ? En deçà de la Révolution ? Mais elle a été préparée par la philosophie du XVIIIe siècle. Encore en deçà ? Jusqu'à la Réforme ? Mais celle-ci est le résultat conjoint, autour du XIe siècle, de l'affranchissement des communes et de l'avènement des sciences de la nature, introduites en Europe par les Arabes...

« Malgré soi, on est de son siècle [9] » : avec ce mot, Comte dit toute la différence entre l'école rétrograde et l'utopie scientiste dont il commence à jeter les bases. Bonald, Maistre, Lamennais regardent en arrière pour annuler le présent. Saint-Simon et Comte ne se soucient du passé que pour mieux organiser l'avenir. Aussi bien est-ce de Condorcet, quelque réserve qu'il ait à l'égard de l'*Esquisse*, que Comte hérite le projet d'une *histoire des progrès de l'esprit humain*, dont la loi des trois états se veut la mise en forme systématique. Il n'y a pas de positivisme sans une conception progressiste du travail des sociétés sur elles-mêmes, travail scandé par la marche des sciences vers leur positivité. La philosophie de l'histoire qui fait le fond de la pensée contre-révolutionnaire est une philosophie de la décadence ; elle s'appelle *traditionalisme*. Celle qui inspire les saint-simoniens et les positivistes est une philosophie du progrès ; elle salue l'ère moderne et construit fiévreusement l'avenir. Comte l'a bien dit dans le texte de 1822 qu'il considérera toujours comme son « Opuscule fondamental » : « La destination de la société, parvenue à sa maturité, n'est point d'habiter à tout jamais la vieille et chétive masure qu'elle bâtit dans son enfance, comme le pensent les rois ; ni de vivre éternellement sans abri après l'avoir quittée, comme le pensent les peuples ; mais, à l'aide de l'expérience qu'elle a acquise, de se construire, avec tous les matériaux qu'elle a amassés, l'édifice le mieux approprié à ses besoins et à ses jouissances. Telle est la grande et noble entreprise réservée à la génération actuelle[10]. »

D'où un rapport à Descartes inverse de celui qui prévaut dans l'école rétrograde à partir de Lamennais. On a vu que Saint-Simon n'avait pas de mal à s'imaginer en un second Descartes, lieutenant scientifique de l'Empereur. L'humilité n'est pas davantage le fort d'Auguste Comte : lui aussi se voit comme le seul vrai continuateur du grand philosophe français. Saint-Simon affectionnait la trilogie : Luther, Bacon, Descartes. Comte lui préfère celle de Bacon, Galilée, Descartes, souvent sous la forme : les « préceptes » de Bacon, les « conceptions » de Descartes, les « découvertes » de Galilée[11]. C'est assez dire dans quel cadre il place son admiration pour le Français, celui d'une philosophie de l'histoire fondée sur une histoire des sciences. La première formulation, dès 1820, sinon de la *loi*, du moins du *fait* des trois stades – théologique, métaphysique, positif – par lesquels passent les sciences, associe Descartes au troisième, à l'âge positif. Les sciences n'ont en effet commencé à se dégager des hypothèses théologiques et métaphysiques qu'au tournant du XVIIe siècle. Le seuil de la positivité est marqué par Bacon, qui en a donné le premier signal, par Galilée, qui en a donné le premier exemple, et par Descartes, « qui a irrévocablement détruit dans les esprits le joug de l'autorité en matière scientifique[12] ». Ces lignes sont contemporaines de la *Défense de l'Essai sur l'indifférence* de Lamennais. À eux deux, Lamennais et Comte déterminent très exactement deux postérités au cartésianisme en France, l'une résolument catholique et antimoderne, plus encore antimoderne que catholique, l'autre laïque et progressiste. Descartes, chez Comte, est du côté des fondateurs de l'âge positif.

C'est encore plus nettement affirmé dans un article de 1821 sur la philosophie mathématique. On dit, rappelle Comte, que Descartes a fait dans la science une véritable révolution. Mais on se trompe : il a *constitué* la science en donnant les moyens d'appliquer le calcul à l'étude de la nature ; il n'y a pas une géométrie ancienne et une géométrie moderne, il y a une géométrie tout court, et c'est celle qu'a fondée Descartes[13]. Le *Cours de philosophie positive*, dont le premier volume – leçons 1 à 18 – paraît en juillet 1830, ne dira pas autre chose : Descartes, avec Newton, a opéré la mathématisation du monde matériel et donné ainsi au genre humain son instrument le plus puissant, sa découverte la plus fondamentale[14].

Encore faut-il ne pas se méprendre sur le rapport de Comte à la modernité et, par conséquent, sur l'idée qu'il se fait de la révolution cartésienne. En Descartes, il ne salue ni le philosophe qui a ployé la foi sous l'autorité de la raison, ni l'inventeur de la liberté de conscience, ni l'apôtre de la table rase, ni l'auteur du *cogito*. De l'âge métaphysique auquel il appartient par la chronologie, le Descartes d'Auguste Comte n'emprunte aucun trait : la création du droit individuel d'examen est attribuée au protestantisme ; le mépris du passé, avec ce qu'il a d'absurde et de révoltant, est le fait de la « philosophie superficielle du XVIIIe siècle », à laquelle même le grand Condorcet n'a pas su se soustraire ; et la destitution du pouvoir spirituel est l'œuvre de l'esprit critique, particulièrement efficace en pays protestant. Quant à la création de la psychologie, dont Victor Cousin et les siens feront le grand titre de gloire du philosophe, Comte n'a jamais songé un instant à la lui attribuer : cette prétendue science, rétrograde par définition puisqu'elle coupe les faits intellectuels de leur base physiologique, ne convient qu'à des esprits occupés de métaphysique allemande, tout juste bons à des « déclamations obscures et emphatiques [15] ».

Des deux facettes de Descartes, qui sont aussi deux aspects de la modernité, Comte ne retient que l'une : la fondation de la positivité scientifique, et verse entièrement l'autre : l'avènement de la souveraineté individuelle et de l'égalité des droits, au compte de l'âge métaphysique. Le « dogme de la liberté illimitée de conscience » est le pendant, dans l'ordre intellectuel, du dogme de la souveraineté du peuple dans l'ordre politique ; deux protestants incarnent cette tendance qualifiée de « métaphysique », avec ce qu'elle a de dissolvant : Luther et Rousseau. Sans doute Comte n'ignore-t-il pas la nécessité historique de cette phase ; mais il reste qu'il la décrit toujours comme un régime « bâtard », « transitoire » entre la belle unité catholique du Moyen Âge et la future organicité de l'état positif. Descartes n'est pas de ce côté-là de la modernité, mais du côté de ceux qui préparent la « grande opération sociale du XIXe siècle ». La révolution commencée par Bacon, Descartes et Galilée est explicitement désignée comme le premier acte d'une vaste entreprise dont le XIXe siècle verra l'accomplissement [16]. Descartes est un bâtisseur ; nulle place ici pour le doute, fût-il méthodique. C'est que le doute n'est jamais le régime normal d'un esprit, lequel tend au contraire naturellement vers le dogmatisme. Si Descartes a préparé de loin la synthèse positiviste, c'est qu'il a été, fort heureusement, dogmatique. « Complétant la vaste opération intellectuelle commencée par Bacon, par Descartes et par Galilée, écrit Comte en 1830, construisons directement le système d'idées générales que cette philosophie est désormais destinée à faire prévaloir dans l'espèce humaine, et la crise révolutionnaire qui tourmente les peuples civilisés sera essentiellement terminée[17]. »

C'est donc une figure parfaitement originale de Descartes, et d'une considérable importance, que le chantre du positivisme construit là, dès sa jeunesse : un Descartes moderne mais « organique », en phase avec la société la plus avancée mais sans responsabilité dans l'anarchie révolutionnaire. Un Descartes *ad hoc*, dira-t-on. Mais c'est le cas de tous, et c'est précisément parce que cette philosophie s'est montrée capable d'avoir un si grand nombre de valeurs d'usage qu'elle a pu s'adapter à tant de doctrines ou de partis et acquérir en France la place centrale que nous lui connaissons.

L'appropriation des doctrinaires

Il est encore une autre manière de saluer la modernité et d'être en phase avec son cours : celle des libéraux. Eux aussi se constituent en mouvement doctrinal sous la monarchie restaurée. Ces « doctrinaires », comme on va les désigner bientôt parce qu'ils ont une doctrine, y croient et veulent l'appliquer, se comptent pour l'instant sur les doigts d'une seule main : Guizot, qui est leur chef incontesté, Camille Jordan, le comte de Serre, Prosper de Barante et le tout jeune Cousin. Un peu en arrière car il est plus âgé qu'eux, Royer-Collard. S'agrégeront plus tard le duc de Broglie et Charles de Rémusat. Ce qu'ils ont en commun et qui les distingue à la fois des ultras et des saint-simoniens ? La fidélité à l'héritage de 89 et la croyance où ils sont que la monarchie constitutionnelle définie par la Charte est le seul avenir possible pour la France. Pour l'heure, ils constituent l'une des facettes de l'opposition située à gauche. Durant la monarchie de Juillet, quand ils auront tous les pouvoirs, ils passeront du côté opposé où ils incarneront la « résistance » aux changements. Mais le fait de passer du centre gauche au centre droit ne changera pas une conception de l'histoire – de la civilisation comme de la philosophie – qui fait à la France et à « son » philosophe un sort éminent. De ce point de vue, il y a parfaite continuité entre la période où le parti est dans l'opposition et celle où il gouverne.

Victor Cousin est sous la Restauration l'espoir de la philosophie française, celui qui la sort du confinement sensualiste où la tiennent encore, au lendemain de l'Empire, les derniers apôtres du sensualisme condillacien. Qui d'autre que lui pourrait jouer ce rôle ? Maine de Biran n'est connu que d'un petit cercle de fidèles : il n'a jamais enseigné et d'ailleurs il est sur la fin de sa vie. Royer-Collard a lancé le mouvement spiritualiste dont va profiter Cousin ; mais il n'a ni ambition ni réelle disposition philosophiques. Cousin, lui, a la jeunesse et il ne manque certes pas d'ambition. Il a aussi, même si l'on a quelque peine à l'imaginer à la lecture de ses écrits, le charisme du grand professeur. Tous ses contemporains l'ont dit, Jules Simon par exemple, qui n'est plus du nombre de ses partisans lorsqu'il écrit :

> Il avait l'air d'une apparition. Représentez-vous un jeune homme de vingt-trois ans, maigre, avec une tête expressive et des yeux flamboyants, l'air d'un mourant dans les premières minutes, s'enflammant peu à peu, faisant assister l'auditoire au travail de sa pensée, [...] assez clair pour qu'on sût à peu près ce qu'on applaudissait, assez nuageux pour donner carrière aux imaginations, doué d'un bel organe, comédien jusqu'au bout des ongles, penseur assurément, encore plus artiste, prédicateur plutôt que professeur, avec des airs de tribun et d'apôtre tout ensemble[18].

Cousin, on l'a vu, a commencé par offrir de Descartes une version sceptique. En 1815, le jeune disciple de Royer-Collard s'était mis comme son maître à l'école philosophique des Écossais et n'avait pas hésité à écrire : « Le règne de Descartes finit à Reid. » Entendons : le moment sceptique inauguré par Descartes, et que ni Locke, ni Condillac, ni Hume, ni Berkeley n'ont été capables d'interrompre, s'achève avec Reid et sa philosophie de la croyance. Il est vrai que Cousin ajoutait, toujours au sujet de Descartes : « Je dis son règne, et non sa gloire, qui est immortelle. » Mais il s'agissait là d'un simple coup de chapeau à une figure déjà statufiée. Le cœur de Victor Cousin battait en 1815 pour Reid, qui inaugurait vraiment une « ère nouvelle[19] ».

Mais dès cette époque, Cousin était gagné à la conviction qu'il lui fallait travailler à l'élaboration d'une « philosophie française[20] » ;

conviction qui sera évidemment décisive et qui, bientôt, le conduira à mener son combat sous le drapeau cartésien : et en décembre 1815 – Louis XVIII était rentré à Paris six mois auparavant –, il demandait à ses auditeurs du cours d'histoire de la philosophie de soutenir « la liberté française encore mal assurée et chancelante » par une « philosophie généreuse[21] ».

Laquelle ? En avril 1817, il entreprend son premier voyage en Allemagne, au pays des kantiens et des post-kantiens. Ce jeune homme de vingt-cinq ans rencontre, entre autres, Schleiermacher, Goethe et surtout Hegel, en compagnie de qui il passe plusieurs semaines à Heidelberg. Son enseignement de l'année 1818 porte plus d'une trace de ce périple philosophique. Mais le 15 novembre de la même année, il écrit pourtant : « La nouvelle philosophie française [...] ne cherchera pas plus son inspiration en Allemagne qu'en Angleterre ; elle la puisera à une source plus élevée et plus sûre, celle de la conscience et des faits qu'elle atteste... » Cette source sera-t-elle supranationale ? Oui et non, puisque Cousin continue ainsi : « [...] et celle aussi de notre grande tradition nationale du XVIIe siècle. Déjà, par elle-même, elle est faite du bon sens français ; je l'assurerai encore de l'expérience entière de l'histoire de la philosophie[22]. »

C'est à quoi est dévolu le cours de 1818, *Du Vrai, du Beau et du Bien*. À lire rapidement la première leçon, on a le sentiment que Cousin répète, à propos de Descartes, ce que le XVIIIe siècle n'a cessé de rabâcher : qu'il est l'initiateur de l'époque moderne marquée par l'esprit de méthode, celui qui a découvert une première certitude dans le fait de l'existence mais qui l'a trahie aussitôt et dont la psychologie a dégénéré en une logique stérile. Mais, à y regarder de près, Cousin fait preuve de bien davantage d'originalité. Il distingue deux époques dans ce qu'il nomme l'« ère cartésienne » : l'une où la méthode de Descartes est méconnue, l'autre où l'on « s'efforce de rentrer dans cette voie salutaire ». Contre toute attente, Malebranche, Spinoza et Leibniz font partie de la première ; et c'est le XVIIIe siècle qui, s'attachant à l'étude de la « réalité vivante », du « Moi humain », apparaît comme authentiquement cartésien. Efficace opération que celle effectuée ici : elle permet de « venger le XVIIIe siècle des attaques intéressées dont il a été l'objet » sans être accusé de voler au secours d'une philosophie destructrice et anarchique, puisque le XVIIIe siècle, correctement compris, est le prolongement *cartésien* du XVIIe. Ainsi la continuité entre les XVIIe, XVIIIe et XIXe siècles est-elle assurée en même temps qu'est désamorcée la bombe qu'elle recèle. « Il faut, affirme Cousin dans cette première leçon, que le XIXe siècle, fidèle au XVIIIe mais différent de lui pour en être digne, trouve dans une analyse plus profonde de la pensée les principes de l'avenir, et dresse enfin un édifice que puisse avouer la raison. »

Édifice que Cousin, dès lors, est fondé à qualifier de français, même si *éclectique* est son nom officiel. Car, si le XVIIIe siècle procède de Descartes, alors la philosophie qui a parcouru et embrasé tous les pays d'Europe et qui est revenue enfin « aux lieux de son berceau soulever d'orageuses révolutions », a bien la France comme terre d'origine. Ici se nouent en une synthèse promise à un bel avenir l'universel et le particulier. L'« éclectisme éclairé » que Cousin introduit là est en effet une manière de synthèse puisqu'il recueille, juge et hiérarchise les philosophies des différentes écoles nationales – anglaise, écossaise, allemande ; c'est en quoi il parle au nom de l'universel. Mais c'est en France, grâce à Descartes, que cet universel a pris forme ; et sa forme est française. « Il s'agit de commencer en France, dit-il encore, avec la méthode du XVIIIe siècle mais dans un esprit éclectique, la régénération de la science intellectuelle[23]. » Jamais Cousin ne considérera que cette localisation géographique est une circonstance accidentelle ; si c'est en France que la régénération de la philosophie doit commencer, c'est parce que la France est le pays de l'universel.

À la suspension de son cours de Sorbonne, le 12 octobre 1822, après l'assassinat du duc de Berry, Cousin répond par la publication des œuvres complètes de Proclus et de Descartes, cette dernière en onze volumes. La nécessité d'une réédition de Descartes est depuis quelque temps dans l'air ; on a vu Destutt de Tracy, puis Saint-Simon, s'indigner de ne pouvoir trouver en France les livres du plus grand philosophe français, et l'abbé Émery, en 1811, remédier partiellement à cette lacune. Joseph Droz, en 1824, joint sa voix à ce concert et propose que les œuvres de celui dont les méditations ont tant fait pour la France soient publiées luxueusement aux frais du gouvernement et que le *Discours de la méthode* soit distribué dans toutes les bibliothèques publiques[24]. L'académicien ignore-t-il l'édition séparée du *Discours* qui paraît la même année, procurée par Renouard, avec une notice biographique sur Descartes et un avertissement insistant sur la nécessité d'étudier l'ouvrage dans les écoles[25] ? Renouard inaugure là une série ininterrompue de publications d'un texte désormais incontournable dans la culture scolaire française : pas moins de cinquante-cinq éditions pour le seul XIXe siècle, sans compter celles où il fait partie d'œuvres choisies !

Mais 1824 est aussi la date où paraît le premier volume de la grande édition Cousin : elle sera complétée d'inédits au cours du XIXe siècle, et ne sera vraiment déclassée qu'à la toute fin du siècle par l'édition Adam et Tannery. C'est l'occasion pour *Le Globe* de chanter les mérites conjugués du spiritualisme cousinien et de la raison « comme on en veut en France », autrement dit : à la manière de Descartes[26]. Le 19 mars 1825, un article complet est consacré à cette édition par le journal des doctrinaires, sous la plume du cousinien de stricte observance qu'est Philibert Damiron. Si l'article débute en déclarant que la question Descartes est aujourd'hui « épuisée », il n'en poursuit pas moins par un exposé de la vie du philosophe où sont rappelés ses combats contre les théologiens, et s'achève en dessinant le portrait du Descartes dont a besoin la France contemporaine : « Ce penchant à la réforme, ce désir de renouvellement et de progrès, ce besoin d'originalité qui caractérise notre époque, tout cela est dans son esprit. » Et il ajoute ce mot qui dit tout sur la fortune de l'auteur du *Discours de la méthode* au XIXe siècle : « son génie est celui de notre siècle ».

Alors, il s'efforce d'*incarner* ce philosophe dont le génie est celui d'un siècle qui n'a encore que vingt-cinq ans. Sous sa plume se profile un Descartes qui n'est pas sans évoquer déjà le « cavalier français » cher à Péguy : « Vif, résolu, hardi, confiant en sa méthode et en son système, loin de fuir le combat, il le recherche et le provoque[27]. » On remarquera que les deux grandes manières d'interpréter Descartes – celle qui voit en lui l'inventeur d'un rationalisme desséché, correspondant à une société bourgeoise, mercantile, étriquée, et celle qui fait de lui un combattant intrépide, bien français par sa hardiesse – naissent dans les mêmes années : la première avec Lamennais puis Bautain, dans le contexte du catholicisme ultra et antimoderne ; la seconde dans le milieu du libéralisme attaché aux libertés parlementaires. À la fin de la Restauration, l'image de Descartes en « cavalier français » est déjà assez prégnante pour que Vigny la retienne dans son roman historique *Cinq-Mars* ; le philosophe y est mis en scène sous les traits d'un jeune officier qui tient ce propos révélateur : « J'aime la profession des armes, parce qu'elle soutient l'âme dans une région d'idées nobles par le sentiment constant du sacrifice de la vie[28]. »

À ce Descartes, Cousin apporte en 1828 l'immense éclat de son enseignement, repris dans l'enthousiasme comme ceux de Guizot et de Villemain après la chute du gouvernement Villèle. Non que, à proprement parler, il dise en 1828 tout autre chose qu'en 1818, s'agissant de Descartes et de la France. Mais si lui, sur ce point, a peu changé, le contexte intellectuel et politique est tout différent. Il faut maintenant défendre Descartes contre la « théocratie » et le disputer à l'« industrialisme[29] » : en d'autres termes, le présenter tout autrement que Lamennais dans la *Défense de l'Essai* et que Comte dans les articles où il l'annexe à l'histoire de l'esprit positif. D'où un accent nouveau, et comme une emphase supplémentaire, dans la façon de peindre celui qui a mis au monde la philosophie moderne. « Savez-vous combien il y a de temps qu'elle est née ? », demande Cousin à des auditeurs que l'on sait avoir été médusés. « Messieurs, vous allez prendre sur le fait la jeunesse, l'enfance de l'esprit philosophique qui anime aujourd'hui l'Europe. Quel est le nom, quelle est la patrie de ce nouveau Socrate ? Infailliblement, messieurs, il devait appartenir à la nation la plus avancée dans les voies de la civilisation européenne. Il a dû écrire, non dans le langage mort qu'employait l'Église latine au Moyen Âge, mais dans le langage vivant destiné aux générations futures, dans cette langue appelée peut-être à décomposer toutes les autres, et qui est déjà acceptée d'un bout de l'Europe à l'autre. Cet homme, messieurs, c'est un Français, c'est Descartes. Son premier ouvrage écrit en français est de 1637. C'est donc de 1637 que date la philosophie moderne[30] ! » Voici rassemblés en quelques lignes la plupart des ingrédients du Descartes libéral qui va bientôt devenir officiel en France. Sous l'emblème du philosophe de la méthode, Cousin amalgame l'idée d'une continuité profonde entre le XVIIe siècle et le XIXe, le thème d'une France sentinelle avancée de la civilisation européenne, et celui d'une modernité constituée par arrachement à la tutelle de l'Église. Mais il manque encore à ce Descartes l'enracinement dans le sol français. Elle lui est donnée au paragraphe suivant dans un propos qui, pour la première fois, affirme l'idée d'une *ressemblance* entre le philosophe et la France : « C'était un gentilhomme breton, militaire, ayant au plus haut degré nos défauts et nos qualités ; net, ferme, résolu, assez téméraire, pensant dans son cabinet avec la même intrépidité qu'il se battait sous les murs de Prague[31]. »

Le propos est de ceux qui font mouche. Il est repris par Guizot dans la première leçon de son cours sur l'*Histoire de la civilisation en France*, en décembre 1829. Guizot a alors quarante-deux ans, il est à l'apogée de sa carrière intellectuelle – il a derrière lui une dizaine d'ouvrages qui ont fait date et donné le *la* au groupe doctrinaire. Dans un an, il va gouverner. La caution qu'il apporte ici aux vues de Victor Cousin, son cadet de cinq ans, pèse donc son poids de légitimité. Vous avez entendu ici même, l'an dernier, dit-il à ses étudiants, l'« éloquent interprète » des philosophes caractériser le génie de Descartes, « "net, ferme, résolu, assez téméraire, pensant dans son cabinet avec la même intrépidité qu'il se battait sous les murs de Prague", ayant goût au mouvement de la vie comme à l'activité de la pensée ». Or le génie de Descartes, explique Guizot, c'est celui de la France : respect pour les idées, respect pour les faits, grandeur individuelle et utilité publique : « On a beaucoup parlé, surtout depuis quelque temps, du bon sens comme d'un trait distinctif du génie français. Il est vrai ; mais ce n'est point un bon sens purement pratique [...] ; c'est un bon sens élevé, étendu, un bon sens philosophique. [...] Ce bon sens, c'est la raison ; l'esprit français est à la fois rationnel et raisonnable. » Et le génie de la France, c'est celui de la civilisation entendue comme le processus qui porte l'Europe depuis la Réforme et la pousse toujours vers plus d'activité sociale et d'individualité. Or c'est en France que cet équilibre est le mieux réalisé : en Angleterre, le développement de la vie sociale a primé sur celui de la vie individuelle, et ses philosophes ont majoré le souci pratique ; en Allemagne, c'est l'inverse et l'ordre intellectuel a été coupé de l'ordre réel. En France, le développement intellectuel et le développement social se sont mutuellement renforcés, ce dont la philosophie cartésienne est le meilleur témoin. La conclusion s'impose d'elle-même : « La France a donc cet honneur, messieurs, que sa civilisation reproduit, plus fidèlement qu'aucune autre, le type général, l'idée fondamentale de la civilisation. C'est la plus complète, la plus vraie, la plus civilisée pour ainsi dire[32]. »

On tient là le motif profond qui conduit Guizot aussi bien que Cousin à installer Descartes dans une position fondatrice : c'est qu'il est emblématique du processus civilisateur à la tête duquel marche la France. « Nous sommes tous des enfants de Descartes, à ce titre que l'autorité philosophique, que nous acceptons tous, est la raison », lance Cousin dans la douzième leçon du *Cours* de 1828[33]. La raison, en effet, mais pas cette raison individuelle que les catholiques détestent. À juste titre, répondent les doctrinaires par la bouche de leur philosophe en chef, car il n'y a rien de moins individuel que la raison : la raison est « universelle et absolue », impersonnelle donc, et c'est pourquoi elle est – comme la raison générale des mennaisiens – « infaillible[34] », ou, pour le dire avec le terme qui convient, *souveraine.* « Je ne crois ni au droit divin ni à la souveraineté du peuple », a écrit Guizot dans un propos souvent cité, « je crois à la souveraineté de la raison[35] », cette souveraineté de la raison qui est présentée par *Le Globe* du 25 novembre 1826 comme « la théorie du siècle sur cette éternelle question de la souveraineté, dont les solutions contradictoires ont coûté tant de larmes et tant de sang aux peuples ! »

En Descartes, les doctrinaires se *reconnaissent* : ils estiment avoir en commun avec lui un « mélange d'élévation philosophique et de modération politique », le « respect rationnel des droits et des faits divers », une position à la fois novatrice et conservatrice, antirévolutionnaire sans être rétrograde. De même que Descartes a arraché la souveraineté de la raison au magistère de l'Église tout en en reconnaissant la loi transcendante, de même eux inaugurent une posture philosophique et politique du *juste milieu.* Leur souci est d'ouvrir une troisième voie entre les « ennemis implacables » de la Révolution et les « extravagances de la démocratie ». Descartes leur permet d'adosser cette doctrine à un long passé qui est en même temps celui de la France et celui de la civilisation universelle. « En acceptant franchement, dira Guizot plus tard, la nouvelle société française telle que toute notre histoire, et pas seulement 1789, l'a faite, [les doctrinaires] entreprirent de fonder son gouvernement sur des bases rationnelles et pourtant tout autres que les théories au nom desquelles on avait détruit l'ancienne société[36]. » *Toute* notre histoire, avec Descartes à la clé. 1789 n'est pas un commencement absolu – aucune révolution n'est un commencement, seulement l'irruption de quelque chose qui a commencé bien avant –, c'est une étape dans un long travail de la rationalité où Descartes occupe une place éminente.

Nouveau portrait de l'auteur du *Discours de la méthode*, non moins original que celui des saint-simoniens et de Comte. Comme le leur, le Descartes des doctrinaires n'a aucune part dans l'anarchie révolutionnaire même s'il est à l'origine de la modernité. Mais il en diffère sur un point capital : ce qui intéresse Guizot et ses amis est précisément ce que les saint-simoniens sont tentés de verser au compte du protestantisme : la souveraineté de la raison, même impersonnelle, et l'affranchissement à l'égard de l'Église. La fondation de la science moderne, en revanche, ne les retient pas un instant. Si Descartes est pour eux aussi dans le droit fil du mouvement général du progrès, c'est à la condition d'entendre par *progrès* celui de la civilisation et non pas celui de la positivité. En ce sens, Descartes est la France en ce qu'elle a d'universel : le génie.

Chapitre IX

VICTOR COUSIN ET SES ADVERSAIRES

Juillet 1830 va remettre entre les mains de Guizot et de ses amis, pour dix-huit ans, tous les pouvoirs. Dans le premier ministère, formé en août 1830, Guizot est ministre de l'Intérieur ; il sera ministre des Affaires étrangères de 1840 à 1848, mais, de fait, chef du gouvernement pendant cette période. Le ministère de l'Instruction, taillé sur mesure pour Guizot lui-même en 1832, est l'objet de tous les soins des doctrinaires, qui occupent la fonction pendant presque toute la monarchie de Juillet : Guizot de 1832 à 1837 avec quelques brèves interruptions, Salvandy de 1837 à 1839, Villemain de 1839 à 1840 puis de 1845 à 1848. Quant à Cousin, il cumule charges et honneurs : dès 1830, il entre à l'Académie française et au Conseil d'État ; en 1832, il est nommé au Conseil de l'Instruction publique où il a la haute main sur la philosophie, élu à l'Académie des sciences morales et politiques nouvellement créée, et fait directeur de l'École normale ; un an plus tard, le voici pair de France ; en 1840, sous le gouvernement Thiers, il est pendant huit mois ministre de l'Instruction publique. De surcroît, il sera président pendant vingt-cinq ans du jury de l'agrégation de philosophie. C'est dire qu'à partir de 1830, il est, selon le mot de Jules Simon, « le magistrat de la philosophie [1] ». Il a désormais les moyens de ses ambitions intellectuelles et politiques, les deux, chez lui, n'étant jamais dissociables.

Les entreprises de Victor Cousin

C'est d'abord l'enseignement de la philosophie qui est réorganisé. Il est vrai que la réforme vient de plus loin, de l'Empire exactement. L'Université a été créée le 10 mai 1806, et le monopole de l'enseignement accordé à l'État le 17 septembre 1808. S'agissant plus particulièrement de la philosophie, l'ordonnance du 19 septembre 1809 a introduit « l'histoire des opinions des philosophes » dans le cursus de l'année terminale ; un échantillon d'ouvrages et d'auteurs est proposé aux maîtres, puisque les manuels n'existent pas : le répertoire va de Platon à Charles Bonnet en passant par Aristote, Bacon, Descartes, Pascal, Port-Royal, Locke, Leibniz, et quelques autres[2]. Le concours général est rétabli en 1810. L'ordonnance du 17 février 1815 supprime la charge de grand maître des universités, qu'elle remplace par une commission sous l'autorité du ministre de l'Intérieur et que préside Royer-Collard ; elle institue d'autre part dix-sept universités provinciales. En 1823, un premier programme de philosophie est défini et en 1827 l'agrégation de philosophie est rétablie aussi : le jury est présidé par l'abbé Burnier-Fontanel et comprend, parmi ses quatre autres membres, deux rescapés du condillacisme : Valette et Laromiguière.

Dès 1832, Cousin modifie le programme de 1823, fait la part belle à l'histoire de la philosophie, impose le français dans l'enseignement de cette discipline au collège et définit un *cursus* qui fait de la psychologie, ou étude du moi, le commencement obligé. Les manuels fleurissent. La place qu'ils font à Descartes y est doublement centrale : par le rôle inaugural et méthodologique que joue une psychologie fondée sur l'analyse du moi, par la fonction pédagogique de l'histoire de la philosophie qui doit apprendre aux jeunes élèves l'art de s'approprier le passé de la discipline, passé national puisque la philosophie moderne est tout entière fille de Descartes : l'Antiquité n'a pas connu le retour réfléchi du sujet pensant sur lui-même, par lequel Descartes a ouvert la voie de la modernité ; telle est la leçon délivrée par tous ces manuels qui reproduisent fidèlement les idées du « magistrat » de la philosophie.

À l'agrégation, Cousin impose le cartésianisme, sous une forme ou une autre, avec une régularité qui frapperait le plus distrait des observateurs. Le concours de 1830 comporte deux questions : l'une sur l'origine des idées, l'autre sur la réforme philosophique dont Descartes est l'auteur. Celui de 1836 propose une comparaison entre la révolution socratique et la révolution cartésienne. Celui de 1837, une comparaison entre Bacon et Descartes. En 1839, une réflexion sur le principe de la certitude. 1840 : que savoir de l'âme ? 1841 : méthode baconienne et méthode cartésienne. Puis, en 1842, à nouveau la révolution cartésienne. Au concours de 1848, les agrégatifs doivent répondre à la question de philosophie dogmatique : « Quelle est la doctrine philosophique la plus appropriée aux principes et aux mœurs d'un peuple libre ? » Le candidat Jourdain adapte sa dissertation à ce qu'il suppose être l'attente du jury ; et il répond en vantant les mérites du spiritualisme, qui est la foi philosophique des plus grands génies qui aient illustré le monde, Socrate, Platon, Descartes, Leibniz. En 1849, le sujet de la dissertation historique porte sur le rôle de la France en philosophie, à toutes les époques et particulièrement au Moyen Âge et au XVIIe siècle. Le candidat Paul Janet répond lui aussi dans le sens attendu, celui du spiritualisme cartésien. Descartes, c'est la liberté de la raison, d'une raison non pas capricieuse et libertine, mais soumise à des lois certaines et à des principes immuables. Janet le dit sans ambages : Descartes, c'est la France ; il « possède et reproduit les plus hautes qualités de l'esprit philosophique français : le besoin de la liberté, l'intelligence profonde des conditions et des lois de la liberté, la hardiesse métaphysique et la prudence pratique[3] ». On aura reconnu sans peine le Descartes « rationnel et raisonnable » qui est au cœur de la philosophie et de la politique des doctrinaires.

L'édition de Descartes n'est pas en reste sous la monarchie de Juillet. Les recueils d'œuvres choisies du philosophe abondent et accréditent une certaine représentation de la doctrine cartésienne. Tel celui d'Adolphe Garnier, en quatre volumes. « Il importe de dégager, dit l'Avertissement, ce qu'il y a de purement philosophique, au sens français, dans les œuvres du philosophe. » *Au sens français*, sont réputés philosophiques les objets « qui ne tombent point sous les sens extérieurs » ; autrement dit, est exclue toute la partie scientifique – les deuxième et troisième parties des *Principes* et les *Essais* –, que le *Discours de la méthode* n'accompagne plus et qui entame sa carrière de préambule à l'exercice d'une méthode dont la mise en application est dérobée au lecteur. On ne manquera pas de se souvenir que, à la même époque, Comte et les positivistes opèrent de façon exactement inverse, en ne retenant de l'œuvre du philosophe français que la partie scientifique.

À l'Académie des sciences morales et politiques, Cousin met également au concours de 1838 la révolution cartésienne et ses conséquences. C'est le fidèle Damiron qui est chargé du rapport, Damiron qui avait souligné en 1828 dans son *Essai sur l'histoire de la philosophie en France au XIX*e *siècle* la portée du cartésianisme jusqu'à la période contemporaine, Damiron qui a dit de Descartes dans sa leçon d'ouverture du cours de 1838 que, au XVIIe siècle, tout tourne autour de lui, qu'il est « l'astre vivifiant de ce bel âge de la pensée » et le père du spiritualisme moderne[4]. Tout cela, il le redit dans son rapport, en employant cette fois le vocabulaire de la consanguinité : « Soit de près, soit de loin, nous procédons tous de Descartes, nous sommes tous de son sang ; de lui à nous, il y a filiation. » « Descartes vint, [...] il s'avança hardiment [...] de ce pas sûr et prompt, de cet air confiant que décelaient en lui le penseur et le gentilhomme, l'homme venu à la philosophie, non plus du cloître ou de l'église, mais du monde et de l'armée[5]. » Anecdotique, ce trait ? En aucune façon. Le rapport de filiation entre Descartes et la France que ces années vont consacrer, implique une image du philosophe en gentilhomme plutôt qu'en professeur, en homme du monde plutôt qu'en docteur de l'Église. La France aimera se reconnaître en ce « cavalier » ; elle ne l'eût pas fait avec un barbon de collège.

Parmi les candidats du concours, il faut mentionner Renouvier, en raison du rôle qu'il jouera dans la philosophie française à partir de 1848, Bordas-Demoulin et Bouillier parce qu'ils sont lauréats tous deux. La substance du mémoire de Renouvier passera dans son *Manuel de philosophie moderne* (1842) et dans l'article « Descartes » de l'*Encyclopédie nouvelle* dirigée par Leroux et Reynaud. Celui de Bordas-Demoulin sera publié en 1843 sous le titre : *Le Cartésianisme ou la véritable rénovation des sciences*. Quant au mémoire de Bouillier, il sera refondu en 1854 et 1868 et publié avec le titre sous lequel il est aujourd'hui connu et encore utilisé : *Histoire de la philosophie cartésienne*. Tous célèbrent le héros qui a fait sortir la lumière du chaos, le promoteur de la liberté de la raison, le fondateur tout à la fois de la philosophie française et de la philosophie universelle, celui en qui se rassemblent toutes les tendances philosophiques ailleurs éparses. Renouvier, qui vient de Polytechnique et du comtisme, se fait de Descartes une conception plus offensive que les cousiniens. Mais il parle, comme eux, de Descartes comme d'un cousin de Bretagne : « Lorsque dans une nation ainsi préparée [à l'exercice de la critique], la fibre des vieux Bretons secoue le joug de l'autorité avec une audace que partout ailleurs on eût punie du bûcher [...], nous ne devons pas être étonnés si son effort fut suivi d'un immense mouvement. La religion même, et l'autorité, furent contraintes de suivre, car la doctrine nouvelle était providentielle, et ses conséquences devaient s'étendre jusqu'à nos jours, et sans doute au-delà[6]. » Revenir à Descartes, tous le disent, ce n'est pas retourner au passé, c'est coïncider avec ce dont le présent est fait.

Mais Cousin ne se contente pas de faire faire des travaux érudits : il en effectue lui-même dans les années 1830 et 1840, d'autant plus activement qu'il a suspendu son enseignement. C'est qu'il a été nommé le 10 janvier 1835 vice-président d'un comité chargé de publier des documents inédits relatifs à l'histoire de France. Un grand nombre des textes qu'il exhume concernent Descartes et le cartésianisme. En 1837, il édite plusieurs pièces inconnues, notamment le mémoire d'Arnaud, de 1680, intitulé « Plusieurs raisons pour empêcher la censure ou la condamnation de la philosophie de Descartes » ; en 1838 et 1847, de nouvelles lettres de Descartes, et des remarques de Huygens sur la biographie de Descartes par Baillet ; en 1843, les *Œuvres philosophiques du père André* escortées d'une introduction de deux cent trente-six pages ainsi que *Des Pensées de Pascal*. En 1845, il réunit dans ses *Fragments de philosophie cartésienne* plusieurs de ces pièces et les fait précéder d'un Avant-propos qui est certainement, de tous ses écrits relatifs à Descartes, le plus explicite, le plus *français*.

Cet intérêt pour le philosophe de la méthode, de la part de Cousin, n'est pas une création *ex nihilo* des journées de Juillet 1830. Déjà du temps où ils étaient dans l'opposition, lui et ses amis doctrinaires avaient fait de Descartes un pur produit français en même temps que le héraut du grand processus civilisateur qui porte les nations européennes. Après Juillet, ils n'ont aucune raison de changer d'avis, tout au contraire. Car depuis une dizaine d'années, Descartes n'est plus une figure comme une autre dans le panthéon des gloires françaises, c'est un enjeu politique. En 1820, la droite ultra s'est emparée de lui pour en faire le prototype de ses haines ; et elle continue de le vouer aux gémonies. Or la droite orléaniste du régime de Juillet a exactement autant de raisons d'embrasser le cartésianisme que la légitimiste en a de le récuser : elle est en phase avec la société démocratique des individus égaux ; elle professe à l'égard des « principes » de 89 une admiration sans faille ; elle est persuadée que l'autorité politique ne doit pas être subordonnée à l'autorité religieuse ; elle est favorable enfin à un régime parlementaire. Descartes n'est-il pas depuis déjà une ou deux générations considéré par tous comme le père du monde nouveau advenu en 1789 ?

Rien d'étonnant par conséquent au fait que les orléanistes répètent en 1830 l'opération effectuée par les ultras dix ans auparavant : l'utilisation de Descartes pour marquer leur identité politique. À la différence de signe près cependant : tout ce qui était négatif pour les seconds devient positif aux yeux des premiers, l'autonomie rationnelle, l'indépendance à l'égard de la religion, la conquête de la liberté individuelle.

Il n'est d'ailleurs, pour prendre toute la mesure de cette opération de captation politique, que de l'examiner dans sa mise en application concrète durant les dix-huit années où Cousin et les siens donnent le ton en philosophie. Car l'éclectisme cousinien doit faire face, sur sa gauche et sur sa droite, à des adversaires puissants qui lui reprochent les uns d'être trop peu révolutionnaire, les autres trop peu catholique. D'autres enfin l'accusent de n'être même pas français. Qui mieux que Descartes pourrait offrir le nom d'une tradition derrière laquelle s'abriter ? N'est-il pas éminemment français ? N'a-t-il pas fourni des preuves indiscutables de sa catholicité ? N'est-il pas le prophète lointain de la Révolution française ? En s'emparant de Descartes, Cousin pourra rétorquer à tous à la fois : aux défenseurs d'une philosophie française, en fabriquant un Descartes plus français que quiconque ; aux catholiques, en faisant vibrer la corde de l'antijésuitisme ; aux adversaires de gauche, en montrant que Descartes a, le premier, travaillé à la sécularisation de la société moderne. S'il y a de l'*éclectisme* dans cette philosophie, peut-être est-ce là qu'il convient de le chercher d'abord, dans la façon dont elle taille sur mesure « son » Descartes pour répliquer à des adversaires qui ont eux-mêmes, du philosophe français, une image, négative ou positive. C'est donc par eux qu'il faut commencer.

Un éclectisme trop peu catholique

Passons rapidement sur ceux qui reprochent à Cousin d'être incapable d'élaborer une philosophie française : l'hétérogénéité de ce groupe l'empêche de peser lourd. Qu'y a-t-il de commun entre un matérialiste comme Broussais, un catholique libéral comme Bordas-Demoulin, un humanitariste comme Eugène Lerminier, ou un nostalgique du condillacisme comme Saphary ? Rien, sinon le fait qu'ils s'accordent – mais pour des raisons très différentes – à voir dans l'éclectisme une philosophie de bazar, dont les éléments ont été empruntés successivement aux Écossais puis aux Allemands, comme si la France n'était pas capable – avec Descartes, bien entendu ! – de produire une authentique philosophie nationale.

En revanche, l'opposition catholique est d'un poids considérable. Elle constitue le flanc droit des adversaires du cousinisme, même si elle n'est pas non plus parfaitement homogène puisqu'elle regroupe des catholiques intransigeants, héritiers des ultras de la Restauration, et des modérés rescapés du gallicanisme. Les premiers sont hostiles simultanément à Descartes et à l'éclectisme ; les seconds disjoignent les deux causes. Ce sont les circonstances politiques qui les amènent, très provisoirement, à s'unir. Mais c'est au plus pugnace des deux groupes, c'est-à-dire au premier, que l'union va surtout profiter, si bien qu'un anticartésianisme catholique et légitimiste va planter ses racines très profondément dans le sol politique français.

Comme philosophie, l'éclectisme prête le flanc aux objections de ces intransigeants. Par l'hégélianisme qu'il contient, il conduit à une conception des rapports entre raison et foi où celle-ci occupe le premier rang dans l'ordre chronologique – l'humanité, et chacun de nous, commençons par croire avant de savoir –, mais le second dans l'ordre d'éminence – la raison épure les vérités de la foi et les traduit dans l'élément du concept. D'où ce propos que les éclectiques tiennent pour conciliateur, mais où les catholiques voient une insulte : « La philosophie ne détruit pas la foi, elle l'éclaire et la féconde, et l'élève du demi-jour du symbole à la grande lumière de la pensée pure. » Plus tard, Cousin gommera les aspérités de cette thèse, sans jamais renier ce qui fait le fond de sa conviction, comme d'ailleurs celle de Guizot et du parti au pouvoir : la société française, telle que l'ont faite son histoire et 1789, est indéfectiblement laïque ; et la séparation du religieux et du civil est un fait sur lequel on ne saurait revenir. Rien d'étonnant par conséquent à ce que l'opposition catholique au cousinisme répète, avec un décalage de deux cents ans, celle qui avait eu cours contre le cartésianisme au XVIIe siècle. C'est le même péché originel qui est dénoncé à nouveau, la séparation de la raison et de la foi. Et dans la façon dont Cousin va progressivement se voir en héritier spirituel de Descartes, il y a certes un effet de stratégie, mais il y a aussi le fait d'une logique indépendante : Cousin est de la famille de Descartes parce qu'il est en butte à des critiques de même nature.

En 1829, l'abbé Doney – il sera évêque de Montauban – a lancé le mot qui fera fortune : *panthéisme*. Et il a affirmé que l'éclectisme, comme toute philosophie qui prétend fonder la certitude sur l'idée que chacun en a, est condamné au scepticisme ou au panthéisme. Doney qui est passé, on le voit, par Lamennais, est aussi vigoureusement anticartésien qu'anticousinien : le cartésianisme est faux dans son but puisqu'il a pour objet de prouver par la raison des dogmes établis par l'autorité de la foi, comme si celle-ci avait besoin d'une « seconde certitude » ; et il n'a ni principes ni règles ni méthode, puisqu'il subordonne toute certitude à une conscience singulière[7].

Avec plus d'éclat parce qu'il a davantage de talent, Bautain dénonce à son tour le panthéisme qui fait le fond de la philosophie cousinienne comme de toute philosophie de la raison. Le panthéisme, cet « ennemi qui devient tous les jours plus formidable », est l'avatar moderne, germano-cartésien, de l'hérésie qui fait adorer la raison au lieu du Verbe : « C'est encore une prostituée qu'on présente à notre adoration ; mais cette fois, c'est la prostituée des siècles, celle qui a enfanté, dans son commerce adultère avec l'esprit d'erreur, toutes les doctrines bâtardes, tous les systèmes monstrueux, toutes les opinions désordonnées qui ont troublé le monde[8]. » La question du panthéisme, qui va obséder le catholicisme du XIXe siècle, est elle-même enveloppée dans la question plus générale de la raison, comme on le voit sur l'exemple de Bautain ; et c'est précisément pourquoi elle inclut aussitôt Descartes.

C'est encore Bautain qui inspire la thèse de l'abbé Goschler en 1839, et surtout le livre de l'abbé Maret, *Essai sur le panthéisme dans les sociétés modernes* (1840). Ouvrage clé, plusieurs fois réédité, qui installe l'opposition catholique au cousinisme dans le confort d'une doctrine dont le moins qu'on puisse dire est qu'elle habille large, puisque sont réputés panthéistes Cousin, Michelet, Guizot, les saint-simoniens, et jusqu'à Lamennais... Non que Maret partage l'anticartésianisme de ce dernier. Il a été formé à Saint-Sulpice et ne l'oublie pas. Comme l'archevêque de Paris, Mgr Affre, il se réclame de « cette lumineuse, de cette grande philosophie qui a illustré la France au XVIIe siècle[9] », de Descartes, de Malebranche, de Bossuet et de Fénelon. Précisément, ces philosophes illustres n'ont pas fait ce qu'a fait Cousin : ils n'ont pas séparé la philosophie de la religion ; ils ont été tous des chrétiens pieux, des hommes de foi. Aussi Maret, ou Mgr Affre, contestent-ils aux éclectiques le droit de se dire cartésiens : « C'est nous, s'écrie Maret en s'adressant aux cousiniens, qui sommes les héritiers de ces chrétiens illustres, nos maîtres et nos pères. Sortis du christianisme, vous n'avez plus droit d'invoquer ces grands noms [10]. » La doctrine de ces gallicans dispose d'une revue, *Le Correspondant*, pour frayer la voie étroite d'une opposition catholique au « rationalisme » cousinien – défini comme tentative de séparation de la raison et de la foi – et à l'antirationalisme ultra. Elle continuera de faire entendre sa voix singulière sous le second Empire.

Mais cette voix est faible face aux grandes orgues du catholicisme intransigeant qui commencent à retentir fortement dès la monarchie de Juillet, sous le long pontificat de Grégoire XVI (1831-1846). Triomphe de Lamennais, en un sens, mais qui se fait contre lui puisqu'au moment où le pape fustige dans l'encyclique *Mirari vos* (1832) « la source putréfiée de l'*indifférentisme* », d'où « découle cette maxime absurde et erronée, ou plutôt ce délire, qu'on doit procurer et garantir à chacun la *liberté de conscience* », Lamennais, lui, a déjà pris son virage à gauche et défend maintenant une liberté sociale qu'il détestait dix ans plus tôt. Pourtant, ce sont bien ses paroles qui ont germé et contribué à changer la face du catholicisme français. Augustin Bonnetty, très marqué lui aussi par Lamennais, a fondé en 1830 les *Annales de philosophie chrétienne* où il va déployer un zèle vraiment infatigable pour attaquer simultanément cousinisme et cartésianisme. Quant au ténor de la presse légitimiste, Louis Veuillot, après s'être fait la main en collaborant à divers périodiques, il prendra la direction de *L'Univers* en 1843. Les anciens amis de Lamennais, ceux qui ne l'ont pas suivi dans son aventure libertaire, comptent maintenant parmi les membres influents du clergé : Salinis, Combalot, Doney, Gerbet, pour ne citer que ceux que nous avons déjà rencontrés et dont la fibre anticartésienne nous est connue. À quoi il faut ajouter dom Guéranger, plus combatif que quiconque, et qui est parvenu après cinq années de lutte à restaurer l'ordre bénédictin de Solesmes et à imposer la liturgie romaine. Il ne manquera pas, mais dans les années 1850, d'ajouter sa pierre à l'édifice anticartésien [11].

Tous mènent contre l'éclectisme une guerre impitoyable, dont les circonstances politiques fournissent le prétexte. Elles s'appellent, comme on sait, *question scolaire*. En 1832, la réforme du programme de philosophie du secondaire a jeté l'alarme chez les catholiques. Non que les nouvelles dispositions ne fassent aucune place à la morale et à la théodicée. Mais elles les subordonnent logiquement à la psychologie par laquelle commence le cours, donc au moi individuel. D'autre part, elles entérinent le droit que s'arroge le philosophe de parler de Dieu du point de vue de la seule raison. La loi Guizot de 1833 sur l'enseignement primaire, puis les tentatives de réforme du secondaire à partir de 1836 trouvent les catholiques, libéraux et ultramontains réunis en la circonstance, prêts à l'offensive pour défendre la liberté d'enseignement contre le monopole d'État. En 1841, cinquante-six évêques prennent position contre le projet Villemain, menés par l'archevêque de Paris qui publie une déclaration de guerre dans *La Presse* du 25 février. En 1842, c'est l'archevêque de Toulouse, Mgr d'Astros, qui dénonce un professeur cousinien, Gatien-Arnoult ; la même année, l'évêque de Chartres publie dans *L'Univers* des « Lettres sur l'enseignement universitaire » où il attaque vivement l'éclectisme ; dans le même journal, le 31 mars 1842, une « Lettre à M. Villemain » accuse en bloc Cousin, Charma, Gatien-Arnoult, Nisard, Ferrari, Bouillier, Simon, Michelet, Lerminier, Quinet, Chasles, Chevalier, Ampère, Laroque, Damiron et quelques autres de professer l'athéisme. Se multiplient alors pamphlets et libelles comme celui de l'abbé Combalot, qui écrit de Cousin : « Ses travaux n'ont été qu'un funeste apostolat de panthéisme, de rationalisme, de scepticisme », et de l'Université : « Vaste réceptacle de toutes les hérésies et de toutes les erreurs, de tous les sophismes et de tous les mensonges, [elle] n'a point, ne peut avoir, de doctrine. Elle ne vend que des doutes et des blasphèmes à ces innombrables enfants qui viennent lui demander le lait de la vérité et le pain de l'intelligence [12]. » À Strasbourg, Joseph Ferrari, chargé de cours à la faculté des lettres, est déplacé pour avoir, rapporte *L'Univers*, « chanté les louanges de Saint-Simon, des communistes, des fouriéristes et des phalanstériens [13] ». Motif équivalent, et blâmes ou suspensions pour ces autres professeurs cousiniens que sont Émile Bersot ou Francisque Bouillier. En 1844, Lacordaire rendra compte, en des termes où se mêlent surprise et joie, des progrès faits par le « parti catholique » grâce à la question scolaire : « Quelle différence entre 1834 et 1844 ! Ce que nous avons gagné, dans cette dernière campagne, en vérité, en force, en avenir, est à peine croyable. Je ne crois pas que l'histoire ecclésiastique présente nulle part une semblable péripétie. Où allons-nous donc, et qu'est-ce que Dieu prépare[14] ? »

Un éclectisme pas assez révolutionnaire

L'opposition catholique est majoritairement anticartésienne, à proportion de la présence en son sein des héritiers des ultras de la Restauration. Ce n'est donc pas pour nous une nouveauté. En revanche, l'opposition de gauche au cousinisme demande davantage d'attention ; car c'est avec elle, sous la monarchie de Juillet, que commencent l'installation de Descartes à gauche et la longue familiarité des partis « révolutionnaires » avec le philosophe de la liberté de penser.

Cette opposition se distribue selon un très large éventail qui va des libéraux de la gauche dynastique aux socialistes en passant par les républicains. Il est frappant de constater que la distribution des sentiments cartésiens et anticartésiens obéit à la même règle à gauche qu'à droite : on est d'autant plus favorable à Descartes qu'on est moins éloigné du centre, d'autant plus réservé ou hostile qu'on est proche de l'extrémité du spectre. Quelques figures emblématiques illustreront cette variété des gauches ainsi que la variété des interprétations du cartésianisme qui y prévalent ; elles seront rangées selon leur degré d'éloignement du centre.

TOCQUEVILLE

De nos cinq témoins – Quinet, Michelet, Comte, Leroux, Tocqueville –, c'est ce dernier qui est le plus jeune. Il est aussi celui chez qui le contraste entre le milieu d'origine et les positions politiques est le plus grand. Issu d'une famille aristocratique et légitimiste, Tocqueville a entamé très tôt un mouvement vers la gauche qui le conduira, en 1839, à siéger à la Chambre comme député de la circonscription de Valognes. En 1842 il se rattachera à la gauche dynastique d'Odilon Barrot et il sera même pendant quelques mois ministre des Affaires étrangères de la IIe République, avant de rejoindre, sous le second Empire, le camp des opposants irréductibles. L'intérêt qu'il porte à la « démocratie » n'est donc pas de naissance ; il n'est pas non plus de cœur, mais, comme il l'a dit lui-même, « de tête ».

Le grand livre dont il publie en 1835 le premier volume, *De la démocratie en Amérique* – le second, qui contient d'étonnants propos sur Descartes, paraîtra cinq ans plus tard –, est écrit pour montrer non que la démocratie est avantageuse ou funeste, mais qu'elle est « un fait accompli ou prêt à s'accomplir [15] ». Le moment n'est plus de se demander si elle est souhaitable ou non, mais d'évaluer la nature et la portée des changements que la dynamique égalitaire produit dans les sociétés qu'elle touche. « Le livre entier qu'on va lire est écrit sous l'impression d'une sorte de terreur religieuse produite dans l'âme de l'auteur par la vue de cette révolution irrésistible qui marche depuis tant de siècles à travers tous les obstacles, et qu'on voit encore aujourd'hui s'avancer au milieu des ruines qu'elle a faites [16]. » Depuis tant de siècles : c'est dire que la marche vers l'égalité n'a pas commencé en 1789 et qu'il est même un pays, les États-Unis précisément, où la révolution démocratique s'est accomplie sans avoir eu de révolution. Tout est là : il va s'agir pour Tocqueville de montrer que, dans cette formule, *révolution démocratique*, on peut séparer le substantif de l'adjectif, qu'on peut être favorable à un état social démocratique sans partager la fièvre révolutionnaire. Il l'a dit très clairement à son ami Stoffels qui l'accusait en 1836 d'être révolutionnaire : « Tu me représentes avec grande raison que les révolutions sont de grands maux et servent rarement à l'éducation d'un peuple ; qu'une agitation prolongée est déjà très fâcheuse, et que le respect de la loi ne naît que de la stabilité des lois [...]. Toutes choses que je crois profondément. Je ne crois pas qu'il y ait en France un homme moins révolutionnaire que moi, ni qui ait une haine plus profonde pour ce qu'on appelle l'esprit révolutionnaire [17]. » C'est qu'il y a un monde entre *esprit révolutionnaire*, ou encore *habitudes révolutionnaires*, et *principes de la révolution*. Les principes de 89 ont consisté à assurer à chaque classe, à chaque parti, à chaque opinion, « la liberté générale de penser et autant que l'ordre public le [permet], la liberté d'agir ». Ils comprennent l'égalité des droits et des conditions. L'esprit révolutionnaire est au contraire une passion née de la violence des affrontements, de la situation particulière où s'est trouvée la France à l'égard du pouvoir religieux, de l'incapacité à supporter toute espèce de supériorité. Et Tocqueville de définir ainsi ce que doit être la tâche de l'opposition au gouvernement trop timoré de Guizot : « faire voir chaque jour qu'elle ne conserve rien des habitudes révolutionnaires », mais qu'elle demeure fidèle « aux nobles et glorieux principes de la Révolution [18] ».

La voie étroite dans laquelle Tocqueville s'engage, de plus en plus fermement au cours de la monarchie de Juillet, consiste à explorer cette différence aussi considérable que malaisée à conceptualiser : « La grande difficulté de l'étude de la Démocratie, note-t-il dans un brouillon préparatoire du second volume de la *Démocratie*, est de distinguer ce qui est démocratique et ce qui n'est que révolutionnaire[19]. » Comme on sait, c'est d'abord en s'aidant des conseils de Royer-Collard que, à partir de 1835, Tocqueville s'emploie à élucider cette question cardinale. Mais on sait aussi que, bientôt, il aura le sentiment de devoir avancer seul, son illustre aîné demeurant décidément en retrait, incapable de saisir le caractère irréversible de la marche égalitaire. En termes strictement politiques, la stratégie de Tocqueville ne pouvait déboucher que sur l'échec qui sera le sien. En 1841, il adressera à Royer-Collard ce mot au diagnostic parfait : « Le parti libéral, mais non révolutionnaire, qui seul me conviendrait, n'existe pas, et certes, il ne m'est pas donné de le créer[20]. » La droite n'a rien compris à l'histoire ; et la gauche ne sait pas faire la différence entre principes de la révolution et esprit révolutionnaire : elle est ainsi condamnée à faire le lit du despotisme. Mais en termes de philosophie politique, le résultat de cet effort de conceptualisation est le second volume de la *Démocratie en Amérique.*

L'ouvrage s'ouvre sur un étonnant premier chapitre consacré à « la méthode philosophique des Américains », tout entier en forme de paradoxes. Il n'y a pas de pays au monde, note Tocqueville, où l'on s'occupe moins de philosophie qu'aux États-Unis, où l'on ignore jusqu'aux noms des philosophes. Et pourtant, il n'est pas de peuple qui applique plus communément une même méthode philosophique. Laquelle ? Celle de Descartes. Les Américains, en effet, ne sont dépendants ni des « maximes de famille », ni des « opinions de classe », ni même des « préjugés de nation » ; la tradition, ils la considèrent seulement comme un « renseignement ». C'est par soi-même que chacun cherche la raison des choses. En ce sens, ils sont tous cartésiens comme M. Jourdain était prosateur, sans le savoir. À ce constat, Tocqueville apporte aussitôt son explication : « Les Américains ne lisent point les ouvrages de Descartes parce que leur état social les détourne des études spéculatives, et ils suivent ses maximes parce que ce même état social dispose naturellement leur esprit à les adopter. » Car cet état est *démocratique* : où n'existent ni castes, ni privilèges, ni classes fixes, le lien des générations n'est jamais une chaîne. En sorte que l'on peut dire de chaque Américain ce que l'on dit de l'homme selon Descartes : « Chacun se renferme [...] étroitement en soi-même et prétend de là juger le monde. »

La situation est exactement inverse en France. L'état social, fait d'une tradition inégalitaire, a rendu nécessaire l'œuvre des grands réformateurs du XVIe au XVIIIe siècle, Luther, Descartes, Voltaire, qui « se sont servis de la même méthode ». Mais c'est bien *parce que* leurs œuvres ont été nécessaires qu'elles ont été tardives, difficiles, et que leur application s'est accompagnée des violences que l'on sait. C'est ainsi notamment qu'il faut comprendre le retard mis entre l'invention, par Descartes, d'une méthode censément universelle, et son application deux siècles plus tard aux choses de la politique. « Elle ne pouvait être généralement suivie que dans des siècles où les conditions étaient devenues à peu près pareilles et les hommes presque semblables. » En sorte que, en France, tout le monde a su ce qu'était le cartésianisme bien avant qu'on soit capable de le mettre en pratique, et sans doute *parce qu'*on en était incapable. Comprenons : une société n'a pas besoin de savoir qu'elle est cartésienne pour être démocratique ; la société française, qui est plus encore révolutionnaire que démocratique, fait grand cas de Descartes mais elle est incapable d'être vraiment cartésienne.

Comme on voit, « Descartes, le plus grand démocrate », est inscrit dans cette œuvre en bonne place dans l'ample histoire de l'égalisation démocratique, mais non pas dans celle de la passion révolutionnaire. C'est en ce sens que la méthode cartésienne est en passe de devenir européenne, de française qu'elle était à l'origine. Par où l'on mesure tout ce qui sépare Tocqueville de Guizot ou de Cousin : pour ces derniers aussi, Descartes est dans le droit fil de la modernité ; mais c'est *modernité* qu'ils n'entendent pas de la même manière. Pour eux, la modernité consiste en la monarchie parlementaire de la Charte ; l'avenir est en quelque sorte déjà dessiné. Pour Tocqueville, elle consiste dans la découverte inépuisable que des sujets autonomes, déliés des traditions et de l'autorité, sont égaux ; la dynamique qui s'est mise en mouvement à partir de ce principe va configurer les sociétés futures de façon si neuve que l'on peut à peine l'imaginer. Pour s'y être essayé dans le second volume de la *Démocratie*, Tocqueville s'est condamné à n'être compris ni de la droite ni de la gauche qui l'avaient, l'une comme l'autre, acclamé en 1835[21].

QUINET

Le Descartes de Quinet ne sera pas moins original que celui de Tocqueville. À la différence de ce dernier, Quinet, lui, a débuté dans le sillage de Cousin qu'il a connu en 1825, en même temps que Michelet. Il faut prendre la mesure de son engouement à l'égard du pontife de la philosophie pour mesurer l'ampleur du chemin qu'il parcourra à partir de 1830. « Je ne me lasserai pas de parler de lui », écrit-il à sa mère en 1825. « Il remplit mon cœur. Je tremble de joie en le voyant. C'est de l'amour ; c'est bien mieux que de l'amour, c'est de l'admiration la mieux sentie et la plus méritée qui fût jamais. » Il est vrai que le 10 août, il confie aussi : « Il est dogmatique, et je n'ai nulle envie de devenir un disciple servile[22]. » Cela ne l'empêche pas de se lancer, à la suggestion de Cousin, dans la traduction des *Idées sur la philosophie de l'histoire de l'humanité* de Herder, à l'époque où Michelet entreprend, sur la même sollicitation, de traduire *La Science nouvelle* de Vico. L'incarcération de Victor Cousin en Prusse, lors du second voyage que celui-ci effectue outre-Rhin, ne fait qu'accroître son aura auprès de Quinet qui se rend chez lui dès son retour de captivité. « Quinet, voyez-vous », aurait dit Cousin en lui ouvrant la porte, drapé dans sa robe de chambre blanche, « le monde, le malheur et moi, nous formons une vaste trinité. » Ce jour-là, le jeune homme eut-il envie de rire ? En tout cas, en 1828, il conserve au philosophe toute son admiration : le fameux cours de cette année, qui marque la rupture avec les catholiques, séduit Quinet qui admire l'art avec lequel Cousin « a répandu l'ordre dans un chaos vivant[23] ». Le 22 novembre de la même année, il écrit à Michelet qu'il voit en Cousin « le seul espoir philosophique » d'une génération dont tous les autres représentants sont enfermés dans l'« atome du moi psychologique ».

Ce sont les journées de Juillet qui dessillent les yeux de Quinet. À chaud, il rédige un article terrible pour la philosophie cousinienne. « Trois jours d'épreuves ont suffi pour la disperser de telle sorte qu'on en cherche en vain la trace. Disons-le hautement : la philosophie a abdiqué sa mission depuis qu'une révolution a passé devant elle sans qu'elle s'en soit mêlée. » Aux yeux de Quinet, Juillet a fait apparaître ce qu'est l'éclectisme en son essence : « une éclatante résignation » à des principes contradictoires entre lesquels cette philosophie est incapable de choisir et qu'elle fait mine de concilier. Syncrétisme sans force, le cousinisme est aussi une philosophie sans courage[24].

Ce sentiment ne le quittera plus. La deuxième leçon de son cours de 1845 au Collège de France, sur le christianisme et la Révolution française, n'est qu'une longue philippique contre « la tactique parlementaire en matière de religion et de philosophie », autrement dit contre Cousin. Au lieu de mettre dans le même sac, comme en 1830, politique et philosophie, il les dissocie maintenant : si la première tient de plus en plus, dans les sociétés démocratiques, à l'exercice du parlementarisme – et Quinet n'est pas de ceux qui s'en plaignent –, la seconde n'a de sens que si elle tranche dans le vif des problèmes. « Que nous parle-t-on de diplomatie dans la guerre sainte des principes ? » « Nulle philosophie n'est féconde qu'à condition de montrer un certain héroïsme. » Or, dans l'éclectisme, tout est « capitulation » : devant l'Écosse puis l'Allemagne, devant la Charte de 1814, devant la variété des théories philosophiques, devant l'Église enfin, que Quinet ne pardonne pas à Cousin de flatter. Il le lui pardonne d'autant moins que le chef de l'éclectisme se fait, de la religion, l'idée la plus révoltante qui soit : il réserve la philosophie à une élite et destine la religion au peuple. Ainsi « s'établiraient définitivement des privilégiés de la lumière et des prolétaires des ténèbres ». Cette conception des rapports de la philosophie et de la religion, Quinet ne l'accepte pas davantage que les catholiques, mais pour des raisons toutes différentes : « Nous-même, rétorque-t-il, nous sommes *peuple*, et ce qui nous distingue de vous, c'est que nous ne prétendons pas être autre chose[25]. »

Cousin donne donc à la fois trop et trop peu au christianisme : trop, parce qu'il se concilie les bonnes grâces de l'Église « telle qu'elle est » – un pouvoir despotique qui a dévoyé l'idée évangélique d'égalité et de fraternité ; trop peu, car pour qui sait regarder, le christianisme est tout ce qui s'est fait de grand dans l'humanité depuis mille huit cents ans. Et d'abord la Réforme, qui marque à l'époque moderne la reprise du message du Christ. Puis la Révolution française où l'on peut dire que le christianisme « ressuscite, qu'il prend un corps, qu'il se fait [...] toucher, palper par les mains des incrédules, dans les institutions et dans le droit vivant ». Car Quinet, loin de concevoir l'Incarnation comme un phénomène singulier, la comprend comme un processus : « L'humanité stupéfaite a fini par reconnaître que le Christ s'incarne de siècle en siècle dans l'histoire[26]. » Se demande-t-on alors quelle Idée s'est manifestée avec le Christ, puis accomplie avec Luther et enfin avec la Révolution ? Il n'est qu'une réponse : « Le droit sacré de l'individu, l'autorité désormais inviolable de la conscience privée, le dieu intérieur caché dans chacun de nous[27]. »

À partir de là, ce que Quinet pense de Descartes est aisé à deviner : son apologie de l'individualisme moderne et des droits imprescriptibles de la conscience, son christianisme anticlérical, sa reconnaissance des mérites du protestantisme, son enthousiasme devant la Révolution et l'idéal démocratique, tout le prédispose à voir en Descartes un héros compagnon des réformateurs. « Bacon, Descartes, Leibniz, et il faut bien prononcer aussi ce grand nom de Luther, ces hommes exécrés en leur temps par les hommes de la routine, ont été les missionnaires de leurs peuples ; ils ont converti le monde à la vie nouvelle ; ils ont été ce qu'à d'autres époques ont été les saint Boniface et les saint Patrice ; ils ont frayé la route au Verbe de l'avenir[28]. »

Voici donc un nouveau Descartes, et singulier. Aux philosophes de la « capitulation », aux éclectiques, Quinet oppose un Descartes ami de Luther et avocat de la révolution. Mais aux catholiques de la réaction, il montre un Descartes annonciateur à sa façon du Verbe chrétien. Car, du Christ et des saints, Descartes a, contrairement à ce que croit l'Église, l'humilité : son doute, qui fait frémir les ultramontains, est la marque de sa vraie disposition d'âme. « Lorsqu'un homme plein de génie, Descartes par exemple, riche de toutes sortes d'expériences et de doctrines, consent un moment à se dépouiller de cette gloire, de ces richesses d'intelligence, il redevient volontairement pauvre d'esprit ; il se fait petit, de grand qu'il était ; [...] il s'interroge ; il appelle, il écoute le Dieu intérieur. Qu'est-ce que cela, sinon un acte d'humilité au milieu même de la science ? Pourquoi le méconnaissez-vous[29] ? » La réponse, Quinet ne cessera de la donner tout au long de son œuvre : parce que l'Église romaine n'est plus, depuis longtemps, l'Église du Christ.

MICHELET

Michelet aura moins de chemin à parcourir que Quinet pour se déprendre de Cousin : il l'a moins aimé. Il l'a connu un an plus tôt que son ami, en avril 1824, et c'est aussitôt que le philosophe lui a suggéré de traduire *La Scienza Nuova* de Vico puisque, dès juin, sa décision est prise. Mais Michelet n'avait pas attendu Cousin pour être intéressé par l'œuvre du Napolitain. Aussi est-ce avec une part de vérité qu'il dira plus tard : « Cousin. En réalité il ne m'avait donné aucune direction, ne m'avait dit que des choses vagues. Il ne soupçonnait pas la portée de *La Scienza Nuova*[30]. » Il est sûr en tout cas que Cousin ne mesurait pas le rôle qu'allait jouer Vico dans l'histoire intellectuelle de son jeune admirateur. En 1871, Michelet notera pour lui-même : « Je suis né de Virgile et de Vico. »

C'est dire, pour ce qui concerne mon propos, que Michelet commence du côté de l'anticartésianisme. Non pas celui de la Contre-Révolution et des légitimistes, pour qui Descartes est coupable de 1789. Car Michelet tient par toutes ses fibres au XVIIIe siècle de Montesquieu, Diderot, Voltaire et Condorcet, qui a produit la Révolution comme son plus beau fruit. Et quand il découvre l'*Essai sur l'indifférence* de Lamennais, en 1826, il ne consigne dans son journal aucun enthousiasme particulier ; il n'a lu, dit-il, l'ouvrage que *passim*.

L'anticartésianisme d'où il procède est celui de Vico dont j'ai dit qu'il avait traduit *La Science nouvelle* à la demande de Cousin, en 1824. En Vico, il a aimé d'emblée ce qu'il cherchera en vain chez Descartes : le sens historique[31]. Son *Discours sur le système et la vie de Vico*, qu'il publie en 1827 en préambule à sa traduction elle-même, s'ouvre sur ces mots : « Dans la rapidité du mouvement critique imprimé à la philosophie par Descartes, le public ne pouvait remarquer quiconque restait hors de ce mouvement. Voilà pourquoi le nom de Vico est encore si peu connu en deçà des Alpes. Pendant que la foule suivait ou combattait la réforme cartésienne, un génie solitaire fondait la philosophie de l'histoire[32]. » Solitaire, Vico l'a été, à en croire Michelet, par le fait d'un décalage temporel : il a vécu et publié au temps du rationalisme cartésien, lorsque l'Europe lettrée s'accordait à réduire toutes les réalités aux abstractions de la géométrie. Ce temps est fini : la philosophie a maintenant pour tâche de penser non seulement l'individu mais « l'humanité tout entière », dans son essentielle dimension temporelle. « Ce qui nous distingue éminemment, c'est, comme nous disons aujourd'hui, notre *tendance* historique. » Si le XVIIe a été le siècle de Descartes, le XIXe sera celui de cet anti-Descartes qu'est Vico. « Nulle part les abus de la nouvelle philosophie n'ont été attaqués avec plus de force et de modération : l'éloignement pour les études historiques, le dédain du sens commun de l'humanité, la manie de réduire en art ce qui doit être laissé à la prudence individuelle, l'application de la méthode géométrique aux choses qui comportent le moins une démonstration rigoureuse, etc.[33]. »

Plus d'un trait, on le voit, apparente cet anticartésianisme à celui de la droite ultra à l'égard de laquelle, pourtant, Michelet n'éprouva jamais la moindre tentation : même critique du rationalisme géométrique, même valorisation du « sens commun de l'humanité », même réhabilitation du vraisemblable et de la vertu de prudence. « Vico attaque le critérium cartésien du sens individuel », ajoute-t-il en 1835 pour l'en féliciter, « il revendique les droits du sens commun du genre humain[34] » ; c'est aussi ce que revendiquent les disciples de Lamennais, dans le *Mémorial catholique*, et ce pourquoi ils trouvent bien étriqué le rationalisme cartésien. Sur ce point, Michelet parle, et parlera, comme eux ; à l'autre bout de sa vie intellectuelle, en 1863, il aura cette formule typique qui n'est pas sans ressembler à celles d'un Taine ou même d'un Barrès : « Le cartésianisme, sur lequel on revient toujours, dans son mépris natif de l'histoire, des voyages, des langues, dans sa fausse physique qui ferme la France à Newton, nous tint pendant longtemps étiques et pulmoniques. Nous serions devenus ou déjetés comme Malebranche, ou poitrinaires comme Mme de Grignan. Heureusement, la bonne Mère nous alimentait en secret. La Nature, sous main, nous passait la nourriture substantielle des sciences et des voyages[35]. »

Cet anticartésianisme de gauche rencontre celui de droite à partir d'un constat analogue : la philosophie cartésienne est impuissante à penser le Tout de l'humanité vivante. Dans une note de 1840, Michelet a consigné les principes d'un antisocratisme qui est aussi un anti-cogito : « Connais-toi, non seul, comme homme, comme citoyen. Connais-toi, non comme être éphémère, borné à un point de l'espace et du temps, mais dans ton rapport aux peuples lointains, aux générations écoulées. Il ne s'agit pas ici d'une connaissance solitaire, comme les prêtres dans leurs sanctuaires, les philosophes dans leurs retraites pouvaient l'acquérir ; il s'agit d'une connaissance sociale, d'une science de la société par elle-même[36]. » Chez Descartes, l'historien emblématique du passé national ne trouve aucun philosophème qui lui permette de penser la notion d'un *individu collectif*, sans laquelle l'histoire devient proprement inintelligible. Une autre note indique très bien le statut particulier de cet être pour lequel Michelet est sans mot mais non pas sans ressources : « Les nations sont des universaux, une sorte de moyen terme entre la vie vraie de l'individu et la vie vraie du genre humain, [...] ce sont des essais d'individualisations collectives[37]. » La notion de peuple, dont on sait qu'elle est au cœur de sa philosophie de l'histoire, se trouve au bout de cette ligne de pensée : le véritable auteur de l'histoire, le seul, c'est lui, il agit lorsque nous croyons voir agir des héros, il mène « ses meneurs[38] ». Ici s'opère l'ancrage à gauche de cette doctrine qui a fait un bout de chemin avec celles du bord opposé mais sans rien leur concéder : constituer le peuple en seul acteur de l'histoire permet de donner acte de sa souveraineté et rend possible la constitution d'une histoire « républicaine » en lieu et place de l'histoire « monarchique[39] ».

Par ce biais, Michelet revenait à l'enseignement séminal de Vico. Car c'est là que l'historien a trouvé la formule fameuse qui constitue son credo historique : « L'humanité est son œuvre à elle-même[40]. » La science sociale, ajoute-t-il, « date du jour où cette grande idée a été exprimée pour la première fois. Jusque-là, l'humanité croyait devoir ses progrès aux hasards du génie individuel ». Non qu'il faille aller à l'extrême opposé et dissoudre l'individu dans le Tout. Michelet ne l'a jamais pensé et c'est là ce qui constituera la barrière infranchissable entre le socialisme et lui. Il ne le croit pas davantage lorsqu'il écrit l'*Introduction à l'histoire universelle*, dans l'émotion des journées de Juillet, et qu'il salue l'« interminable lutte » entre la fatalité et la liberté en quoi consiste l'histoire[41]. Il y a de la grandeur, et Michelet ne la méconnaît pas, dans l'idée occidentale et moderne d'individu, qui suppose pouvoir de critique, souveraineté de la raison individuelle, résistance à l'autorité. Dans ces parages, il faut s'attendre à retrouver Descartes en compagnie de Luther et Calvin. De fait, ils sont associés dans une page des *Origines du droit français cherchées dans les symboles et les formules du droit universel* de 1837 : Michelet évoque l'« influence austère » du calvinisme, où le monde physique est réduit à rien et l'homme livré à ses seules ressources ; de même y a-t-il de la grandeur chez Luther, Calvin et Descartes. À leur égard, Michelet a le sentiment d'avoir une « dette », même si, comme il l'écrit un jour, ce n'est pas de ce côté que vont ses sympathies les plus fortes[42].

Encore faut-il préciser la nature de cette dette et ne pas croire qu'on en est quitte une fois pour toutes. La révolution cartésienne, qui a substitué le critère rationnel au critère d'autorité, l'autonomie des esprits à leur esclavage, n'est pas de celles que l'on salue d'un coup de chapeau et dont on se détourne ensuite. D'ailleurs, Michelet s'en montre de plus en plus persuadé à mesure que s'affirme son opposition à ce qu'il appellera un jour « le choléra moral qui suivit de près Juillet ». S'il tarde plus que Quinet à manifester son rejet d'un régime qui l'a fait, dès 1830, précepteur de la princesse Clémentine et chef de la section historique des Archives de France, qui le nommera suppléant de Guizot à la Sorbonne en 1834 et professeur au Collège de France en 1838, il ne le fait pas, ensuite, avec moins de vigueur. Et lorsque montent les attaques des catholiques contre l'Université, il se démet de ses fonctions de précepteur et songe sérieusement à endosser le rôle politique que ses amis républicains le supplient de jouer. Dans cette perspective, et animé par l'idée que les jésuites complotent à nouveau, le sentiment d'une dette à l'égard de Descartes se trouve renforcé. Quelle vigueur dans le portrait que Michelet dessine du philosophe français dans son cours de 1844 au Collège de France ! Son Descartes donne le sentiment d'être peint d'après *Le Philosophe* de Rembrandt. Il faut citer ici un peu longuement :

> Descartes s'isole dans une retraite profonde et tous l'imitent. Voilà nos grands moines modernes ! Ils fuient le Midi, ils fuient la Nature, ils fuient le mariage, une Vénus éternelle. Voilà des thébaïdes scientifiques en Hollande, même au milieu de la mer Baltique. [...] Pour cela, il ne faut plus rêver, il ne faut plus batailler. Il faut se mettre à l'ouvrage de bonne heure, de grand matin. Il fait un peu froid, n'importe, la nuit est sereine. C'est le froid vivifiant de l'aube, comme dans les belles nuits de Stockholm, où la jeune reine de Suède allait trouver Descartes à quatre heures, pour apprendre l'application de l'algèbre à la géométrie. Le noble XVIIe siècle, ouvert par ces grands solitaires, Descartes, Corneille, se dit sur les ruines de l'autre : « Que me reste-t-il ? – Moi ! répond Descartes. – Et encore ? – Je pense, donc je suis. » On lui parlait d'autrui ; alors Descartes : « À moi, qui ne sais s'il y a des hommes ? » De ce moi, il refait un monde en Hollande et il le change. Il est plus que moine[43].

Plus que moine, en effet, celui qui, en 1637, « marque l'émancipation héroïque de la raison humaine[44] ». Michelet a beau être plutôt du côté de Vico, lorsqu'il s'agit de citer « les créateurs de la Révolution », il place Descartes parmi eux, en bonne compagnie donc : « L'initiateur du grand doute qui commença la Foi nouvelle repose avec Rousseau, Voltaire, le père à côté de ses fils. » Et plus loin : « Culte humanitaire dont les Pères sont les Descartes et les Voltaire, les bienfaiteurs du genre humain[45]. »

Par la Révolution française, par la lutte contre l'oppression catholique, Michelet est ainsi ramené à un sentiment plus favorable à l'égard du philosophe de l'émancipation de l'individu, même si ce philosophe n'a rien entendu aux grands mouvements qui font l'histoire. Par où l'on vérifie que la Révolution est bien, à droite comme à gauche, l'un des déterminants les plus décisifs pour décider du cartésianisme ou de l'anticartésianisme.

COMTE

Tocqueville, Quinet et Michelet partagent le sentiment, largement répandu au XIXe siècle, d'une affinité fondamentale entre cartésianisme et protestantisme. Auguste Comte est là-dessus d'un sentiment tout différent. Rien, par exemple, ne lui est plus étranger que l'idée d'un peuple américain qui pourrait faire l'économie de la Révolution française parce qu'il serait spontanément cartésien. Descartes protestant : voilà bien l'idée la moins comtienne qui soit. Non que la sphère d'influence du protestantisme, dans le *Cours de philosophie positive*, soit limitée, puisqu'elle englobe entre autres « la mémorable hérésie du jansénisme », les philosophies de Hobbes, de Bayle et de Spinoza, le déisme et l'« athéisme systématique », sans oublier la regrettable anglomanie du XVIIIe siècle et les non moins regrettables tentatives de monarchie constitutionnelle[46]. Mais Descartes n'est associé dans le *Cours* ni au « dogme de l'égalité » des intelligences et des droits, ni, évidemment, à la philosophie révolutionnaire. Bien au contraire, lorsqu'il apparaît dans la 55e leçon, c'est après un exposé sur la philosophie négative des XVIe et XVIIe siècles, et pour faire contraste avec elle. « Un mouvement mental d'une tout autre nature, et d'une bien plus haute destination », voilà ce que Descartes annonce, autrement dit « l'essor du véritable esprit positif ». Et Comte prend soin de noter que, même s'ils sont contemporains, le courant protestant et le courant positif sont distincts au XVIIe siècle, et que le second est d'ailleurs « peu sympathique » à l'égard du premier[47].

Certes, Comte ne peut méconnaître le rôle de Descartes – et de Bacon – dans l'émancipation de la raison vis-à-vis de la foi. Mais il ne le concède que du bout des lèvres, en rappelant que ni l'un ni l'autre n'eurent de « dessein formellement irréligieux », et surtout en insistant à plusieurs reprises sur le seul aspect qui importe vraiment : « l'immense révolution mathématique opérée par Descartes », « intimement liée à son entreprise philosophique », « qui vient aboutir à la sublime découverte de Leibniz, sans laquelle le résultat newtonien n'aurait pu suffisamment devenir le principe actif [...] pour le développement final de la mécanique céleste » ; « aucune idée mère ne devait autant influer sur l'ensemble des progrès ultérieurs[48] ». Descartes, « appréciant la positivité à sa vraie source initiale », en a posé les bases avec bien plus de fermeté que Bacon et de généralité que Newton. Les intuitions du jeune auteur de l'« opuscule fondamental » sont donc pleinement confirmées dans les œuvres de la maturité : loin que Descartes fût « protestant par sa méthode », comme le voulait Tocqueville, il est pleinement « positif », protestant et positif étant pour Comte des antonymes.

Sur cette base, Comte ne peut que contester lui aussi le Descartes de Cousin et de l'éclectisme, « école stationnaire » s'il en fut. En 1839, il consacre à cette doctrine essentiellement bâtarde quelques pages de la 46e leçon. Tout la disqualifie à ses yeux : elle n'est ni critique quoiqu'elle professe une « solennelle adhésion aux principes généraux de la philosophie révolutionnaire », ni rétrograde quoiqu'elle s'efforce en fait de maintenir les fondements de l'Ancien Régime ; elle est bavarde comme tous les régimes parlementaires, incapable d'avoir un caractère tranché, et elle ne fait que proroger une situation transitoire[49]. Ce n'est rien d'autre qu'une *pédantocratie*. En 1842, dans l'importante « Préface personnelle » qui ouvre le dernier volume du *Cours* où il règle ses comptes avec Guizot[50], il dénonce l'habitude du parti au pouvoir de se réclamer de Descartes : « Ce parti équivoque sent confusément que, depuis Descartes et Bacon, l'essor graduel de la philosophie positive a été surtout dirigé contre sa domination transitoire, non moins intéressée aujourd'hui que les prétentions purement théologiques à empêcher, à tout prix, l'installation sociale de la vraie philosophie moderne[51]. » À sa façon, qui n'est ni celle de Tocqueville ni celle de Quinet, Comte conteste à Cousin « son » Descartes au motif qu'il n'est pas le vrai, que le vrai, s'il revenait, serait l'adversaire du mol éclectisme en place. Et d'ailleurs, le vrai Descartes est de retour : il s'appelle Auguste Comte.

Nulle part il ne l'a dit plus franchement que dans sa correspondance de 1842 avec John Stuart Mill : « J'ai été ainsi conduit involontairement à refaire », écrit-il à son nouveau disciple anglais le 19 juin, « pour notre temps, et à ma manière, l'équivalent actuel du *Discours sur la méthode*, resté intact depuis deux siècles, et auquel j'ai osé substituer enfin, dans la même direction, une conception nouvelle, principalement caractérisée par la prépondérance logique du point de vue social, que Descartes avait, au contraire, été forcé d'éviter avec soin[52]. » Et le 5 novembre : « Descartes, dont j'ai osé [me] porter le successeur et, si notre langue le permettait, le compléteur[53]. » Voici donc Comte exactement au point où Tocqueville s'était lui-même placé : Descartes a laissé en blanc le chapitre « révolution sociale et politique » ; il fallait écrire ce chapitre, et c'est à quoi les volumes IV à VI du *Cours* ont été consacrés.

Avec l'achèvement du *Cours*, la synthèse positive commencée par Descartes est-elle achevée ? Le XIXe siècle est-il devenu cartésien ? La réponse de Comte est peu assurée. D'un côté, il écrit au présent : « Toute l'efficacité propre à la philosophie métaphysique et négative qui domine encore est désormais essentiellement épuisée » ; mais c'est au futur qu'il ajoute : « La grande révolution occidentale ne peut faire un pas vraiment capital que sous l'ascendant général d'une nouvelle philosophie, pleinement positive, qui s'assimilera spontanément tout ce que renferme encore d'utile l'esprit purement critique » ; « Mon ouvrage lui-même [...] devra marquer le commencement précis de cette extrême phase révolutionnaire[54]. »

L'exemple de Comte illustre donc le clivage, dans l'opposition de gauche au gouvernement de Juillet, entre une conception de la modernité politique qui se réclame de 89 et une autre qui s'appuie sur 93, tout en se référant elle aussi à Descartes. Impossible en effet, à la lecture de la 57e leçon du *Cours* ou du *Discours sur l'esprit positif*, de ne pas mettre en série « la grande crise initiale de la positivité moderne » – celle accomplie par Descartes et Bacon – et la « grande crise finale » de la Révolution qui opère la régénération sociale. Dira-t-on que l'on ne peut inscrire dans une même lignée « organique » les deux événements, la révolution positive du XVIIe siècle et la révolution négative du XVIIIe, avec sa « métaphysique abstraite », son dogme protestant de la souveraineté du peuple et son arsenal constitutionnel ? Mais, comme on sait, ce n'est pas à 89 que songe Comte lorsqu'il célèbre l'avènement révolutionnaire. « Dès son origine », la Révolution a cherché à transformer en mouvement organique le mouvement critique des siècles antérieurs[55]. Mais elle n'y est parvenue – temporairement – qu'avec l'abolition de la royauté, la proclamation de la république et la « grande dictature révolutionnaire » de la Convention[56]. C'est sous la Convention que s'est manifesté enfin « le caractère fondamental propre à cette immense crise finale », la régénération directe de la société, la phase rétrograde commençant, non pas à Thermidor, mais au « déisme légal » de Robespierre, en 1794. « 1789, écrit-il à Mill, n'a été en France qu'un prélude : la véritable secousse, celle qui a vraiment annoncé l'ère nouvelle, c'est réellement 1793[57]. »

C'est pourquoi le Descartes de Comte est bien différent de celui de Michelet et de Quinet, même si le fondateur du positivisme donne formellement la même réponse qu'eux à la même question générale : Descartes est-il l'un des pères de la Révolution française ? Oui, il l'est, répond Comte, mais pas au sens où il serait à l'origine de la révolution démocratique de 89 ; au sens où il prélude à la « dictature progressive de la Convention[58] », elle-même prélude à la synthèse positiviste.

LEROUX

À l'extrême gauche du spectre politique, le cas de Pierre Leroux est particulièrement instructif quant aux virtualités des thèmes saint-simoniens quand ils passent dans le socialisme : ni Saint-Simon ni Comte n'ont pris acte de ce qu'il y a de potentiellement anticartésien dans la détestation de l'individualisme démocratique et du parlementarisme. L'anticartésianisme est resté chez eux, comme on le dit d'un gène, récessif. Ôtons au contraire à l'utopie son ancrage dans l'histoire des sciences ; mais conservons le primat du social sur l'individuel, l'hostilité au protestantisme et l'apologie du caractère « organique » du catholicisme : on verra immanquablement surgir les traits anticartésiens que l'on aurait attendus chez Comte. C'est par exemple ce qui se produit chez Pierre Leroux.

Cet ouvrier typographe vient lui aussi du saint-simonisme, mais, encore avant, de la Charbonnerie et du libéralisme. Au moment du schisme entre Enfantin et Bazard, à la fin de 1831, il a quitté les saint-simoniens et rejoint les républicains de la Société des droits de l'homme et du citoyen de Cavaignac. Il passe pour avoir, sinon inventé, du moins mis en circulation le mot *socialisme*. Est-il pour autant socialiste ? Il s'en est d'abord défendu ; c'est qu'il donnait alors au terme une signification « absolue », *socialisme* désignant dans ce contexte l'inverse radical d'*individualisme*, et, à ce titre, répréhensible comme lui. Plus tard, il est revenu sur ce refus et a accepté de se dire socialiste pour signifier son refus de l'individualisme exclusif et son sentiment de la nécessité d'une réorganisation sociale. De l'éclectisme, qu'il a bien connu, il déteste tout : sa philosophie de parvenus et de bourgeois d'État ; ses reniements et ses palinodies ; sa méthode, ses objectifs, sa psychologie exsangue. Il publie en 1839 une retentissante *Réfutation de l'éclectisme*, inaugurant ainsi une série de pamphlets où s'illustreront Ferrari puis Taine.

Comme Quinet, Leroux fait partie de ceux à qui les journées de juillet 1830 ont révélé la vraie nature de l'éclectisme. « J'ai connu M. Cousin prêchant les idées les plus révolutionnaires [...]. Vous avez changé, dites-vous ; nous, [...] nous ne changeons pas ; nous avons toujours la même foi dans la tradition de la Révolution française. Nous voulons continuer le combat[59]. » Il lui reproche aussi de ne rien comprendre aux rapports de la religion et de la philosophie ; pas de divorce entre elles, ne cesse-t-il de répéter, seulement une différence de phase : la philosophie, c'est la religion lorsqu'elle se fait ou lorsqu'elle se défait ; mais « virtuellement la philosophie est toujours une religion[60] ». Il reproche enfin à Victor Cousin, comme beaucoup d'autres, son flirt avec les Allemands et lui conteste par conséquent le droit de parler au nom d'une école française. C'est en mettant ses pas dans ceux de Hegel que le maître de l'éclectisme a procédé en fait. « M. Cousin n'est pas de l'école française[61]... » Oui, mais de laquelle n'est-il pas ? Car il y a deux écoles françaises modernes, ou, si l'on préfère, deux manières de s'émanciper de l'autorité et de la tradition : par la *raison individuelle* et par la *raison collective de l'humanité vivante*. La première est, on le devine, celle de Descartes ; la seconde est celle de Perrault, Fontenelle, Turgot et Condorcet, celle de la perfectibilité de l'espèce humaine, celle qui débouche en 1789 sur l'épisode glorieux de la Révolution[62]. L'école française dont Cousin n'est pas, c'est cette dernière ; car il n'y a rien que l'éclectisme ne repousse davantage que « la doctrine du progrès ». Va-t-on alors voir Leroux se poser en adversaire de Descartes, face à Cousin à qui il reconnaîtrait le droit de se poser en cartésien ? C'est moins simple.

Certes, l'ex-saint-simonien n'aime ni l'exercice de la raison individuelle ni l'individualisme en ce qu'il a d'égoïste. Or Descartes, c'est « l'homme sans l'humanité », « l'homme séparé de l'humanité[63] ». « Voilà un homme, dit-il encore, qui se retire loin de toutes les écoles, qui repousse toute tradition, qui ne veut être d'aucun siècle, d'aucun pays, qui se ferme les yeux et se bouche les oreilles. » Dans cette prétention, d'ailleurs, Leroux, voit et déplore la marque de Luther. Le cartésianisme n'est que « le protestantisme à sa dernière conséquence », la négation complète du droit religieux de la collectivité[64]. Voilà bien l'une des composantes de l'anticartésianisme : hostilité au protestantisme et apologie du catholicisme dans sa capacité à produire une société organiquement liée, une « société complète », comme aime à le dire Leroux, où la Chambre des députés est remplacée par un Concile, les sciences par des dogmes et l'éducation par la ferveur religieuse[65]. « Ah ! mon lecteur, écrira-t-il encore à la fin de sa vie, que Descartes vous a fait de mal avec sa raison *pure*, et avec son idée que Dieu gouverne le monde par des *Lois*, sans y intervenir, sans y vivre, sans y être[66] ! » Ce pourrait être aussi bien de Barbey d'Aurevilly ou de Léon Bloy. L'anticartésianisme se loge aux deux extrémités du spectre politique ; il en est exactement l'indice.

Mais, on l'a vu, Leroux désavoue tout autant les excès du socialisme que ceux de l'individualisme, l'écrasement de l'individu au nom du grand Tout social que le sacrifice du Tout aux égoïsmes individuels. Aussi est-il retenu sur la pente de l'anticartésianisme à proportion exacte de la conscience qu'il a du fait que, après tout, l'émancipation de l'individu était une étape nécessaire dans l'avènement de l'humanité. Le mal fait par Descartes est ainsi l'autre face d'un bien : « C'est le droit religieux de l'individu que Descartes vient introniser dans le monde après Luther[67]. » Il fallait que l'émancipation religieuse fût poussée à son terme pour que le monde fût affranchi de l'Église ; c'était en quelque sorte le prix à payer pour que surgisse la doctrine de la perfectibilité du genre humain. La raison individuelle *devait* précéder l'avènement de la raison collective. En ce sens, la tendance rationaliste de Descartes fut un progrès, même s'il faut aujourd'hui aller dans une autre direction[68]. « La Philosophie moderne, après s'être séparée du grand fleuve de l'esprit humain, lequel s'appelle Religion, et avoir parcouru, tantôt en se desséchant, tantôt en se précipitant dans des fondrières, [...] une multitude de lieux déserts ou infréquentés, doit revenir au fleuve dont elle s'est séparée[69]. » Le cartésianisme ne peut avoir, dans cette philosophie de l'histoire positivement orientée, une valeur entièrement négative comme c'est le cas chez les catholiques traditionalistes, puisqu'il correspond à un moment nécessaire dans le progrès de l'humanité vivante.

Ainsi, loin de laisser au « doucereux » Cousin le monopole de l'utilisation de Descartes, Leroux s'inscrit en faux contre l'usage que l'éclectisme fait du cartésianisme. Cousin n'a rien compris au « hardi courage » de Descartes lorsqu'il a confondu le doute avec la méthode et fait de celle-ci le cœur du cartésianisme. « Moi, je vous dis que [...] cet homme sublime était le plus hardi et le plus dogmatique des hommes[70]. » Au cartésianisme, Leroux veut restituer son tranchant, sans lequel, d'ailleurs, on ne comprendrait pas son rôle dans l'histoire. Comment eût-il triomphé s'il n'avait été qu'une méthode pour douter de tout ? Le cartésianisme selon Cousin est une philosophie sans bras, une philosophie de rhéteur. Celui de Leroux n'a de sens qu'à être offensif.

Les ripostes de Victor Cousin

Il fallait ce détour par l'opposition pour comprendre ce que doit aux circonstances politiques et historiques la construction élaborée par Cousin et les siens, à l'époque de leur pouvoir : il s'agit de séduire à la fois les adversaires de gauche et ceux de droite, les « républicains » et les catholiques ; entreprise vouée à l'échec à l'égard de ceux qu'elle devait immédiatement convaincre, comme le remarquera Renan[71], mais qui réussit à plus long terme en ce qui concerne Descartes.

Par le fidèle Damiron, par Charles de Rémusat, mais surtout par Émile Saisset et Jules Simon, le régiment des cousiniens rétorque aux « révolutionnaires » que Descartes est l'auteur de « cette chose rare et grande entre toutes, c'est-à-dire une révolution heureuse[72] ». Car pour n'être tombé dans aucun des excès auxquels invitent les partisans de la souveraineté du peuple, Descartes n'en a pas moins fondé la liberté. Jules Simon le dit en 1842 avec des accents que retrouvera, cinquante ans plus tard, Alain : « Descartes foule aux pieds les préjugés de vingt siècles. La liberté, voilà sa conquête ; la raison, l'évidence, voilà sa loi. Penser est ma destinée, si je suis une intelligence ; et qu'est-ce que penser, sinon juger et juger avec indépendance[73] ? » Pour Jules Simon, la liberté de la pensée est souveraine ou n'est pas ; c'est « le premier et le plus saint de tous les droits », comme il l'écrit un an plus tard dans un article qui prend en écharpe le clergé, Buchez et Leroux[74]. Dans peu d'années, il fondera avec Amédée Jacques l'éphémère mais intéressante *Liberté de penser*, qui sera placée sous le patronage de Descartes ; et plus tard encore, c'est pour sa *Politique radicale* qu'il revendiquera l'héritage saint du *Discours de la méthode*.

Puis c'est au tour d'Émile Saisset de passer à l'offensive avec un retentissant article intitulé « La philosophie du clergé », qui prend à parti aussi bien les ultras comme Bautain, que les modérés comme Maret ou Mgr Affre. Les premiers n'ont trouvé d'autre façon de rétorquer aux avancées de la raison conquérante que par la détestation généralisée de toute philosophie, bonne ou mauvaise. Les seconds croient pouvoir se sortir du dilemme où les ont mis les premiers en distinguant « rationalisme » et philosophie ; et ils prétendent exempter Descartes du péché de rationalisme pour voir en lui un chrétien, quelqu'un qui accepte d'humilier sa raison devant la Révélation. Mais qu'est-ce que la philosophie sinon l'exercice de la raison ? « Le développement libre de la raison, voilà la philosophie ; elle est cela, ou elle n'est pas. » Le doute méthodique que ces théologiens frileux veulent retrancher de la philosophie cartésienne la constitue pourtant et, d'ailleurs, n'excepte pas même Dieu de son application. Ce qu'il y a de plus clair et de plus avéré dans le cartésianisme vu par Saisset, c'est précisément ce qu'il y a en lui de non religieux : « le fait de la sécularisation définitive de la raison. L'éternel honneur de Descartes, c'est d'avoir accompli ce grand ouvrage que les siècles avaient préparé ». Et il ajoute à l'encontre des captateurs d'héritage : « Si l'on a conçu de nos jours la funeste pensée de l'ébranler ou de le détruire, qu'on renonce du moins à prendre Descartes pour complice[75]. »

Aux catholiques qu'exaspère la politique scolaire du gouvernement Guizot et qu'inquiète la montée du « rationalisme », Cousin lui-même rétorque par une série de charges contre les jésuites, suspects de tirer les ficelles du parti intransigeant. Simultanément, il publie en 1843 les *Œuvres philosophiques du père André* et *Des Pensées de Pascal*, et l'année suivante deux articles sur Pascal dans *La Revue des Deux Mondes*. En racontant longuement la persécution de ce martyr de la cause cartésienne que fut au XVIIIe siècle le père André, Cousin cherche à discréditer ses opposants catholiques et à faire retomber sur eux le ridicule attaché aux adversaires de Descartes au XVIIe siècle. « Les cartésiens furent les libéraux de leur temps », écrit-il dans l'introduction de l'ouvrage pour bien marquer qu'attaquer aujourd'hui le cousinisme est aussi dérisoire qu'attaquer le cartésianisme deux cents ans auparavant. Quant à l'édition des *Pensées*, elle a pour but de montrer que Pascal n'a pas été le grand philosophe catholique que l'on dit, mais un sceptique qui n'a jamais pu sortir de ses doutes. Tout autre est l'auteur des *Méditations métaphysiques*, en compagnie de qui tout le XVIIe siècle a été « pieux tout ensemble et philosophe, amateur de la raison et respectueux envers la foi[76] ».

Enfin, par l'intermédiaire de ses proches mais surtout par lui-même, Cousin rétorque à ceux qui lui reprochent d'avoir élaboré une philosophie trop peu française, en s'inscrivant plus explicitement que jamais dans l'héritage de Descartes.

Les années 1844-1845 sont ici cruciales. C'est en 1844 que Michelet, au Collège de France, brosse l'inoubliable portrait de Descartes d'après Rembrandt, et que Comte publie le *Discours sur l'esprit positif* où il fait du cartésianisme la matrice des sociétés modernes en ce qu'elles ont de positif. Cette année cartésienne a d'ailleurs commencé le 24 janvier sur une invocation de Descartes à la Chambre des pairs, où le ministre de l'Instruction, Villemain, a présenté son projet de loi relatif à l'enseignement secondaire. Aux attaques du légitimiste Louis de Carné contre la philosophie en général et la place indue qu'elle occupe dans un État décidément « athée », comment Villemain a-t-il répondu ? En rappelant l'effort de Royer-Collard et de ses successeurs pour remettre Descartes en vigueur en France. « Ne croyez-vous pas que cet esprit supérieur, qui venait après la philosophie souvent erronée du dernier siècle, en ressuscitant parmi nous l'admiration pour le génie de Descartes, en relevant le drapeau longtemps abattu du spiritualisme, servait la liberté politique par la liberté morale [?] La philosophie, qui commença sous de tels auspices, serait-elle aujourd'hui répudiée comme indigne ? Les hommes qui sont venus depuis ont-ils quitté la voie de ces nobles doctrines de Descartes, qui fut aussi calomnié dans son temps et que le père Garasse accusa d'athéisme et d'impiété[77] ? »

Propos que corrobore Albert de Broglie le 12 avril, devant les pairs, en rapportant sur le projet Villemain. « Quelle est en effet la philosophie qu'on enseigne de préférence en France, et qu'on y doit enseigner, non seulement parce qu'elle est d'origine française, mais parce que c'est effectivement la vraie, la saine philosophie ? C'est la philosophie dont Descartes, chez les modernes, est le fondateur. » Non que le rapporteur ignore les objections faites à Descartes au nom du catholicisme, à savoir le doute et la séparation de la raison et de la foi. Seulement il les juge infondées et les principes cartésiens, « excellents[78] ».

Les 2 et 4 mai, Cousin lui-même vient défendre l'enseignement de la philosophie et le cartésianisme dont il se réclame. Il a beau jeu, le 2 mai, de noter en réponse à l'intervention d'Albert de Broglie : « Remarquez que ce n'est pas moi qui ai amené dans un débat parlementaire la valeur des principes de la philosophie cartésienne. Je ne voudrais pas convertir cette assemblée en assemblée philosophique. » Il va pourtant administrer à ses collègues une brève leçon de philosophie cartésienne. Par-dessus Broglie, c'est Montalembert et les catholiques qu'il cherche à convaincre, en rappelant que le doute cartésien est provisoire et qu'il n'est nullement « le principe véritable du cartésianisme ». Tout au contraire : « Le dessein avoué de Descartes est de détruire dans sa racine le scepticisme. » C'est l'époque, rappelons-le, où il souligne le scepticisme de Pascal pour faire plus fortement contraste avec Descartes. Et Cousin de retracer l'itinéraire des premières *Méditations*, la sortie du doute, le fait du *cogito* et l'existence de Dieu[79].

Le 4 mai, Cousin entretient les pairs de la persécution passée du cartésianisme ; il raconte l'arrêt burlesque de Boileau, le rôle funeste du père Annat, le mélange de ridicule et de soumission dont ont fait preuve les ecclésiastiques des années 1670. Et, comme si la morale de la leçon n'était pas claire, il insiste : les catholiques qui veulent empêcher de « mettre la philosophie de notre temps sous la protection de cette grande philosophie du XVIIe siècle » sont des jésuites qui s'ignorent, et ils sont menacés d'un nouvel arrêt burlesque[80].

•

C'est aussi en 1844 que paraît dans *La Revue des Deux Mondes* le célèbre article de Nisard, « Descartes et son influence sur la littérature française », qui fera dire à Sainte-Beuve : « Nisard est atteint d'une espèce de *chauvinisme transcendantal*[81]. » Chauvinisme, il est vrai ; mais sélectif : car l'irréductible adversaire du romantisme et des idées nouvelles, le futur vainqueur de Musset à l'Académie française, professeur à la Sorbonne puis au Collège de France, député et sénateur qu'est Désiré Nisard, ne reconnaît le génie de la nation que dans la période qui va de Corneille à Racine. C'est alors que la littérature la plus rigoureuse a été exprimée dans le langage le plus clair et il faut en attribuer à Descartes, « grand géomètre devenu grand écrivain », le principal mérite. La grande importance de l'article de Nisard n'est pas d'ajouter à la couronne de Descartes une perle supplémentaire ; elle est d'ouvrir beaucoup plus largement le compas du cartésianisme en montrant son rôle dans la constitution de l'esprit français en tant que tel, c'est-à-dire en tant que littéraire. « Je juge moins Descartes comme auteur d'une philosophie plus ou moins contestée, prévient-il, que comme écrivain ayant exercé sur la littérature de son siècle une influence décisive. » Et Nisard de montrer que le cartésianisme est présent chez Pascal, La Rochefoucauld, La Bruyère, Racine, Molière, La Fontaine, Boileau... ; c'est là « le cartésianisme littéraire dont le cachet est empreint sur tous les grands esprits du XVIIe siècle ».

L'essentiel, toutefois, est dans l'aptitude du cartésianisme français à exprimer dans une langue transparente « tous les ordres de vérités dans tous les genres de connaissances ». D'où ce diagnostic : « Ce cartésianisme-là est demeuré intact : c'est la méthode même de l'esprit français. » Ce qu'il y a donc de « formidable » dans le *Discours de la méthode*, ce n'est pas seulement d'avoir été le premier ouvrage en prose où l'esprit français atteignit sa perfection et la langue sa maturité, c'est d'avoir donné aux Français la clé définitive d'accès à eux-mêmes, leur propre intelligibilité et par conséquent celle de l'esprit humain en général. Il vaut la peine ici de citer largement :

> Où trouve-t-on ailleurs que dans l'histoire des lettres françaises l'exemple d'une école où les disciples ont été des hommes de génie, parce que le génie même du maître a été d'apprendre à chacun sa véritable nature, et de mettre les esprits en possession de toutes leurs forces, en leur en indiquant le meilleur emploi ? Ce que les grands hommes du XVIIe siècle ont appris de Descartes, c'est la connaissance du naturel de leur pays, de ce qui fait de l'esprit français l'image la plus parfaite, à mon sens, de l'esprit humain dans les temps modernes. [...] Descartes a eu la gloire d'apprendre aux Français leur véritable génie, et cette gloire durera tant que ce génie se souviendra de ce qu'il a été [82].

La remarque vaut avertissement : le génie français peut aussi oublier ce qu'il a été ; c'est le cas des romantiques, que Nisard renvoie à une sensibilité ni française ni recevable en France, dans un pays où Descartes a une fois pour toutes tracé la route sur laquelle il convient d'avancer.

Il n'est pas besoin d'insister beaucoup sur l'importance du thème ici mis en circulation par Nisard : l'identification de l'esprit français à l'esprit cartésien au moyen du génie littéraire ouvre une carrière immense et décisive à la propagation du thème « Descartes, c'est la France ». Toute une série d'équivalences devient possible, entre littérature, classicisme, clarté du langage, cartésianisme. En montrant que le fond de la grande littérature du XVIIe siècle est français parce que cartésien, Nisard achève de faire fusionner les deux grands affluents français : celui de l'esprit cartésien et celui de l'esprit littéraire. Il est vrai que déjà au XVIIe siècle, Cordemoy, Le Laboureur, Perrault et, au XVIIIe, l'abbé Terrasson avaient œuvré en ce sens ; mais c'était en un temps où l'inscription de Descartes dans la culture française était encore loin d'être aussi profonde qu'elle l'est au mitan du XIXe. Venant en couronnement d'une longue maturation, prenant appui sur le travail entrepris par les cousiniens, l'article de Nisard effectue ce que ses prédécesseurs avaient ébauché ; car après lui, aucun historien de la littérature classique ne pourra éviter de se situer pour ou contre lui ; par Taine, Brunetière, Lanson, Barrès, Maurras, le *topos* d'un classicisme français identifié au cartésianisme ne cessera de rendre plus évidente l'assimilation de Descartes à la France.

•

Toutes ces lignes convergent vers l'« Avant-propos » des *Fragments de philosophie cartésienne*, où Cousin donne, en 1845, la version la plus achevée de « son » Descartes, catholique mais point trop, père de 89 mais pas de 93, français éminemment. Tout le texte se tient dans ce juste milieu. Cousin revendique dès les premières lignes une position identique en politique et en philosophie. En politique, il se déclare favorable aux « principes » de la Révolution française. Non qu'il faille « jeter au vent les traditions qui perpétuent les nations comme les familles » et « sacrifier l'ordre à la liberté » ; mais dans la grande querelle qui divise l'Europe et la France, il est du parti libéral, pour la monarchie constitutionnelle car c'est le régime qui assure au mieux la liberté. De même en philosophie : sans aller jusqu'à l'excès de l'idéalisme et du mysticisme, il est pour une doctrine « favorable à la sainte cause de la spiritualité et de la liberté de l'âme », pour un « Dieu créateur et ordonnateur des mondes, soutien et refuge de l'humanité ». La suite du propos n'est pas faite pour nous surprendre : « C'est par ce motif, ajoute-t-il, que [...] nos prédilections avouées sont pour l'école cartésienne. » Cousin y trouve en effet une méthode qui est la vraie, un esprit indépendant et modéré, un spiritualisme mâle et élevé, la grandeur et la beauté morale des maximes, enfin – et peut-être est-ce finalement l'essentiel – le fait « qu'elle est toute française, et qu'elle a répandu sur la nation une gloire immense qu'il serait insensé et coupable de répudier ; car, après la vérité, la gloire de la patrie n'est-elle pas aussi quelque chose de sacré pour nous ? » Essayez, dit-il encore, d'enlever Descartes à son temps : « La trame du XVIIe siècle n'est pas seulement troublée, elle est déchirée. Hommes et choses, tout est remué et bouleversé de fond en comble. » Plus un seul fait intellectuel qui demeure intact, plus un seul « grand esprit qui reste debout ». Et voici les mots les plus importants : « C'est un fruit du sol, c'est une œuvre qui, dans le fond et dans la forme, est profondément et exclusivement française, même encore plus, s'il est permis de le dire, que la poésie et les arts de cette grande et incomparable époque[83]. »

Descartes est maintenant enraciné dans le sol français dont il est l'un des fruits les plus ressemblants. Point d'aboutissement d'une déjà longue histoire puisqu'elle a deux siècles, cette incarnation de l'auteur du *Discours de la méthode* dans une terre dont il porte la marque n'est plus désormais l'opinion d'un groupe ou d'un parti : c'est un mythe constitutif de la nation France, contre lequel on peut s'insurger mais que plus personne n'est libre d'ignorer. Treize ans plus tard, Renan le trouvera devant lui comme un lieu commun agaçant, sur lequel on bute sans cesse et qu'on ne peut éviter : il veut bien que Descartes soit un homme de premier ordre, mais il est tout de même fâcheux « qu'on se soit cru obligé de tant insister pour sa gloire sur cette circonstance, insignifiante quand il s'agit de métaphysique, que sa philosophie serait, à un titre spécial, la philosophie française[84] ». Il est vrai que la circonstance est, philosophiquement, insignifiante ; mais il ne s'agit plus de philosophie. Descartes est devenu un mythe national.

D'ailleurs, la référence à Descartes n'est déjà plus limitée à un cercle étroit : les écrivains ont intégré à leurs romans des thèmes cartésiens, le doute, le *je pense*, les tourbillons. Et leur appréciation du philosophe de la méthode épouse elle aussi les clivages politiques dont nous avons vu la formation sous la Restauration et sous Juillet. Balzac, proche des légitimistes, n'aime pas en Descartes le doute philosophique, « triste conséquence du protestantisme », qui a conduit en 1792 à mettre le roi sur l'échafaud. Hugo, au contraire, place Descartes très haut, en compagnie des meilleurs esprits et dans une perspective de progrès de l'humanité : avec Galilée, Grotius, Rubens, Guillaume d'Orange et plusieurs autres, Descartes a participé à « l'amélioration de tout par tous, c'est-à-dire la civilisation même ». Vigny – qui a donné à l'adjectif « cartésien », dès 1835, une acception dérivée, en qualifiant de cartésienne une symphonie –, mais aussi George Sand, Alexandre Dumas ou Nerval : tous utilisent des références cartésiennes au détour d'un dialogue, preuve que le philosophe est désormais assez présent dans le bagage culturel ordinaire pour pouvoir surgir ainsi spontanément chez l'auteur et être entendu aussi aisément chez le lecteur.

IV

LE SECOND EMPIRE OU LE TEMPS DES ANTAGONISMES

Chapitre X

LA RÉPUBLIQUE ET LA RELIGION DE LA SCIENCE

En 1848, l'histoire de la « nationalisation » de Descartes n'est pourtant pas achevée. Les journées de Février, puis la progression de l'opposition républicaine pendant le second Empire et enfin l'installation de la République à partir de 1871 vont modifier une fois encore la donne du cartésianisme et de l'anticartésianisme. Comment en irait-il autrement ? L'idée républicaine implique en effet l'organisation rationnelle de la société, la foi dans le progrès scientifique, la sécularisation et l'institution du débat sous la forme du jeu parlementaire. Or, depuis le début du XIXe siècle, il ne fait de doute pour personne que Descartes est l'ancêtre et le fondateur de tout cela à la fois. En schématisant beaucoup, on dira que, si la première moitié du siècle a installé le philosophe de la méthode à droite, la seconde effectue à gauche l'opération symétrique.

Bien entendu, ce n'est là qu'une approximation. Car la revendication de rationalisme en politique, accompagnée d'une volonté de rupture à l'égard de l'Église, sous la caution de Descartes, a commencé, on l'a vu, dès avant les événements de 1848, au sein même de l'éclectisme qu'elle débordait par sa gauche. L'article d'Émile Saisset sur « La philosophie du clergé », dans *La Revue des Deux Mondes* de 1844, en a été la meilleure illustration. Trois ans plus tard, ces enfants terribles de l'éclectisme que sont Amédée Jacques et Jules Simon lancent une revue au titre-programme : *La Liberté de penser*. Lassés de subir sans répondre les attaques de la presse légitimiste, convaincus que « les caractères sont abaissés » et la liberté en péril, persuadés en outre de l'esprit réactionnaire du régime et de l'hypocrisie de l'*establishment*, ils ont décidé de prendre leur indépendance à l'égard de Cousin. Sans doute demeurent-ils, comme le dira un jour Simon lui-même, « spiritualistes jusque dans les moelles[1] ». Mais ils parlent au nom de la souveraineté absolue de la raison et, s'ils se gardent bien de professer une quelconque philosophie ou de revendiquer une appartenance politique déterminée, ils ne font pas mystère de ce que leurs sympathies sont à gauche ; philosophiquement, ils ont bien entendu un grand ancêtre : Descartes, qui a fondé l'indépendance de l'esprit dans la terre de France et permis deux siècles plus tard la promulgation de la *Déclaration des droits de l'homme*[2]. Et pour que les choses soient claires, la première livraison de la revue consacre tout un article à montrer l'étroite relation entre « Le christianisme et le cartésianisme au XVIIe siècle et la renaissance catholique au XIXe ». Le Descartes de *La Liberté de penser* est bien dans le droit fil de l'article de Saisset : philosophe de l'audace et de la liberté, dont les propos respectueux à l'égard de l'Église sont versés au compte de la prudence et de l'ironie[3].

Février 1848 et la proclamation de la république mettent la revue dissidente en phase avec les circonstances. « Esprit philosophique et esprit de liberté sont deux mots synonymes », écrit Amédée Jacques en 1848. « La philosophie, en ce qui concerne l'homme, n'est que le commentaire de la démocratie. » Plus que jamais, l'héritage du grand philosophe qui a proclamé la liberté de penser est de mise ; et c'est son nom qui revient au fil des pages comme caution suprême : la patrie de Descartes s'est enfin dotée du régime conforme à son glorieux ancêtre[4].

Il en va de même de Joseph Ferrari. Nous avons rencontré ce disciple de Cousin en 1842, au moment où il était révoqué de sa chaire de Strasbourg pour avoir exposé sans le critiquer le « communisme » de Platon. 1848 le trouve du côté des insurgés, défendant le suffrage universel direct. Six années de mise au placard l'ont préparé à une critique en règle de la philosophie officielle. D'autant que Cousin s'est, semble-t-il, employé à le faire échouer au concours d'agrégation des facultés, qu'il a présenté au lendemain de la révolution de Février. Ferrari doit donc rejoindre son lycée de Bourges tandis que Paul Janet, soldat discipliné du régiment cousinien, prend le poste de l'université de Strasbourg. La riposte de Ferrari consiste dans le pamphlet qu'il publie en 1849 sous le titre : *Les*

Philosophes salariés. Les tares de l'éclectisme, philosophie de petits employés, sans dogmes ni principes, ce sont les événements de février 1848, comme autrefois juillet 1830 pour Quinet, qui les lui ont fait apercevoir en toute clarté. « La Sorbonne avait besoin d'un homme assez habile pour renouveler son abat-jour : cet homme fut M. Victor Cousin ; l'abat-jour fut l'éclectisme. » Voilà pour le ton du livre. Quant à son contenu, il consiste à montrer que la philosophie se substitue progressivement à la religion qu'elle est destinée à remplacer complètement : commencé à la Renaissance, le mouvement s'est poursuivi avec Bacon, Luther, Descartes, Rousseau, Voltaire, la Déclaration des droits de l'homme pour aboutir au socialisme. Alors qu'en 1845, Ferrari tenait la doctrine révolutionnaire et socialiste pour une erreur monstrueuse[5], en 1849 il décrit le socialisme comme la seule issue pour des esprits libres. Le Descartes de Ferrari est donc dans le droit fil du progrès de la rationalité, et radical comme sont maintenant ses options politiques. Du Descartes de Cousin, ami des abbés, des prélats, des évêques et des cardinaux, Ferrari ne veut rien entendre. Celui auquel il dit se rattacher est le philosophe de l'indépendance protestante, du criticisme mathématique, du panthéisme dogmatique. Et Ferrari de faire gloire à Descartes d'avoir engendré les doctrines de Bayle et de Spinoza ; par eux, « l'impiété de la Renaissance va devenir un système », et la Révolution, ajournée par Descartes, va pouvoir mûrir au XVIIIe siècle[6].

Descartes père du scientisme

Amédée Jacques, Jules Simon, Joseph Ferrari sont tous trois des déçus de l'éclectisme ; la radicalisation qu'ils font subir à Descartes, avant et après Février, s'inscrit encore dans le contexte de cet héritage. Cependant, 1848 et sa postérité marquent leurs effets sur le cartésianisme bien au-delà du petit cercle des cousiniens dissidents. La nouveauté capitale, en la matière, consiste dans l'accélération soudaine que subit le thème « scientiste » et dans la confluence qui s'opère, au cours de la seconde moitié du siècle, entre scientisme et cartésianisme. Nouveau revirement. Certes, il y avait eu Saint-Simon et Comte. Mais c'étaient là deux exceptions. Le XVIIIe siècle semblait avoir fait litière des rêveries cartésiennes en matière de science ; et la première moitié du XIXe avait promu Descartes en champion incontesté du spiritualisme. Or voici, autour de 1850, l'auteur du *Discours de la méthode* rebaptisé prophète d'un mouvement dont le XIXe siècle voit la réalisation.

Cette connexion de la foi scientiste et de l'avènement républicain, avec Descartes en clé de voûte, on n'est pas surpris de la trouver d'abord chez celui qui depuis une vingtaine d'années va répétant que le cartésianisme a posé la première pierre de l'édifice positiviste : Auguste Comte. À sa façon, qui n'est pas dépourvue d'ambiguïté comme on sait, Comte salue la « merveilleuse transformation politique » qui vient de s'accomplir en France, en publiant à chaud le *Discours sur l'ensemble du positivisme*. Pour lui, les circonstances historiques, en faisant advenir la République, ont apporté au positivisme l'éclatante confirmation qu'il attendait. Sur le rôle de Descartes, Comte a d'autant moins de raisons de changer d'avis que, depuis l'achèvement du *Cours*, il a fait la rencontre de Clotilde de Vaux et découvert par elle le rôle des femmes dans la réorganisation politico-scientifique de la société. Les femmes et non les savants : les premières ont l'esprit vierge, les seconds sont pleins de préjugés. Or c'est là, pour le positivisme, répéter une situation déjà expérimentée par la philosophie cartésienne dont « l'affinité fondamentale » avec les femmes expliquait qu'elle eût été « avidement accueillie » par elles. Élisabeth, Christine, Clotilde... Comte a sans doute le sentiment d'une parenté encore plus forte avec le grand Descartes au moment où, comme lui, par la médiation d'une femme, il se trouve amené à infléchir sa doctrine vers des questions où le cœur est présent. Entre celui qui a effectué « le principal effort scientifique de l'esprit humain[7] », Descartes, et celui qui a posé la dernière pierre de l'édifice, Comte, la ressemblance est maintenant complète.

D'ailleurs, la même configuration se retrouve chez le tout jeune adepte de Comte, Ernest Renan, lorsqu'il rédige cette bible du scientisme qu'est *L'Avenir de la science*. « M. Comte croit bien comme nous qu'un jour la science donnera un symbole à l'humanité », écrit le jeune homme de vingt-cinq ans avec un rien de superbe. « Comme nous » : Renan croit aussi à une loi des trois états qui n'a pas le même nom que celle de Comte mais qui y ressemble comme une sœur, avec sa marche en trois temps – syncrétisme, analyse, synthèse. Pour l'heure, l'ancien élève du séminaire d'Issy se situe plutôt à gauche. 1848 a fait sur lui « une impression extrêmement vive » et engendré ce qu'il appellera beaucoup plus tard des « illusions ». C'est donc très naturellement qu'il publie ses premiers articles dans *La Liberté de penser*, la revue d'Amédée Jacques et de Jules Simon. Comme eux, il estime que la véritable histoire de France commence en 1789, avec la première tentative de l'humanité pour arracher à l'Église et aux monarques les rênes du pouvoir. Condorcet, Mirabeau et Robespierre doivent être honorés pour avoir voulu gouverner selon la raison et non selon les préjugés. Que pense-t-il à cette date de Descartes ? Il se montre plus réservé que ses aînés Simon et Jacques. C'est que le cartésianisme, il l'a connu au séminaire sous la forme édulcorée et en quelque sorte scolastique que lui a donnée la *Philosophie de Lyon*. À Descartes, il préfère Voltaire, Rousseau et Lamartine ; il préfère surtout, déjà, les ouvrages de haute érudition, ceux de Bopp ou de Burnouf par exemple. Et d'ailleurs, l'une des choses qu'il reproche à Comte, c'est d'ignorer la science contemporaine et d'en rester à celle des Descartes, Galilée et Newton.

Mais justement : Descartes est inscrit pour lui dans une histoire qui est celle de la substitution de la science à la politique. Relisons ces déclarations où se manifeste la foi scientiste dans ce qu'elle a de plus ardent : « Oui, il viendra un jour où l'humanité ne croira plus, mais où elle saura ; un jour où elle saura le monde métaphysique et moral, comme elle sait déjà le monde physique ; un jour où le gouvernement de l'humanité ne sera plus livré au hasard et à l'intrigue, mais à la discussion rationnelle [...] ; car la science est la seule manière légitime de connaître [8]. » Non que le christianisme soit pour Renan sans lendemain ; un article de 1860 s'attachera à montrer quel est « l'avenir religieux des sociétés modernes » : une sorte de supplément d'âme dans l'exercice d'une rationalité toujours susceptible de pécher par excès de sécheresse. Mais la religion de Renan, il le redira en 1890 dans la préface de *L'Avenir de la science*, ce sera toujours « le progrès de la raison, c'est-à-dire de la science ». Or cette religion, comme toutes les autres, a ses grands prophètes au nombre desquels compte évidemment Descartes. C'est à côté de Galilée, Kepler et Newton qu'il le place, on vient de le voir, parmi ceux qui ont brisé au XVIIe siècle la « mer de glace » de l'obscurantisme. Comment est-on venu à bout des jésuites, de l'Oratoire, des rois et des prêtres, s'interroge cet auditeur de Michelet. Sa réponse est simple : par la force tout intellectuelle de « quelques obscurs savants, pauvres, sans appui dans les masses ». En Descartes, Renan célèbre l'auteur d'une œuvre « brûlante et vraie » comme un *acte*, le cri d'une âme héroïque et passionnée. Comme Eschyle qui a été soldat à Salamine, Descartes a conçu sa méthode « dans les camps et au milieu d'une vie aventureuse ». Autre image dans le même registre : Descartes, enfermé dans son poêle, a juré de ne pas lâcher prise avant d'avoir découvert sa philosophie comme les députés de l'Assemblée nationale, le 20 juin 1789, ont fait le serment de ne pas se séparer jusqu'à l'établissement de la Constitution.

Ce cortège de comparaisons autour du fondateur de la philosophie surgit dans un contexte bien précis, celui de la révolution de 1848. « Il n'y a que des niais qui puissent prôner si fort le régime de la poule au pot », écrit-il au lendemain des journées révolutionnaires. Renan n'est pas de ceux-là. Que les traditionalistes s'efforcent de discréditer la libre pensée, il n'y a rien que de très normal : entre la raison et la foi, il n'y a aucune conciliation à chercher puisqu'elles sont contradictoires. « Nul ne peut servir deux maîtres, ni adorer un double idéal. » Mais que les ex-libres-penseurs, ceux qui autrefois ont applaudi 1789 – entendons : les cousiniens –, s'en prennent aujourd'hui à la libre-pensée et tâchent de l'étouffer, il y a là quelque chose d'inacceptable. « Vous admirez Luther, Descartes, Voltaire, leur dit le jeune adepte de Février, et vous anathématisez ceux qui, sans songer à les imiter, poursuivent leur œuvre, et s'il y avait de nos jours des Luther, des Descartes, des Voltaire, vous les traiteriez d'hommes antisociaux, de dangereux novateurs. » Pas plus qu'Amédée Jacques ou Jules Simon, pas plus que Ferrari, Renan ne songerait à reprocher à Descartes d'être en compagnie de Luther et de Voltaire : ce sont eux qui ont fait le monde moderne et il faut leur en savoir gré[9].

Chez les autres héritiers du positivisme, hétérodoxes ou orthodoxes, chez Littré ou chez Laffitte, la situation faite à Descartes est-elle très différente ? Jusqu'au milieu du XXe siècle, on répétera l'histoire de Pierre Laffitte brandissant, lors de ses conférences devant les ouvriers des faubourgs, l'édition princeps du *Discours de la méthode* avec ces mots : « Voilà ce que l'esprit humain a produit de plus grand depuis Aristote[10] ! » Littré, lui, on le sait, n'a pas accepté de suivre Comte dans ce qu'il a diagnostiqué comme un retour du refoulé religieux. Positivisme sans grands prêtres, sans culte, sans catéchisme fût-il positiviste. Pour Littré, et à la différence de Renan, le christianisme n'a aucun avenir. Son Descartes est donc plus anticlérical que le sien, plus approprié par conséquent au républicanisme des fondateurs de la IIIe République, et grand prophète de la science moderne comme dans tout le courant comtien. La façon dont il salue la théorie discréditée des tourbillons est tout à fait significative de la réappropriation de la science cartésienne en contexte scientiste : certes les tourbillons ne sont plus qu'un souvenir, « mais ce souvenir est celui d'un grand office provisoire et tel que Descartes peut-être était le seul capable de le fournir ». Expliquer le monde par le monde, la matière par les seules forces de la matière, c'était soustraire la science à la métaphysique et à la théologie, lancer une idée dont tous les sincères agnostiques du XIXe siècle sont les héritiers[11].

Toutefois, c'est à Claude Bernard qu'il revient d'avoir apporté à Descartes la plus importante peut-être des cautions positivistes, car émanée d'un authentique savant qui est aussi, dès le second Empire, une gloire nationale : professeur de physiologie générale à la Sorbonne depuis 1854 (on a créé pour lui la chaire), membre de l'Académie des sciences la même année, professeur au Collège de France l'année suivante, membre de l'Académie de médecine en 1861 et de l'Académie française en 1869. On sait l'importance de ce bréviaire de la science moderne qu'a été l'*Introduction à l'étude de la médecine expérimentale*, ce texte dont Bergson dira un jour qu'il a joué, par sa diffusion dans les écoles, le même rôle joué que le *Discours de la méthode* en philosophie. Or l'*Introduction* est émaillée de références, implicites ou explicites, au *Discours* et au « doute philosophique », érigé en condition première de la science expérimentale. Des générations d'élèves français seront imprégnées de l'idée que la méthode cartésienne est la méthode scientifique, en lisant chez Claude Bernard que « le douteur est le vrai savant » ; car « c'est le doute seul qui provoque l'expérience » et qui « détermine la forme du raisonnement expérimental[12] ».

Dans la seconde moitié du siècle, on voit ainsi se constituer l'idée que le doute et les règles de la méthode sont les instruments de la science, quel que soit son domaine d'application. Deux exemples parmi beaucoup d'autres, parce qu'ils illustrent la diversité des champs d'application de ce *topos* : celui de Viollet-le-Duc dont les *Entretiens sur l'architecture* se veulent une stricte application de la méthode cartésienne[13], et celui de Durkheim qui, au moment de fonder la méthode sociologique, et alors même qu'il est assez réservé sur le rationalisme de Descartes, ne peut éviter une révérence au doute cartésien en précisant : « Nous nous sommes efforcé de satisfaire à cette condition de toute science[14]. » Le mathématicien Joseph Hadamard redira en 1903 ce qui est devenu alors une évidence :

l'esprit scientifique « se résume à la rigueur dans la règle commune de Descartes : "Ne rien tenir pour certain qu'on ne le reconnaisse évidemment être tel" [15]. »

Mais ce n'est pas seulement le doute qui fait l'objet d'une sorte de culte ; toute la science cartésienne est fortement réévaluée sur la base d'une appréciation historique renouvelée. Là aussi, les exemples abondent. Foucher de Careil, qui édite en 1859 des inédits de Descartes avant d'entamer une carrière politique du côté libéral, s'écrie, l'un des premiers : « Plus grand que ses trois contemporains [Galilée, Leibniz, Newton], Descartes a mérité d'être reconnu le père de ce grand mouvement qui emporte la science sur l'orbite où il l'a lancée de sa main puissante, dans son éternelle circulation [16]. » Renouvier et Alfred Fouillée, qui seront les philosophes de la République, travailleront de même à la réhabilitation de la science cartésienne en montrant que la physique contemporaine retrouve, par des voies nouvelles, le mécanisme cartésien contre les hypothèses aventurées de Newton [17]. Spectaculaire renversement, où l'on voit Descartes l'emporter sur son éternel rival et devenir – c'est du moins l'opinion de Fouillée – le « vrai fondateur de l'évolutionnisme », le « fondateur de la physiologie moderne », le « père spirituel de tous les savants de notre époque », le « prophète de la science à venir [18] ».

Le Descartes des républicains et des libéraux

En même temps que le scientisme, le républicanisme marque son allégeance au philosophe qui incarne la rationalité et l'autonomie individuelle. Les deux mouvements sont souvent confluents, mais ils n'ont pas besoin de l'être pour invoquer Descartes : même révérence de la part des trois « Jules », Favre, Ferry, Simon, à celui qui a forgé la règle de l'évidence, discrédité les préjugés et les superstitions religieuses, légué à la postérité le noble héritage de l'indépendance de la pensée.

Des trois, c'est Jules Simon qui est le plus explicite : sa *Politique radicale* de 1868 est placée sous l'invocation liminaire de Descartes. Le chemin parcouru par l'ancien élève de Cousin est grand : devenu l'un des maîtres à penser de l'opposition républicaine au régime du 2 Décembre, il incarne ce composé de philosophie et de politique qui fera l'une des originalités de la République à venir. « Radicale », sa politique l'est au sens du « radicalisme de la liberté » et de la raison. Simon ne croit qu'à la raison et à la preuve. Toute autre instance doit leur être subordonnée. Non qu'il refuse le verdict de la volonté générale. Il l'accepte, mais à condition de pouvoir contribuer à la formation de la loi et à sa réforme s'il la juge mauvaise. Et d'ajouter : « Il est étrange que cette doctrine ait été exprimée pour la première fois dans la philosophie moderne par Descartes en 1637 ; qu'elle n'ait passé dans la politique qu'en 1789, et qu'elle ne soit pas universellement pratiquée après soixante-dix-neuf ans de révolution [19]. » Comprenons : la puissance qui travaille *aujourd'hui* les sociétés et qui inspire l'appel à davantage de démocratie, de libertés, de justice, n'est autre que la raison cartésienne.

Jules Favre et Jules Ferry ne parlent pas autrement de celui qui, par avance, a « posé la règle sous le niveau de laquelle devaient passer toute erreur, toute superstition, tout abus » et qui a légué le noble héritage de l'indépendance de la pensée à ceux qui sont venus après lui [20]. Hautement significative, la façon dont Jules Ferry argumente le 23 décembre 1880 dans le cadre des lois sur l'enseignement qui sont, on le sait bien, le moment de vérité de la République naissante. L'Assemblée, dit-il ce jour-là, doit se tenir fermement à la ligne de la liberté de conscience, de l'indépendance du pouvoir civil à l'égard de l'autorité religieuse. Ferry : « Il y a cent ans, messieurs, on a sécularisé le pouvoir civil. Il y a deux cents ans, les plus grands esprits du monde, Descartes, Bacon, ont sécularisé le savoir humain et la philosophie. Nous aujourd'hui, nous venons suivre cette tradition ; nous ne faisons qu'obéir à la logique de ce grand mouvement, commencé il y a plusieurs centaines d'années, en vous demandant de séculariser l'école [21]. » On ne saurait évidemment surestimer l'importance du fait que Descartes soit désormais associé au processus de sécularisation : c'est un exemple supplémentaire de la capacité du cartésianisme de *confluer* avec les mouvements politiques ou culturels émergents dont nous avons vu les premiers exemples dès la seconde moitié du XVIIe siècle. Amorcée sous Juillet, timidement avec Cousin, explicitement avec Saisset, l'inscription de Descartes dans l'histoire de l'émancipation à l'égard du théologique prend une valeur immense au moment où elle peut appuyer la constitution d'une République dont la laïcité est le fer de lance.

•

Pour autant, il serait erroné de penser que, sous le second Empire, l'opposition de gauche est seule à s'approprier l'auteur du *Discours de la méthode* et à en faire le champion de la liberté politique à venir. En gros, c'est toute l'Union libérale – républicains modérés, orléanistes et même certains catholiques acquis à l'idée d'un régime parlementaire – qui se met volontiers sous l'étendard de Descartes lorsqu'il s'agit de donner à la revendication de liberté et de rationalité en politique la caution d'une tradition nationale. Nous retrouverons les catholiques libéraux ; voyons ici ce qu'il en est des orléanistes.

Les notables du régime de Juillet, faut-il le rappeler, ne se sont pas évanouis après le 2 Décembre ; ils ont quitté le pouvoir politique mais n'ont pas abandonné le pouvoir intellectuel. Outre qu'ils publient plusieurs de leurs livres majeurs, ils contrôlent le *Journal des débats* et *La Revue des Deux Mondes* ; du côté catholique, on l'a vu, ils règnent au *Correspondant*. De plus, ils « tiennent », eux et les catholiques libéraux, les Académies et d'abord l'Académie française où ils font élire Montalembert en 1852, Silvestre de Sacy en 1854, Victor de Broglie en 1855, Lacordaire en 1860, Albert de Broglie en 1862, Prévost-Paradol en 1865, d'Haussonville en 1869. Ils refont en somme, au XIXe siècle, ce que les encyclopédistes avaient réussi à la fin du règne de Louis XVI : ils investissent massivement ce lieu d'opposition feutrée mais si important que constitue, en France, la grande Académie.

Du côté de la philosophie, le cousinisme a perdu son crédit. Mais auprès de qui ? Auprès de ceux dont nous savons qu'ils sont l'avenir : Taine, Renan, Proudhon, Renouvier pour ne citer qu'eux. Mais le régiment de professeurs mis en place par Cousin sous la monarchie de Juillet n'a pas disparu non plus lorsque Fortoul a remplacé la classe de philosophie par une année de logique, d'ailleurs restaurée dès 1863 par Victor Duruy en même temps que l'agrégation. Ceux qui ont entre vingt et trente ans en 1848 – Simon, Saisset, Janet, Bersot, Carot, pour ne rien dire de Ravaisson – vont rester actifs et publier tout au long du second Empire. L'exemple de la chaire d'histoire de la philosophie de la Sorbonne est en lui-même très instructif : depuis Jouffroy qui y avait succédé à Royer-Collard, jusqu'à Paul Janet qui prend sa retraite en 1888, en passant par Damiron et Saisset, elle n'a en fait jamais échappé tout au long du siècle à des cousiniens stricts qui ne se font pas de Descartes une autre idée que celle de leur maître.

Mais on peut aussi regarder en dehors du monde des philosophes de métier. Considérons le cas de deux des représentants les plus notoires des orléanistes, Thiers et Prévost-Paradol.

Thiers n'avait pas attendu les événements de février 1848 pour invoquer Descartes quand il s'agissait de renchérir sur la liberté politique. Un mois avant la chute de la monarchie de Juillet, il avait défendu à l'Assemblée à propos des affaires italiennes une conception du droit des peuples qu'il avait enracinée dans une tradition française dont Descartes marque l'origine. Lorsqu'un gouvernement absolu fait place à un gouvernement libre, la France, disait-il le 31 janvier 1848, perd un ennemi et gagne un ami, sans autre complicité de sa part que d'« avoir produit autrefois Montesquieu, Voltaire, Pascal, Descartes, sublimes agitateurs de la pensée humaine ». « Oui, nous sommes ces grands criminels qui ont proclamé avec Descartes la liberté de penser, qui ont proclamé avec Bossuet l'indépendance de l'Église catholique, sans se séparer d'elle ; qui, avec Montesquieu et Voltaire ont, comme on l'a dit, restitué au genre humain ses droits. Nous sommes ces grands criminels, j'en conviens avec orgueil pour mon pays[22]. » Peu importe la part de tactique chez ce « politique d'aventure » – c'est Veuillot qui l'appelle ainsi[23] – qui se fait gloire d'appartenir à la nation des « grands criminels » restaurateurs des droits du genre humain. Ce qui compte, c'est que le nom de Descartes lui vienne spontanément avec ceux de Voltaire et de Montesquieu, pour cautionner le 14 juillet 1789, 1830 et le droit des peuples à disposer d'eux-mêmes. Il le redira le 11 janvier 1864 pour défendre les « libertés nécessaires à la France » dans un discours qui fera très forte impression[24].

Prévost-Paradol est plus net encore quand il rédige en 1868 le programme de *La France nouvelle*. Deux convictions fortes animent celui qui est à l'époque l'espoir des orléanistes : la Révolution de 1789 s'inscrit de plein droit dans la tradition française ; elle n'est intelligible que replacée dans l'histoire *intellectuelle* elle-même, c'est-à-dire dans l'histoire des combats menés au nom de la raison pour lui donner toute son indépendance. Descartes y joue un rôle éminent. D'abord comme savant : l'inventeur de la géométrie analytique et le physicien qui évacue Dieu ont toute l'estime de Prévost-Paradol. Mais la véritable gloire de Descartes, il la met ailleurs, dans la fondation de la liberté. D'où cette belle conclusion : « Tout homme qui se sert librement de sa pensée et qui, pour convaincre ses semblables, en appelle uniquement à l'évidence, est élève de

Descartes ; et elles relèvent de lui, en quelque sorte, les grandes Assemblées qui, à la fin du XVIIIe siècle, cherchaient, pour donner des lois aux nations, non pas ce qu'on avait fait, mais ce qu'on devait faire ; non pas ce que conseillaient la coutume et la tradition, mais ce qu'exigeaient la raison et la justice[25]. »

L'inscription de Descartes au fronton de la droite orléaniste est désormais une chose entendue et déjà presque une tradition. Sans multiplier inutilement les figures, on pourrait en suivre la trace jusqu'au XXe siècle, jusqu'aux écrits d'un Denys Cochin par exemple, auteur en 1913 d'un *Descartes* bien dans la ligne d'un Rémusat ou d'un Prévost-Paradol. Cochin, qui sera député de Paris en 1893, qui participera en 1902 à la fondation de la Ligue de l'enseignement avec les républicains progressistes, demeurera fidèle au comte de Paris tout en se démarquant résolument de la droite nationaliste de son époque. Au sortir de la Grande Guerre, après avoir été en 1914 président du Groupe des droites à l'Assemblée puis le premier représentant de la droite catholique à entrer dans un gouvernement républicain, il préférera quitter la vie politique plutôt que de siéger avec d'anciens boulangistes. C'est dire son extrême susceptibilité au chapitre des libertés. Dans ce livre publié juste avant la Première Guerre, il fait de Descartes un usage très intéressé en montrant combien le philosophe est « utile pour notre temps » marqué par le relativisme et le sociologisme. Non que Descartes, à en croire Denys Cochin, n'ait jamais connu la tentation relativiste ; mais il a su la vaincre sans recourir à ces idoles modernes que sont la Vie ou la Volonté – Nietzsche et Schopenhauer ont commencé, à cette date, leur carrière en France, comme on peut voir. Ce qui lui plaît en Descartes, c'est avant tout l'individualisme et le sens aigu des libertés, la conviction que la société est faite d'individus et qu'elle n'a aucune réalité ni dignité supérieures à eux.

Que Cochin parvienne à lire cela dans l'œuvre de Descartes relève évidemment de la prouesse. Mais nous sommes maintenant assez habitués à ces interprétations libres pour savoir qu'elles en disent plus long sur leur auteur que sur celui qu'elles commentent. Prenons donc comme un fait la référence insistante à Descartes de la part d'une droite soucieuse avant tout des libertés individuelles. À la fin du second Empire, on peut dire que la voie est définitivement tracée.

Chapitre XI

LES MONDES CATHOLIQUES

Dans son ensemble, l'Union libérale est favorable à Descartes en qui elle se plaît à saluer un père fondateur. Le monde catholique est au contraire partagé à son égard selon une ligne de fracture profonde et nette. Héritiers des orléanistes ou ralliés à eux sur la base d'une commune revendication des libertés, antibonapartistes en tout cas, les catholiques libéraux – plusieurs d'entre eux appartiennent d'ailleurs à l'Union libérale – regroupent ce qui reste du gallicanisme autour de Mgr Maret, doyen de la faculté de théologie de la Sorbonne, et du père Gratry, aumônier de l'École normale, ainsi que l'équipe du *Correspondant*, antibonapartiste elle aussi : Mgr Dupanloup, le père Chastel, Montalembert, Victor de Bonald. Oubliée la rivalité de naguère avec les doctrinaires, oubliés les affrontements des années 1840 autour de la question scolaire ; l'heure est au front commun contre ceux qui, pour marquer leur hostilité aux libéraux, ont décidé de se désigner comme les « catholiques tout court ».

Ceux-ci sont maintenant parfaitement en phase avec Rome, où Pie IX a commencé son long règne de pape des antimodernes ; ils sont aux commandes de la *Civiltà Cattolica*, l'organe des jésuites fondé en avril 1850 sous l'œil bienveillant du pape. À Paris, ils disposent du journal de Veuillot, *L'Univers*, et de la revue de Bonnetty, les *Annales de philosophie chrétienne*. L'assaut résolu qu'ils vont conduire contre le cartésianisme prolonge assurément un mouvement dont nous avions vu les commencements sous la Restauration et la monarchie de Juillet. Rien d'étonnant à cela, puisque c'est la même force politique qui est à l'œuvre. Mais sa puissance, son acharnement sont sans commune mesure avec les années antérieures. C'est que l'ampleur du péril et l'urgence qu'il y a à le combattre ont elles-mêmes crû soudain : la République et l'idée de souveraineté populaire ont cessé d'être des utopies, ce sont des réalités où paraît au grand jour le mal qui couvait depuis 1789, depuis Rousseau et Voltaire, Descartes et Luther. À quoi s'ajoute la montée en puissance du scientisme qui n'est, aux yeux des catholiques intransigeants, qu'un autre aspect du même mal : le triomphe de la raison individuelle, l'orgueil de l'homme sans Dieu. Tout est donc en place pour que Descartes soit de leur part l'objet d'une entreprise concertée de destruction : il symbolise assez la société moderne dont ces catholiques ne veulent rien, pour que ce soit sur sa tête que tombent tous leurs coups.

L'année 1851

1851 est une bonne date pour entrer dans l'histoire de l'affrontement, autour de Descartes, entre ceux de *L'Univers* et ceux du *Correspondant*. D'abord parce que c'est l'année où paraissent les *Prophètes du passé* de Barbey d'Aurevilly. La trajectoire de ce catholique ultra, qui va jouer un si grand rôle en bouleversant la vie de Léon Bloy, est intéressante. Car Barbey n'a pas commencé à droite, avec le catholicisme le plus autoritaire et le plus hostile au monde moderne. Par réaction à son aristocratie d'origine, par défi, il a d'abord soutenu la liberté selon 1789 et la « démocratie » de 1830, et affiché des sentiments antichrétiens. Mais la haine de la bourgeoisie louis-philipparde et de ses compromissions, le dégoût de la monarchie parlementaire, un sens aigu de l'anticonformisme le jettent à nouveau en sens contraire. En même temps qu'il découvre Joseph de Maistre et fréquente le salon légitimiste de la baronne du même nom, Barbey revient au catholicisme de ses origines. En 1847, il est le rédacteur en chef de *La Revue du monde catholique* dont le manifeste précise qu'elle est « une *œuvre de propagande religieuse* [...] fondée sur une base inébranlable, sur la FOI ». Lorsque les journées de Février emportent la monarchie bâtarde, il n'éprouve pas le moindre regret, tant il l'a détestée. Il va sans dire qu'il n'a pas la moindre sympathie pour la République. Mais il est enclin à voir le doigt de Dieu dans les événements qui surviennent en France.

En 1851, donc, il publie cet ouvrage dont le titre dispense de longs commentaires : *Les Prophètes du passé*. S'y déploie une doctrine antimoderne dont le moins qu'on puisse dire est qu'elle ne se dissimule pas sous des périphrases. Y règne à l'état pur la haine de la démocratie, du progrès, de la liberté de conscience, sous-tendue par l'idée que tout dégénère lorsque l'individu se met à la place de Dieu et prétend, par ses propres forces, trouver le vrai. Il vaut la peine de citer la fin de l'introduction : « Puisqu'en fin de compte, et quoi qu'on fasse, il n'y a jamais, sous ce ciel étoilé, et dans ce fourmillement inépuisable de sociétés, qu'un tête-à-tête éternel de l'homme et de Dieu, l'homme relèvera sa moralité, ou il mourra de son *Moi* dilaté, qui crèvera comme une vessie immonde ; mais Dieu sait seul à quels pieds sanguinolents de porcher il ordonnera de l'écraser, pour l'écraser mieux[1]. » On comprend que Léon Bloy, qui ne péchait pas par excessive indulgence, ait pu dire de Barbey qu'il est « le seul grand artiste qui ait honoré sa boutique depuis trente ans[2] ». Barbey pose dès le commencement qu'il n'y a que deux philosophies : celle qui part de Dieu pour arriver à l'homme et à la société, et celle qui prétend partir de l'homme et parvenir à Dieu. Bien entendu, seule la première est valide : « L'homme ne peut toucher à la Vérité, s'il n'a été touché par la Vérité. Pour faire le premier pas vers elle, il faut qu'elle soit déjà en lui ! »

C'est sans surprise qu'on découvre dans ces pages une attaque en règle contre Descartes et sa « métaphysique imbécilement humaine ». Tout débute avec Luther, qu'il aurait fallu brûler pour que le monde fût sauvé, et se poursuit avec la philosophie des « grands Innocents », ceux qui ont prêté la main au mal sans savoir ce qu'ils faisaient. « Descartes parut ; Descartes, l'inventeur de la philosophie du *Moi*, qui posa l'axiome d'une psychologie sans issue (*cogito, ergo sum*), et ne put jamais sortir de ce nœud qu'il avait roulé autour de son intelligence et qui l'étrangla, pour sa peine, quand il s'agit de la question de Dieu ! » Innocent, Descartes, car sa foi est certaine. Mais si coupable tout de même : car de lui sont issues « ces couvées monstrueuses d'erreurs, écloses aujourd'hui parmi les peuples » – le panthéisme, l'idéalisme, qui sont encore des péchés véniels, mais surtout le contractualisme de Rousseau et le socialisme. « Le socialisme donc, qu'il le sache ou qu'il l'ignore, serait le dernier mot du principe psychologique de Descartes et du principe protestant de Luther, comme la Révolution française a été un autre mot de ces deux principes arc-boutés. » On n'aura pas manqué de remarquer que le socialisme est placé dans l'héritage cartésien et défini comme le terme du monde moderne tant par Ferrari, qui en crédite Descartes, que par Barbey qui l'en accuse. Évaluation inverse mais diagnostic semblable que Barbey formule très bien lorsqu'il note qu'aujourd'hui, « malgré les grands mouvements de cerveau qu'on se donne, il n'y a encore que du cartésianisme en Europe[3] ». Voilà ce que pense, au milieu du siècle, le plus ardent et le plus doué des défenseurs du monde ancien, ce monde où une monarchie sans faiblesse, une papauté sans faille, une Église sans sensiblerie, régnaient sur une catholicité sans rivale. En identifiant ainsi comme cartésien en son fond le monde moderne, Barbey tout à la fois hérite du vaste travail qui s'est fait en France depuis deux siècles et y participe. Comme naguère Lamennais et Bautain, comme d'autres bientôt, il voit Descartes partout et contribue ainsi au mouvement qui, en France, l'installe partout.

La même année 1851, est aussi lancée, par un article du père Chastel dans *Le Correspondant*, une polémique autour de Descartes qui ne tardera pas à sortir des frontières françaises. Chastel avait vigoureusement pris la défense, d'un point de vue catholique, du philosophe français dont il célébrait le doute, mis au compte de la prudence, et l'instauration de l'autonomie rationnelle. Bonetty ne se fait pas prier pour lui répondre dans les *Annales de philosophie chrétienne* par une série d'articles où il rappelle notamment que Descartes n'a été qu'un visionnaire inspiré par le diable. Enfin, 1851 est l'année où le père Ventura de Raulica, supérieur de la congrégation des Théatins, s'installe à Paris. La faveur dont il jouit de la part de Napoléon III, le grand succès remporté par ses conférences parisiennes, donnent à sa parole une audience considérable. En 1851, il publie les quatre volumes de *La Raison philosophique et la raison catholique* où il met en place la distinction qui fait l'ossature de toute sa doctrine, entre philosophie *inquisitive* et philosophie *démonstrative*, la première impie, la seconde amie de la religion. Où et quand celle-ci a-t-elle brillé de tous ses feux ? Au Moyen Âge, à Paris, et particulièrement avec saint Thomas qui est parvenu à la plus complète synthèse qui soit donnée à la raison humaine. Tout ce qui se trouve de solide dans la philosophie du XVIIe siècle a été emprunté en fraude à saint Thomas et mis en langue vulgaire. Pour le reste, ce n'est qu'arrogance, doutes et incertitudes[4].

En avril 1852, c'est au tour de Victor de Bonald d'intervenir. Le fils du grand publiciste de la Restauration a de bonnes raisons pour cela : son père a été accusé par Ventura de Raulica de n'avoir rien compris à la grandeur de la scolastique et d'avoir soutenu Descartes. Aussi s'emploie-t-il partout à justifier l'auteur de *La Législation primitive* et à défendre Descartes, devenu le bouc émissaire de tous les catholiques intransigeants[5]. Du Lac, le bras droit de Veuillot à *L'Univers*, lui réplique les 6 et 13 mai ; Ventura publie à la hâte en 1852 *De la vraie et de la fausse philosophie en réponse à une lettre de M. le vicomte Victor de Bonald.* Ensuite c'est Broglie dans *La Revue des Deux Mondes*, puis Rémusat, qui montent à l'assaut du traditionalisme catholique pour défendre le monde symbolisé par le rationalisme cartésien. Et en avril et en juin 1853, Charles Lenormant intervient ès qualités, en tant que rédacteur en chef du *Correspondant*, et rédige à l'intention des traditionalistes un article au cartésianisme patriotique et offensif qui est une déclaration de guerre[6]. Tant et si bien que la très officielle *Civiltà Cattolica* s'en émeut. Le père Taparelli d'Azeglio, rédacteur du journal et promoteur du renouveau scolastique depuis le début des années 1830, qui a suivi de Rome la polémique autour du cartésianisme et de la définition de la saine philosophie, publie en 1853 un article sur la certitude philosophique où, à son tour, il s'en prend à Descartes en qui il voit soit un hypocrite, soit un faible d'esprit incapable de tirer les justes conséquences de ses principes[7].

Mais l'affrontement entre intransigeants et libéraux ne se limite pas à ces revues savantes. Sous le second Empire, les ténors des deux partis se livrent une guerre publique autour du philosophe français. Parmi les premiers, Veuillot, dom Guéranger, Mgr Pie, Mgr Landriot dénoncent sans se fatiguer le « cachet d'étroitesse et de vulgarité » que la doctrine de la raison individuelle a mis partout dans la société moderne[8]. En 1857, dom Guéranger lance dans la bataille son autorité et sa renommée. Dans un article véhément de *L'Univers*, le réformateur de la liturgie s'en prend au « fétichisme » dont certains catholiques entourent le père de la philosophie des XVIIe et XVIIIe siècles. « Descartes est devenu un Père de l'Église, et malheur à quiconque passe devant lui sans se découvrir et sans faire au moins une génuflexion. » Un chrétien a-t-il vraiment « le droit de bénir une philosophie dont le résultat a été de consommer, dans un si grand nombre d'esprits, le divorce le plus lamentable entre l'élément naturel et le principe surnaturel » ? Assurément non ; il se doit d'être anticartésien[9]. Mgr Pie n'a pas attendu dom Guéranger pour penser la même chose ; amalgamant Abélard, Luther, Descartes, la Révolution française, Cousin et le « philosophisme moderne », il s'écrie : « Le Christ de ces philosophes n'est pas le Seigneur Jésus-Christ que j'adore. C'est un Christ psychologique, conçu de l'esprit de l'homme, né de son intelligence[10]. » Tous pensent comme l'abbé Roux-Lavergne que les cartésiens ont été « les théoriciens de l'esprit antireligieux et antisocial qui menace aujourd'hui l'Europe d'une dissolution suprême[11] ».

Chez les libéraux, Mgr Dupanloup, le père Gratry, Mgr Maret, Lacordaire, Falloux tiennent le discours exactement inverse. Pour eux, Descartes est un philosophe chrétien, l'un des plus grands ; son doute est un épisode de la lutte éternelle de l'esprit de vérité contre les ténèbres, et ils savent des hommes et des femmes que la lecture de ses œuvres a ramenés à la foi[12]. De tous, le cas de Maret est le plus significatif quant aux reconversions en cours. On se souvient que c'est lui qui avait été, dans les années 1840, le fer de lance de l'accusation de panthéisme adressée à Cousin. Il n'en était pas devenu anticartésien pour autant, mais la voie de son cartésianisme était étroite. Sous le second Empire, sa position est très différente : il se retrouve dans le même camp que l'ex-maître de l'éclectisme – lequel, en 1853, a publié *Du Vrai, du Beau et du Bien* où les libéraux ont pu trouver enfin le catholicisme de bon aloi qu'ils cherchaient depuis 1828 – et se porte en défenseur du XVIIe siècle français et de Descartes qui a éliminé une « scolastique abusive » et une « métaphysique dégénérée ». Pendant un temps infidèle à son grand homme, la France est revenue maintenant, grâce à Cousin, à des doctrines conformes à la force de son génie philosophique ; et il faut se réjouir que la méthode cartésienne ait été adoptée dans les écoles de l'Église, dans les ouvrages élémentaires, et qu'elle préside à l'éducation de la jeunesse chrétienne[13]. Que s'est-il donc passé pour que Maret tienne désormais ce langage ? Tout simplement le fait que le péril irrationaliste est maintenant beaucoup plus grand que le péril rationaliste. Descartes est beaucoup moins ruineux pour la religion catholique que Mgr Pie ou dom Guéranger. Nul ne l'a dit avec autant de netteté que le père Gratry : « Les attaques contre la raison sont plus dangereuses même que les attaques contre la foi, parce qu'elles ruinent en même temps l'une et l'autre, c'est-à-dire l'édifice sacré et le sol qui le porte[14]. »

La résurrection du thomisme

C'est précisément pour ne ruiner ni l'une ni l'autre, ni la foi ni la raison, que Rome va réinventer le thomisme et en faire la philosophie officielle de l'Église catholique. Le 4 août 1879, Léon XIII promulguera l'encyclique *Aeterni Patris* qui prône fortement le retour à saint Thomas dans l'enseignement ecclésiastique. Le 15 octobre suivant, il fondera à Rome une académie Saint-Thomas dont il confiera la présidence à son frère. Puis, le 4 août 1880, saint Thomas sera proclamé « patron de toutes les écoles catholiques », et des lettres seront envoyées aux jésuites et aux dominicains prescrivant l'enseignement du thomisme dans leurs maisons d'études [15]. Léon XIII réitérera en septembre 1899 ses prescriptions dans une lettre encyclique adressée au clergé de France. Et en 1921, Benoît XV rappellera dans *Fausto appetente die* que « l'Église a proclamé que la doctrine de saint Thomas d'Aquin est la sienne propre [16] ».

L'imposition du thomisme en philosophie officielle du catholicisme est la face positive d'un processus qu'accompagne, négativement, un anticartésianisme confondu, dès la fin du siècle, avec un antikantisme non moins massif. *Aeterni Patris* englobe dans une même critique ceux qui discréditent la raison en général et ceux qui, « sous l'impulsion des novateurs du XVIe siècle », se sont pris à philosopher « sans aucun égard pour la foi » et selon leur caprice. Sans la foi, la raison est aveugle, c'est certain ; il faut donc unir « l'étude de la philosophie avec la soumission à la foi chrétienne ». C'est ce qu'ont fait les scolastiques et le plus éminent d'entre eux, saint Thomas. « Ç'a été une témérité de n'avoir continué, ni en tous temps, ni en tous lieux, à lui rendre l'hommage qu'il mérite [17]. » Descartes n'est pas nommé ici, mais il est sous-entendu. Car en France, mais aussi à Rome, le renouveau scolastique est depuis le début inséparable de l'anticartésianisme comme du traditionalisme. Si Lamennais, Gerbet, Bonnetty, Bautain ont manifesté à l'égard de la scolastique presque autant d'antipathie qu'au cartésianisme, il reste que c'est sur le terrain de la pensée ultra que le thomisme va être ressuscité. Buzzetti, qui y travaille dès les années 1810, correspond avec Lamennais ; Ventura a mis la main à la traduction italienne de l'*Essai sur l'indifférence* de Lamennais et traduit lui-même Bonald et Maistre ; le jésuite Taparelli d'Azeglio, pionnier lui aussi du renouveau thomiste, a commencé avec le mennaisisme et finira en soutien de Veuillot, après avoir, à la rédaction de la *Civiltà Cattolica*, défendu la philosophie orthodoxe de saint Thomas et critiqué la philosophie hérétique de Descartes. Il faut enfin rappeler le rôle décisif joué par la Compagnie de Jésus pour appuyer une doctrine qui leur permet de conjuguer ultramontanisme politique et ultramontanisme philosophique ; c'est elle qui est à la tête de la *Civiltà Cattolica*.

Les étapes du renouveau thomiste sont donc autant de jalons anticartésiens. En 1851, le père Ventura publie un monumental ouvrage qui attaque Descartes et les cartésiens – au nombre desquels il faut compter les jansénistes, les rationalistes, les idéalistes, les panthéistes et les incrédules – en même temps qu'il promeut l'idée qu'il n'y a qu'une « philosophie chrétienne », la scolastique. Le 18 août 1852, la *Civiltà* décrète qu'elle se consacrera désormais à « la restauration de la philosophie orthodoxe » ; en 1853, Taparelli publie une série d'articles intitulée « Di Due Filosofie », où il critique le cartésianisme au motif qu'il s'agit d'une « philosophie inquisitive » et non « démonstrative » comme celle de Thomas. Son *Saggio teoretico di dritto naturale*, traduit en français en 1857, amalgame cartésianisme, protestantisme et individualisme, et fait de la « philosophie subjective » de Descartes la principale responsable du divorce entre moralité et légalité qui est au cœur des sociétés modernes. Du subjectivisme cartésien à l'« égoïsme abject » de Fichte, il n'y a que la distance d'un principe à ses conséquences[18]. Puis, à son tour, le père Liberatore intervient contre le cartésianisme et pour la scolastique dans la *Civiltà* ; ses articles seront réunis dans *Della conoscenza intelletuale* (1857) et *Del composito umano* (1862), traduits en français respectivement en 1863 et en 1865.

C'est exactement dans ce contexte que s'inscrivent la préparation puis la promulgation par Pie IX de l'encyclique *Quanta Cura* et du *Syllabus* (1864) ou catalogue des erreurs modernes. Parmi celles-ci figure en bonne place l'idée que la méthode et les principes de la scolastique seraient mauvais, et que la raison humaine, sans aucune relation à Dieu, pourrait être l'arbitre du vrai et du faux[19]. On n'est pas surpris de savoir que le *Syllabus* est préparé en France dans des projets qui ont dom Guéranger et Mgr Gerbet pour auteurs : nous les avons rencontrés tous deux du côté des anticartésiens les plus acharnés[20]. On ne sera pas davantage surpris de voir le *Syllabus* commenté par le député catholique Émile Keller – il fondera en

1877 le Comité catholique de défense religieuse et, lors du ralliement, décidera de quitter la vie publique plutôt que de désobéir au pape ou de renier ses convictions – dans des termes à la fois laudateurs à l'égard de Pie IX et ultracritiques à l'égard de l'individualisme protestant et cartésien. Fait significatif ; Keller voit dans le doute cartésien la première grande déclaration d'autonomie non seulement de la raison, cela est entendu, mais de l'État. Vus de *Quanta Cura* par Keller, les cartésiens et leurs sectateurs les gallicans (Bossuet avec eux, comme il se doit) n'ont eu de cesse de donner à l'État davantage de pouvoir au détriment de l'Église, de restreindre sa liberté et celle du pape au profit du pouvoir civil, jusqu'à obtenir l'expulsion des jésuites et bientôt la Révolution. « Voilà le résultat auquel Bossuet et Descartes avaient travaillé sans le savoir, et auquel venaient aboutir toutes les tendances schismatiques et hérétiques, gallicanes et philosophiques, autocratiques et rationalistes, cultivées avec tant de soin par nos plus grands rois et par nos plus fameux génies. » C'est toute une histoire de l'anti-ultramontanisme que déroule ainsi Keller et qu'il place à la fois sous la responsabilité de Descartes et sous l'éclairage de l'encyclique. *Quanta Cura* a montré la vraie postérité de Luther et de Descartes : non seulement les principes de 89 – « contraires à la foi catholique » –, mais encore le libéralisme du XIXe siècle jusqu'à la politique la plus récente de Napoléon III à l'égard de Rome[21].

Il faudra attendre le début des années 1870 pour que le néothomisme français trouve son homme et l'anticartésianisme d'inspiration scolastique son incarnation : Mgr d'Hulst. C'est lui qui va donner au mouvement son impulsion décisive et ériger la philosophie de saint Thomas en seule et authentique « philosophie chrétienne ». Contrairement à beaucoup d'autres néoscolastiques, Hulst n'a pas commencé du côté du traditionalisme. Formé à Saint-Sulpice au début des années 1860, il a appris la philosophie dans le manuel de Louis Branchereau. Or les *Praelectiones philosophicae* de Branchereau doivent beaucoup au cartésianisme, sinon celui de Descartes, en tout cas celui de Malebranche. Mais justement, la philosophie que défend Branchereau est condamnée en 1861 et celui-ci doit soumettre l'année suivante quinze propositions à l'appréciation du Saint-Siège. En 1864, Maurice d'Hulst est à Rome. C'est là qu'il prend connaissance de *Quanta Cura* dont le contenu le déstabilise quelque peu. Lui qui, en 1862, écrivait : « L'avenir est à la liberté de conscience », confie en 1865 à sa mère :

« Il ne faut plus voir dans certaines libertés modernes qu'une concession nécessaire à un état regrettable de société au lieu d'y chercher un type qui réponde à nos rêves d'indépendance[22]. »

La suite de sa carrière manifestera éloquemment qu'il a accepté la leçon délivrée par Pie IX et remisé ses rêves d'indépendance. En 1866, il est fait vicaire de Saint-Ambroise ; en 1872, il est appelé auprès de l'archevêque de Paris comme secrétaire littéraire et participe au lancement d'une École libre des hautes études, première version de l'Université catholique de Paris, elle-même ancêtre de l'Institut catholique. C'est là que, dès 1873, il enseigne une philosophie chrétienne identifiée résolument à celle de saint Thomas. L'article qu'il publie dans *Le Correspondant* du 10 décembre de la même année met en place une conception de l'histoire de la philosophie et une définition de la « philosophie chrétienne » qui ne bougeront plus jusqu'à sa mort. Comment fixer la doctrine de l'Église, à quelle philosophie l'attacher ? telle est la question que pose et résout l'article. Faut-il s'arrêter à la philosophie d'Aristote, à celle des Pères, à la grande tradition du XVIIe siècle, aux « maîtres éminents » du XIXe qui ont cru pouvoir fonder sur la base étroite du bon sens écossais « le brillant édifice de leurs démonstrations chrétiennes » ? Aux uns et aux autres, d'Hulst fait le crédit d'avoir, en tant que chrétiens, été philosophes. « Mais il n'y a qu'une seule philosophie chrétienne : c'est celle que le plus grand génie de l'Antiquité avait faite et que le travail accumulé de huit siècles chrétiens a parfaite. » Saint Thomas et non pas Descartes, en dépit du « profond sentiment de respect » que lui témoigne Mgr d'Hulst : « Descartes fut un grand chrétien et un philosophe ; il ne fut pas un philosophe chrétien[23]. »

L'importance historique de cette canonisation d'Aristote et de saint Thomas en uniques représentants de l'authentique « philosophie chrétienne », avec la destitution définitive de Descartes qu'elle rend enfin possible car elle seule permet de le remplacer dans l'enseignement ecclésiastique, n'a pas échappé aux témoins de ce coup de force. L'événement va donner naissance à une polémique d'envergure sur la notion, et la possibilité même, d'une « philosophie chrétienne », qui fera sentir ses effets jusqu'au-delà de la crise moderniste.

On connaît au moins les réactions de deux ecclésiastiques ; elles indiquent dans quel sens la polémique va se développer. L'un est peu célèbre, il occupe les fonctions de curé de Notre-Dame-des-

Champs, c'est l'abbé Cognat ; l'autre est un personnage en vue, c'est l'évêque d'Orléans, Mgr Dupanloup. L'un comme l'autre se montrent stupéfaits d'entendre dire qu'il y a une philosophie chrétienne, qu'il n'y en a qu'une et que c'est celle d'Aristote rajeunie par saint Thomas. À tout prendre, n'eût-il pas mieux valu choisir Platon avec saint Augustin et saint Bonaventure qu'Aristote avec son sensualisme ? « Il y a des philosophes chrétiens ; mais [...] il n'y a pas de philosophie chrétienne. Il y a la vraie et la fausse philosophie. La première est celle qui est conforme dans ses principes et ses procédés à la droite raison ; la seconde est celle qui y est contraire. » S'agissant de Descartes, la seule question est de savoir si sa philosophie est vraie ou fausse ; mais si vous reconnaissez, dit l'abbé Cognat à d'Hulst, « qu'il avait la foi chrétienne, vous n'avez pas le droit de lui refuser la qualification de philosophe chrétien ».

Là est en effet le fond de l'affaire. Le label de « philosophe chrétien » doit-il dépendre de la conviction chrétienne de son auteur ou être attaché à une définition préalable et, en somme, à un canon ? Derrière le néothomisme de d'Hulst, l'abbé Cognat et Mgr Dupanloup voient bien que c'est de l'ultramontanisme en philosophie et en politique qu'il s'agit finalement. L'évêque d'Orléans le dit avec plus d'onction que le curé de Notre-Dame-des-Champs : « Je crains que vous n'ayez cédé, peut-être à votre insu, aux tendances exclusives d'une école qui prétend emprisonner la philosophie et la religion elle-même dans les étroites limites de ses opinions et de son choix. » L'abbé Cognat est plus incisif : « Depuis trente ans, j'assiste [...] aux efforts tentés par une école catholique pour ramener la société contemporaine en arrière de six siècles [...]. En philosophie, proscription du platonisme, du cartésianisme, et substitution [...] du fidéisme et du traditionalisme d'abord, et aujourd'hui de l'aristotélisme. En politique, régime du trône et de l'autel [...]. En théologie, toutes les écoles ramenées à une seule, celle de Rome, toutes les coutumes locales, toutes les liturgies particulières supprimées. » Verdict final : « Il manque une chose à ce calque du Moyen Âge, c'est l'âme[24]. » Après tout, l'abbé Cognat n'est pas si mauvais observateur lorsqu'il lie en un seul faisceau la réforme liturgique de dom Guéranger, la politique de l'Empire à l'égard du catholicisme intransigeant, les manœuvres de Rome et des ultras et la réforme néothomiste. Il s'agit bien en effet d'un seul et même contexte, celui du catholicisme dans sa version autoritaire et antimoderne qui, dans la foulée de *Quanta Cura*, a produit le concile de Vatican en 1869 et promulgué le dogme de l'infaillibilité pontificale en 1870.

Le meilleur indice des sentiments anticartésiens qui président, depuis Rome, à ce renouveau thomiste, on le tire du récit des démêlés subis par Mgr d'Hulst lui-même en 1881. Dans une conférence de 1880, le professeur était revenu sur la question de la scolastique médiévale, tombée au XVIIe siècle sous les coups de Descartes. Il n'avait pas été exagérément tendre à l'égard du philosophe français, comparé à « ces vandales policés du XVIIIe siècle qui eussent volontiers démoli Notre-Dame de Paris pour rebâtir Saint-Sulpice ». Mais en historien de la philosophie, il s'était néanmoins interrogé sur la raison de l'effondrement scolastique ; pour avoir succombé à ses critiques, encore fallait-il qu'elle fût fragile. Elle l'était du fait de la précarité des sciences exactes sur lesquelles elle s'appuyait ; du coup, elle remplaçait les connaissances par des constructions *a priori* et l'expérimentation par l'hypothèse. En ce sens, le geste de Descartes se comprend, ajoutait Mgr d'Hulst, même s'il n'est pas entièrement excusable[25].

C'était manifester trop d'indulgence à l'égard du fossoyeur de la scolastique. Dénoncé par un collègue, accusé d'avoir dit que « le cartésianisme est la seule vraie philosophie », Mgr d'Hulst doit se justifier longuement auprès du cardinal Zigliara, puis devant Léon XIII en avril 1881. « J'avoue, écrit-il au cardinal, qu'il me paraît bien singulier que j'aie mis dans un écrit tout le contraire de ma pensée philosophique, laquelle est depuis plus de quinze ans tout à fait détachée du cartésianisme et complètement acquise à la doctrine de saint Thomas. » Le voici donc qui entreprend, point par point, de se disculper de toute mauvaise pensée cartésienne dans une note qui constitue un remarquable document d'histoire intellectuelle : « Quand je parle de ces vastes synthèses de Descartes [...], je n'entends pas approuver... » ; « Si je dis qu'il faut toujours en revenir à Descartes [...], c'est à cause de l'influence immense qu'il a exercée... »

On connaît par le biographe de Mgr d'Hulst la teneur de son entrevue avec le Saint-Père : Léon XIII « le somma d'abjurer tout reste de cartésianisme et, joignant le geste à la parole, frappant du poing sur la table, il lui déclara qu'il voulait être obéi à la lettre ». Et le biographe d'ajouter : « Mgr d'Hulst se le tint pour dit et ne ménagea plus Descartes, fût-ce en paroles[26]. » De fait, le coupable se rachètera en faisant désormais preuve d'un anticartésianisme impeccable. Ses articles ne manqueront pas de dénoncer comme il convient l'œuvre du « grand destructeur », qui a rouvert la voie à des erreurs « dont seize siècles de christianisme nous avaient délivrés », par la faute de qui le matérialisme a longtemps triomphé, qui a préparé l'« anarchie doctrinale » contemporaine, et qui, par une « étrange candeur », a pensé que son entreprise de destruction ne serait pas imitée. « Oh ! Descartes, frémis dans ta tombe », conclura celui qui est depuis 1881 recteur de l'Institut catholique de Paris.

L'hérésie moderniste

Que le renouveau thomiste soit strictement synonyme d'anticartésianisme, on en a la confirmation en lisant un texte de jeunesse de l'un de ceux par qui le scandale « moderniste » va bientôt passer : le père Laberthonnière. Père, il ne l'est pas encore en 1884 à l'époque où il rédige ce texte que ses éditeurs ont intitulé « L'esprit cartésien et l'esprit scolastique ». Il a vingt-quatre ans, des études solides de philosophie et de théologie derrière lui. Que note-t-il dans cet écrit qui n'était sans doute pas destiné à être publié ? « Les livres modernes de philosophie scolastique, que je ne sais quelle mode remet en honneur dans un certain milieu, ne manquent jamais de débuter par une sorte d'anathème prononcé contre ce pauvre Descartes, auquel on impute généreusement et impartialement toutes les tendances mauvaises de la pensée à notre époque. » Non que Laberthonnière aime particulièrement Descartes : outre que plusieurs points de sa doctrine lui paraissent contestables, c'est l'homme qui lui déplaît, sa froideur, son manque de cœur, son intelligence mécanique, son absence d'inquiétude. Cela dit, on peut être cartésien en combattant Descartes : il suffit de ne pas reconnaître l'autorité en philosophie et de faire usage librement de sa raison. Être thomiste, c'est suivre en tout saint Thomas ; être cartésien, c'est simplement faire de la philosophie. « Nous sommes en face de la philosophie et du traditionalisme, note-t-il. Il n'y a pas de milieu : il faut opter pour l'un ou pour l'autre[27]. » Le choix de Laberthonnière est fait : il sera philosophe. En 1886, il entre à l'Oratoire et devient professeur de philosophie au collège de Juilly.

Lorsque Maurice Blondel publie en novembre 1893 sa thèse sur *L'Action*, où il met en place une authentique philosophie chrétienne mais non thomiste, Laberthonnière a le sentiment d'avoir trouvé un frère, et le lui dit. Car Blondel, comme lui, est de ceux qui n'imaginent pas que l'on puisse « penser littéralement aujourd'hui comme il y a cinq cents ans » : il l'écrit en 1896 dans sa fameuse « Lettre sur les exigences de la pensée contemporaine en matière d'apologétique et sur la méthode de la philosophie dans l'étude du problème religieux », qui paraît en six livraisons dans les *Annales de philosophie chrétienne*. Il ne s'agit pas non plus pour Blondel de revenir à ce qui s'est appelé au XIXe siècle « spiritualisme chrétien » : « Cette doctrine, qui mérite le sort des tièdes, gardera dans l'histoire son nom de spiritualisme. » Ce qu'il faut faire maintenant, c'est élaborer enfin une philosophie chrétienne qui ne soit pas, comme la scolastique, une accommodation de la pensée antique mais une véritable philosophie. C'est là que Blondel s'accorde avec Laberthonnière. Car il n'y a pas mille façons d'être philosophe ; l'exercice libre d'une raison autonome est nécessaire et suffisant : c'est le sens de cette méthode d'« immanence » à laquelle Blondel a attaché son nom[28].

Blondel ne peut pas ne pas rencontrer alors le problème du christianisme de Descartes. L'opportunité de consigner par écrit son opinion à ce sujet est offerte par le numéro spécial que la *Revue de métaphysique et de morale* publie en 1896 à l'occasion du tricentenaire de la naissance de Descartes ; nous reviendrons sur cette publication. L'article que Blondel donne à cette livraison spéciale de la toute jeune revue constitue une critique à la fois informée et philosophiquement convaincante de la thèse qui a cours depuis quatre-vingts ans dans les milieux traditionalistes, selon laquelle Descartes aurait inauguré la « philosophie séparée » de la religion ; le verdict de Blondel est au contraire que l'on peut parler « au sens fort et singulier de cette locution, du "christianisme de Descartes" ». Cela n'empêche nullement le cartésianisme d'être aussi autre chose et notamment un positivisme ; mais cela modifie complètement l'idée que l'on doit avoir du rôle du christianisme dans cette philosophie : car c'est lui qui compense le développement illimité du positivisme scientifique et en constitue le contrepoids. La conclusion de l'article est pour dire le caractère « sincère, original, complexe et inconsistant » de ce christianisme[29].

La suite des événements est bien connue : en 1906, deux ouvrages de Laberthonnière sont mis à l'Index et la vente de *L'Action* est interdite ; le 8 septembre 1907 tombe l'encyclique *Pascendi* qui définit et condamne le « modernisme » et rappelle que le thomisme en est le meilleur antidote ; puis en 1913, tandis que Blondel subit de la part du père de Tonquédec, thomiste, la plus violente des attaques, la nouvelle série des *Annales de philosophie chrétienne*, dirigée depuis 1905 par lui-même et par Laberthonnière, est elle aussi mise à l'Index ; enfin, le 30 juin de la même année, l'oratorien est définitivement interdit de toute publication. Le thomisme demeurera cette philosophie chrétienne officielle à laquelle Mgr d'Hulst s'était dévoué jusqu'à sa mort, le 6 novembre 1896. Le modernisme est vaincu – du moins le pense-t-on – et avec lui le cartésianisme qui en a été le lointain inspirateur. Victoire du traditionalisme catholique, moins d'un siècle après l'ouvrage inaugural de Lamennais, mais par des voies que celui-ci n'aurait ni aimées ni sans doute imaginées, lui qui tenait la scolastique pour un mal à peu près équivalent au cartésianisme.

Chapitre XII

DES RATIONALISTES ANTICARTÉSIENS

La résurrection du thomisme et la crise moderniste nous ont conduit bien au-delà des bornes temporelles du second Empire avec lequel, cependant, nous n'avons pas fini encore. Il serait erroné de croire en effet que les choses se ramènent au clivage simple que nous avons repéré, que tout l'anticartésianisme se loge du côté de l'antirationalisme et que tout le rationalisme est cartésien. L'une des nouveautés des années 1850-1880 est au contraire de produire des configurations intellectuelles et politiques nouvelles, qui viennent brouiller quelque peu cette dichotomie attendue et redessiner la carte des amis et des ennemis du philosophe français. Tout le rationalisme solidaire du cartésianisme ? La naissance, sous le second Empire, d'une droite qui fait confiance à la raison mais n'aime pas Descartes, montre que les choses sont moins simples.

La droite : Sainte-Beuve, Renan et Taine...

Les hommes qui la composent ont l'habitude de se retrouver chez la princesse Mathilde ou le prince Jérôme. C'est dire que, sans figurer nécessairement dans les rangs de l'opposition, ils peuvent parfois être en délicatesse avec le régime du 2 Décembre. Ils sont en tout cas anticléricaux, antirépublicains, acceptent du bout des lèvres la Révolution de 1789 mais sont surtout sensibles à la nécessité d'en tempérer les effets, éventuellement par un régime d'autorité. Sainte-Beuve, Renan et Taine sont parmi les figures les plus marquantes de cette constellation qui rassemble aussi Flaubert, les Goncourt, Théophile Gautier et beaucoup d'autres.

Sainte-Beuve achève là une carrière déjà longue et au parcours heurté puisqu'elle l'a mené successivement au *Globe*, dans la mouvance de Lamennais, dans celle des saint-simoniens, avant de se glisser dans la peau d'un bourgeois modérément libéral sous Juillet. Modérément seulement, car lorsque survient l'Empire, il en approuve le caractère autoritaire et, loin de se désoler par exemple de la fermeture de la classe de philosophie, s'en réjouit au motif que cette révision à la baisse du rôle de la philosophie s'accompagnera d'une montée en puissance des sciences. Car son ambition en littérature, c'est bien connu, est de constituer une « histoire naturelle des esprits » ou « science littéraire », comme il y a une histoire naturelle des espèces et des races.

Son intervention dans le champ cartésien enjambe la monarchie de Juillet et le second Empire puisque la publication de son *Port-Royal* s'étend de 1840 à 1859, et même à 1860 et 1867 si l'on intègre les ajouts des deuxième et troisième éditions. Sainte-Beuve salue comme il convient le geste révolutionnaire de Descartes « purgeant » la philosophie par le *Discours de la méthode*. Mais cette présentation classique du cartésianisme n'en exclut pas une autre, moins favorable. Une note ajoutée dans l'édition de 1860 montre un Sainte-Beuve plus sensible au revers de la médaille cartésienne qu'à son endroit : « Descartes a tué la philosophie de l'*école*, mais il a rétabli la philosophie du *cabinet*, non celle de la *vie*, quoique Descartes eût beaucoup couru le monde et connu la vie. L'homme qu'il décrit est l'homme du cabinet, celui qu'on trouve et qu'on forme en réfléchissant durant tout un hiver *enfermé dans un poêle* et qu'aussi les modernes néocartésiens ont cru retrouver plus ou moins du fond de leur fauteuil psychologique[1]. » Du philosophe de *cabinet* de Sainte-Beuve au philosophe de *salon* du futur Taine, il n'y a évidemment qu'un tout petit pas.

L'auteur des *Lundis* et des *Portraits* revient souvent sur Descartes qu'il associe volontiers à la Révolution. Il y a selon Sainte-Beuve trois familles d'esprits : l'homme de 89, le jacobin et le girondin. Descartes appartient à la première : il a l'esprit d'innovation mais pas la volonté de tout mettre à bas, de l'audace mais aussi de la circonspection[2]. « Il y avait en Sieyès du Descartes », dit-il dans une de ses chroniques. Est-ce un éloge ? Oui, au regard de la destruction des privilèges et de l'égalité des droits : cette conquête est définitive, elle traverse l'histoire et gouverne les sociétés modernes « comme une condition désormais inhérente de tout ce qui veut durer ». Mais la victoire a un coût : c'est la conviction que la loi des sociétés à venir sera celle de la raison, c'est la condamnation sans appel du passé et des traditions, c'est enfin l'idée que le bonheur des hommes tient à la promulgation d'une Constitution, ambitions démesurées que la nature des choses s'est empressée de déjouer[3]. L'admiration que Sainte-Beuve voue au rationalisme de la table rase est donc bien limitée : après le 4 août, l'exercice sain de la raison cède devant les abstractions sans vie et les constructions *a priori* qu'il a en horreur comme tous ceux de son bord politique. Il l'a dit en 1862 dans un article sur Benjamin Constant : « La politique n'est pas une géométrie qui s'applique, c'est une médecine ou une hygiène qui se pratique. »

C'est exactement le sentiment de Renan et de Taine. Renan, je l'ai dit, n'est pas de ces cartésiens immodérés. Dès 1848, qui est pourtant son moment le plus républicain, il a marqué ses distances à l'égard de « la vieille école cartésienne [qui] prenait l'homme d'une façon abstraite, générale, uniforme[4] ». On relèverait sans peine dans son œuvre quantité de passages où la raison française, c'est-à-dire cartésienne, est ainsi prise dans son acception d'étroitesse et de rigidité. « La marque essentielle de l'esprit français, écrit Renan, c'est de n'être bien compris qu'en France[5]. » Esprit français, esprit cartésien, esprit scolaire, pour lui c'est tout un. Sans oublier la dimension politique de cet esprit d'abstraction et de logique, qui pousse nos compatriotes à vouloir incarner leurs spéculations : « C'est là sans doute un des traits de l'esprit français, précise-t-il, mais j'hésite beaucoup, pour ma part, à y voir une qualité. » Car la Révolution en est l'une des manifestations, avec son mépris des droits personnels, sa conception matérialiste de la propriété, sa propension à flatter les médiocres et à encourager les faibles. La grande tension qui traverse l'époque, entre égalité et liberté, Renan souhaite sans ambages qu'on la résolve au profit de la seconde. « Si 89 est un obstacle pour cela, écrit-il en 1859, renonçons à 89[6]. »

Après la défaite de 1871, il y renonce d'autant plus volontiers qu'il tient la Révolution pour le mal principal que la France expie sous les espèces de la défaite. Toute la Révolution ? Non pas : il n'est pas devenu entre-temps contre-révolutionnaire. Où est donc le principe du mal ? La réponse n'est pas douteuse : « On voulut faire une constitution à priori. » D'où s'ensuivent l'aberration du suffrage universel, la démocratie mal entendue, la suprématie du nombre sur l'excellence, le matérialisme de la France d'aujourd'hui, incapable de résister à une Allemagne mieux formée et mieux armée. « Avec son suffrage universel non organisé, livré au hasard, la France ne peut avoir qu'une tête sociale sans intelligence ni savoir, sans prestige ni autorité[7]. »

Dans cette voie, c'est Taine qui ira le plus avant et son anticartésianisme sera, et de loin, le plus résolu. Taine est trop jeune – il est né en 1828 – pour avoir été cousinien à la grande époque du « régiment ». D'ailleurs, il a eu maille à partir avec les cousiniens dès qu'il a commencé à penser. Il ne jurait que par Spinoza et Hegel, et c'est Descartes qu'on lui imposait, cet auteur bien-pensant au rationalisme usé. Taine aurait dit volontiers comme Bouvard : « Le fameux *cogito* m'embête[8]. »

D'ailleurs il le dit, mais à sa façon qui est celle de l'essayiste et du pamphlétaire. *Les Philosophes français du XIXe siècle*, qui paraissent en 1857, s'inscrivent dans la lignée des pamphlets anti-cousiniens illustrée par Leroux et Ferrari. Pour Taine, le cousinisme est entièrement fait de talent oratoire, de clarté d'expression, de « faculté d'expliquer en style élevé et clair des vérités moyennes », tout comme la philosophie du XVIIe siècle à laquelle il tient par toutes ses fibres. Car Taine est loin d'avoir à l'endroit du Grand Siècle en général des sentiments sans mélange : la littérature de cette époque ne constitue en rien un modèle indépassable ; tout au plus marque-t-elle la perfection d'une faculté parmi d'autres, la raison oratoire[9]. Que cette littérature exprime en un sens l'esprit national, il n'en disconvient pas. C'est même ainsi qu'il a traité La Fontaine dans le livre qu'il lui a consacré en 1853, comme l'interprète du « fond même de la race » en ce qu'elle a de fin, d'élégant, de gai, d'exquis plutôt que de grand, de talentueux plutôt que de génial[10]. La Fontaine, et surtout Racine qui est notre « poète national », celui qui « nous convient par ses défauts et ses mérites[11] », sont du bon côté de l'esprit français.

Descartes est du mauvais. Avec les scolastiques, avec Pascal et Arnauld, il est l'inventeur d'une logique rouillée qui ne pouvait convenir qu'à des esprits encore empêtrés dans les subtilités médiévales. Il conserve le doux oreiller du christianisme, sa métaphysique est pleine de saint Augustin, de saint Anselme, de saint Thomas et son doute est illusoire. Son originalité ? Elle tient toute dans son style, qui a rendu sa philosophie accessible à l'Europe entière sans qu'il y ait en elle quoi que ce soit qui compte vraiment. Comme Renan, Taine déteste dans la France cette nation de « parleurs » qui n'a aucun souci du progrès réel des connaissances et que Descartes symbolise avec son « mélange de compromis et de raideurs qui annonce une race plus propre au raisonnement qu'aux vues d'ensemble », son mixte « d'élévation et de froideur qui annonce un âge moins enthousiaste que correct [12] ».

De ces thèses à celles qui gouvernent *Les Origines de la France contemporaine*, on voit qu'il n'y a pas de rupture abrupte, sinon dans une certaine véhémence de ton que la défaite de 1870 et la Commune surtout expliquent [13]. Dans une lettre à Boutmy du 31 juillet 1874, Taine a donné en raccourci le contenu de son jugement sur Descartes et la raison classique : « Il s'agit de montrer [dans les *Origines*] que Boileau, Descartes, Lemaistre de Sacy, Corneille, Racine, Fléchier, etc., sont les ancêtres directs de Saint-Just et de Robespierre [14]. » Ce que « montre » en effet avec surabondance de preuves le premier volume des *Origines*. En tant qu'il est la quintessence de l'« esprit classique », Descartes a une part déterminante dans l'escalade d'erreurs qui conduisent à 1789, puis à 1848 et au marasme de la IIIe République. Descartes assure le triomphe des « honnêtes gens », auxquels est destiné prioritairement son *Discours de la méthode*. Les honnêtes gens sont, au contraire des savants, des hommes sans compétence particulière, qui compensent leur absence de spécialité par une exacerbation du talent oratoire. « De là le moule classique : il est formé par l'habitude de parler, d'écrire et de penser en vue d'un auditoire de salon. » Par contagion, tous les genres subissent de proche en proche cette dictature du bien parler, jusqu'à ceux qui en sont en principe les plus éloignés.

L'esprit classique « était étroit. Il va devenir plus étroit ». Le voilà au XVIIIe siècle impropre à saisir l'individu réel, la chose vivante ; il lui reste à franchir le pas de l'abstraction révolutionnaire, digne fille de son père Descartes. « Jamais de faits ; rien que des abstractions, des enfilades de sentences sur la nature, la raison, le peuple, les tyrans, la liberté, sortes de ballons gonflés et entrechoqués inutilement dans les espaces. » Tout se passe comme si, chez Taine, l'esprit classique s'efforçait de gagner en extension ce qu'il est impuissant à saisir en compréhension ; parce qu'il n'a que des « prises courtes », il les multiplie et étend à tout ses règles impérieuses. D'où son mépris de l'histoire et des faits en général : d'autant plus abstrait qu'il est myope, d'autant plus confiant en ses propres forces qu'il ne voit pas le détail et l'ancienneté des choses. Tout se règle avec un « effort de tête », chez l'inventeur de la géométrie analytique au même titre que chez Rousseau ou Sieyès ; et c'est cette même « raison raisonnante » dont on suit jusqu'à aujourd'hui les méfaits[15] : le « chancre toujours coulant » de 1848 et du suffrage universel, le « vieux poison » du droit d'insurrection qui infecte les Français « jusqu'aux moelles[16] ».

Or cette doctrine antirépublicaine est aussi sceptique en politique et hostile à l'Église qu'elle est confiante en la raison. Ainsi se dessine une configuration originale et riche d'avenir : une droite non moins méfiante que l'ultra à l'égard de la rationalité politique, convaincue comme elle que, dans les affaires humaines et sociales, la tradition vaut raison, adversaire comme elle de la souveraineté populaire, mais anticléricale et puissamment attachée à l'idée d'un progrès invincible par le moyen de la science. La science, et non la raison raisonnante des constructeurs de cités. « La Reine légitime du monde et de l'avenir, écrit Taine à Ernest Havet, n'est pas ce qu'en 1789 on appelait la *Raison* ; c'est ce qu'on appelle en 1878 la *Science*[17]. » De la foi en la science, il partage depuis ses premiers travaux la conviction strictement déterministe. Héritage de Comte ? Taine s'en est beaucoup défendu, ne serait-ce que parce qu'il croit, lui, à la possibilité de la métaphysique. Mais il veut bien tenir de Littré ce qu'il refuse de devoir au fondateur de la lignée positiviste, Littré qu'il place parmi ses trois inspirateurs à l'orée de *De l'intelligence*.

•

Par Renan, par Taine surtout, se produit ainsi une dissidence du comtisme de très vaste portée. C'est une nouvelle voie dans la gamme de l'anticartésianisme qui s'ouvre là, de la part d'une droite singulière, puisqu'elle conjugue méfiance à l'égard du monde moderne de la démocratie, anticléricalisme et confiance résolue en la raison « séparée », comme disent les catholiques pour la condamner. Justement, ces positivistes d'un type particulier, ces adeptes d'une science destinée à gagner toutes les places, se félicitent que la raison soit désormais séparée de la religion puisque c'est grâce à cela qu'elle a pu conquérir le monde. Mais ils retrouvent la détestation catholique de la raison et ses origines cartésiennes au moment d'en évaluer les conséquences sur le plan politique et social. Un anticartésianisme exclusivement politique, sans mélange de catholicisme, devient alors possible. C'est Descartes « jacobin » qui est visé et non Descartes philosophe, celui qui a fabriqué la chimère abstraite de l'homme nouveau et non celui qui a séparé la raison de la foi. Démembrement de grande importance, dont les effets se feront sentir autour de 1880, dans la génération de Brunetière, Bourget et Barrès.

... et la gauche : Proudhon

Cet anticartésianisme de droite, ni ultra ni même catholique, qui fait confiance à la raison mais n'aime pas Descartes, trouve à gauche son pendant exact dans la critique de l'abstraction démocratique conduite du point de vue du socialisme anarchiste. Son représentant le plus significatif sous le second Empire, celui qui inspirera les générations suivantes, est à coup sûr Proudhon. Proudhon, on le sait, ne croit ni à la démocratie, ni au parlementarisme, ni au mécanisme du suffrage, ni avant tout à l'État. Ses formules sont nettes : « Point d'autorité, point de gouvernement, même populaire : la Révolution est là[18]. » Ou encore : « Quiconque met la main sur moi pour me gouverner est un usurpateur et un tyran, je le déclare mon ennemi[19]. » En lieu et place de l'État dans ce qu'il a d'*abstrait*, des communautés réglées sur le principe de l'association ; et pour résoudre le problème de la représentation politique, un suffrage *vraiment* universel, c'est-à-dire « autant de représentants qu'il existe de groupes naturels[20] ». La référence à la nature n'est pas ici décorative : elle sert à marquer l'opposition à ce qu'il y a de mort dans l'abstraction démocratique. Comme Renan, Proudhon pense qu'un pays n'est pas la simple addition des individus qui le composent ; c'est une personne, ou encore, pour le dire dans ses termes, un « être organisé et vivant[21] ». Et c'est parce qu'elle est *naturellement* organisée qu'il est erroné de vouloir plaquer sur elle la rationalité de l'abstraction.

Cette philosophie antidémocratique est elle aussi une philosophie de la confiance en la science. L'auteur de la *Philosophie de la misère* (1846) a lu Comte et il partage son idée que l'humanité passe par trois stades, religieux, sophistique, scientifique. Il est convaincu, comme Comte, que la science ménage à l'humanité une période « prodigieuse ». « Le genre humain [...] est à la veille de reconnaître et d'affirmer quelque chose qui équivaudra pour lui à l'antique notion de la Divinité ; et cela, non plus comme autrefois par un mouvement spontané, mais avec réflexion et en vertu d'une dialectique invincible[22]. » La doctrine de Proudhon est d'abord, comme celle de Renan sur l'autre bord, une *philosophie du progrès* ; le théoricien socialiste signe en 1840 ces lignes qui pourraient sortir tout droit de *L'Avenir de la science*, la métaphore finale exceptée : « La notion du Progrès, portée dans toutes les sphères de la conscience et de l'entendement, devenue la base de la raison pratique et de la raison spéculative, doit renouveler le système entier des connaissances humaines, purger l'esprit de ses derniers préjugés, remplacer dans les relations sociales les constitutions et les catéchismes, apprendre à l'homme tout ce qu'il peut légitimement croire, faire, espérer et craindre [...]. La théorie du Progrès, c'est le chemin de fer de la liberté[23]. »

À ce mouvement vers la positivité collaborent Descartes et avec lui « les grands instituteurs des peuples » que sont Bacon, Galilée, Montesquieu, Saint-Simon, Comte, Cournot ; ils ont en commun d'abandonner l'impossible connaissance de l'en-soi et de se tourner vers la seule chose qui soit connaissable : les phénomènes et leurs rapports[24]. Ils participent tous, Descartes compris, à ce grand mouvement au cours duquel l'humanité s'affranchit de sa tutelle religieuse. En disant *cogito, ergo sum*, Descartes semble traduire le *Ego sum qui sum* de la Bible ; mais en réalité, il prépare à bas bruit le remplacement de Dieu par l'homme. « En se faisant semblable à Dieu, l'homme faisait Dieu semblable à lui. » Telle est la « dialectique invincible » qui amène l'humanité au seuil de l'autonomie : la théodicée fait le lit de l'athéisme.

Pourtant, ce n'est là qu'une face du processus ; et Proudhon est bien loin de s'arrêter à pareille glorification de la philosophie. Effet second de la dialectique invincible ? La philosophie, une fois qu'elle a mis l'homme à la place de Dieu, s'empresse de singer ce Dieu qu'elle vient de détrôner. Au lieu de connaître, elle devine ; au lieu de contribuer à l'essor des sciences, elle les entrave, multiplie les discordes, allume le fanatisme des sectes, légitime « tour à tour le despotisme monarchique et l'ostracisme républicain ». « Ainsi, voyez les livres des philosophes : grandes annonces, grandes prétentions, élans sublimes, discours magnifiques, style profond de mystère ; science nulle[25]. » Proudhon a un nom pour cette disposition d'esprit qui confine à la maladie : *idéomanie*, ou confusion de l'idée et du réel. L'un des plus fameux idéomanes a été Rousseau dont la doctrine a produit 1793, suivi de cinquante-sept ans de bouleversements stériles. Bon élève de Comte, Proudhon n'a pas de mots assez durs pour dire l'horreur que lui inspire le « charlatan genevois » qui, avec le *Contrat social*, a édicté le « code de la tyrannie capitaliste et mercantile ». À la suite de Rousseau se sont engagés Sieyès, Robespierre, Guizot et « toute cette école de parlementaires » que Proudhon fustige à l'égal du fondateur du positivisme[26].

Descartes fait-il partie des idéomanes ? Et que penser de son *cogito* ? Sans doute faut-il « commencer » avec lui ; mais à condition de savoir d'emblée que la distinction d'une substance matérielle et d'une substance immatérielle est fausse[27]. D'ailleurs, en tant que syllogisme prétendant déduire l'existence de la pensée, le *je pense* est rigoureusement impuissant, comme tous les syllogismes[28]. Il est surtout responsable du grand pas en arrière accompli par la libre-pensée après la réforme de Bacon. Descartes est pour Proudhon celui qui « tend une main à la science et l'autre au miracle ». C'est lui qui, pour avoir prétendu connaître l'en-soi et séparé les corps des âmes, a mis la philosophie entre les mains de l'Église et lui a livré le pouvoir et la société[29] ; c'est lui qui a fabriqué cette psychologie de cabinet à la Cousin, aussi stérile qu'illusoire. « Le philosophe s'enferme dans sa chambre, ferme ses contrevents, tire ses rideaux, se met les poings sur les yeux, et songe. Ne troublez pas sa contemplation ! il étudie le moi, il fait de la psychologie[30]. » Au regard d'une *philosophie du progrès*, le *je pense* est enfin coupable d'immobilisme : Descartes a cru au caractère « inébranlable » de son principe alors que l'existence est la mobilité même. « Il devait dire : *Moveor, ergo fio*, je me meus, donc je deviens[31] ! »

•

Le tableau de l'anticartésianisme rationaliste et anticlérical sous le second Empire est ainsi complet. À gauche comme à droite, il est constitué en fait des mêmes ingrédients : refus de l'abstraction démocratique, conviction que 1789 ni 1848 n'ont rien réglé, rejet du parlementarisme, conception qu'on dira organiciste de la société. Diversement dosés, ces ingrédients produisent assurément des composés où l'anticartésianisme est plus ou moins apparent, plus ou moins constant. Proudhon n'est pas Taine, qui n'est pas non plus Renan. Mais nul doute qu'on tienne là les éléments dont sera constitué le principal courant de l'anticartésianisme sous la IIIe République, anticlérical, volontiers appuyé sur des convictions formées au contact des sciences mais détestant par-dessus tout la révolution démocratique en ce qu'elle a de « médiocre », 1789 et même les Droits de l'homme. Parce que ces thèmes se retrouvent à gauche comme à droite, maintes reconversions seront possibles durant la longue IIIe République, maints virages spectaculaires, qui ne rendront jamais nécessaire un changement de sentiment à l'égard du philosophe qui incarne tout cela à la fois. On pourra identiquement être anticartésien à l'extrême gauche ou à l'extrême droite du spectre, et en vertu de motifs interchangeables. En ce sens, les années 1850-1880 préparent directement les années 1880-1940.

V

LA IIIe RÉPUBLIQUE FILLE DE DESCARTES

Chapitre XIII

LES GAUCHES

Le 4 septembre 1870, la République est proclamée. Le même jour, Jules Simon qui avait été, on s'en souvient, élève de Victor Cousin puis auteur d'une *Politique radicale* placée sous l'invocation de Descartes, est nommé membre du gouvernement de la Défense nationale ; six ans plus tard, il sera appelé à la présidence du Conseil. En un sens, le sort que cette IIIe République des professeurs fait à Jules Simon laisse pressentir celui qu'elle va réserver à Descartes, à qui elle va bientôt concéder tous les honneurs et achever de faire que les Français se reconnaissent en lui.

Nationalisé, Descartes l'avait été dès la Révolution. La Restauration puis la monarchie de Juillet avaient permis aux droites naissantes de se définir en fonction de lui, négativement ou positivement. Sous le second Empire, l'idée républicaine avait commencé de faire son chemin et ceux qui la véhiculaient n'avaient pas manqué de dire toute leur sympathie au lointain père de l'égalité démocratique. Le régime républicain, installé durablement, va parachever ce qui était commencé et s'édifier autour de la célébration d'un philosophe qui a, deux siècles plus tôt, commencé le combat contre le cléricalisme et délivré la raison humaine de ses tutelles.

Désormais, Descartes est un homme de gauche. Non que les descendants de la droite orléaniste aient cessé de témoigner en sa faveur, je l'ai dit. Mais les gros bataillons de ceux qui se disent ses descendants sont maintenant à gauche ; si nombreux, si richement dotés en hommes et en moyens, que ce sont eux surtout qu'on voit et qu'on entend quand on regarde en perspective cavalière la longue IIIe République.

L'hommage des socialistes et des radicaux

La gauche républicaine, qu'elle soit socialiste avec Jaurès, ou radicale avec Léon Bourgeois, est tout entière derrière le philosophe de la raison, de la méthode, celui dont les préceptes ont préparé la Révolution et les Droits de l'homme [1]. Allons droit à l'*Histoire socialiste de la Révolution française* publiée par Jaurès entre 1898 et 1903. Elle offre le plus vigoureux contraste qui soit possible avec celle de Taine. Taine, à en croire le dirigeant socialiste, n'a compris ni ce qu'était l'esprit classique ni ce qu'était la Révolution. La Révolution, car elle a été la plus achevée et la plus équilibrée de toutes les révolutions ; elle a accompli ce qu'elle avait promis, elle a fait tout ce qui était compatible avec l'état social du moment, et rien de bien ne s'est opéré depuis qui n'ait été dans son prolongement. Autrement dit, elle marque un avènement. Mais elle est aussi un aboutissement, celui de l'esprit classique que Jaurès comprend de manière inverse de Taine. Que l'idéologie révolutionnaire soit « l'idéologie nationale et le fond même de l'esprit français », Jaurès n'en disconvient pas. Toute la question est de savoir ce que vaut cet esprit. Réunissant ce que Taine avait divisé pour mieux le combattre – la science classique, à laquelle il réservait son admiration, et l'esprit classique, qu'il fustigeait –, Jaurès n'a pas de mal à montrer que la science du XVIIe siècle est conforme en tout point à l'esprit classique qui consiste, comme on sait, à analyser chaque idée en ses éléments essentiels, à négliger ceux qui sont fortuits et à ranger les autres dans des séries rationnellement ordonnées. « Voilà la méthode d'invention et de pénétration de la science ; et elle se confond avec la méthode d'expression et de démonstration de la pensée classique. » Descartes peut alors retrouver le rôle positif dont Taine avait cherché à le priver, d'instaurateur du mouvement d'analyse et de déduction qui allait permettre, un siècle et demi plus tard, lorsque la bourgeoisie serait parvenue à maturité sociale, de faire la Révolution [2].

Mais c'est avant tout la gauche radicale, avec son culte de la raison, de la science et du progrès, qui est faite pour épouser la cause cartésienne. Léon Bourgeois, qui incarne le parti radical avant même que celui-ci ne prenne officiellement le titre de *parti*, inscrit dans une même séquence, celle de « la France moderne » qui commence à Descartes, 1789 et la République : le jeune Français de demain, dit le ministre de l'Instruction et des Beaux-Arts, se « dressant au milieu du monde, dans la hauteur de tous ses droits et le rayonnement de toutes ses libertés », doit se savoir héritier de la philosophie et de la science cartésiennes[3]. Lorsqu'il préfacera, en 1908, l'ouvrage de Ferdinand Buisson, *La Politique radicale*, il dira toute sa dette à l'égard du livre de Jules Simon qui portait, on s'en souvient, le même titre et qui s'ouvrait sur une invocation au *Discours de la méthode*[4].

Alain a été le philosophe attitré de ce radicalisme. Il est entré en politique, comme tant d'autres, au moment du *J'accuse* de Zola. « Je rattrapai mes amis dreyfusards », dira-t-il lorsque le temps sera venu de faire l'histoire de ses pensées. Son apport au dreyfusisme est celui d'un rationalisme politique d'où l'engagement pour Dreyfus découle aussi logiquement que, sur l'autre bord, l'engagement contre le capitaine juif découle du nationalisme strict. « On peut sans rougir se proclamer serviteur et prêtre de la Raison, et l'on devrait inscrire au fronton de nos écoles : "Que nul n'entre ici s'il n'aime la Raison par-dessus toute chose" », écrit-il dans le journal républicain *La Dépêche de Lorient*, le 14 juin 1900[5]. Culte de la raison, anticléricalisme, importance conférée à l'école : voilà tous les éléments d'une doctrine radicale.

C'est dans un article de 1901 au titre éloquent, « Le culte de la raison comme fondement de la république (conférence populaire) », qu'Alain va placer cette doctrine sous l'autorité morale et philosophique de celui qu'il appellera en 1920 « le prince de l'entendement[6] ». De sa destination « populaire », l'article tient la simplicité des lignes. D'un côté, il y a la monarchie, appuyée sur la religion révélée ; elle suppose des sujets serviles qui consentent à leur esclavage, qui ne délibèrent pas mais obéissent. De l'autre, il y a la république, qui exclut toute religion révélée, toute soumission et dont la règle est la discussion éclairée. « Le citoyen de la république devra [...] rejeter l'autorité en matière d'opinions, discuter toujours librement, et n'accepter comme vraies que les opinions qui lui paraîtront évidemment être telles. » On comprend que c'est seulement sur des sujets raisonnables que peut être fondée la république ; on comprend aussi que la première règle de la méthode cartésienne enferme « le principal devoir du citoyen dans une république ». Et que les premiers mots du *Discours* contiennent la théorie républicaine de l'égalité : en affirmant que le bon sens est la chose du monde la mieux partagée, Descartes voulait dire « que la raison est tout entière en tout homme, [que] tous les hommes naissent absolument égaux ; qu'un homme en vaut un autre ; que tout homme a le droit et le pouvoir de douter et de discuter, et que l'ignorance ingénue du plus simple des hommes a le droit d'arrêter le plus sublime philosophe et de lui dire : "Je ne comprends pas, instruis-moi"[7] ».

J'ai insisté sur la référence à Descartes chez Jaurès et Alain d'abord en raison de l'importance de leur œuvre à tous deux, mais aussi parce qu'ils illustrent à merveille les deux grandes tendances de la gauche républicaine sous la IIIe République. En fait, c'est la gauche démocratique dans son ensemble qui se réclame du philosophe de l'évidence rationnelle pour appuyer ses vues politiques, son moralisme républicain et son nationalisme universaliste. Pour elle toute, Descartes est un héros taillé sur mesure qui exprime au mieux le génie de la France, ce génie qui a donné au monde 1789 et la Déclaration des droits de l'homme. Faisons un sort à part à deux de ces hommes, Louis Liard et Alfred Fouillée.

Louis Liard en raison de son double rôle : comme universitaire et comme administrateur de l'enseignement supérieur. Au titre de la première de ces deux fonctions, Liard est un auteur qui fait à Descartes une grande place dans sa production : des éditions commentées du *Discours de la méthode* en 1880 et de la première partie des *Principes de la philosophie* en 1885, et surtout un livre intitulé sobrement *Descartes* en 1882. Ce dernier ouvrage n'est pas simplement un livre de plus sur le philosophe français, c'est en un sens le premier qui soit soucieux d'exactitude textuelle et conforme aux règles modernes de l'histoire de la philosophie. Une thèse gouverne toutes ces contributions à l'histoire du cartésianisme : Descartes a fondé la philosophie des sciences et la philosophie de la liberté à partir d'une méthode qui doit initialement très peu à l'idée de Dieu.

Toutefois, si Liard a laissé un nom dans l'histoire de la IIIe République, c'est moins pour ses travaux érudits que pour son rôle dans la fondation de la nouvelle Sorbonne. Directeur de l'enseignement supérieur à partir de 1884, futur vice-recteur de l'Académie de Paris de 1902 à 1917, il tient une grande place au sein de l'équipe chargée de penser la construction des nouveaux locaux de l'Université de Paris. Le grand amphithéâtre avec la fresque de Puvis de Chavannes mettant en scène la Sorbonne sous les traits d'une vierge laïque entourée des arts et des sciences, les salles du rez-de-chaussée dont l'« amphi Descartes », toutes ces réalisations seront inaugurées par le président Carnot le 5 août 1889 dans le cadre des cérémonies du centenaire de la Révolution avec référence obligée au lointain ancêtre de la Déclaration des droits de l'homme.

Le second auteur sur lequel il y a lieu de s'arrêter un instant est Alfred Fouillée. Plus qu'un autre, cet autodidacte qui a soufflé aux normaliens la première place à l'agrégation de philosophie, qui a enthousiasmé Gambetta lors de sa soutenance de thèse, et qui accompagne philosophiquement la construction de la République en France, a contribué à brosser de Descartes un portrait peint aux couleurs du patriotisme. Sa « Psychologie de l'esprit français » fait fond sur une théorie du climat et de la race où Descartes tient une place éminente. Y a-t-il un « caractère national », se demande le théoricien des idées-forces ? On ne saurait en douter, répond-il d'entrée de jeu. À condition de préciser qu'il ne s'agit pas là d'une sorte de moyenne, mais d'un idéal : Fouillée est de ceux qui pensent que le tout social est davantage que la somme de ses parties ; en conséquence, le caractère national se donne mieux à voir dans l'« élite naturelle » que dans le vulgaire. Aussi est-ce là qu'il faut le saisir. Excitabilité nerveuse, sensibilité expansive, tempérament sanguin, courage, facilité intellectuelle, amour des idées abstraites et générales : tels sont les traits du caractère français. S'étonnera-t-on alors de lire sous sa plume : « Ces qualités natives de la race, jointes à la culture latine, devaient aboutir au rationalisme français » ? Qui le représente ? Évidemment Descartes. « Quand Descartes veut reconstruire la philosophie, [...] quand ensuite il part à la conquête des idées claires, [...] quand il les relie par les chaînons d'une logique serrée, [...] Descartes se montre bien Français. » Comme se montrent bien Français les révolutionnaires de 1789 qui appliquent à l'État et au gouvernement une idée abstraite, au nom du « principe cartésien et français » que ce qui est conçu clairement est vrai [8]. La race française fait obligation à ce peuple d'être à la tête des nations ; et Descartes l'incarne de façon exemplaire.

Au début du siècle, l'annexion de Descartes au panthéon de la gauche républicaine est suffisamment claire pour qu'un manuel d'instruction civique comme celui de Jules Payot reproduise le portrait de l'auteur du *Discours de la méthode* (à côté de celui de Michelet) dont la morale de la persévérance convient parfaitement à l'éducation de jeunes enfants : « C'est peu de choses que l'acte de volonté d'un enfant qui se met de tout cœur à sa tâche ; mais ce sont ces petits efforts chaque jour renouvelés qui ont fait un Descartes, un Michelet. » Et l'auteur de conclure : « Quel encouragement pour nous que les résultats d'une volonté qui sait persévérer[9]. »

Le tricentenaire de la naissance de Descartes

La fondation en 1893 de la *Revue de métaphysique et de morale* s'inscrit de plein droit dans cette lignée de la gauche républicaine éminemment favorable à Descartes. La plupart de ceux dont nous venons de voir les sentiments procartésiens feront d'ailleurs partie de l'entreprise. La revue est officiellement dirigée par Xavier Léon, mais Léon Brunschvicg et Élie Halévy, ce dernier surtout, entourent de très près celui qui assume les fonctions de « secrétaire de la rédaction ». Le plus âgé des trois a vingt-cinq ans en 1893 ! Ils se sont connus au lycée Condorcet où ils ont suivi en philosophie les cours de Darlu, dreyfusard de la première heure. Comme son maître, Élie Halévy s'engagera très tôt dans l'Affaire, dès la prise de position de Scheurer-Kestner en novembre 1897. Derrière lui, il entraînera ses amis Célestin Bouglé et Léon Brunschvicg. Il est fondamentalement républicain, même s'il n'aime pas la IIIe République ; il est intellectuellement et politiquement intéressé par le socialisme, même s'il n'aime ni Clemenceau ni Jaurès.

À l'enseigne de la *Revue* est inscrite cette devise : « se réclamer de la raison », qui, dans le contexte intellectuel, vaut engagement ; « rationaliste et morale », c'est ainsi qu'Élie Halévy désigne la future revue à Xavier Léon dans une lettre de 1891 pour la situer dans le champ philosophique où elle va prendre place – entre le « misérable positivisme » régnant dans l'Université et l'« agaçante religiosité » qui a cours en dehors. Il s'agit, dit-il encore, d'« être rationalistes avec rage[10] ».

Ce rationalisme rageur prédispose les jeunes gens à offrir au cartésianisme une tribune. Non qu'ils entendent s'inféoder à une chapelle : il n'est pas question de répéter l'erreur dont a péri la revue de Renouvier, *La Critique philosophique* ; et la décision de mettre le mot « métaphysique » dans le titre indique de leur part l'intention de sortir du cadre étroit où Renouvier avait enfermé son périodique.

Il faut rendre à la philosophie toute son ampleur, apporter non pas « des faits, mais des idées[11] ». Le champ est donc libre pour une revue au « dogmatisme métaphysique ».

Il se trouve que la chronologie aide les jeunes gens de la *Revue* à prendre fait et cause pour Descartes[12]. L'année 1896 marque en effet le troisième centenaire de la naissance du philosophe de la France. Xavier Léon décide de lancer une souscription pour une édition complète de ses œuvres : ainsi va naître l'édition Adam-Tannery, qui fait encore référence. C'est Émile Boutroux qui est chargé en 1894 d'en présenter l'« opportunité » aux lecteurs de la revue. Pourquoi Boutroux ? Parce qu'il est professeur à la Sorbonne où il occupe depuis 1888 la fameuse chaire d'histoire de la philosophie moderne, celle que des cousiniens ont monopolisée tout au long du XIXe siècle ; aussi parce qu'il est l'auteur de deux thèses qui ont fait grand bruit : l'une sur la contingence des lois de la nature dans laquelle il a cherché à desserrer l'étau positiviste, l'autre, très originale en son temps, sur les vérités éternelles chez Descartes.

« La direction de la *Revue de métaphysique et de morale*, écrit-il, se propose d'entreprendre une édition complète des œuvres de Descartes. Est-il besoin de faire ressortir l'intérêt d'une telle publication ? » Question purement rhétorique, car l'article est évidemment consacré à exposer les raisons qui plaident en sa faveur : elles permettent de faire le point sur l'état du mythe de Descartes en cette fin de siècle. L'œuvre de Descartes, assène Boutroux, « domine tout le développement de la philosophie moderne » ; même les Allemands en conviennent. Puis il entreprend de montrer que l'importance du cartésianisme dépasse largement la sphère de la philosophie : la science du XVIIe siècle, les sciences morales et politiques du XVIIIe, sont à inscrire dans sa postérité. La Révolution française aussi ? Boutroux est trop bon historien pour ignorer que le cartésianisme ne contient pas 1789 au titre de ses conséquences. Mais tout de même, il est loisible de soutenir l'idée que c'est « au nom du principe cartésien de l'évidence rationnelle que la société a été renouvelée en 1789 ». Ce n'est pas tout. La science contemporaine ? Elle agite des questions qui étaient déjà au cœur de la doctrine cartésienne. La prose française ? Nisard a montré que Descartes a fourni, le premier, le modèle parfait du style français fait de clarté, de rigueur et d'austère séduction. Enfin, des motifs patriotiques complètent la plaidoirie. « Descartes est l'une des expressions les plus belles du génie de notre race : la diffusion de ses pensées, c'est notre vie et notre influence. » Et Boutroux d'énumérer les traits qui font « notre caractère » et que l'on trouve éminemment chez le philosophe. Prêtons-y attention car ils dessinent exactement le portrait que la gauche républicaine a en tête lorsqu'elle prononce le nom de Descartes : amour de la raison, poursuite de la clarté, recherche de l'accord entre la liberté individuelle et la loi rationnelle, patriotisme à vocation universaliste.

Outre l'édition Adam-Tannery des œuvres de Descartes, la rédaction de la *Revue* consacre en 1896 à ce dernier toute une livraison, premier « numéro spécial » en faveur du philosophe français. Au sommaire, plusieurs noms prestigieux : Natorp, Boutroux, Brochard, Lanson, ainsi que Blondel qui donne là son article sur le christianisme de Descartes. Comme on voit, Xavier Léon et ses amis ont su rassembler tous ceux qui, dans l'Université et hors d'elle, comptent.

Mais la grande manifestation du tricentenaire, c'est à La Haye-Descartes et à Tours qu'elle se tient, du 21 au 23 décembre 1896. Le comité d'honneur chargé d'organiser les cérémonies comprend bien entendu les notables locaux – le préfet du département d'Indre-et-Loire ainsi que ses députés et sénateurs, le président du conseil général, les maires des deux communes, le proviseur du lycée Descartes, l'archevêque de Tours –, mais aussi le ministre de l'Instruction publique, le président de l'Académie des sciences morales et politiques, le ministre plénipotentiaire de Suède et de Norvège, et le directeur de la *Revue de métaphysique et de morale*, Xavier Léon. L'Académie française a dépêché son poète officiel, Sully Prudhomme, « le Lucrèce de la philosophie moderne », comme le désigne le président de la Société archéologique de Touraine à qui échoit l'honneur de faire le discours de clôture. Son poème est en effet la pièce de choix de cet ensemble de discours dont aucun ne bouleverse la compréhension du cartésianisme. Le poète décrit d'abord un monde noyé dans l'illusion des sens :

> Quand, douteur par prudence et croyant par génie,
> Descartes proclama : « Je pense, donc je suis ! »

Voici donc le philosophe doté d'une certitude :

> C'est un roc peu visible, à peine s'il émerge.
> Il est rebelle au soc, ignoré des oiseaux :

De toute approche encore il est demeuré vierge,
Point gris sur le désert tumultueux des eaux.

Le *je pense* ouvre Descartes à Dieu, puis à l'univers. Et le poème s'achève sur ces strophes au style magnifiquement pompier :

Honneur à toi ! La foule aveuglément heureuse,
Initiée à peine aux cultes qu'elle rend,
S'abreuve au bord des puits que le savoir lui creuse :
Apprenons-lui pourquoi ton nom qu'elle aime est grand !
Pour t'offrir une gloire à jamais sans rivale,
Demain nous bâtirons, avec tous tes écrits,
Par la main de la France, une arche triomphale
Où passera l'armée auguste des esprits [13] !

L'arc de triomphe de Descartes annoncé par Sully Prudhomme n'est autre que l'édition Adam-Tannery dont le premier volume paraît en effet en 1897 ; elle s'achèvera en 1913 par une *Vie de Descartes* due à Charles Adam qui clôt l'ouvrage en rappelant que « la philosophie à la française [de Descartes] fut la première qui répondît pleinement aux instincts de notre race [14] ».

Durkheim : un contre-exemple ?

Il est vrai qu'on peut opposer à ce concert unanime de la gauche républicaine la voie discordante de Durkheim qui professe en Sorbonne, au début du siècle, des leçons où transparaît une grande défiance à l'égard de l'esprit cartésien. Que lui reproche le père de la sociologie ? Comme beaucoup d'héritiers de Comte, le simplisme de son rationalisme et son mathématisme débridé, lorsqu'ils sont appliqués au social. Si la sociologie peut être fondée, explique Durkheim, c'est à la condition de reconnaître que le tout social est plus que la somme de ses parties, les individus. Si, au contraire, on ne confère de réalité qu'aux individus, on fait de la société un être de raison ; or on n'aime pas un être de raison. Nous, laïques, privés du recours à une transcendance surnaturelle, demande-t-il, comment ferons-nous pour proposer à l'individu une fin qui le dépasse, un devoir à accomplir, une patrie à laquelle se dévouer ? Le propos a d'autant plus de poids qu'il émane d'un impeccable républicain qui a eu peu d'années auparavant à défendre, contre Brunetière et pour la cause dreyfusarde, l'individualisme rationnel de Rousseau et de Kant. Et Descartes n'était pas loin lorsque Durkheim plaidait pour les intellectuels le droit d'intervenir dans l'affaire Dreyfus au nom de l'évidence rationnelle[15]. Comment donc interpréter cet accès de défiance à l'égard de Descartes, sinon en rappelant que la critique comtienne de l'individualisme subjectif recèle, à l'état latent, une disposition anticartésienne invisible chez Comte lui-même mais susceptible de passer à l'acte chez tel ou tel de ses disciples.

Dira-t-on que l'exemple de Durkheim vient brouiller l'image que la gauche républicaine et laïque dessine du cartésianisme ? Reconnaissons qu'elle lui apporte une retouche mais que, pour ce qui est du mythe de Descartes, elle confirme qu'il est à cette date parfaitement constitué. La retouche : dans ce portrait de Descartes en républicain, il faut inclure la possibilité d'une appréciation réservée de la part de ceux que la dimension collective des phénomènes humains concerne au premier chef. Cet élément potentiel d'anticartésianisme, nous le verrons exercer ses effets à droite mais également dans la gauche socialiste. S'il peut agir aussi chez un républicain comme Durkheim, c'est qu'il y a une relative indépendance des différents ingrédients de l'anticartésianisme et que l'un d'eux peut agir isolément des autres. La confirmation que le mythe de Descartes est formé : il suffit de donner la parole à Durkheim. « Si cette manière de voir [rationaliste et simpliste] était propre à quelques philosophes seulement, il n'y aurait pas à s'en occuper ici. Mais elle est profondément enracinée dans notre esprit national [...]. En effet, nous venons de voir que c'est dans le cartésianisme qu'elle s'affirme avec le plus de méthode et de la façon la plus systématique. Or, on peut dire qu'en général, le Français est, à quelque degré, un cartésien conscient ou inconscient. » Ce cartésianisme congénital produit deux dispositions : d'une part, un excès de rationalisme simplificateur qui dissout l'objet même de la sociologie ; d'autre part, une propension à l'universalisme. « Patriotisme et cosmopolitisme se confondent[16] », dit Durkheim ailleurs. Par là, il retrouve les thèmes de sa famille politique et une image de Descartes parfaitement conforme à elle. L'élément anticartésien n'aura joué en somme dans sa doctrine qu'un rôle limité à la sphère où il est susceptible d'agir : le collectif. L'appartenance de Durkheim à la gauche républicaine et dreyfusarde a fait le reste : l'imputation au crédit du philosophe de la méthode d'une capacité bien française de conjuguer patriotisme et universalisme.

Le syndicalisme révolutionnaire

Individualisme démocratique, confiance en la raison, héritage des Lumières et de 1789, parlementarisme : tels sont les ingrédients dont est fait le cartésianisme de la gauche républicaine. Mais celle-ci n'est pas toute la gauche. Sur ses marges, le syndicalisme révolutionnaire – celui de Georges Sorel et de son disciple Édouard Berth, pour ne citer qu'eux – représente une tendance bien différente, qui se méfie de l'État comme des partis, déteste le parlementarisme et ne croit qu'en l'action directe.

Cette gauche-là manifeste à Descartes tout autant d'antipathie que la précédente lui manifestait d'attachement. C'est qu'elle s'enracine dans un tout autre terreau que celle de Jaurès, d'Alain ou de la *Revue de métaphysique et de morale*. Sorel ne va pas au socialisme à partir de la Révolution mais à partir de Marx dont il retiendra, même lorsqu'il ne sera plus marxiste, la condamnation de l'idéologie comme version édulcorée de la réalité. Pour une part, l'aversion qu'il a – et qu'il communiquera à Berth – pour les intellectuels vient de la disqualification marxiste de l'idéologie. « Les théories sont nées de la réflexion bourgeoise », écrit-il en 1921, bien après avoir découvert les impasses du marxisme et tenté de le dépasser. L'autre part dans son dégoût des intellectuels tient à l'adjectif qui y est accolé : *bourgeois*. Car bourgeoisie, intellectualisme et parlementarisme sont à ses yeux les trois symptômes d'un mal qui culmine dans la Révolution française. Celle-ci, c'est chez Taine bien plutôt que chez Jaurès qu'il aime la lire : dans les 1 824 pages de l'*Histoire socialiste* écrite par Jaurès, il ne voit qu'une « philosophie parfois digne de M. Pantalon et une politique de pourvoyeur de guillotine ». Chez Taine, en revanche, il apprécie le côté prosaïque de la narration, le fait que les journées révolutionnaires sont dégradées de leur prestige. Que reste-t-il alors de 1789 ? « Des opérations de police, des proscriptions et des séances de tribunaux serviles » ; en bref, « l'emploi de la force de l'État contre les vaincus [17] ». Ni l'État, ni les partis politiques, ni le système représentatif n'ont grâce auprès de cette gauche révolutionnaire qui ne comprend l'action politique que sous la forme directe.

Ce que nous savons maintenant de la recette qui compose l'anticartésianisme permet de deviner ce que Sorel ou Berth pensent de Descartes. On peut prendre d'ailleurs cette question par un autre bout : quels pères fondateurs se reconnaissent-ils ? Là non plus, pas de surprise : d'abord Taine. Des *Origines de la France contemporaine*, ils gardent l'idée que le cartésianisme est « une philosophie des gens du monde », mieux appropriée à la « conversation » qu'à la science authentique, « une bonne philosophie pour les habitués des salons [18] ». Ils louent aussi Proudhon en qui ils voient l'auteur de la meilleure théorie morale des temps modernes ; leur future participation au fameux Cercle Proudhon, où ils travailleront main dans la main avec les ténors de l'Action française, témoigne de cette relation forte à celui qui a écrit la *Philosophie de la misère* [19]. Et enfin Pascal. Pascal, c'est l'anti-Descartes, et Sorel applaudit Brunetière qui l'a si bien montré [20]. Dans l'antithèse Pascal/Descartes, Sorel et Berth trouvent l'occasion d'opposer deux conceptions de la raison : l'une, « frustratoire [21] », « placide », « un peu grise, un peu terre à terre, moyenne pour tout dire », celle de Descartes ; l'autre, « intraitable et inflexible », « endiablée et dont la logique impérieuse et passionnée » va au cœur des choses, celle de Pascal [22].

Descartes est un bourgeois ; Pascal est un héros de la pensée, non pas parce qu'il est chrétien – ce seul motif n'est de nature à emporter l'adhésion ni de Sorel ni de Berth –, mais parce qu'il a le sens aigu du tragique. Il a plongé « dans la réalité des coups de sonde si hardis, si décisifs et si terribles » qu'on peut à peine supporter l'éclat fulgurant des vérités qu'il a ramenées au jour. Berth ne trouve d'équivalent au XIXe siècle à la raison intrépide de Pascal que chez Proudhon. Donnons encore un moment la parole à Édouard Berth : les accents qu'il sait trouver pour dire sa détestation du monde moderne et cartésien, nous les retrouverons dans l'entre-deux-guerres chez d'autres. « Pascal a vaincu Descartes », a dit Sorel. Et Berth de commenter : c'est donc la victoire sur l'esprit du XVIIIe siècle, sur les rationalistes, les démocrates, les juifs et les sorbonnards. « Nous sommes maintenant beaucoup trop *barbares* pour goûter encore le charme faisandé de cette pourriture élégante et parfumée ; et les progrès prodigieux accomplis par la science et l'industrie au XIXe siècle [...] nous ont rendus trop *sérieux* pour ne pas estimer ce *rationalisme de salon et de boudoir* une chose bien puérile et bien sotte. Nous sommes en un mot beaucoup trop *profonds* pour être encore *cartésiens.* » Nous avons déjà rencontré ailleurs ce procédé cumulatif pour évoquer la paternité de Descartes : dans la droite extrême. C'est qu'il traduit, ici et là, la même conviction : Descartes est l'auteur de tout ce qu'il y a de détestable dans le monde moderne. « Aucun sens, chez ce prépositiviste, du tragique de la vie ; une *sécurité* toute rationaliste ; [...] une *platitude* vraiment déjà toute moderne, cette familiarité de *parvenu* qu'est l'homme moderne[23]. »

L'admiration pour Pascal est désormais l'un des symptômes de l'anticartésianisme. Nous en aurons la confirmation lorsque nous aurons vu combien, sur ce point, la droite nationaliste est en phase avec la gauche révolutionnaire. L'auteur des *Pensées* s'impose à tous ces hommes par un sens du tragique que l'on chercherait en vain chez Descartes. Ce n'est pas son catholicisme qui les intéresse, sinon dans la mesure où catholicisme est synonyme de pessimisme et de lien social. Si le christianisme parle au cœur de Berth, c'est seulement parce qu'il a « creusé dans l'âme humaine des gouffres vertigineux », ces gouffres que Pascal, mais aussi Bergson et Nietzsche, ont osé explorer en compagnie de Shakespeare, de Corneille et de Beethoven. À droite comme à gauche, le rationalisme cartésien symbolise maintenant la « plate limpidité d'un monde antimétaphysique, antireligieux et antivital » dont il y a lieu de se débarrasser au plus tôt.

Chapitre XIV

DESCARTES AU MIROIR DES NATIONALISMES

Ce que la gauche du syndicalisme révolutionnaire dit de Pascal et de Descartes, l'opposition qu'elle instaure entre le sentiment tragique du premier et la platitude du second, tout cela la droite nationaliste de la fin du XIXe siècle pourrait aussi bien le contresigner. Il est vrai qu'au nom du nationalisme elle aurait pu être conduite à s'emparer du philosophe français pour en faire l'un de ses héros. Mais ce serait oublier ce qu'elle doit à deux auteurs dont la fibre cartésienne était plus que ténue : Renan et Taine [1]. Ferdinand Brunetière et Paul Bourget, qui précèdent ici d'une dizaine d'années Barrès, vont frayer la voie insolite d'un anticartésianisme d'inspiration nationaliste qui refuse à Descartes le titre de Français pour le conférer à son rival de toujours, Pascal. À l'heure où le mot d'ordre est la nation, voici Descartes sommé de montrer ses titres à figurer parmi les véritables Français. En sorte que, pour la génération qui précède la Première Guerre mondiale, la question décisive sera beaucoup moins celle du catholicisme du philosophe que celle de son enracinement ; ou plutôt, le problème du catholicisme de Descartes va devenir un aspect du problème du nationalisme, dans un pays où la religion catholique est celle de la nation presque entière.

Bourget, Brunetière, Barrès

L'exemple de Paul Bourget, dont l'œuvre compte aujourd'hui aussi peu qu'elle fut autrefois célèbre, est en lui-même bien instructif. Né en 1852, Bourget est passé par l'École normale où il a appris le cartésianisme non pas comme une philosophie parmi d'autres mais comme le fond même de ce qu'il appelle la « vieille discipline française[2] ». Or cette vieille discipline française, avec ce qu'elle a de rigide, de mécanique et d'étroit, est précisément ce dont le jeune romancier veut s'émanciper. De Taine, qu'il a connu en 1880 et qui l'a introduit auprès de Renan et l'a conduit chez la princesse Mathilde, Bourget garde l'idée que l'esprit français procède par raisonnements géométriques très simplifiés ; comme Taine encore, il pense que cet esprit triomphe dans le style oratoire mais qu'il est frappé de stérilité quand il s'agit de « réduire à ses formules la végétation touffue et changeante de la vie ». Comme Taine enfin, il estime que la démocratie est responsable en France du manque de discipline sociale, de la pénurie d'individualités exceptionnelles, de l'« émiettement des volontés », et que ces tares ont permis à l'Allemagne de triompher en 1871. Pour décrire son siècle, Bourget a cette formule qui en dit long : « Le XIXe siècle obscène et révolutionnaire vit dans notre sang. » Or ce siècle, selon lui, dépend entièrement de principes cartésiens : « Quand nous considérons sans parti pris d'aucune sorte les quelques principes qui servent de fondement à notre société du XIXe siècle, nous sommes contraints de reconnaître leur caractère cartésien et par suite leur insuffisance radicale devant les certitudes de la pensée moderne[3]. »

Cette même conviction inspire le premier roman à succès que publie Bourget en 1889, *Le Disciple*. Le livre met en scène un philosophe, Adrien Sixte, qui, à trente-quatre ans, n'a déjà plus rien de jeune. Son visage est froid, tendu et inexpressif. Il s'est spécialisé dans l'étude des philosophies anglaise et allemande, dans la connaissance des sciences naturelles et dans la physiologie du cerveau. Inutile de dire qu'Adrien Sixte ressemble comme un frère à Hippolyte Taine : c'est que, entre-temps, Bourget a pris ses distances à l'égard de l'idole de ses années de formation. Or voici ce que le narrateur dit de Sixte : « J'ai connu dans ma jeunesse [...] plusieurs individus aussi emprisonnés que lui dans l'atmosphère des spéculations abstraites. Je n'en ai pas rencontré qui m'ait mieux fait comprendre l'existence d'un Descartes dans son poêle au fond des Pays-Bas[4]. » On connaît la morale du roman, et elle vaut évidemment aussi bien contre Descartes que contre Taine : le rationalisme dessèche l'âme, lui ôte tout espoir et conduit finalement au suicide.

Dans cet itinéraire, on le notera, le catholicisme ne joue aucun rôle ; c'est bien ce qui fait l'originalité de cette lignée anticartésienne, située à droite comme la lignée ultra, comme elle hostile à la Révolution, comme elle antiparlementaire, mais plus que tiède au chapitre du catholicisme. On rappellera que Bourget s'est converti. Mais seulement en 1901 ; or, à cette date, toutes les pièces de sa doctrine et de son anticartésianisme sont en place depuis longtemps.

Tout cela est vrai aussi de Ferdinand Brunetière, anticartésien bien avant sa conversion de 1900. Descartes, « cet homme de si peu de corps », « ce génie chagrin et singulier qui peut-être n'a manqué de rien tant que de bon sens, à moins encore que ce ne soit de l'expérience de la vie et du sentiment de la réalité », cet « esprit personnel, dédaigneux, méprisant », au style sans relief ni couleurs, a mutilé la nature humaine en croyant l'exalter et n'a su construire qu'un homme abstrait, soustrait aux conditions de lieu et de temps qui font la vie. Le cartésianisme énerve la volonté, ou plutôt l'anéantit en lui « enlevant son objet, qui est de vivre[5] ». Tout cela, Brunetière le pense avant sa fameuse visite au Vatican, qui marque la rupture dans sa vie spirituelle. Tout au plus déplore-t-il le fait que le cartésianisme ait encouragé les libertins et suscité l'indifférence en matière de religion. Mais on voit bien que, chez lui non plus, ce n'est pas de là que procède son anticartésianisme mais de la conviction que la raison cartésienne est à la fois nocive et périmée. De Descartes à la Révolution française en passant par Montesquieu, Rousseau, d'Alembert et Condorcet, Brunetière dénonce une même mythologie de l'optimisme et de la croyance au progrès. À l'instar de Bourget, le XVIIe siècle que prise Brunetière est celui de Bossuet et de Pascal, moins en raison de leur catholicisme que de leur conception de l'homme, hostile au mécanisme et à l'optimisme. Et Brunetière d'opposer à la voix cartésienne, sans timbre, celle de Pascal, éloquente, passionnée, tragique.

À l'heure de sa conversion au catholicisme autoritaire et romain, Brunetière n'a pas à changer de conviction anticartésienne. Il lui suffit d'ajouter à ses anciennes raisons de ne pas aimer Descartes celles que lui fournit son catholicisme. Et d'abord la certitude que le scientisme a fait long feu : la science des Descartes, Condorcet, Renan et Berthelot n'a pas réussi à donner un sens à la vie, voilà ce que constate Brunetière au lendemain de sa visite au Vatican. Au contraire, c'est la dimension de l'inconnaissable et du mystère qui a été restaurée et c'est le catholicisme qui est l'avenir[6]. Autre motif d'anticartésianisme dont l'origine catholique n'est pas à démontrer : la critique de l'individualisme ou *subjectivisme*, véritable bête noire des dernières années du grand critique. Bien entendu, Brunetière songe ici surtout à Kant, comme tous ses frères en nationalisme. Le philosophe de Königsberg, avec son absurde et pernicieuse théorie de la connaissance, a tout réduit au sujet. Mais le subjectivisme, qu'est-ce d'autre sinon « du Kant greffé sur du Descartes » ? Et lorsqu'il s'agit de le décrire, c'est en termes cartésiens que Brunetière le fait : « Ne recevoir aucune chose pour vraie qu'on ne la connaisse évidemment être telle [...], ériger sa propre intelligence en souverain juge de toutes choses, [...] ne déférer, sous aucun prétexte, pour aucun motif que ce soit, à aucune autorité, [...] ne pas admettre enfin qu'il puisse y avoir dans le monde plus de choses qu'il n'en saurait tenir dans les étroites bornes de notre mentalité personnelle, voilà, messieurs, le "subjectivisme" et voilà, je le répète, l'une des pires erreurs ou des pires maladies de notre temps. Ai-je besoin de vous montrer qu'il n'y en a pas de plus contraire à l'esprit du catholicisme[7] ? » Non en effet, à condition d'entendre catholicisme comme une religion d'ordre faite pour contrecarrer les menées des individualistes de toute espèce, politiciens, intellectuels, libres-penseurs, internationalistes[8]. Le catholicisme de Brunetière, comme celui de Bourget, est inséparable d'un rôle de garde-fou social. « Il nous faut un Dieu ! écrit-il en 1903, indépendamment même du besoin naturel de croire, et cela dès que nous cherchons une règle de notre conduite[9] ! » Qu'on vienne à l'ôter, et c'est notre langue, notre race, nos origines, notre histoire qu'on nous ôte du coup. Catholicisme nationaliste, fait pour contenir les méfaits de l'individualisme révolutionnaire, à des années-lumière du catholicisme d'un Léon Bloy qui, d'ailleurs, n'avait pas de sarcasmes assez forts pour parler de ce « cuistre impondérable » qu'était à ses yeux Brunetière.

Taine avait déjà ouvert la voie d'un anticartésianisme de droite débarrassé de ses connotations catholiques, politique avant tout. Mais la configuration que je décris ici apporte une nouveauté d'importance : le nationalisme. Jamais le sentiment national n'avait été synonyme d'anticartésianisme. C'est que, jusque-là, il résidait à gauche où il s'associait à un sens aigu de la mission universelle de la France : même si l'on estimait que la raison cartésienne avait son lieu naturel en France, l'égalité des esprits qu'elle implique avait d'emblée une portée universaliste qui convenait parfaitement à la façon qu'avait la gauche de se sentir française. Quand le nationalisme passe à droite, où il coïncide désormais avec l'exaltation du sol, de la terre, du sang et des morts, il en va tout différemment. On l'a vu à l'instant avec Brunetière : les *internationalistes* sont des *individualistes* ; en ce sens, Descartes, avec son critère de l'évidence individuelle, son refus de l'autorité et du passé, sa fiction de la table rase, est le prototype des internationalistes.

Nul ne l'a mieux exprimé que Barrès, le champion incontesté du nationalisme aux yeux de la génération d'avant-guerre. Prenons-le après son moment égotiste, après sa trilogie du *Culte du moi*, après sa rencontre avec le boulangisme, le nationalisme et l'antidreyfusisme. Une note de ses *Cahiers* de 1906, intitulée « D'un rapport que j'ai cru saisir entre le pascalisme et le nationalisme », laisse deviner ce qu'il pense de Descartes.

> Des jeunes gens [...] étaient des individualistes. Ils avaient une grande confiance dans la raison humaine, et dans leur sens propre, dans leur sentiment de ce qui devait être. Ils auraient voulu plier la société sur leur rêve du juste et du beau. Nous manquions à vingt ans de soumission aux fatalités historiques, sociales et de subordination. [...] Quand il fallut décidément être anarchiste ou membre d'une collectivité, se révolter ou accepter, nous avons trouvé dans Pascal des raisons – et surtout les couleurs de notre crise [10].

Pascal a-t-il fait de Barrès un croyant ? En aucune façon. Son rapport à l'auteur des *Pensées* et des *Provinciales* est d'une tout autre nature : « Je ne l'aime pas comme un individu mais comme le fond religieux de ma race, écrit-il à la même époque, comme quelque chose qu'il y a chez tous et chez moi », « un des héros de notre espèce, de notre race, de notre sol, de notre culture, comme l'un des chefs de notre famille [11] ». Les motifs qu'a Barrès d'aimer Pascal sont ceux-là mêmes qui le font se détourner de Descartes. Il suffit de reprendre la liste qu'on vient de lire : individualisme, confiance en la raison humaine, volonté de plier la société à ses rêves, insoumission : tous ces traits qui caractérisent les « jeunes gens » dont Barrès n'est plus, et qu'il récuse maintenant, ne caractérisent-ils pas Descartes ? Le *Cahier* de 1911-1912 est ici inestimable, car il marque ce que l'anticartésianisme de Barrès doit à sa détestation du parlementarisme et, de façon plus inattendue, à l'affaire Dreyfus. « À la Chambre. C'est bien une religion qui vient se substituer à la catholique. Ils disent : “Nous sommes de Descartes ; nous analysons ; nous ne nous rendons qu'à l'évidence.” » À ces parlementaires cartésiens, Barrès répond que la solution d'un problème ne se découvre pas par la raison individuelle d'un seul coup, mais « à force de tâtonnements », par « accommodements et adaptations des individus et des groupes à l'ensemble des choses » ; que la raison d'un homme seul ne peut mener à bien cette entreprise d'ajustements, qu'il y faut la « raison collective ». « Voilà pourquoi la tradition doit paraître à tout homme réfléchi infiniment auguste. » Car la tradition, c'est la civilisation.

Or c'est elle précisément que menacent les intellectuels, ces déracinés. « Ils veulent rationaliser la vie. Folie, c'est la stériliser[12]. » Il faut citer *in extenso* ce passage de 1912 :

> L'affaire Dreyfus ou plutôt l'attitude des intellectuels alors m'a amené à réfléchir sur une proposition fameuse de Descartes, sur son affirmation que l'individu doit soumettre à la critique tous ses préjugés et ne se rendre qu'à l'évidence personnelle. Chacun de ces individus prétendait avec les ressources de son propre génie mettre en question ce qu'a créé le génie de notre nation, voire l'humanité. Ils refusaient de s'incliner devant les enseignements de la raison collective. Ils disaient : nous raisonnons selon la raison, c'est-à-dire selon la vérité. Nous rayons toutes les vénérations. Nous sommes des émancipés des morales et de toutes les croyances. [...] Je l'ai vue cette société d'esprits critiques. Les sincères étaient gnostiques. Ils n'écoutaient que leur raison. Ils écoutaient les nomades, les étrangers[13].

Certes, il était arrivé à tel ou tel dreyfusard d'invoquer à l'appui de la révision l'autorité du philosophe de l'évidence rationnelle. Mais le rapprochement de Descartes et de l'Affaire renvoie plutôt au halo de significations dont Barrès entoure le cartésianisme. La raison cartésienne est anonyme, sans lieu, sans terre, sans patrie ; elle déploie une rhétorique bavarde parce que nulle part enracinée ; elle est universelle, donc abstraite, donc impuissante, comme les parlementaires – ces « grotesques de sous-préfecture[14] » – et les intellectuels – ce « déchet fatal dans l'effort tenté par la société pour créer une élite[15] ». On dira : oui, mais le prototype de l'intellectuel barrésien, c'est Kant et non pas Descartes. Il est vrai. Comme il est vrai aussi que Barrès ne dispose que d'un seul vêtement pour habiller tous ceux qu'il considère comme étrangers à sa race. L'homme abstrait de Kant vaut tout autant, c'est-à-dire aussi peu, que celui de Descartes. Car la vérité n'est pas affaire de spéculation mais de conformité entre un objet *déterminé* et un homme *déterminé* : nulle part on ne mesure mieux l'écart entre le nationalisme de cette droite et l'universalisme qu'elle conspue dans la gauche que dans cette page de *Scènes et doctrines du nationalisme* où Barrès explique ce que sont toutes les valeurs vues du point de vue national : « Il me faut m'asseoir au point exact que réclament mes yeux tels que me les firent les siècles, au point d'où toutes choses se disposent à la mesure d'un Français. L'ensemble de ces rapports justes et vrais entre des objets donnés et un homme déterminé, le Français, c'est la vérité et la justice françaises ; trouver ces rapports, c'est la raison française[16]. »

Pascal est français. Descartes, en somme, ne l'est pas. Ni Bourget, ni Brunetière n'avaient avancé aussi loin dans la direction d'un anticartésianisme nationaliste. Celui-ci, que conserve-t-il de l'anticartésianisme de la droite légitimiste ? Certainement pas le motif religieux. On a vu que ni Bourget ni Brunetière n'avaient besoin d'être catholiques pour se déclarer adversaires de Descartes. Quant à Barrès, les choses sont encore plus nettes ; il n'est pas croyant et il déteste les ultramontains, pour la même raison d'ailleurs qu'il n'aime ni les marxistes ni les juifs : parce qu'ils prennent leurs ordres à l'étranger. La détestation de 1789 et de 1848 ? C'est moins net sur les trois auteurs que j'ai retenus. Bourget, qui évolue vers le monarchisme après sa conversion, est de plus en plus franchement hostile à l'héritage révolutionnaire. Mais Brunetière estime par exemple que, si la Révolution a fait du mal à la France, elle a fait du bien aux autres nations. Barrès, pour sa part, aime assez ce moment où la France fut grande ; et il ne répugne pas à revendiquer ce que 89 a eu de bon. L'anti-intellectualisme ? En un sens. Du catholicisme traditionaliste, cette droite hérite en effet la méfiance à l'endroit de la raison ; mais comme elle n'est pas catholique, elle ne reverse pas volontiers au profit du mystère ce qu'elle ôte à la raison. L'antiparlementarisme ? Assurément. S'il y a une constante dans la droite nationaliste, c'est bien là qu'elle se trouve. Le jeu parlementaire la dégoûte à l'égal de son aînée légitimiste ; jamais elle n'y verra autre chose qu'une confiscation du pouvoir légitime par une bande d'usurpateurs. La seule démocratie digne de ce nom est directe. Ce que cette nouvelle droite ajoute toutefois n'est pas moins important que ce dont elle hérite : la passion nationaliste au vu de laquelle l'intellectuel Descartes est réputé cosmopolite et déraciné, et la préférence donnée à l'instinct ou à l'inconscient sur une raison accusée d'étouffer la vie. Cette droite anti-intellectualiste, mais qui va chercher ses cautions dans la science d'un Gobineau ou d'un Soury, estime volontiers comme ce dernier que, sous le *je pense*, et inconnu de lui, c'est un *il pense* qui gouverne, détermine la nature de nos idées et fait nos vocations [17].

À l'égard de cette droite nationaliste, antiparlementaire, obsédée par la décadence nationale, anti-intellectualiste, le rapport à Descartes ne sert donc pas moins de marqueur qu'à l'égard des deux autres nées au XIXe siècle : l'ultra et l'orléaniste. Nouveauté radicale ou avatar du bonapartisme, c'est en tout cas à partir des années 1880, avec la défaite de 1871, le boulangisme et l'affaire Dreyfus, quand elle a acquis tous les traits qui la singularisent, qu'elle manifeste franchement son dégoût du philosophe de la méthode. La voilà intégrée maintenant au spectre de l'anticartésianisme où elle constitue une couleur originale ; et ce n'est plus désormais une seule droite, mais deux, qui ont à leur enseigne un vigoureux motif anticartésien.

L'Action française

Quelle que soit la notoriété de Barrès, quelle que soit l'importance du courant dont il est l'inspirateur, le nationalisme de droite ne se résume pas à lui. À la même époque, il est encore une autre manière de se dire « nationaliste avant tout », celle de Charles Maurras. Sur bien des points, Maurras et Barrès parlent d'une seule voix. Mais au chapitre de Descartes, leurs avis divergent.

En un sens, tout prédisposait pourtant le fondateur de l'Action française à être l'ennemi du philosophe de la méthode. Du royalisme légitimiste, il avait hérité sa haine franche de la Révolution française et des institutions démocratiques. Rien n'est bon dans la Révolution, se plaisait-il à répéter, et s'il aimait tant le livre de Taine, c'est parce que celui-ci avait montré que 89, 93 et le Consulat, loin d'être séparables, constituent un « bloc révolutionnaire » qu'il faut rejeter tout entier [18]. Comme les légitimistes, il nommait « philosophisme » le mouvement d'idées qui, par l'intermédiaire de Rousseau, avait fait la Révolution [19]. Et d'ailleurs, il vouait à l'auteur du *Contrat social*, « ce sauvage à demi homme, cette espèce de faune trempé de la fange natale [20] », une haine qui ne le cédait en rien à celle des ultras. Comme eux, Maurras détestait en outre Kant, accusé d'avoir semé dans les mentalités françaises l'anarchisme et le cosmopolitisme. « Nous fûmes kantisés du haut en bas de l'enseignement », écrira-t-il en 1904 comme un grand nombre de catholiques à la même époque : le kantisme n'est-il pas d'ailleurs « une discipline essentiellement dreyfusienne[21] » ? Il partageait enfin avec les légitimistes le sentiment que Maistre et Bonald constituent pour la France des divinités tutélaires. Et c'était une sorte d'hommage au catholicisme le plus autoritaire, le plus antimoderne, que le fait de réserver dans l'Institut d'Action française, créé en 1906, une chaire du Syllabus.

Quant au nationalisme – faut-il rappeler que dans ce même Institut il y avait aussi une chaire Maurice Barrès pour le nationalisme français ? –, tous les traits que Maurras en héritait devaient l'orienter de même vers l'anticartésianisme. Le nationalisme intégral au premier chef puisqu'il excluait, comme celui de Barrès, les « déracinés » et autres cosmopolites, juifs et protestants, adorateurs niais de l'Humanité. « L'humanité n'existe pas. Elle n'existe pas encore. Le plus vaste groupe formé entre les hommes est encore exprimé par l'idée de nationalité. [...] Qui défend sa patrie, sa nationalité, son État, défend par là même tout ce qui est réel, tout ce qui est concret dans l'idée d'humanité[22]. » La haine de l'individualisme en second lieu. « Toute la théorie individualiste est [...] de formation juive. » En installant Dieu dans la conscience de chacun, les juifs ont posé la première pierre d'une doctrine individualiste qui s'est prolongée, pour le plus grand malheur de la civilisation occidentale, dans l'esprit chrétien, lequel a renversé l'Empire romain, désorganisé la civilisation au XVIe siècle, fomenté Rousseau et la Révolution et fabriqué la moderne théorie de l'anarchie pure[23].

La généalogie révolutionnaire selon Maurras englobait donc, à la différence de celle des catholiques ultras, outre Luther et Rousseau, l'esprit juif et même des variétés de christianisme, celles qui ont sévi autrefois dans les déserts orientaux et les forêts germaniques[24]. Bien entendu, christianisme n'est pas catholicisme et, à ce dernier, pour sa capacité à *organiser* la société – on reconnaît là la marque de Comte –, Maurras réservait ses louanges. Sans cela, on aurait mal compris l'engouement des catholiques intransigeants pour le maurrassime jusqu'à sa condamnation de 1926. Catholicisme à vertu organisatrice, dans la droite ligne de celui de Bourget et de Brunetière avant leur conversion, ou encore de Barrès. Catholicisme auréolé de la même espérance : remonter la pente égalisatrice de la démocratie au moyen d'une véritable *organisation*, seule créatrice d'inégalités et de hiérarchies.

Pourtant, Maurras, contre toute attente, déteste « le funeste Pascal » et aime Descartes. Par une opération exactement analogue à celle de Brunetière et de Barrès, mais inverse, il accuse Pascal de porter en lui « le germe des incurables maladies qui nous désolent », et en innocente Descartes. Brunetière disait : le subjectivisme moderne, c'est du Kant greffé sur du Descartes. Maurras rétorque : non, c'est du Kant greffé sur du Pascal[25]. Si Maurras est cartésien, c'est pour une raison que ne laissent pressentir ni ses affinités avec le monde des ultras ni sa ressemblance avec les nationalistes : par antiromantisme. On connaît les équivalences dont son œuvre est parsemée : romantisme égale individualisme, égale protestantisme, égale judaïsme, égale Révolution. Au contraire, est souverainement valorisé cet *esprit classique* que Taine aimait si peu. D'où une autre façon que celle de Barrès de décomposer une doctrine ou une idée en ses éléments français et étrangers. L'idée révolutionnaire ? Pas française, mais suisse, protestante, juive, et mise « aux couleurs tricolores par Hugo, Michelet, Mme Sand et toute la cohue des petits romantiques ». « Les idées révolutionnaires n'ont pas le moindre lien avec notre esprit, en tant qu'il est français. »

Une réhabilitation *nationaliste* de Descartes est alors possible, et il est notable de voir Maurras y procéder le 15 octobre 1899 dans son article fameux, « Idées françaises et idées suisses ». « On a bien tenté, écrit-il, de faire remonter à Descartes l'individualisme révolutionnaire. » C'est à cette « plaisanterie » à peine digne des professeurs de rhétorique et de théologie qu'il faut régler son compte. Dans l'idée « Descartes », Barrès avait, comme la gauche, associé rationalisme et internationalisme ; c'est pourquoi il avait déchu le cartésianisme de sa dignité de français. Dans l'idée « Descartes », Maurras sépare rationalisme et individualisme ; c'est pourquoi il tire la conclusion inverse. « Il n'y a personne de plus rationaliste que Descartes. Il n'y a rien de moins individualiste que la raison. » À partir de là, il est loisible à Maurras de faire tomber du mauvais côté tout ce qu'il déteste et du bon tout ce qu'il prise : parce que la raison ne connaît pas le particulier, seulement le général, le rationalisme n'a rien à voir avec la libre-pensée ; les vérités qu'elle appréhende, elle ne les invente pas, elle les reçoit. Quand Descartes enseigne l'identité des raisons humaines, il enseigne du coup l'inégalité des hommes et fonde « le principe de l'universelle hiérarchie » ; quand il ramène « les doctes au magistère de la raison », en un temps où triomphaient les fantaisies de l'École, il ne crée pas le libéralisme philosophique mais en réprime les « insupportables licences » et rétablit dans sa rigueur la « véritable autorité ». Ainsi repensé, Descartes rejoint de plein droit le grand siècle classique auquel Maurras est attaché comme il l'est à l'Antiquité, le siècle de Bossuet, Molière, La Fontaine, Malherbe, Corneille. « Le *moi*, le *moi* désordonné, cause et effet de toute idéologie révolutionnaire, est à peu près banni des grands livres de la littérature française [26] », écrit-il encore ce 15 octobre 1899. Et ailleurs : « Se ranger à la présidence de la raison », voilà quelle était la disposition de la « vieille France » lorsqu'elle avait l'esprit classique [27]. Descartes peut ainsi retrouver dans cette doctrine de l'Action française toute sa vigueur de philosophe national, sans la moindre contamination de cosmopolitisme, d'égalitarisme et de républicanisme dont on l'a recouvert, à gauche comme à droite. Penseur d'ordre, contre le sentiment, le flou, l'intuition, l'instinct, contre Pascal et contre Bergson [28]. Penseur éminemment classique qui appartient à la « vieille littérature raisonneuse », celle de Port-Royal et des grands scolastiques [29].

En se plaçant du côté de Descartes, Maurras singularise la doctrine de l'Action française par rapport aux mouvements antiparlementaires de l'époque et par rapport aux divers courants nationalistes. Position singulière que l'on n'eût pas imaginée si elle n'eût existé mais qui n'est pas tout à fait sans antécédent. On sait la dette de Maurras à l'égard de Comte et l'on n'ignore pas qu'une chaire de l'Institut d'Action française était dévolue à la philosophie positive. Comme dans le positivisme, on est en présence avec le maurrassisme d'une doctrine où la détestation de l'individualisme ne produit pas ses effets anticartésiens. L'explication de cette anomalie est semblable dans les deux cas : c'est que, comme le positivisme, le maurrassisme est une doctrine de la raison. Il est vrai que la raison de Maurras n'a que peu à voir avec celle de Comte : celle-ci est fondée sur l'histoire des sciences tandis que celle-là est avant tout esthético-littéraire. Mais l'une et l'autre ont en commun le pouvoir organisateur qui est l'antidote souverain contre l'individualisme. Il suffit alors de montrer que le rationalisme cartésien n'a rien d'individualiste : Comte y parvient en ne s'attachant qu'à la fondation de la positivité scientifique ; Maurras, en insistant sur le caractère impersonnel de la raison cartésienne, comme l'avait fait, soixante-dix ans auparavant, Victor Cousin.

Position singulière, en effet, et singulièrement instable. De tous les théoriciens de l'Action Française, Louis Dimier sera sans doute le seul à s'y tenir absolument. Ce catholique qui quittera Maurras en 1925, à cause justement du catholicisme, professe à l'Institut d'Action française un cartésianisme impeccablement maurrassien, où Descartes est ôté à la généalogie moderniste, rattaché à la tradition française et catholique et inscrit dans une opposition attendue à Pascal, Kant et Bergson. La raison cartésienne n'a selon lui rien d'égalitaire ; bien au contraire, elle est fondamentalement élitiste[30].

Mais chez les autres disciples de Maurras, les ferments d'anticartésianisme que contient la doctrine exercent leur action. Certes, ces chantres de la nation s'entendent généralement pour célébrer le bon sens français, le goût de la clarté, la prédilection pour le style et la forme classiques ; mais ils sont moins nets lorsqu'il s'agit de ranger Descartes parmi les classiques qui ont fait la France. Racine, Pascal, Molière, oui. Mais Descartes ? Étienne Rey ne le cite pas dans son livre *La Renaissance de l'orgueil français*, et Henri Clouard apprécie le fait que les nouveaux classiques – Barrès, Maurras, Maurice de Guérin – injectent de l'émotion dans les idées claires de Descartes[31]. Quant à Vaugeois, il assimile volontiers esprit cartésien, mécanisme, spinozisme et... brutalité du monde moderne[32]. Même Pierre Lasserre, qui attachera son nom à la dénonciation généralisée du romantisme et de ses effets multiformes, ne décernera que du bout des lèvres des éloges à Descartes. Il est clair que Pascal illustre bien mieux, à ses yeux, la race française dans ce qu'elle a de plus noble. Il faudra le contexte de la guerre de 1914 et la lutte contre le « germanisme » pour obtenir de lui des propos plus favorables au philosophe français[33].

L'embarras où se trouve Henri Massis est également bien intéressant. Ce compagnon de route de l'Action française qui sera membre en 1940 du Conseil national du maréchal Pétain, a lu lui aussi Sorel et Berth, et il commente longuement le commentaire de ce dernier sur la phrase : « Pascal a vaincu Descartes. » Non que l'auteur des *Pensées* soit proche de son cœur : fidèle en cela à son maître Maurras, il voit Pascal comme le père du modernisme et du romantisme religieux. Mais il le voit aussi comme l'auteur de la conversion morale, religieuse et intellectuelle qu'a connue la France avant guerre. Comme Barrès, il dirait volontiers que Pascal a « les couleurs de notre crise » : sur les ruines du scientisme, de l'immoralisme et du scepticisme, c'est en méditant Pascal que la génération précédente s'est relevée. « La raison en est simple : Pascal convertit », écrit ce converti de 1913[34]. Le propos mérite d'être entendu, et nous en retrouverons la pertinence lorsque nous rencontrerons l'itinéraire de cet autre converti, proche lui aussi de l'Action française mais farouche contempteur de Descartes : Jacques Maritain. Dans le contexte de l'Action française, le passage au catholicisme autoritaire ne fait qu'accroître les virtualités anticartésiennes de la doctrine et, souvent, les fait passer à l'acte. Car dans la victoire de Pascal sur Descartes, Massis ne déplore pas la défaite de Descartes (« c'est bien de chasser Descartes », note-t-il) mais c'est à condition de ne pas faire entrer Bergson en croyant accueillir Pascal, comme ont fait Sorel et Berth. Un propos tardif de Massis à Gustave Thibon indique d'ailleurs dans quelle région intellectuelle l'auteur de *Maurras et notre temps* situe Descartes. « Je citais Descartes, se remémore-t-il, je songeais à l'univers physico-mécanique qu'il a découvert. Tous se sont précipités à sa suite ; mais cette lumière n'a-t-elle pas rendu à la nuit tout ce qui n'est point dans la clarté qu'elle projette[35] ? » Massis, on le voit, retrouve très naturellement la critique du rationalisme cartésien, étroit et borné, à laquelle le prédispose le catholicisme d'extrême droite qui a depuis longtemps sa faveur.

Ces dispositions sont encore plus accusées chez Léon Daudet, converti en 1904 simultanément au monarchisme de l'Action française et au catholicisme. Le fils de l'étoile des lettres républicaines entame ainsi un parcours qui le conduira, comme on sait, au contact du véritable fascisme. Ses souvenirs de la génération d'avant-guerre sont exactement conformes à ceux de Massis : même sentiment d'un « barbotage philosophique » entre le scepticisme de Renan, le déterminisme de Claude Bernard et le kantisme du « plus copieux assembleur d'âneries solennelles », Renouvier ; même explication du fait que cette génération déboussolée se soit jetée dans les bras du « petit juif tarabiscoté Bergson » : par dégoût du scientisme ; même conviction que l'Action française et les retrouvailles avec le catholicisme ont sorti cette génération du « grinçant et lassant matérialisme qui a été, de tout temps, le morne apanage du peuple hébreu[36] ».

Chez Daudet, les choses sont tout à fait nettes : il est contre Descartes et pour Pascal. Pascal, c'est-à-dire celui qui a excellé dans « la qualification du quantitatif ». Le fond de la réalité est en effet qualitatif, et c'est la gloire de la littérature comme du catholicisme que d'explorer ce fond. Du moins est-ce ainsi que Daudet comprend l'opposition de l'esprit de géométrie et de l'esprit de finesse. À l'inverse de Pascal, hanté par le mystère de l'incarnation et le supplice de la croix, « Descartes était hanté par le problème de la quantification du qualitatif ». L'homme étant destiné par nature, selon Daudet, à transmuer le quantitatif en qualitatif, on comprend que Descartes a travaillé dans la mauvaise direction et Pascal dans la bonne. À cette variation près sur un thème obligé, Daudet retrouve toutes les vieilles critiques que le catholicisme intransigeant accumule depuis un siècle contre le rationalisme cartésien : manie de la simplification, mathématisme appliqué indûment, croyance en la possibilité de la table rase. « Lisez entre deux pièces de Molière le *Discours de la méthode*, et vous aurez l'impression d'une petite douche glacée, qui fait serrer les épaules et contracter les orteils[37] », dit-il dans un propos qui rappelle Barbey d'Aurevilly. Quant à ses auteurs de prédilection, ils sont ceux de sa famille politique : Pascal, Comte, mais surtout saint Thomas ; l'« immense synthèse » du plus grand des philosophes, comparable aux cathédrales gothiques, a résumé une fois pour toutes l'ensemble du savoir humain[38].

Les convertis

« Pascal convertit », disait donc Massis. Pour la génération de celui-ci – il est né en 1886, quatre ans après Maritain – comme pour celle de Léon Daudet, de Claudel ou de Péguy – tous trois nés entre 1868 et 1873 –, comme déjà pour celle de Bloy, de Bourget et de Brunetière – ils sont nés au milieu du siècle –, c'est évidemment une raison forte de le préférer à Descartes, car ils font partie de ceux qui sont allés au catholicisme par la conversion. Qu'ils aient grandi dans un milieu agnostique ou anticlérical, comme c'est le cas de Péguy et de Maritain, ou qu'ils aient perdu la foi dans leur jeunesse, comme c'est le cas de la plupart, tous dénoncent avec véhémence, lorsqu'ils la retrouvent, ce qui prédispose à l'incroyance dans le monde contemporain. Par la logique même de leur itinéraire, ils sont portés à être, comme le dira fièrement Maritain en 1922, *antimodernes*, puisque le modernisme, c'est « la révolution antichrétienne ». Être antimoderne, c'est d'abord repousser la science, cette science dont Brunetière dénonçait après sa visite au Vatican l'irrémédiable faillite, que symbolisent pour tous les noms de Taine et de Littré, et dont Bergson est le premier à desserrer l'étau – c'est à lui que beaucoup d'entre eux devront leur première bouffée d'oxygène, tout en allant plus loin et plus vite que lui dans la voie du catholicisme. C'est aussi s'opposer à l'anticléricalisme régnant et à la séparation de l'Église et de l'État, qu'aucun d'entre eux n'acceptera de gaieté de cœur. « La France que nous leur devons est si vilaine », écrit le fondateur de la Ligue de la patrie française, Jules Lemaître, en parlant des républicains, « l'anarchie des persécuteurs, leur impuissance à construire, me fait naturellement goûter ce qu'il y a dans l'Église d'ordonné, de hiérarchisé, de propre à *relier* les hommes et à maintenir les sociétés humaines[39]. »

Or, depuis un siècle, le catholicisme intransigeant et antimoderne a dessiné de Descartes un portrait qui contient tous ces traits. Dès lors, comment ces convertis ne tourneraient-il pas contre lui les reproches qu'ils adressent au monde de la perte de leur foi ? Trois d'entre eux ont joué un rôle particulier, par les conversions multiples qu'ils ont suscitées à leur tour : Bloy, Claudel, Maritain. Les trois sont des adversaires décidés de Descartes.

Léon Bloy est leur père à tous. Il est né sous le régime de Juillet, deux ans avant sa chute. C'est par Barbey d'Aurevilly qu'il est entré en littérature et c'est incontestablement de lui qu'il descend pour ce qui est de la haine de la bourgeoisie, du monde comme il va et de la tiédeur en général. Son catholicisme est, comme celui de Barbey, du genre abrupt. Bloy, en effet, n'a pas tardé à adopter, quant au monde contemporain et à la responsabilité de Descartes dans cette décadence générale, les idées de son mentor qui sont celles, on l'a dit, du catholicisme le plus antimoderne. En 1870 – il a alors vingt-quatre ans –, un an après sa propre conversion, il écrit à un prêtre de Périgueux : « Vous verrez que le christianisme renaîtra de quelque sublime violence surnaturelle qui nous brisera le cœur d'admiration. C'est par le surnaturel que la patrie de Descartes a péri, je veux dire, en n'y croyant plus. » Une époque s'achève, ce XIXe siècle que Léon Daudet qualifiera de « stupide » et auquel Bloy réserve d'autres épithètes : « Oui, nous allons voir enfin la vérité régner sur le monde. Les empoisonneurs boiront la lie de leurs mensonges. Mon Dieu ! que leur empire a été funeste ! Depuis Descartes, cet horrible innocent qui ne savait pas ce qu'il faisait, jusqu'à Proudhon, le hideux et brutal sophiste qui le savait si bien, quel escalier d'ignominie, quel vomitoire ! Quel terrible compte devant Dieu ! Hélas, quand je songe à la multitude des âmes égarées par ces orgueilleux[40]. »

Par la suite, Bloy empruntera des chemins plus personnels, qui ne le mèneront jamais à changer d'avis sur Descartes. Sans doute déteste-t-il beaucoup de ceux qui détestent Descartes : le « soutanier » Bautain, ou Paul Bourget, sans égal pour « débobiner le néant », Brunetière qui parvient tout juste à « feindre l'existence », Léon Daudet, qui croit être « un écrivain catholique – ou même un *écrivain* quelconque[41] ». Mais cela ne le fait pas aimer celui qu'ils n'aiment pas ; et Descartes demeure pour lui, comme pour Brunetière, celui qui a infecté le monde moderne du mal qui le ronge : le subjectivisme. Depuis Descartes, la connaissance n'a plus d'objets, elle n'a que des sujets, « elle ne saurait poursuivre l'insecte subjectif qu'en s'enfonçant dans un rapetissement de plus en plus moléculaire de son champ d'observation[42] ». « Au lieu de regarder Dieu, on se regarde soi-même[43]. » Et c'est un argument pascalien qu'il oppose à Maritain en 1905, lorsque celui-ci en est encore à chercher : « Vous *cherchez*, dites-vous. Ô professeur de philosophie, ô cartésien, vous croyez [...] que la vérité se *recherche* ! [...] Vous finirez par comprendre qu'on ne trouve que le jour où l'on a très humblement renoncé à chercher ce qu'on avait sous la main, sans le savoir[44]. » Le catholique romain, « absolu, croyant tout ce que l'Église enseigne », que Bloy a choisi d'être, réserve comme il va de soi toute son admiration aux « éducateurs de l'esprit humain », aux « porteurs de flambeaux » que sont Aristote, les pères de l'Église et les grands scolastiques, saint Thomas en tête[45]. Pour ce qui est de son siècle, il dirait volontiers comme l'un de ceux qu'il a convertis, Léopold Levaux : « L'histoire de la France au XIXe siècle est une immense et vertigineuse dépression[46]. »

Claudel – qui n'osa jamais aller voir Bloy mais qui en brûlait d'envie – est du même avis concernant le XIXe siècle et son « bagne matérialiste[47] ». Pour lui comme pour Bloy, se convertir c'est s'évader de cette prison, hors de l'art « grossier, méchant et bête » de Flaubert et de Zola[48], hors du « cloaque renanien[49] ». Des philosophes, Claudel ne pense en général aucun bien et il les englobe volontiers dans une même catégorie : celle des faiseurs de systèmes, dont la vanité le dispute à la précarité. Descartes, Leibniz, Spinoza, Kant, Comte, Hegel, Marx : « Leurs spirales ridicules encombrent maintenant nos greniers et il n'y a plus que les spécialistes pour venir y fourrager[50]. » Mais son antipathie à l'égard de Descartes en particulier suit des voies que nous connaissons bien désormais et qui doivent beaucoup à son amour de Pascal. Par exemple, sa critique de la « chiquenaude » initiale : Descartes a vu les choses « à l'envers » ; il n'y a pas eu chiquenaude, mais « appel produit par un vide, le vide causé par la nomination de la chose[51] ». D'une manière générale, pour Claudel, Descartes est celui qui prend tout à l'envers : les causes secondes au lieu de la cause première-Dieu[52], les parties au lieu du tout, l'analyse au lieu de la synthèse. « Si le philosophe Descartes pouvait venir un moment à mes côtés au lieu de gribouiller je ne sais quoi à l'intérieur de son poêle, il ne tarderait pas à se convaincre de l'erreur de son point de vue. » Descartes regarde d'en bas alors qu'il faut regarder d'en haut. « Ce pauvre malheureux a tout brouillé dans le monde des idées. » Tout ce que Claudel estime – l'art, la poésie, la religion – fonctionne selon lui à rebours de la marche cartésienne dont il n'aime rien : ni la morale de la résolution, ni les règles de la méthode, ni l'idée – pourtant assez chrétienne – que l'on doit toujours préférer les intérêts du tout dont on fait partie à ceux de sa personne en particulier[53] ; et dans le *Discours de la méthode*, ni le style, ni la pensée, ni le vague des définitions, ni bien entendu la proclamation de l'indépendance de la pensée personnelle[54].

Claudel n'est pas un philosophe. Mais Maritain en est un. Et c'est en philosophe qu'il se dresse contre Descartes depuis toujours. Son influence se fera surtout sentir dans l'entre-deux-guerres après la mort de Léon Bloy et lorsqu'il animera à Meudon un groupe remarquablement actif ; nous aurons l'occasion de le retrouver. Mais son parcours d'avant-guerre l'inscrit parfaitement dans un milieu où l'on retrouve associés maurrassisme, catholicisme ardent, thomisme et anticartésianisme. De ce point de vue, Maritain est exemplaire.

Le petit-fils de Jules Favre est un agrégé de philosophie de la promotion 1905. Son trajet commence, tradition familiale oblige, à gauche ; il est dreyfusard et anticlérical à dix-sept ans et, lorsqu'il se projette dans le futur, c'est la défense du prolétariat et de l'humanité qu'il s'assigne comme tâche. Depuis mars 1901, il fréquente Péguy qui le fait entrer quelques mois plus tard dans l'équipe des *Cahiers de la quinzaine* et l'emmène aux cours de Bergson. Mais la quête d'absolu qui, très tôt, l'anime va le conduire dans des régions politiquement très éloignées de son milieu d'origine. 1905 est la date charnière : non seulement c'est l'année de son agrégation, mais surtout c'est celle où Raïssa et lui vont voir Bloy. Jusque-là, dira-t-il, il ne croyait qu'en la révolution ; c'est à ce moment, peut-être s'en souvient-on, que Bloy le désigne en disant : « Ô professeur de philosophie ! ô cartésien. » Le 11 juin 1906, il reçoit le baptême. En 1908, le père abbé de Solesmes l'adresse au père Clérissac qui devient son directeur spirituel ; ce dernier le persuade que seul le royalisme est de nature à permettre le rétablissement de l'ordre dans la société. Il le conduit aussi à l'Action française et, enfin, lui impose le thomisme. En 1911, c'est la rupture avec Péguy. En 1912, il fait la connaissance de Massis à qui il reproche de n'être pas royaliste et, la même année, il rejoint le collège Stanislas pour enseigner la philosophie. L'année suivante, il est invité à donner une série de conférences à la faculté de philosophie de l'Institut catholique de Paris où il met toute son ardeur de néophyte à critiquer au moyen du thomisme la philosophie bergsonienne qu'il avait embrassée avec tant de chaleur une dizaine d'années auparavant. *Vae mihi si non thomistizavero* : ç'avait été, dira-t-il plus tard, sa ligne en ces années où il découvrait dans le thomisme la clé universelle pour démonter la « philosophie moderne » à ses deux bouts, à son origine cartésienne et à sa conclusion bergsonienne[55].

Les conférences qu'il prononce en avril-mai 1914 toujours à l'Institut catholique sur « L'esprit de la philosophie moderne » portent en sous-titre : « La réforme cartésienne ». Elles sont à tous égards d'un puissant intérêt et d'abord parce qu'elles offrent la vue la plus nette de ce qu'est le cartésianisme en contexte néothomiste et traditionaliste à la veille de la Grande Guerre. Il s'agit bien là pour Maritain de présenter la philosophie moderne dans son « esprit » et non dans la galerie de ses figures dispersées ; c'est de cette manière qu'il lui sera possible ensuite d'en faire apparaître clairement l'incompatibilité avec l'« esprit » de la philosophie catholique, c'est-à-dire thomiste. Pour cela, il lui faut remonter aux origines du « modernisme », et ces origines, à l'en croire, sont cartésiennes. Comme ses adversaires de l'Université, Maritain est convaincu que Descartes est le père de la philosophie moderne, celui qui a rejeté le joug de l'autorité et fondé la science ; le moment cartésien est celui où la pensée se laïcise, « passe du service de Dieu au service du monde ». Non que Descartes marque un commencement absolu : avant lui, le préparant, il y eut le « torrent d'animalités » déversé sur le monde par la Renaissance et la Réforme. Pour caractériser ce mouvement, Maritain puise à pleines mains dans le répertoire des péchés : « concupiscence de l'esprit », « orgueil individualiste », « haine et mépris de toute tradition », « impatience de l'autorité surnaturelle », « curiosité sans frein ». C'est à cette « vaste poussée de désirs » que Descartes va donner une forme philosophique en fondant le scientisme. Alors tout change. « Non seulement la nouvelle philosophie s'établit dans le monde et prend ses droits de bourgeoise, mais encore elle peut dire : pas de norme acceptable, pas de loi hors de moi. » Cette philosophie bourgeoise se dote d'une religion elle aussi bourgeoise : le maximum de bonheur terrestre et, au titre de supplément d'âme, un peu de catholicisme – mais sans « le sauveur pendu à un gibet ». « Descartes apparaît comme l'ancêtre de tous ces hommes sages qui sont partisans du christianisme sans la croix. »

Et voici maintenant la postérité du philosophe français, monstrueuse comme il se doit : les scientistes, « tout gonflés et cramoisis de science humaine », les modernistes – Maritain songe à Blondel et Laberthonnière –, les kantiens, et, par un retournement remarquable, les partisans de l'intuition – cette fois c'est Bergson qui est visé – au motif que Descartes a remplacé le syllogisme par « une intuition facile et à la portée de tous » ; enfin, le pragmatisme selon William James et la culture selon Lavisse et Lanson. Rien, chez Descartes, ne mérite-t-il donc la gratitude de Maritain ? Si, deux choses : la découverte de la géométrie analytique et le pèlerinage à Notre-Dame-de-Lorette[56].

La voix solitaire de Péguy

Reste le cas de Péguy, atypique à tous égards. À la différence de Maritain, Péguy trouve le socialisme non pas exactement dans son berceau mais à l'école républicaine et laïque dont il est le pur produit : à l'École normale supérieure où il adhère, en 1895, au socialisme « intégral » de *La Revue socialiste*. Jaurès est son grand homme politique, Kant son grand philosophe, celui qui a élaboré avant l'heure la philosophie du socialisme. La « cité des bonnes âmes » qui est chantée dans *Marcel, premier dialogue de la cité harmonieuse* (avril 1898) n'évoque-t-elle pas à s'y méprendre le « règne des fins » cher aux *Fondements de la métaphysique des mœurs* ? C'est aussi l'époque où Péguy entre en religion dreyfusarde et presse ses amis de s'engager en faveur de la révision. Dreyfusisme, patriotisme, socialisme et internationalisme sont pour lui les divers visages d'une même vérité qui s'appelle *révolution sociale*. Sociale, bien plus que politique. Car Péguy nourrit d'emblée une méfiance invétérée à l'égard de la politique comme telle qu'il stigmatise sous les espèces du parlementarisme. Son socialisme est plutôt libertaire qu'étatique, moral que parlementaire – ni Marx ni Guesde, ni bientôt Jaurès à l'égard de qui il prend une distance qui va grandissante à partir de 1899, après le congrès des organisations socialistes. En revanche, Proudhon, Sorel – qui s'abonne aux *Cahiers de la quinzaine* en 1900 – rôdent dans ces parages. Leur souci de l'organisation trouve chez Péguy un écho puissant, comme leur critique du jeu parlementaire contre lequel il a des formules qui ne le cèdent en rien à celles de ses aînés. Dans cette « démocratie absolue » qu'est la France de la IIIe République, il ne voit plus de peuple, plus d'ouvriers, « rien que des citoyens seigneurs électeurs ; tous également primaires ; tous également politiciens ; [...] tous également parlementaires ; tous également démagogues, démagogués ; démagogiqueurs, démagogiqués[57] ». Comme Sorel, comme Berth plus tard, Péguy range dans le même sac que les parlementaires et les bavards, les intellectuels et le « parti » qu'ils forment. Les intellectuels, à quoi sont-ils bons ? À faire des congrès où ils exposent leurs philosophies et surtout « leurs personnes philosophiques ».

Antiparlementarisme, rejet des intellectuels, propension à une forme d'anarchisme, conception organisationnelle du socialisme : tous ces éléments devraient orienter Péguy vers l'anticartésianisme. Indice supplémentaire : il voue à Pascal une admiration illimitée – c'est « le plus grand génie que la terre ait jamais porté », « le plus grand penseur qui ait jamais pensé depuis plus de six mille ans qu'il y a des hommes et qui pensent[58] ». Mais Péguy ne suit pas les chemins balisés. Et il se sépare de Sorel – ou de Barrès – quand il s'agit de faire ou non de Descartes un intellectuel. Justement, la première apparition de l'auteur du *Discours de la méthode* dans son œuvre intervient à l'occasion du Congrès de philosophie de 1900 mis en scène par l'auguste Boutroux. C'est l'occasion pour Péguy d'instruire une opposition entre les philosophes de congrès et Descartes. Descartes, chez Péguy, c'est d'abord ce philosophe qui pense en marge de l'« establishment » intellectuel, contre les colloques, les académies et « la vénérable institution des thèses ». Et l'importance des philosophes, on le sait, est inversement proportionnelle à leur présence dans les colloques : Descartes, qui n'allait pas aux congrès de philosophie, a plus fait pour la révolution sociale que ne feront jamais tous les intellectuels réunis[59].

Le nationalisme vers lequel Péguy s'oriente à partir de 1905 et de la crise franco-allemande, et le catholicisme auquel il se convertit vers 1907-1908 renforcent encore les raisons qu'il aurait d'être anticartésien. Désormais, le voilà transformé en contempteur de l'« énorme ventre de barbarie de l'humanité moderne[60] », comme tant d'autres à la même époque, à droite comme à gauche. Lui aussi peut écrire : « Le monde intellectuel et le monde politique [...], le monde scolaire et le monde parlementaire vont ensemble. » Le « modernisme », au sens religieux, se trouve enveloppé dans la condamnation du monde moderne au titre de sa « pauvreté intellectuelle », parce qu'il n'est rien d'autre qu'un « résidu, une lie, un fond de cuve, un bas de cuvée », pas même une véritable hérésie[61]. D'une Église moderne, d'un christianisme moderne, il ne veut pas davantage que les catholiques les plus intransigeants. D'ailleurs, Barrès, Drumont, Lasserre n'ont-ils pas applaudi lorsqu'ils ont vu paraître en 1910 *Le Mystère de la charité de Jeanne d'Arc* ?

Mais comment Péguy, qui tresse à Bernard Lazare la couronne que l'on sait, supporterait-il la caution douteuse de cette droite antisémite ? Comment lui qui, en 1913, continue de se dire « un vieux républicain », « un vieux révolutionnaire », ferait-il même un bout de chemin avec ceux qui rejettent tout l'héritage de 1789, y compris la Déclaration des droits de l'homme ? C'est dire qu'il ne peut concéder à leur anticartésianisme, après 1905, rien de plus qu'avant. Au contraire même : en 1905, Descartes est haussé à une grandeur nouvelle qui le fait l'égal de Pascal ; si ce dernier est « le plus grand penseur », Descartes est maintenant « le plus grand philosophe », à côté de Corneille, le plus grand poète tragique[62].

Avant la *Note conjointe* de 1914, et moins connu qu'elle, un texte de cette même année 1905 met superbement en scène les cartésiens, à côté des kantiens et des bergsoniens. Pas sur le même plan : ces derniers n'ont pas encore le rang qu'ils auront dans la *Note conjointe* ; la vraie confrontation a lieu entre les cartésiens et les kantiens, pour lesquels Péguy n'a pas tout à fait abjuré sa tendresse de jeunesse. Bien entendu, les kantiens brillent par leur respect : ils respectent Dieu, l'homme, la morale et la raison. Mais déjà Péguy trouve qu'ils respectent « beaucoup trop » ; par exemple le royaume du ciel, qui exige au contraire effraction et rapt. Les kantiens, il les voit volontiers comme les anticartésiens voient Descartes : comme des « individualistes outrés », des « égoïstes transcendantaux » vivant dans des cités-colonies où chacun habite « un petit pavillon, cour et jardin, une petite maison parfaitement isolée de toutes les autres » ; c'est la raison kantienne qui est confinée et étroite, sa morale étriquée, son style tout en grisaille. Au contraire, le Descartes de Péguy est un grand seigneur « à la française ». Il faut ici citer un peu longuement.

> Ces cartésiens, avec leur épée droite et leur chapeau à grandes plumes, aux larges bords, figures longues et creuses, nez un peu forts, les yeux rentrés, profonds et volontaires [...], toute la force et toute la grâce de l'ancienne France, nulle part, en nul temps jamais obtenue depuis ; [...] saluant à peine, et si légèrement la mort, comme leurs frères admirables avaient salué les boulets des anciennes artilleries ; [...] vivants exemplaires d'un courage que le monde n'avait jamais retrouvé depuis eux ; courage à la française, inimitable à tous ceux qui n'étaient pas de cette race ; [...] un courage honnête homme, sans une phrase, un courage de la Seine et de la vallée de la Loire, juste assez légèrement glorieux, un courage de bonne compagnie ; cornélien, cartésien, c'est tout le même[63].

L'image du « cavalier français qui partit d'un si bon pas » n'y est pas, mais le reste oui : la résolution, le style grand seigneur sans la morgue, l'insertion dans une *tradition* française au lieu du *cosmopolitisme* que déplore un Barrès, l'incarnation dans un sol – la Seine, la Loire – au lieu du *déracinement*.

Loin de puiser dans le nationalisme et dans le catholicisme des raisons supplémentaires de rejeter Descartes, Péguy fait cette chose qui n'avait jamais été faite avant lui : il se sert de l'un et de l'autre pour parer le philosophe de nouveaux traits ; et il brosse ainsi de lui un portrait où se retrouvent tous les éléments dont les nationalistes et les catholiques intransigeants déploraient le manque.

La *Note conjointe sur M. Bergson et la philosophie bergsonienne*, qui paraît en avril 1914 et qui défend tout autant Descartes que Bergson, puis la *Note conjointe sur M. Descartes et la philosophie cartésienne*, posthume celle-là, prennent tout le monde à contre-pied. À la droite catholique et thomiste qui ne supporte ni Descartes ni Bergson, Péguy oppose un cartésianisme (et un bergsonisme) ouvert aux inquiétudes de la grâce par la façon dont il sait se rendre humble devant le réel[64]. À la droite nationaliste, qui reproche à Descartes d'être un « déraciné », il oppose le portrait le plus fortement incarné que l'on ait jamais fait du philosophe de la méthode. Descartes a produit dans le monde une « rupture violente », un

« immense ébranlement » comme il n'y en a eu que trois ou quatre de cette ampleur dans toute l'histoire. Comme on sait, c'est à l'ampleur de cette « onde » que Péguy mesure l'importance d'une philosophie, et non pas à la solidité d'un système « à la Kant ». En 1914, il est plus que jamais convaincu que « Kant, c'est très bien fait mais que précisément les grandes choses du monde n'ont pas été des choses très bien faites[65] ». Le cartésianisme n'est pas une « chose bien faite ». Descartes n'a pas suivi la méthode cartésienne, il l'a abandonnée dès le premier pas et sa métaphysique n'est même pas déduite du *je pense*. Mais il y a la méthode et, dans la méthode, quatre ou cinq lignes qui ont produit une « révolution », une déclaration de guerre, qu'il n'est pas exagéré de comparer à celle qu'a produite la Déclaration des droits de l'homme[66]. « Le monde n'a peut-être pas suivi la méthode cartésienne et Descartes certainement ne l'a pas suivie. Mais Descartes et le monde ont suivi l'ébranlement cartésien[67]. » Péguy reprend donc la vieille idée, familière à la gauche, d'un Descartes instaurateur de la liberté, en rupture avec tout ce qui l'a précédé. Mais il l'accommode dans un langage de la Terre et des Morts. Voyons plutôt : « Une grande philosophie n'est pas celle qui est invincible en raisonnements. Ce n'est même pas celle qui une fois, une certaine fois, a vaincu. C'est celle qui, une fois, s'est battue. » Or, la thématique de la bataille lui permet de dérouler une chaîne associative qui va emmener Descartes là où personne ne l'attendait : en compagnie de sainte Geneviève et de Jeanne d'Arc. « Une grande philosophie n'est pas [...] celle qui couche, et à la fois, sur toutes les positions sur tous les champs de bataille. C'est seulement celle qui, un jour, s'est bien battue au coin de ce bois[68]. » Dans ce registre, Péguy a publié six mois plus tôt *Ève*, l'immense poème dans lequel il n'a qu'à puiser pour illustrer son propos. Ce qu'il fait :

> Heureux ceux qui sont morts pour quatre coins de terre.

Réinsérons ce vers dans le quatrain d'où il est extrait, nous aurons alors le cadre dans lequel Péguy glisse son Descartes, qui ne ressemble décidément à aucun autre :

> Heureux ceux qui sont morts pour la terre charnelle,
> Mais pourvu que ce soit dans une juste guerre.
> Heureux ceux qui sont morts pour quatre coins de terre.
> Heureux ceux qui sont morts d'une mort solennelle.

L'imaginaire républicain, chez Michelet par exemple, avait aussi rêvé d'une sépulture glorieuse pour Descartes. Mais c'était au Panthéon, et le philosophe reposait là en compagnie de Voltaire et de Rousseau. Avec Péguy, Descartes quitte la pierre des monuments illustres ; sa mort n'est pas moins *solennelle*, mais c'est la *terre charnelle* de France qui l'accueille. Seul ? Non pas. Les lecteurs d'*Ève* savent que d'autres que le philosophe sont ainsi morts d'une *mort solennelle* dans la *terre charnelle* : sainte Geneviève et Jeanne d'Arc.

> Et l'une est morte ainsi d'une mort solennelle
> Sur ses quatre-vingt-dix ou quatre-vingt-douze ans
> Et les durs villageois et les durs paysans,
> La regardant vieillir l'avaient crue éternelle.
> Et l'autre est morte ainsi d'une mort solennelle.
> Elle n'avait passé ses humbles dix-neuf ans
> Que de quatre ou cinq mois et sa cendre charnelle
> Fut dispersée aux vents[69].

Voilà ce que nul, certainement, n'avait songé à conférer à Descartes : une mort humble dans la terre de France aux côtés de ses saintes patronnes. Ce que ses amis avaient cherché à faire en 1667 en rapatriant ses cendres, ce que les révolutionnaires de 1791 et de l'an IV avaient souhaité pour lui en décrétant son transfert au Panthéon, ce que la France de la monarchie restaurée avait voulu en lui offrant une sépulture à Saint-Germain-des-Prés, Péguy l'effectue en rapprochant la mythologie cartésienne de celle relative à Jeanne d'Arc. Le moment s'y prête admirablement : revendiquée par la gauche républicaine et anticléricale, au motif que Jeanne a été trahie par l'Église, elle est, depuis le virage nationaliste de l'extrême droite, appropriée par celle-ci avec non moins d'ardeur. « Héroïne nationale et héroïne chrétienne », a dit d'elle Louis Dimier tandis que Drumont s'écriait : « Vive la France ! Gloire à Jeanne d'Arc[70] ! » Elle a de surcroît été déclarée vénérable par le Saint-Siège en 1894 et béatifiée par Pie X en 1909. Nationalistes et républicains se la disputent donc mais s'accordent sur son exemplarité de Française. Associer, par le biais de leur mort, Descartes et Jeanne, c'est conférer à l'un quelque chose de ce qui fait l'éminence de l'autre : son enracinement dans la terre de France. C'est exactement ce qui manquait encore à l'auteur du *Discours de la méthode*.

Chapitre XV

D'UNE GUERRE MONDIALE À L'AUTRE

De son vivant, Péguy n'eut jamais qu'une notoriété restreinte ; et la longueur démesurée de son *Ève* découragea plus d'une bonne volonté. La célébrité ne lui advint qu'après sa mort, dans les premiers jours de la bataille de la Marne. Révélée par Barrès dans *L'Écho de Paris* du 17 septembre 1914, la disparition de Péguy donna lieu aussitôt à une avalanche d'articles – plus de soixante-dix en treize jours, plus de sept cents en un an et demi – unanimes pour célébrer celui qui représentait la race française en ce qu'elle eut de noble et d'éminent[1]. Après coup, les vers *Heureux ceux qui sont morts...* prenaient un air de prémonition : Péguy avait donc chanté, avant de le pratiquer, le sacrifice pour la patrie.

Dès 1915 paraissent plusieurs biographies du poète-soldat, suivies en 1926 du livre des frères Tharaud qui avaient été ses proches collaborateurs aux *Cahiers de la quinzaine* ; et dans les années 1930, les jeunes « non-conformistes[2] », lorsqu'ils se cherchent des maîtres, tombent généralement sur l'auteur de *Notre jeunesse* : qu'ils soient plutôt à droite ou plutôt à gauche, qu'ils appartiennent au groupe des *Cahiers* réuni autour de Jean-Pierre Maxence, à celui d'*Ordre nouveau* avec Robert Aron, Arnaud Dandieu et Alexandre Marc, ou à celui d'*Esprit* qu'anime Emmanuel Mounier, ils s'accordent pour saluer en Péguy un précurseur dans la dénonciation d'un monde où triomphe l'insignifiance. D'ailleurs, presque tous lui consacrent un livre dans la décennie qui précède la Seconde Guerre : Mounier et Izard en 1931, Maxence la même année, Daniel-Rops en 1933, Daniel Halévy en 1941. Romain Rolland, lui, attendra

1944 pour publier les deux volumes fervents de son *Péguy*. À gauche, on est porté à célébrer en lui le champion de Dreyfus et l'on imagine qu'il aurait su trouver les mots pour fustiger le fascisme, le nazisme et bientôt la collaboration. À droite, on se souvient du poète de Jeanne d'Arc et des mystères chrétiens, et l'on suppose qu'il aurait été sensible à ce qu'il y a de nationalisme dans les mouvements fascistes.

Demeurée inachevée, la *Note conjointe sur M. Descartes et la philosophie cartésienne* paraît en 1924 au tome IX des *Œuvres complètes* chez Gallimard. Cette publication a été précédée toutefois en 1919 de cinq longs fragments recueillis dans *La Nouvelle Revue française*. Le premier contient notamment la phrase : « Descartes, dans l'histoire de la pensée, ce sera toujours ce cavalier français qui partit d'un si bon pas[3]. » Comme toutes les formules bien trouvées, celle-ci s'imposera très vite, au point qu'il suffira bientôt d'en citer la seconde partie (« ce cavalier français... ») pour savoir que c'est de Descartes que l'on parle. L'héroïsme de Péguy vient ainsi magnifier l'audace de ce gentilhomme « à la française » qui fut l'auteur du *Discours de la méthode*, et la mort du philosophe *au coin de ce bois*, après *s'être bien battu*, rejoint celle du poète tombé dans la *terre charnelle* d'Argonne.

Les années de guerre

D'autant que les années du conflit avaient été l'occasion de réactiver puissamment le mythe de Descartes bien français. « Descartes fut à la mode pendant la guerre », dira en 1920, pour le déplorer, une collaboratrice de la catholique et maurrassienne *Revue universelle*[4]. À la mode, ce n'est pas le mot qui convient, mais bien utile pour faire pièce à un adversaire flanqué, croyait-on, de Hegel, voire de Kant[5]. Rares étaient ceux qui, comme Maritain, songeaient à invoquer les mânes de saint Thomas pour sauver du kantisme la civilisation française[6]. Il était beaucoup plus tentant, même pour les catholiques, de faire appel au philosophe qui représente si bien la France : Descartes. Denys Cochin, Victor Delbos, Jacques Chevalier, Vincent d'Indy, Francis de Miomandre, mais aussi Boutroux et Bergson célébrèrent ainsi les vertus d'une civilisation marquée par le bon sens, l'amour des idées claires, la rigueur argumentative, la perfection du goût et le sens des justes proportions, toutes dispositions identifiées depuis longtemps au philosophe de la méthode.

Tous se plaisaient à opposer la souplesse de la raison française marquée par ses origines cartésiennes à la dureté de la raison germanique. En Allemagne, lisait-on un peu partout, on adore les « palais d'idées », les systèmes abstraits et les « aventures dialectiques », tandis qu'en France on se méfie « de l'énorme ou du rigide », auxquels on préfère toujours le souple et, pour tout dire, l'humain[7]. Descartes incarne parfaitement cette manière française de combiner adaptation au réel et capacité d'abstraction, ou, pour reprendre une autre disjonction familière, esprit de géométrie et esprit de finesse[8]. Et quand le conflit sera terminé et qu'il faudra en tirer les leçons, il n'apparaîtra pas démesuré d'attribuer la victoire de la France à ce qu'il y a de cartésien dans l'esprit français. Le jeune agrégé de philosophie Jacques Chevalier le suggère dans son *Descartes* de 1921 : si la France a vaincu, écrit-il, ce n'est pas parce qu'elle a eu plus de canons que l'Allemagne, mais parce qu'elle « portait l'esprit ». L'esprit cartésien ? Chevalier n'est pas loin de le penser et de le dire, puisque, pour « opposer une digue à la barbarie venue de l'Est », il convient selon lui de renouer avec notre tradition nationale en remontant à sa source : Descartes[9].

Mais ce que Chevalier ne faisait que dire à demi-mot avait été explicitement écrit par Henri Berr deux ans auparavant – l'année même où paraissaient les fragments de la *Note conjointe* – dans un ouvrage dont la conclusion s'intitulait « Descartes vainqueur de Machiavel » et où Machiavel, bien entendu, était allemand. « L'Allemagne déclarera, notait-il en introduction, qu'elle a succombé à un “monde d'ennemis” ; en réalité, c'est l'esprit français qui l'a battue. C'est l'esprit français qui a sauvé la France et l'humanité, sur la Marne. C'est lui qui a soulevé et dirigé toutes les forces du monde contre le germanisme. Jamais on n'avait vu au plus vif que dans cette crise combien les idées sont puissantes, et que la vérité est souveraine. » Or l'esprit français, à en croire Berr, émane en ce qu'il a de meilleur de Descartes, « notre patron intellectuel », « le saint de la pensée française[10] ». C'est bien lui qui combattait à Verdun sous le drapeau français et qui a vaincu le Machiavel allemand.

... de Maritain et des thomistes

Sans doute y aura-t-il quelque chose d'excessif dans les propos d'Arnaud Dandieu de 1931, quand il notera qu'entre 1912 et 1920 les nationalistes furent maurrassiens, les catholiques thomistes et les laïcs cartésiens[11]. Car certains maurrassiens – à commencer par Maurras lui-même – furent aussi amis de Descartes. Et, d'autre part, plusieurs catholiques refusèrent d'identifier thomisme et anti-cartésianisme.

Mais cette catégorisation des courants intellectuels avant et après la guerre est globalement exacte. Une bonne partie des maurrassiens est en effet hostile au philosophe de la méthode et de l'égalité démocratique, en qui ils voient l'un des facteurs de dissolution de la société moderne. Quant aux thomistes dont Maritain est maintenant, en France, le représentant le plus illustre, ils mènent contre Descartes une croisade sans trêve. Jusqu'à la condamnation de l'Action française en 1926, les uns et les autres s'entendront d'ailleurs sur une base qui comportera une forte dose d'anticartésianisme. À preuve la fondation en 1920 de *La Revue universelle* par Maurras et Maritain avec l'aide de Massis et de Bainville. Maritain y prend en charge la totalité des articles de philosophie. De la tribune dont il dispose ainsi, il distribue régulièrement ses coups à celui qui incarne, comme il se plaît à le dire maintenant, « notre péché national[12] ». Plusieurs des articles qui constitueront la matière d'*Antimoderne* (1922), de *Trois réformateurs. Luther, Descartes, Rousseau* (1925) et du *Songe de Descartes* (1932) ont paru au début des années 1920 dans *La Revue universelle*. Maurras les désapprouvait-il ? En tout cas il ne les empêchait pas. Comme avant guerre, Maritain est convaincu de l'extraordinaire nocivité de la réforme cartésienne ; il la tient pour responsable de ce qu'il appelle l'« immense futilité du monde moderne » – mot qui fera école, on le verra –, futilité caractérisée par une maîtrise accrue sur le plan matériel et par un insigne affaiblissement spirituel[13]. Après-guerre, cette dénonciation s'autorise aussi de l'hécatombe qui vient d'avoir lieu : comme Berr, comme Chevalier, mais pour en tirer une conclusion inverse, Maritain accorde à Descartes – associé il est vrai à Luther et à Kant – un rôle exorbitant puisqu'il le place à l'origine du mouvement qui, en coupant l'homme de Dieu, a déclenché le conflit mondial « par un jeu fatal[14] ». Écrit quatre ans après l'armistice, l'avant-propos d'*Antimoderne* est plein encore de la rhétorique de guerre, avec l'emploi réitéré du mot *barbarie*. Mais la barbarie commence selon Maritain bien avant Guillaume II, au schisme provoqué sans le vouloir par la Renaissance et la Réforme et, délibérément, par Descartes : dans la philosophie cartésienne et la pensée moderne en général, il stigmatise « une revendication pure et simple de barbarie[15] ».

Certes, les catholiques des années 1920 n'acceptent pas tous le magistère thomiste – nous avons croisé l'un d'eux, Jacques Chevalier, que son orientation à droite ne conduit ni chez Maurras ni chez Maritain – et certains thomistes désapprouvent ce que Maritain fait avec le docteur angélique. Étienne Gilson incarne assez bien le thomisme universitaire qui émerge durant ces mêmes années. Or Gilson, lui-même auteur d'une thèse sur *La liberté chez Descartes et la théologie* (1913) et de plusieurs autres livres de haute et impeccable érudition cartésienne, s'il conteste la voie prise au XVIIe siècle par Descartes, ne songe jamais à faire de lui un barbare. Reste que l'importance du courant thomiste dont Maritain est le centre est sans commune mesure avec les autres tendances de la vie catholique d'après-guerre, ne serait-ce qu'en raison de la confiance dont l'auteur d'*Antimoderne* jouit de la part du Saint-Siège.

Autour de Maritain, on partage sans réserve son aversion pour le cartésianisme et l'« esprit cartésien ». À *La Revue des jeunes*, on dénonce le rôle de Descartes dans la dégradation de la pensée moderne[16] ; à *La Revue universelle*, on s'en prend au « maigre *cogito* de Descartes[17] » ; à *La Revue thomiste*, qui reprend sa publication en 1918, le dominicain Thomas Pègues impose un thomisme strictement antimoderne, favorable à la fois à Maurras et à Maritain, et franchement anticartésien. L'*Initiation thomiste* qu'il publie en 1925 et qu'il adresse à Maurras « en hommage de communion intime dans l'amour de l'ordre aristotélicien et thomiste[18] », est tout entière sous-tendue par la conviction que la philosophie de l'autonomie individuelle lancée par Descartes est à la base de l'anarchie et de la confusion du monde moderne[19].

On en dirait autant du père Garrigou-Lagrange, dominicain lui aussi, directeur spirituel des Cercles d'études thomistes fondés par Maritain en 1922, et qui professe depuis longtemps l'idée que le cartésianisme est l'équivalent dans l'ordre intellectuel de ce qu'est le péché de l'ange dans l'ordre moral : la croyance en l'autosuffisance[20]. Un thomiste non maritainien comme Jean Rimaud, qui publie en 1925 un ouvrage intitulé *Thomisme et méthode : que devrait être un discours de la méthode pour avoir le droit de se dire thomiste ?*, sait très bien qu'il représente une tendance minoritaire au sein de la mouvance thomiste en affirmant ne pas croire que « Descartes est le père de toutes les erreurs », « le fléau de Dieu aux champs de la philosophie ». Bref, dans les années 1920, si on est « pour » saint Thomas, c'est qu'on est « contre » Descartes : celui qui le dit est bien placé pour connaître la cartographie intellectuelle de la France, c'est le directeur de *La Nouvelle Revue française*, Jacques Rivière[21].

Le cercle de Maritain comprend aussi des laïcs ; ils partagent en général son anticartésianisme. Deux exemples suffiront à l'illustrer, ceux d'auteurs venus justement du monde qu'incarne Jacques Rivière. Henri Ghéon est né en 1875. Cet ami de Gide, qui a participé à la fondation de la prestigieuse *NRF*, est un homme né de la guerre, comme il le dit lui-même ; comprenons : il s'est converti au catholicisme en 1915. Puis il a adhéré à l'Action française et a signé le fameux manifeste « Pour un parti de l'intelligence ». C'est un habitué des réunions de Meudon, chez les Maritain, à qui il voue une sorte de vénération. Après la publication des *Éléments de philosophie* que Maritain a composés à la demande des autorités catholiques pour servir de manuel thomiste, Ghéon lui a écrit : « Bénis Aristote, saint Thomas et vous-même, qui nous rendez une philosophie où il n'y a plus aucune place pour le doute, pour l'indécision, pour le détachement[22]. » Désireux d'apporter sa pierre à la renaissance thomiste, il publie et fait jouer en 1924 une pièce intitulée *Triomphe de saint Thomas d'Aquin*, où se côtoient, dans un climat d'euphorie, nationalisme et thomisme. Parmi les personnages de la pièce, un « professeur » est chargé d'incarner le cartésien. Bien entendu, l'homme est ridicule : partisan déclaré de la méthode d'évidence, il est prêt à cautionner n'importe quoi, y compris les rêves les plus extravagants ; nourri abondamment de « consommé cartésien », il est plus conséquent que Descartes lui-même et va jusqu'à escamoter complètement Dieu de sa construction[23].

L'exemple de Charles Du Bos est plus nuancé mais non moins instructif. Ce grand critique appartient lui aussi à l'équipe de la *NRF* ; il anime les Décades de Pontigny où ni le thomisme ni l'anticartésianisme ne sont particulièrement en odeur de sainteté. Lui aussi participe aux dimanches de Meudon sans pour autant adhérer au thomisme du maître de maison. Son « antipathie » envers

Descartes, son « aversion pour l'évidence cartésienne » n'en sont pas moins nettes et consignées régulièrement dans son *Journal.* Du Bos, faut-il s'en étonner, est du côté de Pascal dont la « position chrétienne intégrale » lui paraît infiniment supérieure à celle de Descartes. « Le Dieu de Descartes, note-t-il en juin 1922, n'est pas [...] le père véritable descendu dans la vie quotidienne, sensible jusque dans ses plus humbles, je dirai, plus puériles manifestations. » Du Bos sait bien que Descartes est « le dieu français », mais il n'est pas de ceux qui partagent ce genre de culte et, s'il y a lieu d'introduire un élément patriotique dans l'appréciation des deux philosophes, c'est à Pascal qu'il faut conférer l'honneur d'être « la plus haute réponse humaine que la France ait à produire ». Pourtant, le motif catholique n'est pas l'élément le plus déterminant dans l'anticartésianisme de Charles Du Bos. Plus fondamentalement, c'est d'un refus de l'intellectualisme que procède son dégoût pour l'auteur du *Discours de la méthode.* Si puissante en effet est désormais l'image de Descartes en champion de l'intellectualisme abstrait que Du Bos n'a pas besoin de le lire pour s'en faire l'idée qui va avec ce qu'il appelle son « antirationalisme ». Pour lui, Descartes se résume aux idées claires et distinctes et au critère de l'évidence ; or, des vérités de ce type sont impropres à nous guider dans la vie : « Ne reconnaître pour vrai que ce que l'on peut évidemment tenir pour tel, la belle avance, puisque ce que l'on peut évidemment tenir pour tel se trouve par malheur n'importer en rien à aucun être humain en tant qu'être humain[24]. » Seules des vérités « vitales » comptent pour nous, mais Descartes n'a rien à nous dire à leur sujet.

Les laïcs

En face des nationalistes et des thomistes, les « laïcs » d'après-guerre sont-ils tous amis de Descartes, comme l'affirme Dandieu ? Du moins est-ce ainsi que les choses apparaissent à l'observateur qu'il est ; et l'on peut appuyer son témoignage par celui de Raymond Aron qui, en 1937, tient pour une évidence que les « rationalistes » – c'est-à-dire la gauche – sont tous derrière Descartes en qui ils saluent le père du progressisme et le héraut de la raison scientifique[25]. Ces catégorisations valent ce que valent toutes les généralités : elles souffrent des exceptions ; mais en l'occurrence, elles sont assez exactes. Si Descartes a des partisans parmi les catholiques, force est de reconnaître que c'est en effet à gauche, et dans les milieux laïques, qu'il recrute les plus gros bataillons. Ses adeptes dessinent à peu près les contours du parti radical des années 1920 et 1930, ce parti qui, comme le note Emmanuel Berl en 1932, est « la France même[26] ».

Prenons d'ailleurs l'exemple de cet auteur. À la date où il consigne ce dernier propos, Berl s'est engagé chez les radicaux après avoir un peu flotté. À la fin des années 1920 il avait rompu des lances avec la *pensée bourgeoise* qu'il accusait de manquer fondamentalement de courage ; sur ce plan, Descartes n'avait pas été jugé impeccable, mais c'est surtout à Leibniz, « cette philosophie oui-oui, cette affirmation contre-révolutionnaire d'un ordre que rien ne change et que tout glorifie[27] », qu'avaient été réservées des critiques que beaucoup de ses contemporains, contempteurs comme lui du monde bourgeois, adressent plutôt à l'auteur du *Discours de la méthode*. En revanche, le *Discours aux Français* que Berl publie en 1934 est d'un cartésianisme franc : le courage demeure le maître mot de l'appel qu'il adresse à ses concitoyens, mais maintenant c'est Descartes qui incarne cette mâle vertu. Il faut Descartes, affirme-t-il, pour que demeurent des hommes libres et qui pensent. Car « la surface de notre liberté coïncide avec celle de notre courage » ; abdiquons l'un, l'autre est irrémédiablement perdue[28].

Ce qui rend le propos de Berl instructif, c'est qu'il exprime une opinion largement partagée par les radicaux. Joseph Caillaux, par exemple, pour qui le radicalisme, bien avant d'être un parti, est un « état d'esprit » fait du sens de la liberté et de la volonté de résister aux oppressions comme aux dogmes. Caillaux a un nom pour illustrer l'état d'esprit radical : celui de Descartes ; et un autre pour illustrer la tendance inverse, la soumission à une autorité sacralisée : Ignace de Loyola. Et il est de ceux qui estiment qu'entre eux deux aucun accommodement n'est possible[29]. Mais aussi Édouard Herriot ou Léon Archimbaud qui, dans un livre publié à la veille de la Seconde Guerre mondiale, défend sous le nom de radicalisme « un ensemble de conceptions morales françaises sur la vie, l'État et la société », pleinement conformes, selon lui, « aux données de la science et à nos tendances cartésiennes ». Conceptions dont la clé de voûte est le souci de la liberté de l'individu et de la liberté des masses[30].

Dans l'entre-deux-guerres, « Alain le cartésien », comme aime à le désigner Jules Romains[31], est le philosophe en titre de ce radicalisme où la défense du citoyen contre les pouvoirs, au nom de la souveraineté rationnelle, tient la première place. Celui qui écrivait le 28 janvier 1914 : « L'attribut de Dieu qui se fait jour maintenant, c'est la liberté. Ce siècle est le triomphe de Descartes [32] », continue dans ses *Propos* comme dans ses ouvrages de dire son admiration pour ce « héros », « ce maître de courage [33] », celui qui, avec le doute libre, a donné la « charte de notre pensée occidentale », qui a mis « hors de discussion les droits de l'homme par une sorte de décret romain », qui a enseigné « à ne rien respecter, et très exactement par respect du respect » : Descartes [34]. Ainsi, le philosophe qui restera dans l'histoire comme le « plus puissant maître à penser que l'on ait vu » s'affirme indissociablement comme maître pour agir. Car le Descartes d'Alain, à l'opposé de celui de Maritain et de tant d'autres à la même époque, est « non point ange », mais « homme, et chargé de matière comme nous, empêché de passions comme nous, et gouvernant ensemble corps et âme selon la situation humaine. Bref, nul homme n'est plus entier que Descartes ; nul ne se laisse moins diviser ». C'est sans doute à Julien Benda que songe Alain quand il écrit : « Ce n'est donc point ici un clerc douillet, mais un homme vif et dur, impatient de délibérer, qui décide, qui tranche, qui se risque. » Ce « Prince de l'entendement » est aussi « tout à fait gentilhomme », et « d'une belle époque, et qui n'a pas encore appris l'obéissance [35] ». Voilà la grande figure qui oriente Alain dans ses choix politiques, qui l'incite à ne donner sa confiance à aucun parti révolutionnaire au nom de l'idée que l'autonomie ne se délègue pas [36].

D'une façon générale, les gauches républicaines des années 1920-1930 sont fidèles à Descartes comme elles le lui avaient été avant-guerre. Non qu'entre elles, elles ne différent grandement ; mais dans la mesure où elles demeurent à l'intérieur du cadre républicain et parlementaire, elles s'autorisent les unes comme les autres de la référence cartésienne. Aussi est-il éclairant de voir dans les mêmes années Julien Benda louer Descartes pour sa « belle sérénité » – voilà au moins un clerc qui n'a pas trahi et ne s'est pas compromis en s'engageant – et Maxime Leroy ou Jean Guéhenno saluer en lui « le très grand homme social », le « précurseur du socialisme », le penseur du tiers état qui, avant Sieyès, lui a appris qu'il était tout. « C'est au fond pour le peuple laborieux, pour les paysans et les artisans, que Descartes, l'artisan Descartes, a écrit » : du moins est-ce la thèse de Maxime Leroy, que Guéhenno salue avec enthousiasme, se réjouissant ainsi de découvrir un Descartes aux antipodes des bondieuseries de son biographe Adrien Baillet et autres commentateurs pieux [37].

Cette généalogie cartésienne du socialisme n'est pas en 1930 chose neuve. On l'a vue s'annoncer au siècle précédent puis être revendiquée par Jaurès. Après guerre, Alfred Espinas, théoricien de la sociologie naissante, l'a défendue avec âpreté dans un livre posthume où il a voulu montrer que Descartes a préparé le *Contrat social* et la sociologie de Spencer[38]. Mais dans la décennie qui suit le Congrès de Tours et la naissance du parti communiste français, l'acclimatation de Descartes en terre socialiste prépare la voie à l'appropriation du philosophe qu'opéreront après 1934 les communistes lorsqu'ils se convertiront à une politique de gouvernement ; il leur sera loisible alors de rappeler qu'Espinas ou Leroy avaient déjà vu en Descartes le philosophe de la bourgeoisie ascendante, l'auteur de son *manifeste*, deux siècles avant celui du prolétariat.

Les « laïcs », les « rationalistes », sont donc massivement du côté de Descartes. Mais tous les laïcs, tous les rationalistes, ne sont pas des hommes de gauche, tant s'en faut. La droite réformiste de l'Alliance démocratique, celle de Poincaré et de Tardieu, n'est pas moins éprise de laïcité que la gauche radicale ; indépendance est son maître mot. Sera-t-on surpris de constater qu'André Tardieu, qui a été ministre de Clemenceau en 1918-1920 puis ministre de Poincaré en 1926 avant d'être trois fois président du Conseil entre 1929 et 1932, se réfère à Descartes ? Cet ancien normalien qui a collaboré au *Temps* a séjourné aux États-Unis dont il a admiré l'efficacité productive et le fonctionnalisme.

Ce n'est d'ailleurs pas la première fois que nous rencontrons pareille conjonction de sympathies envers la grande démocratie d'Amérique du Nord et le philosophe de la méthode : Tocqueville a précédé Tardieu dans cette voie, mais aussi Bergson qui, en 1913, au Comité France-Amérique, avait rappelé que la France puise dans la tradition cartésienne une idée que l'Amérique retrouve par une autre voie, celle du caractère inviolable de la personne humaine[39]. Ne sous-évaluons pas le sens de cette rencontre entre les amis de Descartes et ceux de l'Amérique : elle se répète trop souvent et, surtout, elle trouve à la même époque trop exactement son inverse du côté de ceux qui n'aiment ni l'un ni l'autre, pour être seulement fortuite. La formidable montée en puissance des États-Unis sur la base d'un rationalisme producteur que symbolisent les noms de Taylor et de Ford ne peut qu'éveiller en France l'idée, diversement appréciée, que Descartes a de l'autre côté de l'Atlantique des petits-neveux qui ont pris très au sérieux les règles de la méthode. « Reconnaissons avec fierté que Descartes le logicien fut sans aucun doute le père spirituel, bien qu'inavoué, de Taylor et de ses émules, lorsque la féconde doctrine de la division du travail [...] fut étendue par leurs soins aux activités de production et de vente », pourra-t-on lire dans un ouvrage publié en 1948 [40]. Mais Raymond Boisdé, son auteur, n'avait pas inventé cette extraordinaire descendance du philosophe tourangeau : dans les années 1930, Robert Aron et Arnaud Dandieu n'avaient cessé de dire et de redire que « le rationalisme américain n'est que le développement monstrueux et colonial de la méthode cartésienne », et que le XXe siècle, c'est Descartes descendu dans la rue [41].

Revenons à André Tardieu. Son « orléanisme à l'américaine » – l'expression est de René Rémond [42] – est animé de sympathie à l'égard de l'« esprit révolutionnaire » américain et français, dont l'origine remonte selon lui au siècle de Louis XIV. Voici comment Tardieu voit les choses : « C'est Descartes qui a défini, en haine probablement du cardinal de Richelieu, l'égalité rationnelle et qui a dit que la puissance de juger est naturellement égale en tous les hommes, Descartes encore qui a proclamé le droit de cette puissance », laquelle est proprement ce qu'on nomme le bon sens, « ou la raison, à se gouverner elle-même ; Descartes, qui a mobilisé les forces critiques [43] ».

Mais il y a d'autres exemples, dans la droite rationaliste et laïque, d'amis fervents de Descartes, à commencer par Valéry, le « pape » des lettres dans l'entre-deux-guerres. Alain et Valéry, écrit Dandieu dans cette *Anthologie des philosophies françaises contemporaines* que je continue de commenter, « introduisaient à nouveau [dans les années 20] Descartes auprès des femmes savantes [44] ». Il n'est pas tout à fait certain que la prose compacte d'Alain ait atteint le monde que Dandieu désigne, pour le déprécier, comme celui des femmes savantes. Il est sûr en revanche que l'immense autorité de Valéry dans ces années lui a ouvert toutes les portes qui demeuraient fermées à l'auteur des *Propos*. Or Descartes a accompagné Valéry toute sa vie, depuis l'époque de ses vingt-trois ans où il écrivait à Gide que le *Discours de la méthode* est « le roman moderne, comme il pourrait être fait [45] », jusqu'à la veille de sa mort où il publiait encore à Genève son *Croquis d'un Descartes*. Dans l'intervalle étaient parus en 1925 une édition du *Discours* précédée d'un considérable Avant-propos de lui, puis l'année suivante *Le Retour de Hollande, Descartes et Rembrandt*. En 1937, à l'occasion du troisième centenaire du *Discours de la méthode*, c'est Valéry que l'Académie française dépêchera pour prononcer le discours d'ouverture du IXe Congrès international de philosophie, encore appelé « Congrès Descartes ». Et en 1941 il publiera des *Pages immortelles de Descartes choisies et expliquées par Paul Valéry*. Encore ces publications ne sont-elles que la partie visible d'une réflexion autour de Descartes dont nous savons la permanence par les vingt-neuf mille pages des *Cahiers*.

C'est que Descartes joue à l'égard de Valéry le rôle d'un test projectif ou, si l'on préfère, le rôle de miroir. En Descartes, l'auteur de *La Méthode de Léonard de Vinci* et de *Monsieur Teste* retrouve l'exercice d'une conscience de soi portée au plus haut point d'attention critique dont elle soit susceptible. Celui qui confiait à Gide en 1899 qu'il fallait « en revenir soit à Stendhal soit à Descartes, car il n'y a pas de milieu possible[46] », décide finalement de ne pas choisir et applique à la méthode cartésienne le nom d'*égotisme*. « Le développement de la conscience pour les fins de la connaissance » : « Voilà mon Descartes[47] », commente-t-il.

Peut-on cerner les contours de ce Descartes assez singulier ? C'est d'abord celui d'un grand Français, dont la célébration de 1937 prend sous la plume de Valéry « la valeur solennelle d'un acte national » puisque, nul ne l'ignore, « les caractères les plus nets et les plus sensibles de l'esprit français sont marqués dans la pensée de ce grand homme ». N'attendons pas de lui qu'il aille beaucoup plus avant dans cette direction convenue ; mais il aura tout de même payé son écot au mythe. En Descartes, « ce grand capitaine de l'esprit », il apprécie au premier chef le génie géométrique et le premier constructeur d'un univers mathématisé ; lui qui prête à la science contemporaine l'attention aiguë que l'on sait, a à cœur de montrer ce que la physique de Fernel, Maxwell et Kelvin doit au grand architecte des *Principia philosophiae*. Valéry ne doute pas un instant que le monde moderne n'ait largement suivi la « Charte d'un empire du Nombre » écrite au XVIIe siècle par le philosophe français : déjà les horaires, les statistiques, les mesures et les précisions quantitatives que l'on voit partout fleurir donnent une indication de sa puissance. Mais il n'est pas de ceux qui, comme tant d'autres à l'époque, se désolent de l'espèce d'assèchement qu'elle a produit dans le monde[48].

Pourtant, ce n'est pas encore là le cœur du Descartes de Valéry. Pas davantage n'est-ce la méthode, cette méthode en quoi Péguy ramassait au contraire toute la portée du cartésianisme. Il faut plutôt regarder du côté de la lecture que Valéry fait du *cogito*. « *Cogito* – Sorcellerie pour le *barbare*, mais sorcellerie d'où devait sortir l'esprit moderne[49] », note-t-il dans une ébauche de 1925. Car le *cogito* est ce « coup d'État » qui, en débarrassant le moi de toutes les scories dont il était jusque-là grevé, « marque le passage d'une adolescence imitative à la virilité directement pensante[50] ». Propos consigné dans un *Cahier* de 1913, mais qui trouve son écho dans le « Fragment d'un Descartes » de 1925 : Descartes, peut-on y lire, « nous séduit sans peine aux rébellions de son adolescence, car il nous parle de la nôtre et de nos résistances et de nos superbes jugements[51] ». Ce *cogito* d'allure cambrée n'a nul besoin du doute qui, chez Descartes, le bordait d'ombre et le préparait : Valéry ne croit pas aux préalables de ce « coup de force ». « Réveil sonné à l'orgueil et au courage de l'esprit[52] », « *fiat lux* » par quoi la terre se sépare des eaux[53], « coup d'éperon » que le cavalier français se donne. Ou encore : « Le *cogito* me fait l'effet d'un appel sonné par Descartes à ses puissances égotistes[54]. » Quand on songe que, à la même époque, la gauche socialiste – et communiste – célèbre en Descartes le penseur du social et l'annonciateur de la liberté révolutionnaire, on comprend mieux qu'un philosophe capable de produire des variations à ce point différentes se soit prêté à symboliser toute une nation.

La révolte contre la bourgeoisie

Rien de tout cela ne marque de rupture décisive par rapport à la situation d'avant-guerre : la gauche républicaine est massivement avec Descartes, la droite libérale lui conserve son attachement, tandis que catholiques et nationalistes, en héritiers qu'ils sont de la droite ultra, continuent de le vouer aux gémonies.

De même voit-on sans surprise, mais avec le sentiment d'une confirmation, les pourfendeurs du système parlementaire, qui fleurissent dans l'entre-deux-guerres, se porter contre le philosophe de la rationalité méthodique. Communistes, « non-conformistes » ou fascistes, rassemblés ici en dépit de tout ce qui les oppose, ils présentent l'insigne avantage de permettre d'isoler l'un des paramètres qui, depuis un siècle et demi, font l'anticartésianisme : l'aversion pour le monde bourgeois et la démocratie parlementaire. Leur communion, qu'ils viennent de droite ou de gauche, dans la détestation du philosophe qui incarne tout cela éclaire singulièrement la façon dont s'est construite sous la IIIe République la mythologie cartésienne : précisément par l'identification de la République à la cause de Descartes. Si tous ceux qui sont hostiles à la République sont aussi hostiles à Descartes, comment ne bâtirait-on pas autour de lui l'arche républicaine de la France ?

Aragon est le premier, me semble-t-il, à lancer quelques-uns des thèmes qui vont faire florès dans les années 1930. Avant d'adhérer au parti communiste, mais après avoir rompu avec le mouvement Dada, en 1926, Aragon fait précéder *Le Paysan de Paris* d'une importante « préface à une mythologie moderne ». Cette mythologie, on s'en doute, a beaucoup à voir avec la mythologie cartésienne, que le jeune homme a reçu, dit-il, « par mille détours ». Il lui faut maintenant défaire cette « coutume mentale », s'éveiller de ce qui n'est à ses yeux qu'un songe dangereux. Le motif du Descartes éveilleur, remarquons-le, à force d'être chanté sur tous les tons s'est maintenant transformé en une berceuse ; plusieurs de nos non-conformistes éprouveront comme le jeune Louis Aragon le désir violent, au matin du monde, de congédier Descartes et de se frotter les yeux. Mais quel Descartes ? quelle mythologie ? Celle qui enseigne que l'évidence est le critère du vrai, que la certitude est réalité. « Nous n'avons pas fini de découvrir les ravages de cette illusion » qui est à la base du succès de « la fameuse doctrine cartésienne ». Illusion qui traîne derrière elle toute une cohorte de croyances erronées : la suprématie de la raison sur les sens, la possibilité de faire pénétrer partout la lumière de l'abstraction, le congé donné à l'imagination et le privilège des mathématiques. « J'en étais là de mes pensées, ajoute Aragon, lorsque, sans que rien en eût décelé les approches, le printemps entra subitement dans ma chambre[55]. » Chasser Descartes et la grise raison pour que le printemps fleurisse : voilà exactement ce que les insurgés contre la démocratie bourgeoise vont ériger en mot d'ordre jusqu'au déclenchement de la Seconde Guerre mondiale. Au lendemain du conflit, certains estimeront que cette démocratie « formelle » n'était pas non plus sans charme.

Nous aurons l'occasion de retrouver Aragon lorsque, communiste fidèle, il accompagnera le tournant gouvernemental de son parti. Il ne craindra plus, alors, de célébrer le philosophe de l'évidence rationnelle lors du grand consensus républicain du troisième centenaire du *Discours*. Entre-temps, bien d'autres auront pris la relève et entonné le même air. Du côté du parti communiste, c'est certainement Paul Nizan qui le fait avec le plus de talent. Ce normalien, agrégé de philosophie devenu romancier, a trouvé dans la détestation de son milieu d'origine – la bourgeoisie – de quoi alimenter une œuvre brève et passionnée. Nizan ne pardonne pas au monde qui l'a vu naître ses petites combines, ses compromissions, son confort douillet et ses ornements de cheminée. Son pamphlet de 1932, *Les Chiens de garde*, a clairement établi de quel côté il n'est pas – du côté d'une philosophie prudente « à la Descartes », soucieuse de ménager tout le monde, une philosophie qui n'est rien d'autre qu'un « ouvrage de dames, une broderie de vieille fille stérile ». Les « inquiétudes nouvelles » que Nizan perçoit – comme tous ses frères en révolte –, il sait bien que la raison cartésienne ne pourra pas les étancher[56]. Il n'a pas de mots assez durs pour qualifier les « pensées de comité radical », la « philosophie de l'escamotage » pratiquée par Alain sous le couvert de Descartes. Et, contre elle, il brandit le ridicule : « La philosophie de petit-bourgeois, qui proteste volontiers, qui aime son petit noyau de liberté intérieure et stérile, pour qui la Raison est le nom qui déguise la lâcheté modeste, la philosophie du petit-bourgeois qui vote pour les Paul-Boncour, pour les polices qui le protègent, cette philosophie fera rire demain[57]. » Nizan n'aura pas beaucoup de temps pour rire puisqu'il mourra le 23 mai 1940 en défendant Dunkerque. Il aura passé les années qui lui restaient à vivre à dénoncer la mystification humaniste et bourgeoise qui se drape dans la Déclaration des droits de l'homme et oublie, lorsqu'elle parle de celui-ci, ce qu'est un homme concret. Le type même du bourgeois, abstrait et solitaire, c'est pour Nizan l'inventeur du *cogito* ; et son premier souci, s'il réfléchit, c'est de se demander comme Descartes : Qui suis-je[58] ?

Dans une page étonnante de 1934, Nizan a donné le meilleur de son anticartésianisme. Il décrit une ville française de province où quelques petits commerçants tâchent encore de résister à la pression des trusts. Les impôts les écrasent mais ne les tuent pas ; ces provinciaux s'accommodent comme ils peuvent. « Les blessures, les faillites, leur apparaissent encore des accidents évitables [...] ; l'ordre, l'économie, ils se persuadent encore que ces vertus les sauveront enfin. Cette France raisonnable, assise sur son terreau bourgeois, de gagne-petit, justifie avec les *Règles pour la direction de l'esprit* et le *Discours de la méthode* l'anarchie, la modestie, la solitude des petits commerçants de quartier : l'anarchie se déguise en mesure, en sage économie domestique, en morale des individus, des personnes. » Jusque-là, il semble que ces petits commerçants comme cette France raisonnable qui s'emploie à justifier leur parcimonie représentent les cartésiens. Mais la suite du texte introduit un autre aspect de ce cartésianisme putatif. « Descartes eût aimé sans doute l'inflexible raison des cartels et des trusts : malgré les discours des académiciens, les prophéties des penseurs de la coopération intellectuelle, les roucoulements bien français des porteurs de valeurs mobilières, il faut imaginer enfin le père mystérieux de la philosophie bourgeoise ricanant devant l'épicier et saluant les magasins en série des grandes firmes d'alimentation : Maggi, Nicolas, Uniprix, plus cartésiens qu'un mercier du Val de Loire[59]. »

Se souvient-on des propos d'Aron et de Dandieu sur l'ascendance cartésienne des Taylor et Ford ? Nul doute que l'on retrouve ici la même image de Descartes, la même méfiance à l'égard de la rationalisation économique où l'Amérique du Nord précède l'Europe. De la sorte, Descartes n'est plus seulement du côté des boutiquiers besogneux mais aussi du côté des trusts ; et le second Descartes ricane devant le premier dont il salue, si l'on comprend bien Nizan, la mort prochaine. Descartes le petit détaillant s'efface devant Descartes l'admirateur des *chain stores*. Le second inquiète-t-il moins Nizan que le premier ? Question vaine que Nizan aurait contestée dans son principe, lui qui voulait qu'advienne un « humanisme communiste » en remplacement des vieilleries bourgeoises comme des nouveautés américaines. Que les unes et les autres soient également versées au débit cartésien, voilà qui indique assez l'emprise du philosophe de la méthode rationnelle dans les années d'avant-guerre.

Nizan est membre du parti communiste. Mais la dénonciation du monde bourgeois et cartésien, loin d'être un monopole de gauche, est l'un des thèmes qui circulent le plus largement sur tout l'échiquier politique à une époque où justement on se fait gloire de transcender le clivage droite-gauche. Elle est obsédante dans le groupe d'*Ordre nouveau* animé par Robert Aron, Arnaud Dandieu, Alexandre Marc et Daniel-Rops ; elle est non moins présente à la revue *Esprit* que fonde en 1932 Emmanuel Mounier ; elle constitue, on l'a vu, l'un des leitmotiv des catholiques réunis autour de Maritain ; elle n'est pas absente enfin des milieux fascistoïdes de l'immédiat avant-guerre.

Empruntons à l'un de ces auteurs, Thierry Maulnier, la description du bourgeois, elle vaudra pour tous les autres : « Il défend ses habitudes, la tranquillité de son quartier et celle de sa conscience, un emploi du temps où l'Idéal a, quoi qu'on dise, une place légitime et sincère auprès de la pendule Louis XV et des parties de cartes hebdomadaires qu'une révolution mettrait en péril[60]. » Or, pour la plupart, ce bourgeois est, selon un mot de Bernanos, « un animal cartésien », c'est-à-dire un « mécanisme bien monté[61] ». De Descartes son ancêtre, il tient le goût des classements méthodiques ; il est – petitement – habile à l'épargne : « cartésien et économe[62] », cela va ensemble ; son monde est celui des « pêcheurs à la ligne, des buveurs de Pernod, des bavards de comité, de syndicats ou de salons[63] », selon Drieu La Rochelle. Ayant perdu le « sens de l'Être », il vit dans un monde complètement désenchanté : aussi représente-t-il pour un Mounier « la forme bonhomme de l'Antéchrist », armé de son seul bon sens pour sauver le monde. Écoutez-le, ce cartésien, « dire : ma femme, mon auto, mes terres, on sent bien que ce qui compte, ce n'est pas femme, auto, terres, mais le possessif charnu[64] ». Il est bon français, adorateur de la raison raisonnante, si l'on en croit l'abbé Brémond[65] ; il a le goût de toutes les idées abstraites et stérilisées, il « résume sa certitude en disant qu'il a le droit pour lui ; et son livre de chevet, sur lequel somnole sa sécurité et bâille son ennui, est le *Discours de la méthode*[66] ».

Qu'a donc fait Descartes de si désastreux que sa descendance bourgeoise soit si abâtardie ? Sans doute son plus grand tort est-il à leurs yeux ce que Maritain appelle « la primordiale rupture cartésienne[67] » et Mounier son « divorce[68] ». Rupture d'avec Dieu qui enferme l'homme dans sa stérilité et son isolement ; divorce du corps et de l'esprit, de l'homme et de la nature, qui produit la double hérésie d'un matérialisme effréné et d'un angélisme décharné. L'homme moderne est un esprit désincarné jeté dans un monde d'où toute inquiétude spirituelle a été bannie. De mille façons, les hommes de 1930 ont brodé sur ce canevas des motifs anticartésiens. « L'humanisme bourgeois, écrit par exemple Mounier, est essentiellement fondé sur le divorce de l'esprit et de la matière, de la pensée et de l'action. [...] On peut en placer l'origine, ou du moins la cristallisation, en ce point où le dualisme cartésien a décidément introduit sa fission dans l'édifice chrétien[69]. » Voilà ce que pense le chrétien Mounier en quête d'une « révolution spirituelle ». Mais c'est aussi ce que pense le fasciste Drieu qui en appelle au remplacement du vieux rationalisme dans une France enfin unie sous l'emblème de Pascal et de Jeanne d'Arc. « Ce vieux rationalisme s'est peu à peu écarté de la considération double et équilibrée qui fonde seule tout humanisme sain : l'homme est fait d'un corps et d'une âme. Si le corps est négligé, l'âme s'étiole bientôt ; si l'âme est négligée, le corps n'est qu'un amas d'*esprits animaux* voués à l'anarchie et à la dissolution rapide[70]. » Un monde sans âme – c'est le titre d'un livre de Daniel-Rops où Descartes est pris à parti – et une âme sans corps, tel est le legs de celui que Drieu appelle « "leur" Descartes[71] ».

Aussi s'entendent-ils tous, de Nizan à Drieu, pour vouloir remplacer l'homme abstrait cartésien de l'individualisme démocratique par un « homme réel ». « Notre siècle opposera au concept de citoyen celui de producteur, à l'homme abstrait et juridique l'homme réel », lit-on dans *Esprit* en 1935[72]. Mais on lit la même chose, hormis la référence au producteur, sous la plume de Nizan dans *Europe* en 1935, sous celle de Maritain un peu partout, sous celle de Drieu qui note en 1941 : « Le mal est dans l'oubli du corps. Oui, en France, l'homme a lentement oublié son corps[73]. » Avant Drieu, Aron et Dandieu avaient d'ailleurs écrit des choses très semblables sur le monde puritain qui, à la suite de Descartes, s'est étendu de Genève à Wall Street en brimant les instincts et les désirs ; eux aussi en avaient appelé de toutes leurs forces à la disparition de l'homme moderne, cet *Homo sapiens* au crâne découvert et aux muscles atrophiés[74]. Renouant avec la vieille idée des contre-révolutionnaires, tous s'en prennent à la fausse anthropologie qui soustend la Déclaration des droits de l'homme et la Révolution de 1789 : « Cet homme sans lien, réduit à l'unité arithmétique, où l'a-t-on vu ? Qui l'a vu ? Et comment existerait-il[75] ? » C'est un peu leur opinion à tous qu'exprime Mounier lorsqu'il affirme que l'échec de la démocratie individualiste, ce n'est pas l'échec de la démocratie mais celui de l'individualisme[76]. Au-delà de ce constat, les opinions des uns et des autres divergent largement ; mais il y a entre eux un credo politique minimum et il s'établit sur cette base : un homme concret doit remplacer dans la société de demain l'homme abstrait de Descartes et des révolutionnaires.

« Nous voyons un monde jeune et vivant étouffer dans des vêtements centenaires[77] », écrit Mounier en 1935. Et Daniel-Rops : « La jeunesse reproche à la civilisation dans laquelle elle vit de ne lui proposer ni explication satisfaisante de son rôle sur la terre, ni grand dessein d'avenir ; d'ignorer l'homme au profit d'une abstraction [...] ; de laisser l'individu sans connaissance sûre, sans espoir irréfutable, dans un désert où errent les fantômes des vérités traditionnelles que la "raison" a tuées[78]. » Cette génération qui a parlé – comme la précédente, du reste – *au nom* de sa jeunesse s'est pourtant reconnue des maîtres, des ascendances, des consanguinités même.

D'ailleurs, elle n'a inventé ni ses thèmes de prédilection ni la façon de les nouer autour de la figure détestée du philosophe français : du catholicisme traditionaliste dont certains de ses membres sont proches, ne serait-ce que par Maritain, elle a hérité la combinaison d'antirationalisme, d'anti-individualisme et d'antiparlementarisme qui a longtemps été le fond de commerce du catholicisme intransigeant ; le nom de Léon Bloy revient souvent sous la plume des plus catholiques d'entre eux et nous savons de quel anticartésianisme se chauffait le solitaire de Bourg-la-Reine. Mais une parenté indéniable unit aussi cette génération au courant du socialisme révolutionnaire des années 1880-1910 que Sorel et Berth avaient si puissamment incarné. Eux aussi, on s'en souvient, avaient déclaré leur attachement à la figure tutélaire de Proudhon. Sorel, Berth, Proudhon : ne soyons pas surpris de les retrouver dans la galerie des ancêtres des jeunes gens de 1930, qui détestent tout autant le parlementarisme démocratique que leurs aînés. Enfin, permettant de brasser antirationalisme, antimodernisme et culte du héros, la grande ombre de Nietzsche plane sur eux tous. Par Sorel, nous avons eu l'occasion d'être attentifs au rôle de l'affluent nietzschéen dans le paysage de l'anticartésianisme français au tournant du siècle. Dans les années 1930, la figure de Nietzsche est omniprésente : aux *Cahiers* et à la *Revue française*, à *Ordre nouveau* comme à *Esprit* et comme dans les milieux fascistes. « Il faut appeler Nietzsche à la rescousse », lit-on dans *Ordre nouveau* de juillet 1933. « Nietzsche contre le rationalisme, qu'il soit de Rome, de Moscou ou de la Sorbonne[79] », Nietzsche dont Drieu faisait « le prophète du XXe siècle[80] » et qui inspirait à la fois un Thierry Maulnier et un Charles Du Bos méditant, contre Descartes bien entendu, sur la nécessité où est l'homme de se doter de vérités « vitales ».

Fascisme et communisme : dernières volte-face

Anticartésiens, les insurgés de 1930 ont donc trois fois raison de l'être : par leur ascendance du côté du catholicisme intransigeant, même si certains ont abandonné le catholicisme en route ; par leur affinité avec le socialisme révolutionnaire ; par leur fond nietzschéen enfin.

Il reste que les formations politiques et les réseaux auxquels ils ont appartenu ont beaucoup bougé dans la décennie d'avant-guerre.

Certains de ces hommes ont quitté le parti auquel ils avaient adhéré, d'autres ont connu des trajectoires qui les ont fait passer d'un bord à l'autre ; parfois le parti lui-même a changé de stratégie. C'est l'un des intérêts de cette période que d'offrir l'occasion de tester la fiabilité du marqueur cartésien : en les rapprochant ou en les éloignant du républicanisme, l'évolution des uns et des autres a-t-elle changé leur relation à Descartes ? Dans deux cas au moins, les intéressés se sont prononcés sur le philosophe français avant et après leur conversion.

Le premier cas est celui de Marcel Déat. Sa dérive fasciste est maintenant bien connue grâce à l'étude que lui a consacrée Philippe Burrin. Contentons-nous donc de le prendre juste avant et juste après le virage fatal qui l'amènera à la collaboration active avec l'Allemagne nazie puis, en 1944, au cabinet de Laval à qui il reprochera d'ailleurs sa modération. L'auteur de *Perspectives socialistes* ne vient pas seulement de la gauche mais aussi de l'Université puisqu'il a été lui aussi normalien et agrégé de philosophie. Les années 1930 l'ont vu passer, certes, du socialisme au « néosocialisme » et à l'anticapitalisme comme ses frères non-conformistes. C'est ainsi qu'il a été amené à embrasser le planisme d'Henri de Man, version réformée du marxisme. Mais la révision à laquelle il procède tout comme son adhésion au planisme, Déat continue de les placer jusqu'en 1938 sous « l'invocation de Descartes ». En 1937, il publie dans *Inventaires II* un article intitulé « Vers une politique cartésienne », et, en 1938, il fait à la Société française de philosophie une communication où il se propose d'allier les noms de Marx et de Descartes. Cartésienne, sa politique de 1937 ? Elle l'est à ses yeux en tout cas, et même bien proche des vues d'Alain que Déat cite avec faveur. Comme lui, Déat voit dans le *Traité des passions* le modèle d'une « politique personnelle » qu'il est loisible d'étendre aux peuples, car il en va d'eux comme de l'individu : il faut les gouverner et les aider à « dissocier les intérêts et les passions ». C'est là « le dernier mot de la sagesse, cartésienne ou marxiste comme on voudra », et c'est le moyen que voit Déat pour résister au fascisme[81].

Son exposé de 1938 est bien intéressant. Devant un aréopage de bons connaisseurs de Descartes, Déat affirme le caractère cartésien du planisme : « Descartes représente à mes yeux un planiste avant la lettre. » La raison qu'il en donne ne nous surprendra pas, c'est que le *Discours de la méthode* a décrit avant la lettre « une société conforme à la raison, organisée selon les schémas de l'ingénieur, voire même de l'hygiéniste ou du médecin ». On le remarquera : c'est bien la même idée que défendent Aron et Dandieu, mais dans une intention critique. Pour Déat, en 1938, le patronage de Descartes a encore valeur de bénédiction. Car en Descartes comme en Marx, il voit le modèle d'une anthropologie convaincante, d'un « humanisme véritable ». Il est de ceux qui estiment – comme Alain justement – que l'homme cartésien est un « homme réel », un « homme total ». Célestin Bouglé, qui assiste à la conférence, a beau s'insurger contre cette *captatio benevolentiae* en direction du grand philosophe français, Déat maintient inébranlablement sa conviction que le planisme néomarxiste est cartésien [82].

Considérons maintenant Déat en 1943-1944. Il se montre persuadé que « l'homme n'est pas simplement raison raisonnante » mais aussi sentiment, affectivité et passions, et qu'il convient de dépasser « un certain intellectualisme [83] ». Lequel ? N'allons pas chercher très loin : l'intellectualisme étriqué, français, « cartésien d'origine ». Déat a accompli sa mue, il ne veut plus du « rationalisme français qui prend appui sur un monde intelligible et ordonné », apparenté qu'il est à la « solidité petite-bourgeoise, sœur jumelle de l'immobilisme qui rend nos ménagères esclaves de leur mobilier et leur mari prisonnier de ses habitudes ». En cela, il parle désormais comme les Mounier, Aron, Dandieu des années d'avant-guerre, comme Drieu ou Abel Bonnard qui écrit : « Parmi toutes les idoles qu'il nous importe d'abattre, il n'en est aucune dont il soit plus urgent de nous débarrasser que ce Descartes qu'on a voulu nous représenter comme le représentant définitif du génie français : il faut le faire passer par la fenêtre [84]. » Comme eux, Déat enveloppe dans une même détestation la France petite-bourgeoise et celui qui en est le symbole, Descartes. Et c'est dans le national-socialisme qu'il voit maintenant le moyen de refuser le « divorce cartésien entre l'homme et la nature, entre la nature et l'esprit » que, six ans auparavant, il niait avoir été prononcé par l'auteur du *Discours de la méthode* ; ce n'est plus de 1789 qu'il s'autorise désormais, mais du « totalitarisme de l'an II [85] ».

•

Le marqueur cartésien ne fonctionne pas moins bien dans le cas de mon second exemple, celui du parti communiste français. Il se trouve que, là aussi, un certain nombre de philosophes ont investi la place : ils ont rejoint le parti dans les années 1928-1929 et s'appellent Paul Nizan, Henri Lefebvre, Georges Politzer, Georges Friedmann, pour ne citer qu'eux. Ils se sont ainsi agrégés au groupe des surréalistes qui, avec Breton, Eluard et Aragon, avaient franchi le pas un peu plus tôt. Nous avons vu ce que deux d'entre eux, Aragon et Nizan, pensaient de Descartes dans les années 1920 et au début des années 1930. Mais en 1934, on le sait, Staline décide que la stratégie « classe contre classe » doit être suspendue ; le parti communiste français entame alors sa conversion « républicaine ». Il se découvre ainsi une mémoire nationale et des héros bien français. En 1936 déjà, plusieurs intellectuels compagnons de route participent à la fondation d'un Cercle Descartes, sous la direction de Georges Lefebvre qui a succédé quatre ans plus tôt à Albert Mathiez à la présidence de la Société des études robespierristes. Paul Langevin, Jean Perrin, Henri Wallon font partie du comité de patronage aux côtés de Victor Basch, Albert Bayet, Marc Bloch, Léon Brunschvicg, Lucien Febvre, Maurice Halbwachs et André Philip ; bref, ce que l'on fait de mieux en matière de gauche antifasciste. Tous entendent, sous l'invocation de Descartes, travailler à la propagation d'un « nouvel humanisme » inséparable de la grande tradition nationale. Le Cercle Descartes publiera neuf numéros de ses *Cahiers*, jusqu'en 1939.

En 1937, la France célèbre le troisième centenaire du *Discours de la méthode*. C'est un moment d'unanimisme républicain dont il vaut la peine de brosser le tableau avant de montrer comment les communistes s'y inscrivent. L'événement a été annoncé bien à l'avance par un article du catholique Louis Lavelle dans *Le Temps* du 26 janvier 1936. Lavelle a noté que la France, sur qui l'esprit cartésien exerce plus d'ascendant que la philosophie de Descartes à proprement parler, se tourne vers « son » philosophe lorsqu'elle se sent menacée par la montée des puissances irrationnelles. Sans doute Lavelle se souvient-il de l'utilisation faite du philosophe français pendant la Première Guerre. Il a noté aussi dans son article du *Temps* que, depuis toujours, Descartes est « un objet de dissension » pour les Français selon qu'ils font ou non confiance à la raison. Il a rappelé enfin ce que tout le monde sait : que le cartésianisme a inauguré l'âge moderne et que la France « cherche naturellement dans Descartes son modèle et son guide[86] ». En mai 1937, une commémoration a lieu à Châtellerault. En juin, huit conférences sur Descartes sont radiodiffusées (elles seront publiées l'année suivante sous le titre *Causeries cartésiennes à propos du troisième centenaire du Discours de la méthode*). Plusieurs revues consacrent au philosophe un numéro spécial : la *Revue de métaphysique et de morale*, la *Revue philosophique*, la *Revue de littérature comparée*, la *Revue de synthèse*, *Europe*. Mais c'est *Études*, la revue des jésuites, qui a pris les devants en publiant dès 1936 un article de Jean Rimaud, dans lequel l'auteur s'est efforcé de réfléchir sur l'écart entre la réalité de la philosophie de Descartes et le mythe qui s'est bâti en France autour de son nom ; tout en se défendant d'ajouter sa pierre à l'édifice, Rimaud conclut en disant : « Inutile de le nier, Descartes est bien français [87]. »

Le 31 juillet 1937, alors qu'est déjà ouverte à la Bibliothèque nationale une grande exposition consacrée à l'auteur du *Discours de la méthode*, débute le Congrès Descartes pour l'inauguration duquel Valéry prononce le discours que j'ai commenté plus haut. Le congrès est placé sous la présidence d'honneur de Bergson dont le « Message » sera publié en septembre dans *Les Nouvelles littéraires*. Descartes y est crédité de l'invention des mathématiques modernes, de la physique, du spiritualisme et de la métaphysique. Plus important encore, il est réputé avoir donné naissance à une « attitude d'esprit » faite de « redressement fier », d'« inflexible volonté d'indépendance » ; enfin, il est dit que Descartes, qui avait lui-même pratiqué le « grand tourisme » et parcouru l'Europe, a eu comme le pressentiment de ce qu'allait être la Société des nations et la coopération intellectuelle internationale [88].

Comment les communistes laisseraient-ils échapper pareille occasion de montrer leur solidarité républicaine ? Au mois de mai 1937, les *Cahiers rationalistes* publient le texte d'une conférence faite à l'Union rationaliste par Albert Bayet qui affirme avec tranchant : « Nous revendiquons l'héritage de Descartes » ; nous, c'est-à-dire les rationalistes, les humanistes, les continuateurs de la grande tradition française [89]. Et l'année suivante, Jacques Duclos, parlant au nom des communistes, reprend une formule voisine pour se dire héritier de Descartes humaniste [90]. Sept ans plus tard, le 2 mai 1946, c'est au tour de Maurice Thorez de revendiquer la filiation cartésienne. L'occasion est d'ailleurs solennelle puisqu'il s'agit cette fois du trois cent cinquantième anniversaire de la naissance du philosophe et que le discours du dirigeant communiste est tenu dans le grand amphithéâtre de la Sorbonne. Thorez – il est depuis dix ans secrétaire général du parti communiste français – commence par rappeler que Descartes est « le père de tout ce qui se réclame de la raison et de la clarté », « l'ennemi implacable des dogmes révélés », le premier auteur de la maxime *Liberté, égalité, fraternité*, et l'ancêtre de Saint-Simon, de Marx et d'Engels. Puis il évoque les années de guerre, « le fascisme contre Descartes », les positions de Goebbels, Rosenberg et de leur émule français, Abel Bonnard, avant d'en tirer une leçon qui ressemble étrangement à celle qu'Henri Berr ou Jacques Chevalier avaient tirée de 1914-1918 : « Cette victoire de la liberté et de la civilisation, nous pourrons la saluer aussi comme une victoire de Descartes. » Il est temps alors de conclure et, après avoir rappelé le « cavalier français » cher à Péguy, Thorez ajoute : « Le monde aime la France parce que, dans la France, il reconnaît Descartes et ceux qui l'ont continué. À travers les tempêtes et les nuits qui se sont abattues sur les hommes, c'est Descartes qui, de son pas allègre, nous conduit vers des lendemains qui chantent[91]. »

•

Il convenait de laisser à Maurice Thorez le mot de la fin. Car, avec le ralliement des communistes, l'histoire du mythe cartésien est complète. Non qu'en 1946 elle soit arrêtée : d'autres commémorations auront lieu, un « Descartes symbolique » continuera d'être invoqué par les uns et repoussé par d'autres – nous en avons vu des exemples au début de ce livre. Mais ce sera selon une logique et des principes qui ne varieront plus. Le système qu'ils forment, constitué progressivement au cours du XIXe siècle puis sous la IIIe République, est désormais si parfaitement inscrit dans l'imaginaire politique français, si contraignant en somme, qu'il n'autorise plus guère d'imprévus. C'est en ce sens que le cycle des variations du mythe est clos avec le discours de Thorez, dans ce lieu hautement symbolique qu'est le grand amphithéâtre de la Sorbonne dont l'inauguration, le 5 août 1889, en présence du président de la République et sous l'œil attentif de la vierge laïque peinte par Puvis de Chavannes, avait donné lieu de la part du ministre de l'Instruction publique à cette belle envolée cartésienne : « Dans l'air que respire tout homme civilisé, il y a quelque chose de la France. Ce n'est pas en vain qu'elle a donné au monde cette double révélation : le *Discours de la méthode* et la Déclaration des droits de l'homme[92]. »

NOTES

INTRODUCTION

1. Marcel Aymé, *Le Confort intellectuel*, Paris, Livre de poche, s.d., p. 103.

2. Georges Bernanos, *Sous le soleil de Satan*, in *Œuvres romanesques*, Paris, Gallimard, « Bibliothèque de la Pléiade », 1961, p. 241 et 255.

3. Saint-John Perse, « Allocution pour l'acceptation du Grand Prix national des lettres, 9 novembre 1959 », in *Œuvres complètes*, Paris, Gallimard, « Bibliothèque de la Pléiade », 1972, p. 572 : « C'est la poésie qu'il importe ici d'honorer. La France cartésienne ne lui a jamais été très favorable. » Dans une liste des écrits anticartésiens de la seconde moitié du XXe siècle, il faut mentionner, à des titres divers : Maurice Papon, *Vers un nouveau discours de la méthode*, Paris, Fayard, 1965 ; Robert Aron, *Discours contre la méthode*, Paris, Plon, 1974 ; enfin, d'une tout autre facture que les deux précédents, Jean-François Revel, *Descartes inutile et incertain*, Paris, Stock, 1976.

4. Jean Giraudoux, *Pleins pouvoirs*, Paris, éditeur, 1939, p. 18.

5. Jacqueline Pluet-Despatin, « Henri Berr éditeur », *in* Agnès Biard, Dominique Bourel et Éric Brian (dir.), *Henri Berr et la culture du XXe siècle*, Paris, Albin Michel, 1997, p. 266.

6. Tristan Tzara, « Le surréalisme et l'après-guerre », in *Œuvres complètes*, Paris, Flammarion, 5 vol., t. V, p. 61.

7. Qu'il me soit permis, ce sera la seule fois, de renvoyer à deux de mes articles : « Pour une histoire philosophique des idées », *Le Débat*, n° 72, 1992, p. 17-28 ; « Descartes », *in* Pierre Nora (dir.), *Les Lieux de mémoire*, Paris, Gallimard, coll. « Quarto », 1997, 3 vol. t. III, p. 735-783.

I. DESCARTES À L'INDEX

1. À Jacques Dupuy, 4 avril 1637, in *Les Correspondants de Peiresc*, éd. Ph. Tamizey de Larroque, Dijon, 1879-1894, 20 vol., t. V, p. 165.

2. Descartes, *Discours de la méthode*, dans *Œuvres de Descartes*, éd. Adam-Tannery (= AT), Paris, Vrin, 1996, 11 vol., t. VI, p. 31.

3. Samuel Sorbière, *Lettres et discours sur diverses matières curieuses*, Paris, 1660, p. 681. Voir Descartes à Mersenne, Pâques 1641, AT, t. III, p. 350-351.

4. Adrien Baillet, *La Vie de M. Descartes*, Paris, 1691, 2 vol., t. II, p. 368. Sur l'arrière-plan du voyage de Descartes, on consultera utilement Susanna Åkerman, *Queen Christina of Sweden and her Circle. The Transformation of a Seventeenth-Century Libertine*, Leyde, Brill, 1991, notamment p. 44-46.

5. Christine de Suède à Descartes, 12 décembre 1648, AT, t. V, p. 252.

6. A. Baillet, *La Vie de M. Descartes*, *op. cit.*, t. II, p. 388.

7. Claude Clerselier, préface du tome I des *Lettres de M. Descartes*, Paris, 1657, dans AT, t. V, p. 481-485.

8. A. Baillet, *La Vie de M. Descartes*, *op. cit.*, t. II, p. 423.

9. Viogué à Clerselier, 1er mars 1654, Bibliothèque nationale de France, Mss, Fr. 13536, f° 257 ; texte un peu différent de celui cité par Paul Lemaire dans *Le Cartésianisme chez les Bénédictins. Dom Robert Desgabets, son système, son influence et son école*, Paris, 1901, p. 105.

10. Parmi les travaux récents : Jean-Robert Armogathe, *Theologia cartesiana. L'explication physique de l'eucharistie chez Descartes et Dom Desgabets*, La Haye, Nijhoff, 1977 ; Henri Gouhier, *Cartésianisme et augustinisme au XVIIe siècle*, Paris, Vrin, 1978 ; Richard A. Watson, *The Downfall of Cartesianism (1673-1712). A Study of Epistemological issues in late 17th Century Cartesianism*, La Haye, Nijhoff, 1966, chap. XI ; Desmond M. Clarke, *Occult Powers and Hypotheses. Cartesian Natural Philosophy under Louis XIV*, Oxford, Clarendon Press, 1989, chap. I. L'article de Trevor McLaughlin, « Censorship and Defenders of the Cartesian Faith in Mid-Seventeenth Century France », *Journal of the History of Ideas*, n° 1, 1979, p. 563-581, m'a été extrêmement utile.

11. Descartes à [Clerselier ?], 1646, AT, t. IV, p. 374-375.

12. Antoine Arnauld, *Quatrièmes Objections*, AT, t. IX, p. 169-170.

13. BNF, Mss, Fr. 13262, f° 110. La correspondance entre Viogué et Clerselier se poursuit tout au long de l'année 1664, en tout cas jusqu'au 20 décembre.

14. Bibliothèque municipale de Chartres, ms. 266, cité par Trevor McLaughlin, « Censorship and Defenders of the Cartesian Faith », art. cité, p. 571.

15. H. Gouhier, *Cartésianisme et augustinisme*, *op. cit.*, p. 75 ; J.-R. Armogathe, *Theologia cartesiana*, *op. cit.*, p. 89. Bertet (1622-1692) viendra à Paris dans la maison professe en 1671. D'après Sommervogel, il sera radié en 1681 pour avoir prêté l'oreille à une « devineresse ».

16. Cité par P. Lemaire, *Le Cartésianisme chez les bénédictins*, *op. cit.*, p. 105 et suiv.

17. Voir Henri Busson, *La Religion des classiques*, [1948], rééd. Brionne, éd. Gérard Monfort, s.d., p. 105-109. Sur Fabri, on peut consulter A. Bœhm, « Deux essais de renouvellement de la scolastique du XVIIe siècle, II. L'aristotélisme d'Honoré Fabri (1607-1688) », *Revue des sciences religieuses*, n° 39, 1965, p. 305-360.

18. Voir Antoine Adam, *Du mysticisme à la révolte. Le jansénisme du XVIIe siècle*, Paris, Fayard, 1968, p. 250 et 266, et Lucien Ceyssens, *Le Cardinal François Albizzi (1593-1684). Un cas important dans l'histoire du jansénisme*, Rome, Pontificium Athenaeum Antonianum, 1977, p. 118 et 132.

19. Voir Gaston Sortais, « Le cartésianisme chez les jésuites français du XVIIe et du XVIIIe siècle », *Archives de philosophie*, vol. VI, cahier III, 1924.

20. Vinot à Clerselier, 1660, Chartres, ms. 366, cité par T. McLaughlin, « Censorship and Defenders of the Cartesian Faith », art. cité, p. 571.

21. Reproduit initialement dans Fortunatus Plempius, *Fundamenta Medicinae*, 4e éd., Louvain, 1664. Voir aussi G. C. Ubbaghs, *Du dynamisme considéré en lui-même et dans ses rapports avec la sainte eucharistie*, Louvain, 1852, p. 148-151.

22. L. Ceyssens, *Le Cardinal François Albizzi*, *op. cit.*, p. 158.

23. Sainte-Beuve, *Port-Royal*, Paris, Gallimard, « Bibliothèque de la Pléiade », 1954, 3 vol., t. II, p. 40. Louis Cognet, *Le Jansénisme*, Paris, PUF, 1961, p. 37.

24. *Mémoires du P. René Rapin*, Paris, 1865, 3 vol., t. III, p. 495.

25. Lucien Ceyssens, *La Fin de la première période du jansénisme. Sources des années 1654-1660*, Bruxelles, 1962-1963, t. I, p. 32-33, 197 et 209.

26. *Mémoires de Louis XIV*, éd. Jean Longnon, Paris, Taillandier, 1978, p. 34-35 et 75. Voir les justes remarques de Richard M. Golden, *The Godly Rebellion. Parisian Curés and the Religions Fronde, 1652-1662*, Chapel Hill, North Carolina University Press, 1981, p. 132 et suiv.

27. *Mémoires du P. René Rapin*, *op. cit.*, t. III, p. 237.

28. Cité par François Girbal, *Bernard Lamy (1640-1715). Étude biographique et bibliographique. Textes inédits*, Paris, PUF, 1964, p. 34-35, note 3.

29. Gabriel Daniel, *Voyage du monde de M. Descartes*, Paris, 1690, p. 285. Il n'est du reste pas le seul à les identifier.

30. Voir Dale Van Kley, *The Jansenists and the Expulsion of the Jesuits from France, 1757-1765*, New Haven et Londres, Yale University Press, 1975, p. 12, Alexander Sedgwick, *Jansenism in Seventeenth Century France. Voices from Wilderness*, Charlottesville, University Press of Virginia, 1977, p. 51. Pour le contexte général, voir Catherine Maire, *De la cause de Dieu à la cause de la Nation. Le jansénisme au XVIIIe siècle*, Paris, Gallimard, 1998.

31. Au sens où Marandé l'entendait dans *Inconvénients d'État procédant du jansénisme*, Paris,

1654 : « Toute nouveauté en matière de foi, fait parti dans l'État » ; « toute secte en matière de religion est toujours une secte d'État » (p. 97) ; « le jansénisme est une branche verdoyante du calvinisme » (p. 99).

32. Marcel Gauchet, « L'État au miroir de la raison d'État », *in* Yves-Charles Zarka (dir.), *Raison et déraison d'État. Théoriciens et théories de la raison d'État aux XVIe et XVIIe siècles*, Paris, PUF, 1994, p. 205. Mes analyses doivent beaucoup à ce remarquable article.

33. Cité dans Paul Lallemand, *L'Éducation dans l'ancien Oratoire de France*, Paris, 1888, p. 126.

II. LA PERSÉCUTION DU CARTÉSIANISME

1. Theo Verbeek, *Descartes and the Dutch. Early Reactions to Cartesian Philosophy, 1637-1650*, Carbondale, Southern Illinois University Press, 1992, p. 82.

2. *Œuvres posthumes de M. Rohault*, Paris, 1682, préface de Clerselier citée partiellement dans Malebranche, *Œuvres complètes*, Paris, Vrin, 1972-1978, 20 vol., t. XVIII, p. 71.

3. Jacques Rohault, *Entretiens sur la philosophie*, 2e éd., s.l., 1673, p. 2. Sur les « académies » cartésiennes, voir Desmond Clarke, « Cartesian Science in France, 1660-1700 », *in* A. J. Holland (dir.), *Philosophy, its History and Historiography*, Dordrecht, Reidel, 1985, p. 165-178. Et aussi Harcourt Brown, *Scientific Organization in Seventeenth Century France*, Baltimore, Wilkins, 1934, et Christian Licoppe, *La Formation de la pratique scientifique. Le discours de l'expérience en France et en Angleterre (1630-1820)*, Paris, La Découverte, 1996, p. 35 et suiv.

4. Cité par Joseph Prost, *Essai sur l'atomisme et l'occasionnalisme dans la philosophie cartésienne*, Paris, 1907, p. 37, note 7. Voir Allan Gabey, « The Bourdelot Academy and the Mechanical Philosophy », *Seventeenth Century French Studies*, 1984, p. 92-103.

5. *Mémoires de Daniel Huet, évêque d'Avranches*, trad. de Ch. Nisard, Paris, 1853, p. 143 et suiv.

6. Ésaïe Bourgeois à Oldenburg, 6 juin 1672, cité par H. Brown, *Scientific Organization*, *op. cit.*, p. 216.

7. Fontenelle, *Éloge de Régis*, in *Œuvres complètes*, Paris, Fayard, 1990-, t. VI, p. 144-145.

8. *Conversations de l'académie de M. l'abbé Bourdelot*, recueillies par Le Gallois, Paris, 1672, p. 62.

9. *Œuvres posthumes de M. Rohault*, préface de Clerselier, dans Malebranche, *Œuvres complètes*, *op. cit.*, t. XVIII, p. 71.

10. Sorbière à Hobbes, dans *Œuvres complètes de Christiaan Huygens*, La Haye, Société hollandaise des sciences, 1888-1950, 22 vol., t. IV, p. 514. Ceci donnera lieu d'ailleurs à des querelles insolubles. Sorbière le dira lui-même : « Notre concert ne dura pas longtemps et bientôt après notre premier établissement, il y eut de la dissonance » (cité par Guillaume Bigourdan, *Les Premières Sociétés savantes de Paris au XVIIe siècle et les origines de l'Académie des sciences*, Paris, 1918, p. 15).

11. Cité par H. Brown, *Scientific Organization*, *op. cit.*, p. 167. Je traduis.

12. Fontenelle, *Digression sur les anciens et les modernes* [1688], dans *Œuvres complètes*, *op. cit.*, t. II, p. 420.

13. Les trois préfaces de Clerselier sont recueillies dans AT, t. V, p. 747-781.

14. L'ouvrage qui paraît en français, en 1664, est la traduction de *Renatus Descartes De Homine, figuris et latinitate donatus a Florentino Schuyl*, Leyde, 1662. L'édition française comprend en outre les *Remarques de Louis de La Forge*.

15. *L'Homme de René Descartes*, [1664], Paris, rééd. Fayard, 1999, préface de Schuyl, p. 387-389. On consultera l'utile livraison de *Corpus*, n° 37, *Cartésiens et augustiniens au XVIIe siècle*.

16. Géraud de Cordemoy, *Œuvres philosophiques*, Paris, PUF, 1968, p. 257 et 270.

17. François Poulain de La Barre, *De l'éducation des dames pour la conduite de l'esprit dans les sciences et dans les mœurs*, Entretiens, Paris, 1679, p. 323-331. Voir aussi Jacques Du Roure, *La Philosophie divisée en toutes ses parties*, Paris, 1654, p. 20-21 ; Louis de La Forge, *Œuvres philosophiques*, Paris, PUF, 1974, p. 73 ; *Commentaire ou Remarques sur la méthode de M. Descartes*, par le PNIPPDL, Paris, 1670, p. 237 ; *Lettres de M. Descartes*, t. III, préface de Clerselier, AT, t. V, p. 770.

18. *Le Miroir du temps passé à l'usage du temps présent*, s.l., 1625, p. 48. Cité par Joseph

Lecler, *Histoire de la tolérance au siècle de la Réforme*, [1955], rééd. Paris, Albin Michel, 1994, p. 527. Voir aussi William F. Church, *Richelieu and Reason of State*, Princeton, Princeton University Press, 1972, p. 103-172.

19. A. Baillet, *La Vie de M. Descartes*, *op. cit.*, t. II, p. 424 et 433.

20. Le marquis de Pomponne à M. Colbert, 8 mai 1666, dans A. Boulay de La Meurthe, « Monuments funéraires de Descartes », *Mémoires de la Société archéologique de Touraine*, t. XXIII, 1873, p. 43.

21. Relation de ce qui s'est passé en l'ordre des chanoines réguliers des années 1668 et 1669, bibliothèque Sainte-Geneviève, ms. 1152, f° 66r°.

22. A. Baillet, *La Vie de M. Descartes*, *op. cit.*, t. II, p. 439-441.

23. Je cite l'attestation publiée par Johann Arckenholtz, *Mémoires concernant Christine, reine de Suède*, Amsterdam et Leipzig, 1751. Le certificat de Clerselier est à la bibliothèque Sainte-Geneviève, ms. 3534. Sur la conversion de Christine, beaucoup d'encre a coulé. Voir Ernst Cassirer, *Descartes, Corneille et Chrisine de Suède*, [1942], trad. fr., Paris, Vrin, 1981, p. 41 et suiv. Interprétation discutée et critiquée très tôt par les historiens. Susanna Åkerman (*Queen Christina and her Circle*, *op. cit.*, p. 44-69) fait le point sur cette question.

24. Voir Louis Batterel, *Mémoires domestiques pour servir à l'histoire de l'Oratoire*, Paris, 1902-1905, 4 vol., t. III, p. 518-529. François Girbal, *L'Affaire du P. André Martin à Saumur, 1669-1675*, Paris, Vrin, 1988, p. 8.

25. *Port-Royal insolite*, édition critique du *Recueil de choses diverses* par Jean Lesaulnier, Paris, Klincksieck, 1992, p. 286.

26. P. Lallemand, *L'Éducation dans l'ancien Oratoire*, *op. cit.*, p. 408. Voir surtout Lawrence W. B. Brockliss, *French Higher Education in the Seventeenth and Eighteenth Centuries. A Cultural History*, Oxford, Clarendon Press, 1987, p. 339. Par le fondateur de l'ordre, Pierre Bérulle, le platonisme s'était enraciné chez les oratoriens.

27. John Stephenson Spink, *La Libre pensée française de Gassendi à Voltaire*, [1960], trad. de P. Meier, Paris, Éd. sociales, 1966, p. 229.

28. L. Brockliss, *French Higher Education*, *op. cit.*, p. 345.

29. L. Batterel, *Mémoires domestiques*, *op. cit.*, t. IV, p. 185-186.

30. Bossuet à un disciple du P. Malebranche, 21 mai 1687, *Correspondance de Bossuet*, Paris, Hachette, 1909-1929, 15 vol., t. III, p. 372-373. Sur le cartésianisme de Bossuet, on a le jugement de Huet (*Mémoires de Daniel Huet*, *op. cit.*, p. 185 et 232). On a aussi le jugement de son secrétaire : *Mémoires et journal sur la vie et les ouvrages de Bossuet*, par l'abbé Le Dieu, Paris, 1856, 2 vol., t. I, p. 150. Rappelons que Bossuet, chargé de l'éducation du Dauphin, s'attacha Cordemoy pour l'assister dans cette fonction.

31. [Desgabets], *Considérations sur l'état présent de la controverse touchant le très saint sacrement de l'autel*, s.l., 1671, p. 5 et 9.

32. Cité dans Malebranche, *Œuvres complètes*, *op. cit.*, t. XVIII, p. 70. Texte complet dans Victor Cousin, *Fragments philosophiques*, *op. cit.*, p. 300-301.

33. Le 4 septembre 1624, le parlement de Paris a rendu un arrêt prescrivant l'enseignement exclusif d'Aristote. Voir Lynn Thorndike, « Censorship by the Sorbonne of Science and Superstition in the First Half of the Seventeenth Century », *Journal of the History of Ideas*, n° 16, 1955, p. 119-125.

34. Boileau, *Arrêt burlesque*, dans *Œuvres complètes*, Paris, Garnier, 4 vol., 1870-1873, t. III, p. 245-251.

35. Antoine Arnauld, *Plusieurs raisons pour empêcher la censure ou la condamnation de la philosophie de Descartes* (autre titre : *Mémoire sur les sollicitations que font M. Morel et quelques autres docteurs pour obtenir un arrêt qui condamne toute autre philosophie que celle d'Aristote*), publié par V. Cousin, *Fragments philosophiques*, *op. cit.*, p. 303-317. Le manuscrit Fr. 17155 de la Bibliothèque nationale contient une version légèrement différente. Le texte, qui ne figure pas dans l'édition des *Œuvres complètes*, a été attribué à Arnauld par Cousin. On remarquera qu'une argumentation semblable se retrouve dans la Lettre à M. du Vaucel du 29 avril 1683, *Œuvres complètes*, Lausanne, 1785, 42 vol., t. II, p. 245.

36. A. Arnauld, *Plusieurs raisons pour empêcher*, *op. cit.*, p. 303.

37. A. Adam, *Du mysticisme à la révolte*, *op. cit.*, p. 265-267. Le père Annat dit au nonce « qu'il avait ruiné, par la faiblesse d'un quart d'heure, l'ouvrage de vingt années » (Sainte-Beuve, *Port-Royal*, *op. cit.*, t. II, p. 841).

38. *Quaedam recentiorum philosophorum, ac praesertim Cartesii, propositiones damnatae ac prohibitae*, Paris, 1705, p. 16.

39. Clerselier à Desgabets, 6 janvier 1672, dans P. Lemaire, *Le Cartésianisme chez les bénédictins*, *op. cit.*, p. 129-131, et AT, t. IV, p. 170-171.
40. Voir Jacques Prost, *La Philosophie à l'académie protestante de Saumur (1606-1685)*, Paris, 1907.
41. Dans F. Girbal, *Bernard Lamy*, *op. cit.*, p. 30, note 2.
42. *Universae philosophiae systema Cartesium, Anno 1671*, précédé d'une *Épître dédicatoire au P. Senault*. Je cite la traduction française procurée par L. Dumont, *L'Oratoire et le cartésianisme en Anjou*, *op. cit.*, p. 43 et suiv.
43. Voir les *Propositions extraites des écrits du P. Lamy* [...] *en les années 1674 et 1675*, dans F. Girbal, *Bernard Lamy*, *op. cit.*, p. 156-158.
44. [?] à Malebranche, *Œuvres complètes*, *op. cit.*, t. XVIII, p. 112.
45. *Mémoire apologétique du P. Quesnel*, dans F. Girbal, *Bernard Lamy*, *op. cit.*, p. 33, note 1.
46. *Journal ou Relation fidèle*, *op. cit.*, Avis au lecteur.
47. *Propositions extraites des écrits du P. Lamy*, dans F. Girbal, *Bernard Lamy*, *op. cit.*, p. 165-166. Malebranche, *Œuvres complètes*, *op. cit.*, t. XVIII, p. 116 et 118.
48. H. Gouhier, *Cartésianisme et augustinisme*, *op. cit.*, p. 100.
49. Cité dans L. Dumont, *L'Oratoire et le cartésianisme*, *op. cit.*, p. 40 et 178-180.
50. Voir Malebranche, *Œuvres complètes*, *op. cit.*, t. XVIII, p. 137-140.
51. *Journal ou Relation fidèle*, *op. cit.*, Avis au lecteur.
52. H. Gouhier, *Cartésianisme et augustinisme*, *op. cit.*, p. 87.
53. Louis de La Ville (Le Valois), *Sentiments de M. Descartes touchant l'essence et les propriétés des corps*, Paris, 1680, Épître non paginée.
54. Jean-Baptiste de La Grange, *Les Principes de la philosophie, contre les nouveaux philosophes, Descartes, Rohault, Régis, Gassendi, le P. Maignan*, Paris, 1681, 2 vol., t. I, p. 1-5. [Rochon], *Lettre d'un philosophe à un cartésien de ses amis*, Rennes, 1681, p. 15. Bossuet à un disciple du P. Malebranche, 21 mai 1687, *Correspondance*, *op. cit.*, t. III, p. 373-374.
55. [Charles-Joseph], *La Philosophie de M. Descartes contraire à la foi catholique*, Paris, 1682, p. 1-2, 50-51, 196 et 202.

III. LE SIÈCLE DE DESCARTES

1. *Mémoires de Daniel Huet*, *op. cit.*, p. 230.
2. Catherine Descartes, « L'ombre de M. Descartes à Mlle de La Vigne », *in* Dominique Bouhours, *Recueil de vers choisis*, Paris, 1693, p. 27.
3. G. Daniel, *Voyage du monde*, *op. cit.*, p. 267-268.
4. César d'Arcons, *Le Système du monde, ou le nombre, la mesure et le poids des cieux et des éléments selon l'Écriture sainte*, Bordeaux, 1655, p. 317.
5. Cité par Jacques Roger, *Les Sciences de la vie dans la pensée française du XVIIIe siècle*, Paris, Armand Colin, 1971, p. 207.
6. L. Brockliss, *French Higher Education*, *op. cit.*, p. 351.
7. Fontenelle, *Entretiens sur la pluralité des mondes habités*, dans *Œuvres complètes*, *op. cit.*, t. II, p. 21.
8. Fontenelle, préface à l'*Analyse des infiniment petits du marquis de L'Hospital*, *ibid.*, t. III, p. 239.
9. *Remarques de Huygens sur la Vie de Descartes par Baillet*, dans V. Cousin, *Fragments philosophiques*, *op. cit.*, p. 117. Dans le même sens, *Bibliothèque universelle et historique*, t. XX, 1691, p. 165-166.
10. Nicolas Liénard, *Dissertation sur la cause de la purgation*, Paris, 1659, cité par H. Busson, *La Religion des classiques*, *op. cit.*, p. 152.
11. Claude Perrault, *Œuvres diverses de physique et de mécanique*, Paris, 1721, 2 vol., t. II, p. 53. On se reportera à l'ouvrage d'Antoine Picon, *Claude Perrault, 1613-1688 ou la curiosité d'un classique*, Paris, Picard, 1988.
12. Pierre Petit, *De nova Renati Cartesii philosophia dissertationes*, Paris, 1670, p. 1-2.
13. *Nouvelles de la République des lettres*, février 1685, dans Pierre Bayle, *Œuvres diverses*, La Haye, 1727, 4 vol., t. I, p. 224.
14. Fontenelle, « Préface sur l'utilité des mathématiques », *Œuvres complètes*, *op. cit.*, t. VI, p. 44.

15. C. Clerselier, dans AT, t. V, p. 781.

16. Malebranche, *Recherche de la vérité*, dans *Œuvres complètes*, *op. cit.*, t. I, p. 64. Dans le même sens, voir Bernard Lamy, *Discours sur la philosophie*, [1694], dans *Entretiens sur les sciences*, Paris, PUF, 1966, p. 256.

17. Desgabets à Bossuet, 5 septembre 1671, *Correspondance de Bossuet*, *op. cit.*, t. I, p. 226-227.

18. J'utilise ici un terme employé par Jean Starobinski à propos du freudisme dans son étude « La maladie comme infortune de l'imagination », *L'Œil vivant II. La Relation critique*, Paris, Gallimard, 1970, p. 213.

19. Voir la définition qu'en donnera Duclos en 1767 : « Cependant, de tous les empires celui des gens d'esprit, sans être visible, est le plus étendu. Le puissant commande, les gens d'esprit gouvernent, parce qu'à la longue ils forment l'opinion publique, qui tôt ou tard subjugue ou renverse toute espèce de despotisme » (Charles Pinot Duclos, *Considérations sur les mœurs*, 5e éd., Paris, 1767, p. 270-271, cité par Keith Michael Baker, *Au tribunal de l'opinion. Essais sur l'imaginaire politique au XVIIIe siècle*, Paris, Payot, 1993, p. 248). Sur la préparation au XVIIe siècle de la notion d'opinion publique, avec discussion de la thèse de Habermas, voir notamment Hélène Merlin, *Public et littérature en France au XVIIe siècle*, Paris, Les Belles Lettres, 1994.

20. A. Arnauld, Lettre 830 à M. du Vaucel, *Œuvres*, *op. cit.*, t. III, p. 395-396 ; P. Bayle, *Recueil de quelques pièces curieuses*, *op. cit.*, Avis au lecteur, dans Malebranche, *Œuvres complètes*, *op. cit.*, t. XVII-1, p. 459. Voir aussi [Isaac d'Huisseau], *La Réunion du christianisme ou la manière de rejoindre tous les chrétiens sous une même confession de foi*, Saumur, 1670, p. 118-119.

21. Descartes, *Discours de la méthode*, AT, t. VI, p. 77-78. Je fais ici abstraction des œuvres publiées en latin et qui visent le public savant. Sur ces questions, voir l'article de Jean-Pierre Cavaillé, « "Le plus éloquent philosophe des derniers temps". Les stratégies d'auteur de René Descartes », *Annales. Histoire, Sciences sociales*, t. 49, n° 2, mars-avril 1994, p. 349-367.

22. Claude Vaugelas, *Remarques sur la langue française*, 4e éd., Paris, 1659, p. XXIII. On ne manquera pas de se reporter à l'étude de Marc Fumaroli, « Le génie de la langue française », *in* Pierre Nora (dir.), *Les Lieux de mémoire*, *op. cit.*, t. III, p. 4623-4685.

23. Antoine Arnauld et Claude Lancelot, *Grammaire générale et raisonnée*, [1660], rééd. Paris, Paulet, 1969, p. 27.

24. G. Cordemoy, *Discours physique de la parole*, [1668], cité par M. Fumaroli, « Le génie de la langue française », art. cité, p. 4659.

25. Descartes à Mersenne, 20 novembre 1629, AT, t. I, p. 81.

26. Louis Le Laboureur, *Avantage de la langue française sur la langue latine*, Paris, 1669, p. 63, 174 et 22.

27. François Charpentier, *Défense de la langue française*, Paris, 1676, successivement : p. 329-330, 250, 266, 63 et 220-221.

28. Dominique Bouhours, *Entretiens d'Ariste et d'Eugène*, [1671], rééd. Paris, Colin, 1947, p. 92.

29. Charles Perrault, *Les Hommes illustres qui ont paru en France pendant le XVIIe siècle*, La Haye, 1736, p. 1-2.

30. Charles Perrault, *Parallèle des Anciens et des Modernes*, [1685], rééd. Genève, Slatkine, 1971, 4 vol., t. IV, p. 195.

31. *Ibid.*, p. 164 et 172.

32. Fontenelle, *Digression sur les Anciens et les Modernes*, *op. cit.*, p. 419-421 et 430.

33. G. Daniel, *Voyage du monde de M. Descartes*, *op. cit.*, p. 285.

34. J. Rohault, *Œuvres posthumes*, *op. cit.*, préface.

35. Marguerite Buffet, *Nouvelles observations sur la langue française* [...] *avec les éloges des illustres savants, tant anciens que modernes*, Paris, 1668, p. 266.

36. Fontenelle, *Éloge de Régis*, dans *Œuvres complètes*, *op. cit.*, t. VI, p. 144.

37. Cité par D. Bouhours, *Recueil de vers choisis*, *op. cit.*, p. 25-27.

38. Voir notamment H. Busson, *La Religion des classiques*, *op. cit.*, p. 231 et suiv. Molière était ami de Rohault dont il possédait le *Traité de physique*. D'autre part, il avait lu le *Discours physique de la parole* de Cordemoy, puisque c'est de là que vient, selon toute vraisemblance, la scène des voyelles dans *Le Bourgeois gentilhomme*.

39. *Mémoires de Mlle de Launay*, cité par Francisque Bouillier, *Histoire de la philosophie cartésienne*, [1868], rééd. Genève, Slatkine, 1970, 2 vol., t. I, p. 442.

40. Abbé Genest, *Principes de philosophie, ou preuves naturelles de l'existence de Dieu et de l'immortalité de l'âme*, 2e éd., Amsterdam, 1717, p. XXIV.

41. Corbinelli à Bussy-Rabutin, 15 juillet 1673, dans Mme de Sévigné, *Correspondance*, Paris, Gallimard, « Bibliothèque de la Pléiade », 1972, 2 vol.
42. Par exemple, 1er juin 1676, 8 juillet 1676, 19 juin 1680, 26 juin 1680.
43. Mme de Sévigné à Mme de Grignan, 8 juillet 1676.
44. Mme de Sévigné à Mme de Grignan, 26 juin 1680.
45. *Mémoires de Mlle de Launay*, Londres, 1755, 3 vol., t. I, p. 19.
46. A. Baillet, *La Vie de M. Descartes*, *op. cit.*, t. II, p. 500.
47. C. Vaugelas, *Remarques sur la langue française*, cité par Claude Dulong, « De la conversation à l'écrit », *in* Georges Duby et Michelle Perrot (dir.), *Histoire des femmes en Occident*, Paris, Plon, 1991-1992, 5 vol., t. I, p. 213.
48. D. Bouhours, *Entretiens d'Ariste et d'Eugène*, *op. cit.*, p. 39.
49. Voir Marc Fumaroli, « Ego scriptor : rhétorique et philosophie dans le *Discours de la méthode* », *in* Henry Méchoulan (dir.), *Problématique et réception du Discours de la méthode et des Essais*, Paris, Vrin, 1988, p. 32-33. Henri Gouhier, *La Pensée métaphysique de Descartes*, Paris, Vrin, 1969, p. 76 et suiv. ; et surtout Jean-Pierre Cavaillé, *Descartes. La fable du monde*, Paris, Vrin et EHESS, 1991, p. 192-194.
50. Voir à ce propos Carolyn C. Lougee, *Le Paradis des femmes. Women, Salons and Social Stratification in Seventeenth-Century France*, Princeton, Princeton University Press, 1976, conclusion.
51. [Caroline Du Crest de Genlis], *Le Club des dames ou le retour de Descartes*, Paris, 1784, p. 9.
52. C'est Geneviève Fraisse qui en fait la remarque dans *La Raison des femmes*, Paris, Plon, 1992, p. 30.
53. Rousseau, *Julie ou la Nouvelle Héloïse*, dans *Œuvres complètes*, Paris, Gallimard, « Bibliothèque de la Pléiade », 1964, 5 vol., t. II, p. 206. La formule est citée par Mona Ozouf dans *Les Mots des femmes. Essai sur la singularité française*, Paris, Fayard, 1995, p. 335. Sur la place et le sens de l'œuvre de Rousseau du point de vue d'une histoire du féminisme, on lira avec bonheur le dernier chapitre de ce livre.
54. *De l'égalité des deux sexes*, [1673], rééd. Paris, Fayard, 1984, p. 7, 9, 15, 31-32 et 59-60.
55. A. Arnauld, Lettre 830 à M. du Vaucel, *Œuvres*, *op. cit.*, t. III, p. 395-396.
56. Antoine Goudin, *Philosophia juxta inconcussa tritissimaque Divi Thamae dogmata*, cité par Bernard Tocanne, *L'Idée de nature en France dans la seconde moitié du XVIIe siècle*, Paris, Klincksieck, 1978, p. 47.
57. Sorbière le disait très bien : « Je me suis souvent étonné que la manière de philosopher de M. Gassendi, admirée de tout le monde, ne fît pas plus de bruit qu'elle n'en a produit. Je pense que cela vient de sa trop grande littérature, qui a mis de plus grands intervalles qu'il ne fallait entre ses raisonnements, ce qui a dissipé la force et caché la liaison, au lieu que les autres philosophes ont toujours suivi leur piste... Je tiens pour Galilée et Gassendi et j'estime qu'à la longue ils l'emporteront sur Hobbes et Descartes, encore que les bricoles de ceux-ci se fassent davantage admirer que l'adresse des autres » (cité par J. S. Spink, *La Libre-pensée*, *op. cit.*, p. 129).
58. Clerselier à Desgabets, dans P. Lemaire, *Le Cartésianisme*, *op. cit.*, p. 260.

IV. UN PAYSAGE BOULEVERSÉ (1680-1730)

1. Fontenelle, *Entretiens sur la pluralité des mondes habités*, *op. cit.*, p. 113.
2. Voltaire, *Éclaircissements nécessaires donnés par M. de Voltaire*, [1738], *The Complete Works of Voltaire*, édition Besterman, Oxford, Voltaire Foundation, 1968-, 84 vol., t. XV, p. 665. Cette édition sera désignée désormais par : Besterman, suivi du tome et de la page.
3. *Memoirs of the Life of Mr William Whiston by Himeself*, Londres, 1749, p. 8 et suiv., cité par Alexandre Koyré, *Études newtoniennes*, Paris, Gallimard, 1968, p. 138. Richard S. Westfall, *Never at Rest. A Biography of Isaac Newton*, Cambridge, Cambridge University Press, 1980, p. 89.
4. Il rencontre Bernier lors de son séjour à Paris en 1677. Il fera l'acquisition de l'*Abrégé de la philosophie de Gassendi* dès sa parution en 1678. Voir John Lough, « Locke's reading during his stay in France », *The Library*, third series, 8, 1953, p. 229-258.

5. « Brève démonstration d'une erreur mémorable de M. Descartes », dans Leibniz, *Œuvres choisies*, trad. de Lucy Prenant (= P), Paris, Aubier, 1974, p. 159-161.

6. Malebranche, « Extrait d'une lettre du P. M. à l'abbé D. C. », *Nouvelles de la République des lettres*, avril 1687, p. 448-450 ; André Robinet, *Malebranche et Leibniz. Relations personnelles*, Paris, Vrin, 1955, p. 251-252.

7. Leibniz, « Extrait d'une lettre de M. L. sur un principe général, utile à l'explication des lois de la nature par la considération de la sagesse divine », *Nouvelles de la République des lettres*, juillet 1687, p. 744-753 ; A. Robinet, *Malebranche et Leibniz, op. cit.*, p. 255-258.

8. *Bibliothèque universelle et historique*, t. VIII, p. 440 et 442.

9. *Journal des savants*, 2 août 1688, p. 153-154.

10. Leibniz, « *Tentamen de motuum coelestium causis* », *G. W. Leibniz, Mathematische Schriften*, édition Gerhardt, [1849-1863], Hildesheim, Olms, 1971, 7 vol., t. VI, p. 166 et 149. Je suis la traduction (partielle) et les analyses de A. Koyré, *Études newtoniennes, op. cit.*, p. 167 et suiv. On trouvera une traduction anglaise complète dans l'ouvrage de Domenico Bertoloni Meli, *Equivalence and Priority. Newton versus Leibniz*, Oxford, Clarendon Press, 1993, p. 126-142.

11. Leibniz, « Extrait d'une lettre de M. de Leibniz à M. l'abbé Nicaise, sur la philosophie de M. Descartes », *Journal des savants*, 13 avril 1693, p. 240-243.

12. Christiaan Huygens, *Nouveau traité sur la pluralité des mondes*, [1698], Paris, 1702, p. 277.

13. Huygens à Fatio de Duillier, 11 juillet 1687, *Œuvres complètes de Christiaan Huygens*, *op. cit.*, t. IX, p. 190.

14. Huygens à Leibniz, 18 novembre 1690, *ibid.*, p. 538.

15. Huygens, *Discours de la cause de la pesanteur*, dans *Traité de la lumière*, [1690], rééd. Paris, Blanchard, 1920, p. 159.

16. Huygens, *ibid.*, p. 3.

17. Malebranche, *XVI*^e^ *Éclaircissement*, *op. cit.*, p. 305.

18. Sur tous ces auteurs, voir André Robinet, *Malebranche de l'Académie des sciences, l'œuvre scientifique, 1674-1715*, Paris, Vrin, 1970 ; le livre ancien de Pierre Brunet, *L'Introduction des théories de Newton en France au XVIII*^e^ *siècle*, [1931], Genève, Slatkine, 1970, demeure irremplacé dans son genre.

19. Montesquieu, *Essai d'observation sur l'histoire naturelle*, [1719-1721], dans *Œuvres complètes*, éd. Masson, Paris, Nagel, 1950-1955, 3 vol., t. III, p. 112.

20. Pierre François Guyot Desfontaines, *Observations sur les écrits modernes*, Paris, 1735-1743, 17 vol., t. XIII, p. 233.

21. Malebranche, *XVI*^e^ *Éclaircissement*, *op. cit.*, t. III, p. 261. Voir Michel Blay, *La Conceptualisation newtonienne des phénomènes de la couleur*, Paris, Vrin, 1983.

22. Joseph Saurin, « Examen d'une difficulté considérable proposée par M. Huygens contre le système cartésien sur la cause de la pesanteur », *Mémoires de mathématiques et de physique* [...] *de l'Académie royale des sciences*, 1709, p. 148.

23. Jean Bernoulli, *Nouvelles pensées sur le système de M. Descartes et la manière d'en déduire les orbites et les aphélies des planètes*, Paris, 1730, p. 2.

24. Voir Henry Guerlac, *Newton on the Continent*, Ithaca et Londres, Cornell University Press, 1981, et A. Rupert Hall, « Newton in France : a new view », *History of Science*, XIII, 1975, p. 241-242.

25. Le mot est de Jean-Jacques Dortous de Mairan, *Éloges des académiciens de l'Académie royale des sciences morts dans les années 1741, 1742, 1743*, Paris, 1747, p. 73.

26. Isaac Newton, *Traité d'optique*, Paris, 1722, Approbation.

27. « Dissertation de M. de Montmort sur les principes de physique de M. Descartes, comparés à ceux des philosophes anglais », *L'Europe savante*, octobre 1718, t. V, p. 289. C'est à l'initiative de Bolingbroke qu'est organisée cette controverse entre Montmort et Taylor dans *L'Europe savante*, dirigée par Levesque de Pouilly. Voir à ce sujet Denis Fletcher, « Bolingbroke and the diffusion of Newtonianism in France », *Studies on Voltaire and the Eighteenth Century*, Oxford, The Voltaire Foundation, 1967, t. LIII, p. 29-46.

28. *Bibliothèque universelle et historique*, t. XVII, 1690, p. 400.

29. *Mémoires de Trévoux*, janvier-février 1701, p. 116-131.

30. *Ibid.*, juin 1705, p. 1090.

31. *Journal des savants*, 10 septembre 1703, p. 569-574. Voir Ester Caruso, « Parigi e Amsterdam : tradizionalismo e libero pensiero nelle due edizioni del *Journal des sçavans* », *Rivista di storia della filosofia*, 42, 3, 1987, p. 439-464.

32. *Ibid.*, 20 avril 1705, dans Malebranche, *Œuvres complètes, op. cit.*, t. IX, p. 1182.
33. *Ibid.*, 30 mai 1707, p. 335.
34. Maubec, *Principes physiques de la raison et des passions des hommes*, Paris, 1709, p. 39-40 et 196.
35. Le point est établi par Olivier Bloch dans *Parité de la vie et de la mort. La Réponse du médecin Gaultier*, éd. O. Bloch, Paris et Oxford, The Voltaire Foundation, 1993, p. 88.
36. Charles Jourdain, *Histoire de l'université de Paris au XVIIe et au XVIIIe siècle*, Paris, 1888, p. 269 et 277.
37. Guymond à André, 9 juillet 1707, dans *Œuvres philosophiques du père André*, éd. Victor Cousin, Paris, 1843, p. LXXXVII-LXXXVIII.
38. C. Jourdain, *Histoire de l'université de Paris aux XVIIe et XVIIIe siècle, op. cit.*, p. 287.
39. Père Daugières au père général, 1706, cité par François de Dainville, « L'enseignement scientifique dans les collèges des jésuites », *in* René Taton, *Enseignement et diffusion des sciences en France au XVIIIe siècle*, Paris, Hermann, 1986, p. 45.
40. Je me fonde ici sur l'ouvrage de L. Brockliss, *French Higher Education, op. cit.*, p. 197 et 350-351. Voir aussi François de Dainville, *L'Éducation des jésuites (XVIe-XVIIIe siècle)*, éd. M.-M. Compère, Paris, 1978.
41. Guillaume François Berthier, *Recueil de lettres sur la doctrine et l'Institut des jésuites*, s.l.n.d., p. 33-34. Berthier dirige les *Mémoires de Trévoux* à partir de 1745.
42. C. Jourdain, *Histoire de l'université de Paris, op. cit.*, p. 173. Je traduis.
43. Charles Rollin, *Traité des études*, [1726], dans *Œuvres complètes*, éd. Letronne, Paris, 1821-1826, 30 vol., t. XXVIII, p. 186-188. Dans le même sens, voir Nicolas Baudoin, *De l'éducation d'un jeune seigneur*, Paris, 1728, p. 145-146.
44. *Mémoires de Trévoux*, mai 1703, p. 875. Voir Catherine M. Northeast, *The Parisian Jesuits and the Enlightenment, 1700-1762*, Studies on Voltaire and the Eighteenth Century, Oxford, 1991.
45. *Mémoires de Trévoux*, art. CLXXIII, 1704, p. 1945 ; juin 1705, p. 1058-1059 ; février 1706, p. 277.
46. *Ibid.*, art. XXIX, 1717, p. 342.
47. L'expression est de F. de Dainville, « L'enseignement scientifique dans les collèges des jésuites », *in* R. Taton, *L'Enseignement des sciences, op. cit.*, p. 46.
48. *Mémoires de Trévoux*, février 1709, p. 186 et suiv.
49. *Ibid.*, février 1710, p. 252.
50. *Ibid.*, art. LXXVII, 1717, p. 1115.
51. *Ibid.*, art. XXXIX, 1721, p. 832-833.
52. *Ibid.*, octobre 1721, p. 1761.
53. *Descartes. Ode qui a remporté le premier prix des Jeux floraux, ou de l'Académie de Toulouse en 1710*, s.l.n.d.
54. Fontenelle, *Éloge de M. l'abbé Galois*, [1707], *Œuvres complètes, op. cit.*, t. VI, p. 172. Référence signalée par Jean Dagen, *L'Histoire de l'esprit humain dans la pensée française de Fontenelle à Condorcet*, Paris, Klincksieck, 1977, p. 18. Sur la doctrine de la perfectibilité, on consultera avec fruit Ernst Behler, *Unendliche Perfektibilität. Europaïsche Romantik und Französiche Revolution*, Paderbron, Schoning, 1989.
55. Fontenelle, *Digression sur les anciens et les modernes, op. cit.*, t. II, p. 425-426.
56. Jean Le Rond d'Alembert, *Discours préliminaire de l'Encyclopédie*, [1751], rééd. Paris, Vrin, 1984, p. 99.
57. [Du Pont-Bertris], *Éloges et caractères des philosophes les plus célèbres depuis la naissance de J.-C. jusqu'à présent*, Paris, 1726, p. 289.
58. L. Castel, *Traité de physique, op. cit.*, t. II, p. 406.
59. *Ibid.*, p. 453.
60. « Lettre où l'on propose des difficultés contre le système du P. Castel », *Mémoires de Trévoux*, 1724, p. 1634-1635.
61. « Réponse à la lettre précédente par le P. Castel, jésuite », *ibid.*, 1724, p. 1638.
62. « Réponse du P. Castel à M. l'abbé de Saint-Pierre », *ibid.*, 1725, p. 303 et 307.
63. Antoine Laval, *Réflexions sur quelques point du système de M. le Chevalier Newton*, dans *Voyage de La Louisiane*, Paris, 1728, p. 154, 155 et 160-161.
64. Joseph Du Baudory, *De novis systematum inventoribus quid sentiendum oratio*, [1744], dans *Œuvres diverses*, Paris, 1762, p. 111-154.

V. L'EFFET VOLTAIRE

1. Claude Buffier, *Traité des premières vérités et de la source de nos jugements*, [1724], Paris, 1843, p. 225. Sur l'œuvre de Buffier, on peut consulter Kathleen Sonia Wilkins, *A Study of the Works of Claude Buffier*, Studies on Voltaire and the Eighteenth Century, Oxford, The Voltaire Foundation, 1969, p. 90 et suiv. Sur la réception de Locke en France, voir le livre classique de Gabriel Bonno, *La Culture et la civilisation britannique devant l'opinion française, de la paix d'Utrecht aux Lettres philosophiques (1713-1734)*, Philadelphie, 1948. Et aussi Jørn Schøsler, *La Bibliothèque raisonnée (1728-1753). Les réactions d'un périodique français à la philosophie de Locke au XVIIIe siècle*, Odense University Press, 1985, p. 30 et suiv. Le début des années 1720 marque l'introduction massive de la philosophie de Locke dans ce périodique.

2. Ira O. Wade, *The Intellectual Development of Voltaire*, Princeton, Princeton University Press, 1969, p. 229. Sur le séjour en Angleterre, voir Anne-Marie Rousseau, *L'Angleterre et Voltaire*, Studies on Voltaire and the Eighteenth Century, Oxford, The Voltaire Foundation, 1976, et René Pomeau, *D'Arouet à Voltaire*, Oxford, The Voltaire Foundation, 1985, p. 212-256.

3. Fontenelle, *Éloge de M. Newton*, dans *Œuvres complètes*, *op. cit.*, t. VII, p. 114, 115 et 121. L'*Éloge* de Fontenelle a été traduit en anglais dès 1728.

4. David Meeson, *Maupertuis. An Intellectual Biography*, Studies on Voltaire and the Eighteenth Century, Oxford, The Voltaire Foundation, 1992, p. 82-83.

5. Pierre Louis Moreau de Maupertuis, *Discours sur les différentes figures des astres*, [1732], dans *Œuvres*, Hildesheim et New York, Olms, 1974, 4 vol., t. I, p. 118 et 132-133. Sur la question cruciale de la forme de la Terre, voir J. L. Greenberg, *The Problem of the Earth's Shape from Newton to Clairault*, Cambridge, Cambridge University Press, 1995.

6. *Mémoires de Trévoux*, art. XXXIII, 1733, p. 709-710.

7. Voltaire, *Traité de métaphysique*, Besterman, t. XIV, p. 440.

8. Voltaire, *Lettres philosophiques*, éd. R. Naves, Paris, Garnier, 1988, p. 56 et suiv.

9. Voltaire, *À M. de Formont, en lui envoyant les œuvres de Descartes et de Malebranche*, Besterman, t. VIII, p. 531. Je souligne « brillant ».

10. Voltaire, *Lettres philosophiques*, *op. cit.*, p. 76.

11. Voltaire, *Micromégas*, chap. VII.

12. Voltaire, *Lettres philosophiques*, *op. cit.*, p. 63-64 et 75 ; *Le Philosophe ignorant*, Besterman, t. LXII, p. 35-36 ; *Dialogues d'Évhémère*, éd. Moland, Paris, Garnier, 1877-1883, 52 vol., t. XXX, p. 502.

13. Voltaire, *Lettres philosophiques*, *op. cit.*, p. 66. La fameuse supposition de Locke, que la matière pourrait penser, se trouve dans l'*Essai*, IV, III, § 6. John Yolton a consacré un livre à la réception française de ce thème (*Locke and French Materialism*, Oxford, Clarendon Press, 1991).

14. Voltaire, *Traité de métaphysique*, *op. cit.*, p. 455.

15. Voltaire, *Lettres philosophiques*, p. 87.

16. Voltaire à Damilaville, 23 avril 1766, dans *Correspondence and Related Documents*, éd. Besterman (*The Complete Works of Voltaire*, t. 85-135), Genève, Institut Voltaire, 1968-1977, D. 13264.

17. Voltaire à Thomas, 22 septembre 1765, D. 12986 ; publiée dans le *Journal encyclopédique* le 1er septembre 1765.

18. Voltaire à Tison, D. 12132.

19. *Mémoires de Trévoux*, art. CXIII, 1734, p. 2047.

20. *Ibid.*, art. XCIV, 1734, p. 1813.

21. *Ibid.*, art. VI, 1735, p. 96 et 109-110.

22. *Ibid.*, art. XVII, 1735, p. 317 et 319.

23. Voltaire à Tournemine, août 1735, D. 901.

24. Tournemine à Voltaire D. 913, p. 200-201 ; dans les *Mémoires de Trévoux*, 1735, p. 1913-1935. Voir Descartes, *Méditations métaphysiques*, AT, t. IX, p. 20.

25. Montesquieu, *Défense de l'Esprit des lois*, dans *Œuvres complètes*, *op. cit.*, t. I, p. 493.

26. Voir notamment Albert Monod, *De Pascal à Chateaubriand. Les défenseurs français du*

christianisme de 1670 à 1802, [1916], Genève, Slatkine, 1970 ; Cyril B. O'Keefe, *Contemporary Reactions to the Enlightenment (1728-1762)*, Paris, Champion, 1974, p. 34 et suiv., 52 et suiv.

27. *Ibid.*, p. 196. Voir Paul Vernière, *Spinoza et la pensée française avant la Révolution*, [1954], Genève, Slatkine, 1970, p. 495 et suiv.

28. *Lettre de M. de Voltaire à M. de Maupertuis, ibid.*, p. 698-701 (*Bibliothèque française*, XXVIII, 1739, p. 1-27). Voltaire réplique notamment aux comptes rendus des *Mémoires de Trévoux* d'août et octobre 1738.

29. Jean Banières, *Examen et réfutation des éléments de la philosophie de Newton de M. de Voltaire*, Paris, 1739, p. 121. Voir aussi Pierre François Guyot Desfontaines, *Observations sur les écrits modernes*, Paris, 1738-1743, 17 vol., t. XIII, p. 232-234.

30. *Mémoires de Trévoux*, art. LXV, 1739, p. 2154 et 2166.

31. J. Banières, *Examen et réfutation, op. cit.*, p. 120. Voir aussi François Granet, *Réflexions sur les ouvrages de littérature*, t. VI, Paris, 1738, p. 72 : « Jusqu'ici on s'était contenté en France de rejeter le principe de Newton. Le livre de M. de Voltaire produira un bien ; il va exhorter nos philosophes à combattre sa doctrine et à en faire voir l'obscurité à tout le monde, ce qui n'est pas fort difficile. »

32. Jacqueline de La Harpe, *Le Journal des savants et l'Angleterre, 1702-1789*, Berkeley, University of California Press, 1941.

33. Stella Lovering, *L'Activité intellectuelle de l'Angleterre d'après l'ancien Mercure de France (1672-1778)*, Paris, De Boccard, p. 140.

34. *Mémoires de Trévoux*, 1738, p. 140, 1745, p. 59 et 1747, p. 2199. Voir Sigorgne, *Institutions newtoniennes ou Introduction à la philosophie de M. Newton*, Paris, 1747, p. III.

35. *Journal des savants*, janvier 1748, p. 3-4, cité par C. O'Keefe, *Contemporary Reactions to the Enlightenment, op. cit.*, p. 51.

36. Voir L. Brockliss, *French Higher Education, op. cit.*, p. 360 et suiv.

37. *Mémoires de l'abbé Baston, chanoine de Rouen*, Paris, 1897-1899, 2 vol., t. I, p. 165.

38. Joseph Adrien Lelarge de Lignac, *Témoignage du sens intime et de l'expérience opposé à la foi profane et ridicule des fatalistes modernes*, Auxerre, 1760, t. II, p. 353.

39. André François Boureau-Deslandes, *Histoire critique de la philosophie*, Amsterdam, 1797, t. III, p. 294, t. IV, p. 175. Sur l'influence de cet ouvrage sur les articles d'histoire de la philosophie rédigés par Diderot pour l'*Encyclopédie*, voir Jacques Proust, *Diderot et l'Encyclopédie*, [1962], Genève, Slatkine, 1982, p. 241-242.

40. Abbé de Saint-Pierre, *Discours sur la différence du grand homme et de l'homme illustre*, *in* abbé Senan de La Tour, *Histoire d'Épaminondas*, Paris, 1739, p. XLIV-XLV.

41. *Histoire de l'Académie des sciences*, année 1741, p. 174, cité par J. Dagen, *L'Histoire de l'esprit humain, op. cit.*, p. 49.

42. Jean-Jacques Dortous de Mairan, *Éloges des académiciens de l'Académie royale des sciences*, *op. cit.*, p. 216-221. Sur l'évolution de Mairan vers Newton, voir H. Guerlac, *Newton on the Continent, op. cit.*, p. 66 et suiv.

43. Abbé de Saint-Pierre, *Observations sur le progrès continuel de la raison universelle*, dans *Ouvrages de politique et de morale*, Rotterdam, 1733-1741, 16 vol., t. XI, p. 268.

44. Jean Terrasson, *La Philosophie applicable à tous les objets de l'esprit et de la raison*, précédé des *Réflexions de M. d'Alembert*, Paris, 1754, p. 4-10. L'ouvrage est paru à titre posthume ; il a été composé sans doute dans les années 1740.

45. Louis Antoine de Bougainville, introduction à Melchior de Polignac, *L'Anti-Lucrèce, poème sur la religion naturelle*, [1749], Bruxelles, 1755, p. XXXVII.

46. Denis Diderot, *Pensées philosophiques*, § 20, éd. L. Versini, dans *Œuvres*, Paris, Laffont, 1994, 5 vol., t. I, p. 23-24. Je souligne. L'utilisation du dualisme cartésien par les catholiques à partir du milieu du siècle est bien vue par Robert R. Palmer, *Catholics and Unbelievers in Eighteenth-Century France*, Princeton, Princeton University Press, 1939, p. 136-137.

47. Denis Diderot, *La Promenade du sceptique, ibid.*, p. 111.

48. Julien Offray de La Mettrie, *L'Homme-Machine*, dans *Œuvres philosophiques*, Hildesheim et New York, Olms, 1970, p. 347. On connaît la thèse qu'Aram Vartanian a tirée naguère de textes comme celui-ci : que le cartésianisme aurait fécondé le courant matérialiste du XVIIIe siècle, de façon souterraine mais puissante (voir *Diderot and Descartes. A Study of Scientific Naturalism in the Enlightenment*, Princeton, Princeton University Press, 1953 ; et du même : *La Mettrie's l'Homme-Machine. A Study in the Origins of an Idea*, Princeton, Princeton University Press, 1963). Aussi brillante que soit la thèse, elle ne peut aller contre tant d'évidences qu'en arguant d'un cartésianisme *de méthode*, présent chez les encyclopédistes et les matérialistes, bien différent du cartésianisme comme *doctrine*. Mais une telle hypothèse, avec ce qu'elle a de forcément

vague, devient invérifiable. Voir les justes mises au point d'Ann Thomson dans *Materialism and Society in the Mid-Eighteenth Century : La Mettrie's Discours préliminaire*, Genève, Droz, 1981, et dans « L'homme-machine, mythe ou métaphore ? », *Dix-huitième siècle*, n° 20, 1988, p. 367-376.

49. *Traité de l'âme*, *ibid.*, p. 134-135.

50. *Ibid.*, p. 94.

51. Denis Diderot, *Les Bijoux indiscrets*, chap. XXIX, « Métaphysique de Mirzoza », éd. H. Benac, Paris, Garnier, 1962, p. 105 108.

52. François Ilharat de La Chambre, *Traité de la véritable religion*, Paris, 1737, t. I, p. 124-125. L'abbé de La Chambre est aussi l'un des réfutateurs de Spinoza : voir P. Vernière, *Spinoza et la pensée française*, *op. cit.*, p. 421-423. Sur le problème général, voir Didier Masseau, *Les Ennemis des Philosophes. L'Antiphilosophie au temps des Lumières*, Paris, Albin Michel, 2000, p. 238 et suiv.

53. François Ilharat de La Chambre, *Abrégé de la philosophie*, Paris, 1754, t. I, p. 66, 125 et 296 ; *Traité de la véritable religion*, *op. cit.*, t. I, p. 435.

54. George Polier de Bottens, *Pensées chrétiennes mises en parallèle ou en opposition avec les Pensées philosophiques*, Rouen, 1747, p. 47 et 57.

55. Samuel Formey, *Pensées raisonnables opposées aux Pensées philosophiques*, Göttingen et Leyde, 1756, p. 65-66. Voir notamment Gary Bruce Rodgers, « Diderot and the Eighteenth Century Press », *Studies on Voltaire and the Eighteenth Century*, vol. 107, 1973.

56. David Renaud Boullier, *Essai philosophique sur l'âme des bêtes*, [1738], rééd. Paris, Fayard, 1985, p. 356 ; *Lettres critiques sur les Lettres philosophiques de M. de Voltaire*, s.l., 1753, p. 12 (publiées initialement dans le tome XX de la *Bibliothèque française*, en 1735) ; *Apologie de la métaphysique*, s.l., 1753, p. 13, 15 et 23.

57. F. Bouillier, *Histoire de la philosophie cartésienne*, *op. cit.*, t. II, p. 545.

58. Hyacinthe Sigismond Gerdil, *L'Immatérialité de l'âme démontrée contre M. Locke*, Turin, 1747, p. 229-230.

59. Laurent François, *Preuves de la religion de Jésus-Christ, contre les spinozistes et les déistes*, Paris, 1751, 4 vol., t. I, p. 29-30, 33, 51 et *passim* ; Denesle, *Examen du matérialisme*, Paris, 1754, 2 vol., t. I, p. 1-7, 10, 228, 233 et 385 ; Gabriel Gauchat, *Lettres critiques ou analyse et réfutation de divers écrits modernes contre la religion*, Paris, 1755, 7 vol., t. II, p. 256-286 et *passim*.

60. Sur l'affaire de l'abbé de Prades, les études sont innombrables. La plus utile pour mon propos est celle de Maria Franca Spallanzani, *Immagini di Descartes nell'Encyclopédie*, Bologne, Il Mulino, 1990, p. 36 et suiv.

61. Yves Marie de Prades, *Jerusalem Coelesti. Quaestio theologica, quis est de illo, cujus in faciem Deus inspiravit spiraculum vitae ?*, dans *Recueil de pièces concernant la thèse de M. l'abbé de Prades*, s.l., 1753, p. 1.

62. *Nouvelles ecclésiastiques*, 3 juillet 1754, p. 106.

63. *Instructions pastorales de M. l'évêque d'Auxerre*, dans *Recueil*, *op. cit.*, p. 42-46 et *passim*.

64. Abraham Chaumeix, *Préjugés légitimes contre l'Encyclopédie*, Paris, 1758, 8 vol., t. I, p. 155 et *passim*.

65. *Mandement de M. l'archevêque de Paris, portant condamnation d'une thèse...*, dans *Recueil*, *op. cit.*, p. 29.

66. *Mandement de Mgr l'archevêque de Montauban...*, dans *La Religion vengée des impiétés de la thèse*, s.l., 1754, p. 222.

67. *Extrait des registres de la faculté de théologie de Paris, contenant les différentes déclarations données par l'abbé Hooke*, dans *Lettre de M. l'abbé Hooke... à Mgr l'archevêque de Paris*, s.l., 1763, p. 60-61. Je traduis.

68. Diderot, *Suite de l'apologie de M. l'abbé de Prades*, dans *Œuvres*, *op. cit.*, t. I, p. 524.

69. Le Clerc de Montlinot, *Justification de plusieurs articles du Dictionnaire encyclopédique*, Bruxelles, 1760, p. 94.

70. D'Holbach, *Système de la nature*, *op. cit.*, t. I, p. 127, note 6.

71. Aimé Henri Paulian, *Traité de paix entre Descartes et Newton*, Avignon, 1767, p. 93.

72. [Dom Louis Mayeul Chaudon], *Dictionnaire antiphilosophique*, Avignon, 1767, p. 93.

73. Pour Descartes « grand homme », voir notamment d'Alembert, *Discours préliminaire*, *op. cit.*, p. 99 ; Voltaire au marquis d'Argens, 21 juin 1739, D. 2034 ; Maupertuis, *Essai de cosmologie*, dans *Œuvres*, *op. cit.*, t. I, p. 36 ; abbé Pestré, article « Cartésianisme », *Encyclopédie*, *op. cit.*, t. III, p. 719 et 725 ; Paul Henri d'Holbach, *Système de la nature*, Paris, Fayard, 1990, 2 vol., t. II, p. 137. Pour le réformateur de la philosophie, voir par exemple Pestré, article

« Cartésianisme », *Encyclopédie*, t. III, p. 717 ; d'Alembert, *Discours préliminaire*, p. 96 et suiv., et article « Géométrie », *Encyclopédie*, t. VII, p. 627 ; Étienne Bonnot de Condillac, *Traité des systèmes*, [1749], dans *Œuvres philosophiques de Condillac*, éd. Le Roy, Paris, PUF, 1947, 3 vol., t. I, p. 141. Pour le thème de la révolution et Descartes précepteur du genre humain, voir Condillac, *Essai sur l'origine des connaissances humaines*, *ibid.*, p. 115-116 ; Jean-Jacques Rousseau, *Discours sur les sciences et les arts*, dans *Œuvres complètes*, *op. cit.*, t. III, p. 29 ; d'Alembert, *Discours préliminaire*, p. 110 ; Diderot, article « Art », *Encyclopédie*, t. I, p. 717. Pour le thème de l'insurrection, voir d'Alembert, *Discours préliminaire*, p. 99 ; Anne Robert Jacques Turgot, *Ébauche du Discours sur les progrès de l'esprit humain*, dans *Œuvres de M. Turgot*, Paris, 1808-1811, 9 vol., t. II, p. 278.

74. L'étude la plus précise sur la place de Descartes chez les encyclopédistes est celle de M. F. Spallanzani, *Immagini di Descartes nell'Encyclopédie*, *op. cit.*, p. 67.

75. La Mettrie, *Traité de l'âme*, *op. cit.*, p. 67. Maupertuis, *Essai de cosmologie*, *op. cit.*, t. I, p. 46. Condillac, *Traité des systèmes*, *op. cit.*, p. 200. Rousseau, *Mémoire présenté à M. de Mably*, dans *Œuvres complètes*, *op. cit.*, t. IV, p. 30 ; t. II, p. 1128. (Rousseau est un cas à part. Car lui aussi, lorsqu'il veut montrer l'insuffisance du matérialisme, met ses pas dans ceux de Descartes. Par exemple *Émile*, IV, *ibid.*, p. 584-585 ; *Lettres morales*, *ibid.*, p. 1059. Sur ce point, voir Henri Gouhier, *Les Méditations métaphysiques de Jean-Jacques Rousseau*, Paris, Vrin, 1970, chap. II.) Voltaire à Puchot, 26 novembre 1738, D. 1666.

76. *Encyclopédie*, *op. cit.*, t. III, p. 719.

77. D'Alembert, *Exposition du Traité de l'équilibre et du mouvement des fluides*, dans *Œuvres*, Paris, 1821, 5 vol., t. I, p. 419.

78. Diderot, *Mélanges* [...] *pour Catherine II*, dans *Œuvres*, *op. cit.*, t. III, p. 264. D'Alembert, article « Dioptrique », *Encyclopédie*, *op. cit.*, t. IV, p. 1014. Et *Discours préliminaire*, *op. cit.*, p. 97. La Mettrie, *Abrégé des systèmes*, dans *Œuvres*, *op. cit.*, p. 190. Voltaire, *Le Siècle de Louis XIV*, *op. cit.*, p. 62. Article « Haie (La) », *Encyclopédie*, t. VIII, p. 24. Pestré, article « Cartésianisme », *ibid.*, t. III, p. 724.

79. Diderot, *Plan d'une université*, dans *Œuvres*, *op. cit.*, t. III, p. 425.

80. Voltaire à Thierot, 15 juillet 1735, D. 893.

81. Jean-Baptiste de Boyer d'Argens, *Lettres juives*, [1738], La Haye, 1778, t. II, p. 343.

82. Charles Irénée Castel de Saint-Pierre, *Discours sur les différences du grand homme et de l'homme illustre*, *op. cit.*, p. XXVII et XLIII-XLVI. Sur le culte des grands hommes, voir Jean-Claude Bonnet, *Naissance du Panthéon. Essai sur le culte des grands hommes*, Paris, Fayard, 1998 (notamment p. 36 et suiv.).

83. Saint-Pierre, *Projet pour rendre l'Académie des bons écrivains plus utile à l'État*, dans *Ouvrages de politique et de morale*, Rotterdam, 1733-1741, 16 vol., t. IV, p. 173-174.

84. D'Alembert, *Éloge de Saint-Pierre*, dans *Œuvres complètes*, *op. cit.*, t. II, p. 324 ; cité par J.-Cl. Bonnet, *Naissance du Panthéon*, *op. cit.*, p. 65. Je lui emprunte les remarques qui suivent.

85. Abbé de Pezène, *Panégyriques de Saint Louis*, Paris, 1690, p. 20, cité par J.-Cl. Bonnet, *Naissance du Panthéon*, *op. cit.*, p. 63. Les analyses de Marc Fumaroli sont ici irremplaçables : « La Coupole », *in* P. Nora (dir.), *Les Lieux de mémoire*, *op. cit.*, t. II, p. 1951 et suiv.

86. *Harangue prononcée par M. de Maupertuis dans l'Académie française, le jour de sa réception*, dans *Œuvres*, *op. cit.*, t. III, p. 264.

87. D'Alembert, *Discours à l'Académie française*, 19 décembre 1754, dans *Œuvres*, *op. cit.*, t. IV, p. 306.

88. Guénard, *Discours qui a remporté le prix d'éloquence à l'Académie française, en l'année 1755*, Paris, 1755, p. 8-11.

89. « Premier plaidoyer pour Vissery de Bois-Valé », dans *Œuvres complètes de Maximilien Robespierre*, E. Leroux, 10 vol., 1910-1967, t. I, Paris, 1910, p. 25.

90. D'Alembert, *Discours à l'Académie française le 25 août 1771*, dans *Œuvres*, *op. cit.*, t. IV, p. 311. Les *Affiches de Paris* (n° 43) annoncent ainsi le concours : « Dans cet injurieux oubli du restaurateur de nos connaissances, l'Académie française indique pour sujet du prix d'éloquence [...] l'éloge du philosophe français » (cité par F. Bouillier, *Histoire de la philosophie cartésienne*, *op. cit.*, t. II, p. 640).

91. Voici la liste des candidats : Fabre de Charrin, abbé de Gourcy, Louis Sébastien Mercier, Antoine Léonard Thomas, Gaillard, Couanier-Deslandes. Leurs discours ont tous été publiés en 1765 sous un titre semblable : *Éloge de René Descartes.*

92. Voltaire à Thomas, 22 septembre 1765, D. 12896. Sur Thomas, voir J.-Cl. Bonnet, *Naissance du Panthéon*, *op. cit.*, chap. IV.

93. *Mémoires de Trévoux*, *op. cit.*, 1765, p. 1191, 1203 et 1205-1207.

94. Abbé de Gourcy, *Éloge de René Descartes, op. cit.*, p. 34. Signalons aussi le *Discours qui a remporté le prix d'éloquence de l'académie de Besançon en l'année 1772 sur ce sujet : Quelle a été l'influence de l'esprit philosophique sur ce siècle*, Paris, 1772, par l'abbé de Grainville. Le discours fait, comme il se doit, une place insigne à Descartes.

95. Charles Adam, *Vie de Descartes*, AT, t. XII, p. 609.

96. D'Alembert, *Dialogue entre Descartes et Christine*, dans *Œuvres, op. cit.*, t. IV, p. 470-472.

97. Voir Marc Furcy-Raynaud, « Inventaire des sculptures exécutées au XVIIIe siècle pour le directeur des Bâtiments du roi », *Archives de l'art français*, t. XIV, 1927. Voir aussi « Correspondance de M. d'Angiviller avec Pierre, publiée par M. Furcy-Raynaud », *Nouvelles archives de l'art français*, t. XXI, 1905 et t. XXII, 1906.

98. *La Prêtresse, ou nouvelle manière de prédire ce qui est arrivé*, Rome, 1777, p. 25.

99. « Lettres sur les Salons de 1773, 1777 et 1779 », *Archives de l'art français*, t. II, Paris, 1908, p. 48.

100. *Lettres pittoresques à l'occasion des tableaux exposés au Salon de 1777*, Paris, 1777, p. 47-48.

101. Couanier Deslandes, *Éloge de René Descartes*, Paris, 1765, p. 29.

102. Samuel Formey, article « Académies (avantage des) », *Supplément à l'Encyclopédie*, 1776, t. I, p. 94. Voir notamment Daniel Roche, *Le Siècle des Lumières en province. Académie et académiciens provinciaux, 1680-1789*, Paris, Mouton, 1978, 2 vol., t. I, p. 157-158.

VI. HÉROS DE LA NATION

1. « Discours de Villette aux Jacobins », *Chronique de Paris*, 12 novembre 1790.

2. *Archives parlementaires*, t. XXIV, p. 536-538 et 543-544.

3. AT, t. XII, p. 609 ; texte un peu différent dans le *Journal de Paris*, 13 avril 1791.

4. *Chronique de Paris*, n° 103, 13 avril 1791.

5. « Achèvement du Panthéon français, 3 mai 1791 », *Lettres choisies de Charles Villette sur les principaux événements de la Révolution*, Paris, 1792, p. 141.

6. *Procès-verbaux du Comité d'instruction publique de la Convention nationale*, 4 mai 1793.

7. *Rapport fait à la Convention nationale au nom du Comité d'instruction publique par Marie-Joseph Chénier*, s.l.n.d., p. 2-4.

8. *Ibid.*, t. I, p. 24 (rapport du 18 juillet 1795).

9. *Archives parlementaires*, 1re série, t. XCI, séances du 14 fructidor an II (31 août 1794) et du 17 vendémiaire an III (8 octobre 1794).

10. *Procès-verbaux du Comité d'instruction publique de la Convention nationale*, 14 octobre 1794.

11. *Voyage à Ermenonville, ou Lettre sur la translation de J.-J. Rousseau au Panthéon*, cité par Mona Ozouf, « Le Panthéon. L'École normale des morts », *in* P. Nora (dir.), *Les Lieux de mémoire, op. cit.*, t. I, p. 170.

12. *Inventaire général des richesses d'art, op. cit.*, t. I, p. 24.

13. *Ibid.*, t. II, p. 386.

14. Condorcet, *Esquisse d'un tableau historique des progrès de l'esprit humain*, [1795], éd. A. Pons, Paris, Garnier-Flammarion, 1988, p. 211-212.

15. *Le Moniteur universel*, 15 pluviôse an IV.

16. *Le Moniteur universel*, 4 floréal an IV. Voir aussi Henri Gouhier, « Descartes à la Convention et aux Cinq-Cents », *Revue de métaphysique et de morale*, t. XXIX, 1922, p. 243-251.

17. *Rapport fait par Marie-Joseph Chénier* [...], *séance du 18 floréal, l'an 4 de la République*, s.l.n.d., *passim*.

18. Ernest Coumet a finement analysé les composantes de ce discours dans « La panthéonisation manquée de Descartes », *in* Bernard Bourgeois et Jacques d'Hondt (dir.), *La Philosophie et la Révolution française*, Paris, Vrin, 1993, p. 173-185. Le discours de Mercier sera cité d'après la brochure : *Discours de L. S. Mercier prononcé le 18 floréal, sur René Descartes*, s.l.n.d.

19. Tous les débats se trouvent au *Moniteur universel*, 25 floréal an IV (14 mai 1796).

20. *Le Censeur des journaux*, 20 prairial an IV (8 juin 1796). L'article est reproduit dans ce qui est encore à ce jour le meilleur article sur les sépultures de Descartes : A. Boulay de La Meurthe, « Monuments funéraires de Descartes », *Mémoires de la Société archéologique de Touraine*, t. XXIII, 1873, p. 1-49.

21. Alexandre Lenoir, *Description historique et chronologique des monuments de sculptures réunis au musée des Monuments français*, Paris, an XI-1803, p. 289.

22. La Revellière-Lépeaux, *Du Panthéon et d'un Théâtre national*, Paris, an VI, p. 7.

23. M. de Pommereul, « Souvenirs de mon administration », p. 12, dans Boulay de La Meurthe, « Monuments funéraires de Descartes », art. cité, p. 22.

24. Liasse des procès-verbaux des délibérations du conseil général de l'an VIII à 1815, séance du 27 germinal an X, archives du département d'Indre-et-Loire, dans Boulay de La Meurthe, « Monuments funéraires de Descartes », art. cité, p. 47-48.

25. *Le Moniteur universel*, 28 juin 1801 (9 messidor an IX) : lettre de Pommereul et réponse de Chaptal.

26. Chaptal à Lenoir, 14 mai 1802, dans *Inventaire général des richesses d'art de la France*, *op. cit.*, t. III, p. 56. Le buste est désigné comme d'un inconnu.

27. « Discours pour l'inauguration du buste de Descartes à La Haie, le 10 vendémiaire an XI, par le général de division Pommereul, préfet d'Indre-et-Loire », *Bulletin de la société archéologique de Touraine*, t. II, 1873, p. 207-208.

28. *Le Moniteur universel*, 24 octobre 1802 (2 brumaire an XI).

29. *Réclamation de tombes et de mausolées par les curés et administrateurs de l'église de Saint-Germain-des-Prés de Paris*, Paris, 1817, p. 3.

30. Sylvestre de Sacy, *Discours, opinions et rapports sur divers sujets de législation, d'instruction publique et de littérature*, Paris, 1823, p. 456. Voir aussi *Le Moniteur universel*, 1er mars 1819.

31. Destutt de Tracy, *Éléments d'idéologie, logique*, [1805], Stuttgart, Fromann-Holzboog, 1977, p. 109-112, 189-190 et 420.

32. Claude Henri de Saint-Simon, *Lettres d'un habitant de Genève à ses contemporains*, [1803], dans *Œuvres*, Paris, Anthropos, 1966, 6 vol., t. I., p. 11 et 48-49.

33. Claude Henri de Saint-Simon, *Introduction aux travaux scientifiques du XIXe siècle*, dans *Œuvres*, *op. cit.*, t. VI, p. 13 et suiv., et 23-24. Voir Henri Gouhier, *La Jeunesse d'Auguste Comte et la formation du positivisme*, Paris, Vrin, 1933-1941, 3 vol., t. II : *Saint-Simon jusqu'à la Restauration*, chap. IV ; et aussi Frank E. Manuel, *The New World of Henri Saint-Simon*, Notre Dame, Notre Dame University Press, 1963, p. 141-146.

34. Saint-Simon, *Introduction aux travaux scientifiques*, *op. cit.*, p. 120, 192 et suiv.

35. Saint-Simon, *Lettres au Bureau des longitudes*, *op. cit.*, p. 258-259.

36. *Pensées de Descartes sur la religion et la morale*, publiées par J. A. Émery, Paris, 1811, p. VI, LXXV, CLIX et CLXX.

VII. DESCARTES RELU PAR LES ULTRAS

1. Jacques Mallet du Pan, *Considérations sur la nature de la Révolution en France*, Londres, 1793, p. 7. Sur l'avènement et l'histoire des droites, l'ouvrage classique de René Rémond (*Les Droites en France*, Paris, Aubier, 1982) est pour moi un guide de lecture irremplaçable. J'ai utilisé aussi l'important article de Marcel Gauchet, « La droite et la gauche », *in* P. Nora (dir.), *Les Lieux de mémoire*, *op. cit.*, t. II, p. 2533-2601, ainsi que l'ouvrage de Jean-François Sirinelli (dir.), *Histoire des droites en France*, Paris, Gallimard, 1992, 3 vol.

2. Augustin Barruel, *Mémoires pour servir à l'histoire du jacobinisme*, [1798-1799], s.l., Diffusion de la pensée française, s.d., 2 vol., t. I, p. 50.

3. Augustin Barruel, *Les Helviennes*, [1781], Paris, 1830, 2 vol., t. I, p. 315, t. II, p. 58.

4. Voir Joseph de Maistre, *Considérations sur la France*, [1797], dans *Œuvres complètes*, Hildesheim, Olms, 1984, 7 vol., t. I, p. 81, 111 et 150. Chateaubriand, *Génie du christianisme*, [1802], Paris, Gallimard, « Bibliothèque de la Pléiade », 1978, p. 550, 818 et suiv. Louis de Bonald, *Législation primitive considérée dans les derniers temps par les seules lumières de la raison*, [1802], Paris, 1817, 3 vol., t. I, p. 27, 31 et suiv., t. II, p. 40, 49, 87 et 125. On consultera avec profit l'ouvrage de Gérard Gengembre, *La Contre-Révolution ou l'histoire désespérante*, Paris, Imago, 1989.

5. Lamennais, *De la religion considérée dans ses rapports avec l'ordre politique et civil*, [1825], Paris, 1826, p. 49, 181, 33 et 28.

6. Lamennais, *Essai sur l'indifférence en matière de religion*, [1817-1820], Lyon, 1821, 4 vol., t. I, p. 20, 38 et 275, t. II, p. LXXIII.

7. Lamennais, *Défense de l'Essai sur l'indifférence en matière de religion*, [1820], Lyon, 1821, p. IV et suiv.

8. Cité dans André Latreille *et al.*, *Histoire du catholicisme en France*, Paris, Spes, 1962, 3 vol., t. III, p. 248. Voir aussi les commentaires de François Furet, *La Révolution. De Turgot à Jules Ferry, 1770-1880*, Paris, Hachette, 1988, p. 306.

9. Pierre Paul Royer-Collard, *Discours prononcé à l'ouverture du cours de l'histoire de la philosophie*, dans Stéphane Douailler, Roger-Pol Droit et Patrice Vermeren (dir.), *La Philosophie saisie par l'État*, Paris, Aubier, 1988, p. 143. Victor Cousin, *Discours prononcé à l'ouverture du cours de l'histoire de la philosophie*, 13 décembre 1815, Paris, 1816, p. 12. La fin de la phrase est supprimée par Cousin à partir de 1846 et une note précise : « Ces vues sur le rôle sceptique de Descartes dans la philosophie moderne sont empruntées à Reid et à M. Royer-Collard. Elles ont été abandonnées et désavouées par nous dès cette année même, au bout de quelques leçons » (*Cours de l'histoire de la philosophie moderne*, Paris, 1846, t. I, p. 9). Joseph Ferrari avait raison de dire qu'elles n'ont pas été désavouées cette année-là, mais beaucoup plus tard (*Les Philosophes salariés*, [1849], Paris, Payot, 1983, p. 95).

10. Lamennais à Cousin, 30 juin 1825, dans Jules Barthélemy-Saint-Hilaire, *M. Victor Cousin, sa vie et sa correspondance*, Paris, 1895, 3 vol., t. II, p. 6 ; Cousin à Lamennais, 4 août 1825, *ibid.*, p. 7. Voir Jean-René Derré, *Lamennais, ses amis et le mouvement des idées à l'époque romantique (1824-1834)*, Paris, Klincksieck, 1962, p. 180-181.

11. *Mémorial catholique*, t. I, 1824, p. 163 et suiv. Voir Paul Bénichou, *Le Sacre de l'écrivain, 1750-1830. Essai sur l'avènement d'un pouvoir spirituel laïque dans la France moderne*, Paris, Corti, 1985, p. 280 et suiv., et du même auteur, *Le Temps des prophètes. Doctrines de l'âge romantique*, Paris, Gallimard, 1977, p. 183 et suiv.

12. *Le Globe*, n° 147, 20 août 1825.

13. « Sur les progrès des doctrines catholiques », *Mémorial catholique*, t. VIII, 1827, p. 138.

14. « Observations pacifiques aux catholiques cartésiens », *Mémorial catholique*, t. X, 1828, p. 32.

15. « Quelques aperçus sur l'enseignement des sciences dans les temps modernes », *Mémorial catholique*, t. VIII, 1827, p. 152.

16. *Ibid.*, p. 53.

17. « Lettre sur la philosophie cartésienne », *Mémorial catholique*, t. VIII, 1827, p. 152.

18. *Le Catholique*, t. I, n° 1, janvier 1826, p. XXXI. Cité par J.-R. Derré, *Lamennais*, *op. cit.*, p. 123.

19. *Le Catholique*, t. VI, n° 18, 1827, p. 453.

20. *Le Catholique*, t. XII, n° 34, 1828, p. 230.

21. Ernest Renan, *Souvenirs d'enfance et de jeunesse*, [1883], dans *Œuvres complètes d'Ernest Renan*, Paris, Calmann-Lévy, s.d., 11 vol., t. II, p. 843. J.-M. Degérando, *Histoire comparée des systèmes de philosophie*, *op. cit.*, t. II, p. 28.

22. Jean-Baptiste Bouvier, *Institutiones philosophicae ad usum seminarium et collegiorum* (= *Philosophie du Mans*), 6e éd., Paris, 1840, p. 189.

23. Joseph Valla, *Institutionum philosophicarum* (= *Philosophie de Lyon*), éd. Doney, Paris, 1827, 3 vol., t. II, p. 47. Voir aussi G. Gley, *Philosophie de Tours, à l'usage des collèges et des séminaires*, Tours, 1822.

24. Cité par Paul Gerbod, *La Condition universitaire en France au XIXe siècle*, Paris, PUF, 1965, p. 64.

25. Pierre Sébastien Laurentie, *Introduction à la philosophie*, Paris, 1826, p. 228-230. Philippe Gerbet, *Des doctrines philosophiques de la certitude, dans leurs rapports avec les fondements de la théologie*, Paris, 1826, p. 42 et 117 ; du même auteur, voir aussi *Coup d'œil sur la controverse chrétienne, depuis les premiers siècles jusqu'à nos jours*, Paris, 1831, p. 164. Théodore Combalot, *Éléments de philosophie catholique*, Paris, 1833, p. 96-99 ; voir aussi p. XIX-XX.

26. *Le Catholique*, n° 34, t. XII, 1828, p. 189.

27. Théophile Foisset, « Lettre sur l'éducation cléricale », *Annales de philosophie chrétienne*, t. III, 1831, p. 388-391.

28. Le recteur à Frayssinous, 2 juillet 1822 : « J'ai invité M. Bautain à me soumettre le programme de son cours de morale, sur le refus qu'il m'a fait de suivre le même cours tel qu'il se trouve dans la *Philosophie de Lyon* », cité dans Adrien Garnier, *Frayssinous. Son rôle dans l'Université sous la Restauration (1822-1828)*, Paris, Picard, 1925, p. 166.

29. Dossier Trévern, p. 952, cité dans Paul Poupard, *Un essai de philosophie chrétienne au XIXe siècle. L'abbé Louis Bautain*, Paris, Desclée de Brouwer, 1961, p. 172, 192-193, 387 et suiv.

30. Louis Bautain, *De l'enseignement de la philosophie en France au XIXe siècle*, [1833], dans

S. Douailler *et al.*, *La Philosophie saisie par l'État, op. cit.*, p. 229-231. Même formule dans *Philosophie du christianisme*, Paris, 1835, 2 vol., t. II, p. 64.

31. Cité par A. Latreille *et al.*, *Histoire du catholicisme en France*, *op. cit.*, t. III, p. 240. De Mgr Denis Frayssinous, voir *Défense du christianisme ou Conférences sur la théologie*, Paris, 1825, 3 vol., par exemple t. I, p. 29-30, 66-67 et 257. On consultera utilement Christian Maréchal, *Lamennais. La Dispute de l'Essai sur l'indifférence*, Paris, Champion, 1925, chap. III, et Louis Le Guillou, *L'Évolution de la pensée religieuse de Félicité Lamennais*, Paris, Colin, 1966, p. 199 et suiv.

32. Voir Michel Armand Clausel de Coussergues, *Réflexions diverses sur les écrits de M. l'abbé F. de La Mennais*, Paris, 1826, et Pierre Denis Boyer, *Dissertation sur Descartes, considéré comme géomètre, comme physicien et comme philosophe*, dans *Examen de la doctrine de M. de La Mennais*, Paris, 1834.

33. Abbé Bataillé, *La Philosophie de Descartes justifiée de l'accusation de scepticisme*, Paris, 1821, p. 9. De l'abbé Flottes, voir *Observations critiques adressées à M. l'abbé de La Mennais*, Montpellier, 1823 et *M. de La Mennais réfuté par les autorités mêmes qu'il invoque*, Montpellier, 1824.

34. Abbé Baston, *Antidote contre les erreurs et la réputation de l'Essai sur l'indifférence en matière de religion*, Paris, 1823, p. 5. Voir aussi abbé Paganel, *Considérations philosophiques, ou examen critique des opinions de M. l'abbé de La Mennais*, Paris, 1824.

35. À Mme Swetchine, 24 juillet 1825, cité par L. Le Guillou, *L'Évolution de la pensée religieuse*, *op. cit.*, p. 199.

36. *L'Ami de la religion*, t. LXI, 1829, p. 175.

37. J.-L. Rozaven, *Examen d'un ouvrage intitulé Des doctrines philosophiques sur la certitude dans leurs rapports avec les fondements de la théologie, par l'abbé Gerbet*, Avignon, 1831, p. 42, 57, 74, 196 et 271. L'existence prétendue d'une théologie cartésienne est l'un des points censurés par les évêques en 1834 : voir *Censure de 56 propositions extraites de divers écrits de M. de La Mennais et de ses disciples, par plusieurs évêques de France*, Toulouse, 1835.

38. Henri Lacordaire, *Considérations sur le système philosophique de M. de La Mennais*, Paris, 1834, p. 124 et 137.

VIII. POSITIVISTES ET DOCTRINAIRES

1. Saint-Simon, *Introduction à la philosophie du XIXe siècle*, dans *Œuvres de Saint-Simon*, *op. cit.*, t. I, p. 92. Même formule dans *De la réorganisation de la société européenne*, *ibid.*, p. 158.

2. Saint-Simon, *Projet d'encyclopédie*, *ibid.*, t. VI, p. 304.

3. Auguste Comte, « Plan des travaux scientifiques nécessaires pour réorganiser la société », [mai 1822], *Système de politique positive*, *Appendice général*, Paris, 1929, 4 vol., t. IV, p. 61 et suiv. (pagination propre à l'*Appendice*).

4. Auguste Comte, « Sommaire appréciation de l'ensemble du passé moderne », [avril 1820], *ibid.*, p. 18.

5. Auguste Comte, *Cours de philosophie positive*, 46e leçon, Paris, Hermann, 1975, 2 vol., t. II, p. 67.

6. A. Comte, « Plan des travaux scientifiques », *op. cit.*, p. 53.

7. Saint-Simon, *De la réorganisation de la société européenne*, *op. cit.*, t. I, p. 247-248. Voir aussi *Quelques opinions philosophiques à l'usage du XIXe siècle*, dans *Œuvres*, *op. cit.*, t. V, p. 82.

8. Auguste Comte, « Mes réflexions », [juin 1816], dans *Écrits de jeunesse*, Paris, Mouton, 1970, p. 417 et suiv.

9. A. Comte, « Plan des travaux scientifiques », *op. cit.*, p. 50.

10. *Ibid.*, p. 59.

11. Par exemple « Considérations philosophiques sur les sciences et les savants », [novembre 1825], *Système de politique positive*, *op. cit.*, p. 147 et 158 ; « Examen du Traité de Broussais sur l'irritation », [août 1828], *ibid.*, p. 216.

12. A. Comte, « Sommaire appréciation », *op. cit.*, p. 32.

13. A. Comte, « Essais de mathématique », [1821], dans *Écrits de jeunesse*, *op. cit.*, p. 552-554.

14. A. Comte, *Cours de philosophie positive*, 2e leçon, Paris, Hermann, 1988, p. 37 et 63.

15. A. Comte, « Examen du Traité de Broussais », *op. cit.*, p. 217-220.

16. A. Comte, « Considérations philosophiques sur les sciences et les savants », [novembre 1825], *Système de politique positive*, *op. cit.*, p. 158.
17. A. Comte, *Cours de philosophie positive*, 1re leçon, *op. cit.*, t. I, p. 39.
18. Jules Simon, *Victor Cousin*, Paris, 1891, p. 7.
19. V. Cousin, *Discours prononcé à l'ouverture du cours de l'histoire de la philosophie*, *op. cit.*, p. 20.
20. Voir Pierre Macherey, « La philosophie à la française », *Revue des sciences philosophiques et théologiques*, n° 1, 1990, p. 7-14.
21. V. Cousin, *Discours prononcé à l'ouverture du cours de l'histoire de la philosophie*, *op. cit.*, p. 33.
22. J. Barthélemy-Saint-Hilaire, *M. Victor Cousin, sa vie et sa correspondance*, *op. cit.*, t. I, p. 75-76.
23. *Cours de philosophie sur le fondement des idées absolues du Vrai, du Beau et du Bien*, [1818], 1re leçon, dans *Œuvres de Victor Cousin*, Bruxelles, 1840, 3 vol., t. I, p. 359-362.
24. « De la philosophie morale ou des différents systèmes sur la science de la vie », dans *Œuvres de Joseph Droz*, Paris, 1826, t. II, p. 249-251.
25. Information donnée par Frédéric de Buzon dans sa présentation du *Discours de la méthode*, Paris, Gallimard, coll. « Folio/Essais », 1991, p. 49.
26. *Le Globe*, n° 26, 1824, p. 108.
27. *Ibid.*, n° 83, 1825, p. 411-413.
28. Vigny, *Cinq-Mars ou une conjuration sous Louis XIII*, [1826], éd. F. Baldensperger, Paris, Conard, 1922, p. 336.
29. Victor Cousin, *Fragments philosophiques*, Préface [1826], dans *Œuvres*, *op. cit.*, t. II, p. 40.
30. *Cours de l'histoire de la philosophie moderne*, [1828], *ibid.*, t. I, p. 17.
31. *Ibid.*, p. 18.
32. François Guizot, *Cours d'histoire moderne. Histoire de la civilisation en France*, Paris, 1829, t. I, p. 18-25. Voir Pierre Rosanvallon, *Le Moment Guizot*, Paris, Gallimard, 1985, p. 160-162.
33. *Cours de l'histoire de la philosophie*, *op. cit.*, p. 92.
34. *Ibid.*, p. 36.
35. Guizot, *Du gouvernement de la France depuis la Restauration et de son ministère actuel*, Paris, 1820, p. 201. Cité notamment par P. Rosanvallon, *Le Moment Guizot*, *op. cit.*, p. 87. Sur la question de la souveraineté de la raison, voir *ibid.*, p. 87-94 ; Lucien Jaume, *L'Individu effacé ou le paradoxe du libéralisme français*, Paris, Fayard, 1997, p. 493-497.
36. Guizot, *Mémoires pour servir à l'histoire de mon temps*, Paris, 1858-1867, 8 vol., t. I, p. 157-159.

IX. VICTOR COUSIN ET SES ADVERSAIRES

1. J. Simon, *Victor Cousin*, *op. cit.*, p. 70.
2. Voir à ce sujet les ouvrages classiques d'André Canivez, *Jules Lagneau, professeur de philosophie. Essai sur la condition du professeur de philosophie jusqu'à la fin du XIXe siècle*, Paris, PUF, 1965, 2 vol., t. I, p. 141, 155 et suiv., 196 ; Paul Gerbod, « L'Université et la philosophie de 1789 à nos jours », *Actes du 95e Congrès national des sociétés savantes*, Paris, Imprimerie nationale, 1974, p. 238-330.
3. La liste des sujets d'agrégation est dans Charles Corneille, *Agrégation de l'enseignement secondaire*, Paris, 1876, t. I. Les copies de Janet et de Jourdain sont reproduites dans le *Rapport adressé à M. le Maître de l'Instruction publique et des cultes par M. Cousin*, s.l.n.d.
4. Philibert Damiron, *Leçon d'ouverture du cours de l'année scolaire 1838-1839*, dans *Discours prononcés à la faculté des lettres*, Paris, 1839, p. 70.
5. Philibert Damiron, *Rapport pour le concours Descartes de l'Académie des sciences morales et politiques*, [1839], dans *Essai sur l'histoire de la philosophie en France au XVIIe siècle*, Paris, 1846, 2 vol., t. I, p. 31-32.
6. Charles Renouvier, *Manuel de philosophie moderne*, Paris, 1842, p. 182 et 442.
7. Jean-Marie Doney, *Nouveaux éléments de philosophie d'après la méthode d'observation et la règle de sens commun*, Paris, 1829, 2 vol., t. I, p. V et suiv.

8. L. Bautain, *De l'enseignement de la philosophie en France*, *op. cit.*, p. 237 ; *Philosophie du christianisme*, *op. cit.*, à partir de la 27e lettre.

9. Mgr Affre, *Introduction philosophique à l'étude du christianisme*, Paris, 1845, p. 339 ; *Mémoire pour l'enseignement philosophique, adressé à la Chambre des pairs par M. l'archevêque de Paris*, Paris, 1844, p. 27 ; Henri Maret, *Essai sur le panthéisme dans les sociétés modernes*, Paris, 1840, p. 1 et 174.

10. Henri Maret, « Les philosophes et le clergé », *Le Correspondant*, 1845, p. 200-208. Sur Maret, voir Claude Bressolette, *L'Abbé Maret. Le combat d'un théologien pour une démocratie chrétienne, 1830-1851*, Paris, Beauchesne, 1977, notamment p. 284 et suiv.

11. Voir notamment Austin Gough, *Paris et Rome. Les catholiques français et le pape au XIXe siècle*, trad. fr. de M. Lagrée, Paris, Éditions ouvrières, 1996.

12. Théodore Combalot, *Mémoire adressé aux évêques de France et aux pères de famille sur la guerre faite à l'Église et à la société par le monopole universitaire*, Paris, 1843, p. 27 et 32.

13. *L'Univers*, 30 janvier 1842, cité par P. Gerbod, *La Condition universitaire en France au XIXe siècle*, *op. cit.*, p. 105. Je m'appuie ici sur cet ouvrage ainsi que sur celui de Patrice Vermeren, *Victor Cousin. Le jeu de la philosophie et de l'État*, Paris, L'Harmattan, 1995, chap. IX-XI.

14. Cité par Paul Thureau-Dangin, *Histoire de la monarchie de Juillet*, Paris, 1884-1892, 7 vol., t. V, p. 497.

15. Alexis de Tocqueville, *De la démocratie en Amérique*, éd. E. Nolla, Paris, Vrin, 1990, 2 vol., t. I, p. 14. J'utilise le texte et les variantes issues des brouillons.

16. *Ibid.*, introduction, p. 8.

17. Tocqueville à Eugène Stoffels, 5 octobre 1836, lettre citée par Jean-Claude Lamberti, *Tocqueville et les deux démocraties*, Paris, PUF, 1983, p. 160.

18. Tocqueville, « Lettres sur la situation intérieure de la France », [1843], dans *Œuvres*, Paris, Gallimard, « Bibliothèque de la Pléiade », 1991, t. I, p. 1087 et suiv.

19. Cité par J.-Cl. Lamberti, *Tocqueville et les deux démocraties*, *op. cit.*, p. 180.

20. À Royer-Collard, 27 septembre 1841, *ibid.*, p. 167.

21. Voir sur ce point Françoise Mélonio, *Tocqueville et les Français*, Paris, Flammarion, 1992.

22. Mme E. Quinet, *Edgar Quinet avant l'exil*, Paris, 1888, p. 105. Voir Marcel Gauchet (dir.), *Philosophie des sciences historiques*, Lille, Presses universitaires de Lille, 1988, p. 155 et suiv.

23. Jules Michelet, *Correspondance générale*, éd. L. Le Guillou, Paris, Honoré Champion, 1994-1999, 9 vol., t. I, p. 458.

24. Edgar Quinet, « De la révolution et de la philosophie », *Revue des Deux Mondes*, décembre 1831, repris sous le titre « De la philosophie dans ses rapports avec l'histoire politique », dans *Œuvres complètes*, Paris, 1857-1870, 11 vol., t. VI, p. 178-180.

25. Edgar Quinet, *Le Christianisme et la Révolution française*, [1845], Paris, Fayard, 1984, p. 42.

26. *Ibid.*, p. 87.

27. *Ibid.*, p. 218.

28. E. Quinet, *L'Ultramontanisme ou l'Église romaine et la société moderne*, dans *Œuvres complètes*, *op. cit.*, t. II, p. 145.

29. *Ibid.*, p. 203-204.

30. J. Michelet, *Correspondance générale*, *op. cit.*, t. I, p. 177.

31. En 1824, il se demande si Descartes et Platon n'ont rien dit de la philosophie de l'histoire, et il répond non (*ibid.*, t. I, p. 147).

32. Jules Michelet, *Discours sur le système et la vie de Vico*, dans *Œuvres complètes*, éd. P. Viallaneix, Paris, Flammarion, 1971-, t. I, p. 283. Le *Discours* est reproduit dans l'ouvrage présenté par M. Gauchet, *Philosophie des sciences historiques*, *op. cit.*, p. 165-189.

33. *Ibid.*, p. 285.

34. *Ibid.*, p. 281.

35. Jules Michelet, *Histoire de France au XVIIIe siècle. La Régence*, Paris, 1863, p. X.

36. Note préparatoire au chapitre « Imprimerie » de l'*Histoire de la Renaissance*, cité par Paul Viallaneix, *La Voie royale. Essai sur l'idée de peuple dans l'œuvre de Michelet*, Paris, Flammarion, 1971, p. 153.

37. *Journal* du 7 juin 1842, cité *ibid.*, p. 280.

38. Jules Michelet, *Histoire de la Révolution française*, Paris, Gallimard, « Bibliothèque de la Pléiade », 1952, 2 vol., t. II, p. 1168, note.

39. *Ibid.*, t. II, p. 1149 : « Toute histoire de la Révolution jusqu'ici était essentiellement

monarchique. [...] Celle-ci est la première républicaine, celle qui a brisé les idoles et les dieux. De la première page à la dernière, elle n'a eu qu'un héros : le peuple. »

40. J. Michelet, *Discours sur le système et la vie de Vico*, *op. cit.*, t. I, p. 280.

41. Jules Michelet, *Introduction à l'histoire universelle*, dans *Œuvres complètes*, *op. cit.*, t. II, p. 5.

42. Jules Michelet, *Mémoires de Luther écrits par lui-même*, *ibid.*, t. III, p. 239.

43. Jules Michelet, *Rome et la France*, cours de 1844, dans *Cours du Collège de France, 1838-1851*, éd. P. Viallaneix, Paris, Gallimard, 1995, 2 vol., t. I, p. 669.

44. Jules Michelet, *L'Amour comme éducation*, cours de 1849, *ibid.*, t. II, p. 505.

45. J. Michelet, *Histoire de la révolution française*, *op. cit.*, t. I, p. 563, t. II, p. 636.

46. A. Comte, *Cours de philosophie positive*, *op. cit.*, t. II, 55e leçon, p. 394 et 427. Sur l'appréciation, par Comte, du protestantisme, voir la mise au point d'Annie Petit, « Le rôle du protestantisme dans la Révolution occidentale », in *Images de la Réforme au XIXe siècle*, Annales littéraires de l'Université de Besançon, 459, Paris, 1992, p. 131-149. L'auteur montre bien comment cette appréciation devient de plus en plus défavorable au cours de la carrière de Comte. Sur la place de Descartes chez Comte, la meilleure étude est celle de Frédéric de Buzon, « Auguste Comte, le *cogito* et la modernité », *Revue de synthèse*, n° 1, 1991, p. 61-73.

47. A. Comte, *Cours de philosophie positive*, *op. cit.*, t. II, p. 442.

48. *Ibid.*, 56e leçon, p. 558-559.

49. *Ibid.*, 46e leçon, p. 44.

50. Guizot avait refusé de créer une chaire d'histoire des sciences pour Comte au Collège de France. Il a laissé de son entrevue avec le théoricien du positivisme un portrait savoureux : « C'était un homme simple, honnête, profondément convaincu, dévoué à ses idées, modeste en apparence quoique, au fond, prodigieusement orgueilleux, et qui sincèrement se croyait appelé à ouvrir, pour l'esprit humain et les sociétés humaines, une ère nouvelle. J'avais quelque peine, en l'écoutant, à ne pas m'étonner tout haut qu'un esprit si vigoureux fût borné au point de ne pas même entrevoir la nature ni la portée des faits qu'il maniait ou des questions qu'il tranchait, et qu'un caractère si désintéressé ne fût pas averti par ses propres sentiments, moraux malgré lui, de l'immorale fausseté de ses idées » (*Mémoires pour servir à l'histoire de mon temps*, *op. cit.*, t. III, p. 126).

51. *Ibid.*, p. 472.

52. À John Stuart Mill, 19 juin 1842, dans Auguste Comte, *Correspondance générale et confessions*, Paris, Vrin, 1973-1990, 7 vol., t. II, p. 52. Voir Mary Pickering, *Auguste Comte. An Intellectual Biography*, Cambridge, Cambridge University Press, 1993, p. 525 et suiv.

53. À John Stuart Mill, 5 novembre 1842, *ibid.*, p. 108.

54. *Ibid.*, p. 107-108.

55. Auguste Comte, *Discours sur l'esprit positif*, [1844], éd. A. Petit, Paris, Vrin, 1995, p. 138-139.

56. A. Comte, *Cours de philosophie positive*, *op. cit.*, 57e leçon, p. 594.

57. À John Stuart Mill, 17 janvier 1842, dans *Correspondance générale*, *op. cit.*, t. II, p. 32.

58. Auguste Comte, *Discours sur l'ensemble du positivisme*, [1848], éd. A. Petit, Paris, GF-Flammarion, 1998, p. 104.

59. Pierre Leroux, *Philosophie de l'éclectisme*, [1839], Paris et Genève, Slatkine, 1979, p. 77-78.

60. *Ibid.*, p. 28.

61. *Ibid.*, p. 235.

62. « De la doctrine de la perfectibilité », *Revue encyclopédique*, mars 1833, repris dans *Œuvres de Pierre Leroux*, Paris, 1851, 2 vol., t. II, p. 26.

63. Pierre Leroux, *De l'humanité*, [1840], Paris, Fayard, 1985, p. 106-107.

64. P. Leroux, *Philosophie de l'éclectisme*, *op. cit.*, p. 7.

65. Article « Culte », *Encyclopédie nouvelle*, t. IV, p. 159, cité par P. Bénichou, *Le Temps des prophètes*, *op. cit.*, p. 354. Tout le chapitre est à relire.

66. Pierre Leroux, *La Grève de Samarez*, [1863], éd. J.-P. Lacassagne, Paris, Klincksieck, 1979, p. 128.

67. P. Leroux, *Philosophie de l'éclectisme*, *op. cit.*, p. 8.

68. P. Leroux, « De la doctrine de la perfectibilité », *op. cit.*, p. 28-29.

69. Pierre Leroux, *Cours de phrénologie*, [1853], Genève, Slatkine, 1995, p. V.

70. P. Leroux, *Philosophie de l'éclectisme*, *op. cit.*, p. 95.

71. Ernest Renan, « M. Cousin », *Journal des débats*, 13 juin 1885, dans *Feuilles détachées*, *Œuvres complètes*, *op. cit.*, t. II, p. 1110.

72. Ph. Damiron, *Essai sur l'histoire de la philosophie en France au XVIIe siècle*, *op. cit.*, p. 310 et XLII-XLIII.
73. Jules Simon, « Essais de philosophie de Charles de Rémusat », *La Revue des Deux Mondes*, 1842, t. II, p. 425-427.
74. Jules Simon, « État de la philosophie en France », *ibid.*, 1843, reproduit dans S. Douailler *et al.*, *La Philosophie saisie par l'État*, *op. cit.*, p. 258-290.
75. Émile Saisset, « De la philosophie du clergé », *La Revue des Deux Mondes*, t. II, 1844, p. 440 et suiv.
76. Victor Cousin, *Des Pensées de Pascal*, Paris, 1843, p. XV suiv.
77. Abel Villemain, *Discussion de l'adresse*, dans *Exposé des motifs et projet de loi sur l'instruction secondaire*, Paris, 1844, p. 143.
78. Albert de Broglie, *Rapport sur la liberté d'enseignement*, dans *Écrits et discours*, Paris, 1863, t. III, p. 240.
79. Victor Cousin, « De l'enseignement de la philosophie », séance du 2 mai 1844, dans *Œuvres de M. Victor Cousin*, 5e série, Instruction publique, *op. cit.*, t. II, p. 112.
80. Séance du 4 mai 1844, *ibid.*, p. 159 et suiv.
81. Sainte-Beuve, *Notes et pensées*, dans *Causeries du lundi*, Paris, Garnier, t. XI, p. 465.
82. Désiré Nisard, « Descartes et son influence sur la littérature française », *La Revue des Deux Mondes*, 1844, t. IV, p. 863-892.
83. Victor Cousin, *Fragments de philosophie cartésienne*, [1845], Avant-propos. Je cite d'après la reprise dans les *Fragments philosophiques*, Paris, 1855-1866, 5 vol., t. III, p. 1-8.
84. Ernest Renan, « De l'influence spiritualiste de M. Victor Cousin », [1858], *Essais de morale et de critique*, [1859], dans *Œuvres complètes*, *op. cit.*, t. II, p. 80.

X. LA RÉPUBLIQUE ET LA RELIGION DE LA SCIENCE

1. Jules Simon, « Une révolution dans un verre d'eau », [1888], dans S. Douailler *et al.*, *La Philosophie saisie par l'État*, *op. cit.*, p. 367.
2. Amédée Jacques, *La Liberté de penser*, t. I, 1847, p. 1-2.
3. Amédée Jacques, « Le christianisme et le cartésianisme au XVIIe siècle et la renaissance catholique au XIXe », *ibid.*, t. I, p. 243.
4. Amédée Jacques, « De l'enseignement de la philosophie dans les lycées nationaux », [1848], dans S. Douailler, *La Philosophie saisie par l'État*, *op. cit.*, p. 357-358.
5. Joseph Ferrari, « Des idées et de l'école de Fourier depuis 1830 », *La Revue des Deux Mondes*, 1er août 1845, cité par S. Douailler et P. Vermeren dans la préface à leur édition des *Philosophes salariés*, *op. cit.*, p. 16.
6. *Ibid.*, p. 63, 68, 88 et 152-153.
7. A. Comte, *Système de politique positive*, *op. cit.*, t. I, p. 481.
8. Ernest Renan, « Réflexions sur l'état des esprits » (publié en 1849 dans *La liberté de penser*), *Questions contemporaines*, dans *Œuvres*, *op. cit.*, t. I, p. 231.
9. Ernest Renan, *L'Avenir de la science*, [1848-1890], dans *Œuvres*, *op. cit.*, t. III, p. 715-719, 800-801, 848, 851, 968, 1018, 1073 et 1096.
10. Cité (notamment) par Alphonse Darlu dans « La tradition philosophique », *Revue de métaphysique et de morale*, t. XXVII, 1920, p. 347.
11. Émile Littré, *Auguste Comte et la philosophie positive*, Paris, 1863, p. 82 et 542-543.
12. Je cite l'*Introduction à l'étude de la médecine expérimentale* (1865) d'après l'une de ces éditions scolaires : celle publiée chez Delagrave en 1959 ; voir p. 117 et 151-152.
13. Eugène Viollet-le-Duc, *Entretiens sur l'architecture*, Paris, 1863, p. 453 et suiv.
14. Émile Durkheim, *De la division du travail social*, Paris, 1897, p. CXXVI.
15. Joseph Hadamard, *L'Éducation de la démocratie*, Paris, 1903, p. 225.
16. *Œuvres inédites de Descartes précédées d'une introduction sur la méthode*, par Foucher de Careil, Paris, 1859, p. II.
17. Charles Renouvier, *Essais de critique générale*, Paris, 1854-1864, 4 vol., t. IV, p. 108.
18. Alfred Fouillée, *Descartes*, Paris, 1893, p. 46, 71, 74 et 80.
19. Jules Simon, *La Politique radicale*, 1868, p. 3. Texte signalé par Claude Nicolet, *L'Idée républicaine en France*, Paris, Gallimard, 1982, p. 54-55.

20. Jules Favre, « De l'influence des mœurs sur la littérature », [10 janvier 1869], dans *Conférences et discours littéraires*, Paris, 1873, p. 15-16.

21. *Discours et opinions de Jules Ferry*, Paris, 1896, 7 vol., t. IV, p. 117 (discours du 23 décembre 1880). Du côté de l'Union républicaine, voir Paul Armand Challemel-Lacour, *Discours de réception à l'Académie française*, [25 janvier 1894], dans *Œuvres oratoires*, Paris, 1897, p. 589-590.

22. *Discours parlementaires de M. Thiers*, Paris, 1879-1889, 16 vol., t. VII, p. 498-499.

23. Louis Veuillot, « M. Thiers apologiste de la politique révolutionnaire en Italie, 31 janvier 1848 », *Mélanges*, *Œuvres complètes*, Paris, 1933-1936, 8 vol., t. III, p. 102.

24. *Discours parlementaires de M. Thiers*, *op. cit.*, t. IX, p. 400-401.

25. Lucien Prévost-Paradol, *La France nouvelle*, 2e éd., Paris, 1865, p. 65-67.

XI. LES MONDES CATHOLIQUES

1. Jules Barbey d'Aurevilly, *Les Prophètes du passé*, dans *Le XIXe siècle des œuvres et des hommes*, éd. J. Petit, Paris, Mercure de France, 1964, 2 vol., t. I, p. 75.

2. Léon Bloy, *Le Désespéré*, [1887], dans *Œuvres de Léon Bloy*, éd. J. Bollery et J. Petit, Paris, Mercure de France, t. III, p. 184.

3. Barbey d'Aurevilly, *Les Prophètes du passé*, *op. cit.*, p. 70-71.

4. Ventura de Raulica, *La Raison philosophique et la raison catholique*, 4 vol., Paris, 1851, t. I, p 117, 138 et 206.

5. Victor de Bonald, *De la vie et des écrits de M. le vicomte de Bonald*, Avignon, 1853, p. 10, 107 et 185. La brochure reprend les articles du *Correspondant* et de *L'Univers*. Bonald interviendra une fois encore dans *Le Correspondant* du 25 septembre 1853.

6. Charles Lenormant, « Préface », *Le Correspondant*, t. XXXII, 1853, p. 29-32 ; « Descartes et le *Discours de la méthode* », *ibid.*, t. XXXII, 1853, p. 611 et suiv. Sur cette revue, on consultera Caroline Ann Gimpl, *The Correspondant and the Founding of the French Third Republic*, Washington, The Catholic University of America Press, 1959. Plus généralement, voir Bernard Reardon, *Liberalism and Tradition. Aspects of Catholic Thought in Nineteenth-Century France*, Cambridge, Cambridge University Press, 1975.

7. Luigi Taparelli, « Della certezza filosofica », *La Civiltà Cattolica*, t. XIII, 1853, p. 520.

8. Jean-Baptiste Landriot, « Discours sur l'enseignement des lettres et des sciences au point de vue de l'esprit chrétien et de la vraie philosophie », [10 août 1857], *De l'esprit chrétien dans l'enseignement des sciences, des lettres, des arts et dans l'éducation intellectuelle et morale*, Paris, 1870, p. 64.

9. Dom Guéranger, « Du naturalisme dans la philosophie », *L'Univers*, 22 novembre 1857.

10. Mgr Pie, « Première instruction synodale (7 juillet 1855) », dans *Œuvres choisies de Mgr l'évêque de Poitiers. Instructions synodales sur les principales erreurs du temps présent*, Paris, 1878, p. 41.

11. Pierre Célestin Roux-Lavergne, *M. Cousin et ses doctrines*, Bruxelles, 1851, p. 106. Veuillot préface, de Roux-Lavergne, *De la philosophie de l'histoire* (Paris, 1850). On notera que Roux-Lavergne jouera un rôle dans le renouveau du thomisme en publiant *Philosophia juxta inconcussa Divini Thomae dogmata, logicam, physicam, moralem, metaphysicam, complectens, auctore Antonio Goudin, novissime recensuit Roux-Lavergne*, 4 vol., Paris, 1855.

12. Alphonse Joseph Auguste Gratry, *De la connaissance de Dieu*, Paris, 1853, 2 vol., t. I, p. 339 et 364-365. Mgr Dupanloup, *Conseils aux jeunes gens sur l'étude de la philosophie*, Paris, 1872, p. 74 et 195-196.

13. Henri Maret, *Philosophie et religion. Dignité de la raison humaine et nécessité de la révélation divine*, Paris, 1856, p. 124, 127 et 131.

14. Alphonse Gratry, *De la connaissance de Dieu*, Paris, 1853, 2 vol., t. I, p. 1 et 338.

15. Henri Gouhier, « Tradition et développement à l'époque du modernisme », in *Études sur l'histoire des idées en France depuis le XVIIe siècle*, Paris, Vrin, 1980, p. 127 et suiv.

16. Cité par Philippe Chenaux, *Entre Maurras et Maritain. Une génération intellectuelle catholique (1920-1930)*, Paris, Éditions du Cerf, 1999, p. 13.

17. *Lettres apostoliques de S. S. Léon XIII*, Tulle, 1876, p. 65 et 81. Sur ces questions, le meilleur ouvrage est celui de Pierre Thibault, *Savoir et pouvoir. Philosophie thomiste et politique cléricale au XIXe siècle*, Québec, Presses de l'université Laval, 1972. Voir aussi Roger Aubert,

« Aspects divers du néothomisme sous le pontificat de Léon XIII », in *Aspetti della Cultura Cattolica nell'Età di Leone XIII*, Rome, Edizioni Cinque Lune, 1961, p. 133-227.

18. Taparelli d'Azeglio, *Essai théorique de droit naturel*, Paris, 1857, 4 vol., t. I, p. XV-XVII.

19. Traduction française dans Jean-Robert Armogathe, *Pie IX Quanta Cura et Syllabus*, Paris, Pauvert, 1967 ; voir p. 53 et suiv.

20. Dom Guéranger condamne les erreurs modernes dans un *Mémoire sur la question de l'Immaculée Conception de la très Sainte Vierge* (1850) ; de Ph. Gerbet, voir *Instruction pastorale sur diverses erreurs du temps présent*, [23 juillet 1860], dans *Œuvres de Mgr Gerbet*, *op. cit.*, t. II, p. 73 et suiv.

21. Émile Keller, *L'Encyclique du 8 décembre 1864 et les principes de 1789, ou l'Église, l'État et la liberté*, Paris, 1865, p. 192 et suiv. Sur la réception du *Syllabus*, voir Egidio Papa, *Il Sillabo di Pie IX e la stampa francese, inglese e italiana*, Rome, Edizioni Cinque Lune, 1968.

22. Maurice d'Hulst, « Quelques mots sur les rapports de l'Église et de l'État et sur la liberté de conscience », archives de l'Institut catholique de Paris, Rba 224, cité par Francesco Beretta, *Monseigneur d'Hulst et la science chrétienne. Portrait d'un intellectuel*, Paris, Beauchesne, 1996, p. 132. À la comtesse d'Hulst, 3 janvier 1865, *ibid.*

23. Article largement reproduit dans Alfred Baudrillart, *Vie de Mgr d'Hulst*, Paris, 1912-1914, 2 vol., t. I, p. 305 et suiv.

24. Les lettres de l'abbé Cognat et de Mgr Dupanloup sont dans *Vie de Mgr d'Hulst*, *op. cit.*, t. I, p. 307-314. Pour une réaction du même ordre, voir Henri de Cossoles, *La Certitude philosophique*, Paris, 1883, Introduction.

25. Mgr d'Hulst, *Mélanges philosophiques*, Paris, 1892, p. 25.

26. A. Baudrillart, *Vie de Mgr d'Hulst*, *op. cit.*, t. II, p. 62. La lettre au cardinal Zigliara et la note l'accompagnant sont dans F. Beretta, *Monseigneur d'Hulst et la science chrétienne*, *op. cit.*, p. 181-187.

27. *Œuvres de Lucien Laberthonnière*, Paris, Vrin, 1938, p. 313-314 et 338-339.

28. Maurice Blondel, *Œuvres complètes*, Paris, PUF, 1997, t. II, p. 121-142. Voir par exemple ce texte de 1903 : « La pensée moderne, avec une susceptibilité jalouse, considère la notion d'*immanence* comme la condition même de la philosophie [...] ; ni comme fait historique, ni comme enseignement traditionnel, ni comme obligation surajoutée du dehors, il n'y a pour [l'homme] vérité qui compte et précepte admissible sans être, de quelque manière, autonome et autochtone » (cité par Pierre Colin, « La liberté de l'esprit selon le père Laberthonnière », in *Les Catholiques français et l'héritage de 1789. D'un centenaire à l'autre, 1889-1989*, Paris, Beauchesne, 1989, p. 72). Du même auteur, voir *L'Audace et le soupçon. La crise du modernisme dans le catholicisme français, 1893-1914*, Paris, Desclée de Brouwer, 1997.

29. M. Blondel, *Œuvres complètes*, *op. cit.*, p. 177-193.

XII. DES RATIONALISTES ANTICARTÉSIENS

1. Sainte-Beuve, *Port-Royal*, Paris, Gallimard, « Bibliothèque de la Pléiade », 1953-1955, 3 vol., t. I, p. 285 et 596 ; t. II, p. 379-380 ; t. III, p. 325-326. On se reportera à l'article de Jean-Marie Beyssade, « L'image de Descartes et du cartésianisme dans le *Port-Royal* de Sainte-Beuve », in *Pour ou contre Sainte-Beuve : le « Port-Royal »*, Lausanne, Labor et Fides, 1993, p. 229-249.

2. Sainte-Beuve, *Portraits littéraires*, Paris, Gallimard, « Bibliothèque de la Pléiade », 2 vol., t. II, p. 168-169.

3. Sainte-Beuve, *Causeries du lundi*, Paris, Garnier, 1857-1862, 15 vol., t. V, p. 156 et suiv.

4. E. Renan, *L'Avenir de la science*, *op. cit.*, p. 264.

5. E. Renan, « M. Cousin », *op. cit.*, t. II, p. 58 et 70.

6. *Ibid.*, p. 17.

7. Ernest Renan, *La Réforme intellectuelle et morale de la France*, [1871], dans *Œuvres complètes*, *op. cit.*, t. I, p. 331, 337, 361 et *passim*.

8. Gustave Flaubert, *Bouvard et Pécuchet*, Paris, GF-Flammarion, 1999, p. 295. Pour avoir une idée de l'image que Taine a de Descartes dans sa jeunesse, voir *H. Taine, sa vie et sa correspondance*, Paris, 1902-1907, 4 vol., t. I, p. 64 et 146.

9. Taine, *Les Philosophes classiques du XIXe siècle en France*, [1857, 1868], Paris et Genève, Slatkine, 1979, p. IV, 17, 82-83, 106-107, 115 et 309.

10. Taine, *La Fontaine et ses fables*, [1853], Paris, 1947, p. 344.
11. Taine, *Nouveaux essais d'histoire et de critique*, [1865], 8e éd., Paris, 1905, p. 109-110.
12. Taine, *Essais de critique et d'histoire*, 2e éd., Paris, 1866, p. VII.
13. Voir Claude Digeon, *La Crise allemande de la pensée française (1870-1914)*, Paris, PUF, 1959, p. 222.
14. *H. Taine, sa vie et sa correspondance*, *op. cit.*, t. II, p. 268.
15. Taine, *Les Origines de la France contemporaine*, [1873-1893], Paris, Laffont, 1972, p. 65 et suiv.
16. *H. Taine, sa vie et sa correspondance*, *op. cit.*, t. IV, p. 45 et 150.
17. *Ibid.*, p. 46.
18. *L'Idée générale de la révolution au XIXe siècle*, [1851], dans *Œuvres complètes de P.-J. Proudhon*, Paris, Marcel Rivière, 1923-1932, 11 vol., t. II, p. 199.
19. Proudhon, *Confessions d'un révolutionnaire pour servir à l'histoire de la Révolution de Février*, cité par Pierre Bouretz, « Anarchisme », *in* Philippe Raynaud et Stéphane Rials, *Dictionnaire de philosophie politique*, Paris, PUF, 1996, p. 8. On se reportera aussi aux pages éclairantes de Pierre Rosanvallon, *Le Peuple introuvable. Histoire de la représentation démocratique en France*, Paris, Gallimard, 1998, p. 57-62.
20. Proudhon, *De la capacité politique des classes ouvrières*, Paris, 1873, p. 280, cité par P. Rosanvallon, *Le Peuple introuvable*, *op. cit.*, p. 124.
21. Proudhon, *Les Confessions d'un révolutionnaire*, cité par P. Rosanvallon, *ibid.*, p. 61.
22. Proudhon, *Système des contradictions économiques ou Philosophie de la misère*, dans *Œuvres complètes*, *op. cit.*, t. I, p. 41 et suiv.
23. Proudhon, *Philosophie du progrès*, [1840], dans *Œuvres complètes*, *op. cit.*, t. XII, p. 43.
24. Proudhon, *De la justice dans la Révolution et dans l'Église*, [1860], Paris, Fayard, 1990, p. 1140.
25. Proudhon, *De la création de l'ordre dans l'humanité ou principes d'organisation politique*, [1843], dans *Œuvres complètes*, *op. cit.*, t. V, p. 83.
26. Proudhon, *L'Idée générale de la révolution au XIXe siècle*, *op. cit.*, t. II, p. 186 et suiv.
27. Proudhon, *Philosophie de la misère*, *op. cit.*, p. 45.
28. Proudhon, *De la création de l'ordre dans l'humanité*, *op. cit.*, p. 92.
29. Proudhon, *De la justice dans la Révolution*, *op. cit.*, p. 1234.
30. Proudhon, *De la création de l'ordre dans l'humanité*, *op. cit.*, p. 108-109.
31. Proudhon, *Philosophie du progrès*, *op. cit.*, p. 50. Voir aussi *Qu'est-ce que la propriété*, Paris, 1840, p. 230-231 : « Ce fou de Descartes s'imaginait que la philosophie avait besoin d'une base inébranlable, d'un *aliquid inconcussum* sur lequel on pût asseoir l'édifice de la science, et il avait la bonhomie de le chercher. »

XIII. LES GAUCHES

1. Voir Jean Touchard, *La Gauche en France depuis 1900*, Paris, Éditions du Seuil, 1977, p. 18.
2. Jean Jaurès, *Histoire socialiste de la Révolution française*, Paris, Éditions sociales, 1969, 6 vol., t. I, p. 95 et suiv. L'article « Jaurès », par Mona Ozouf, dans le *Dictionnaire critique de la Révolution française*, *op. cit.*, est à cet égard éclairant.
3. *Discours prononcé par M. Léon Bourgeois, ministre de l'Instruction et des Beaux-Arts, à la distribution des prix du concours général des lycées*, Paris, 1890, p. 12.
4. Léon Bourgeois, in Ferdinand Buisson, *La Politique radicale*, Paris, 1908. Voir cette déclaration, si cartésienne (et si kantienne) : « Le parti radical a une *morale* et une *philosophie.* Il part du fait indiscutable de la conscience. Il en tire la loi morale et sociale de la dignité de la personne humaine. Il en conclut pour celle-ci un *droit* et un *devoir* : le *droit* de chercher par l'effort de sa raison les conditions de son propre développement et les lois de ses rapports avec les autres êtres ; le *devoir* d'observer vis-à-vis des autres les règles d'existence qu'elle a ainsi librement déterminées » (p. IV). Buisson lui-même est évidemment favorable à Descartes, mais il tient à souligner l'antériorité du protestantisme sur le cartésianisme pour ce qui est de la méthode du doute (*Libre-pensée et protestantisme libéral*, Paris, 1903, p. 13-14).
5. Cité par Thierry Leterre, *La Raison politique, Alain et la démocratie*, Paris, PUF, 2000, p. 40.

6. Alain, *Système des beaux-arts*, Paris, 1920, p. 7.

7. Émile Chartier, « Le culte de la raison comme fondement de la république (conférence populaire) », *Revue de métaphysique et de morale*, 1901, p. 111-118.

8. Alfred Fouillée, « Psychologie de l'esprit français autrefois et aujourd'hui », *La Revue des Deux Mondes*, 1896, t. VI, p. 58 et suiv. ; repris dans un ouvrage publié sous ce titre en 1921. Voir aussi *La France du point de vue moral*, Paris, 1900, p. 19, et « La tâche actuelle de la philosophie », *La Revue des Deux Mondes*, 1913, t. III, p. 187, où Fouillée plaide l'héritage de Descartes contre Nietzsche et Schopenhauer. Je rappelle qu'il est aussi l'auteur d'un *Descartes*, publié en 1893. On se reportera à Jean-Louis Fabiani, *Les Philosophes de la République*, Paris, Minuit, 1988.

9. Jules Payot, *La Morale à l'école*, Paris, 1907, p. 63.

10. Élie Halévy à Xavier Léon, 31 août 1891, dans Élie Halévy, *Correspondance 1891-1937*, préface de François Furet, Paris, Éditions de Fallois, 1996, p. 65. On ne saurait assez recommander la lecture de cette préface qui fournit, sur la vie et le milieu des Halévy, les aperçus les plus éclairants.

11. *Revue de métaphysique et de morale*, t. I, 1893, p. 3. Cette « Introduction » non signée est en fait de Darlu.

12. Voir à ce sujet Christophe Prochasson, « L'invention du "système R2M" (1891-1902) », *Revue de métaphysique et de morale*, n°s 1-2, 1993, p. 109-140.

13. Sully Prudhomme, « Descartes », *Bulletin de la Société archéologique de Touraine*, t. XI, 1897-1898, p. 16-18.

14. Ch. Adam, *Vie de Descartes*, *op. cit.*, AT, t. XII, p. 559.

15. Émile Durkheim, « L'individualisme et les intellectuels », *Revue politique et littéraire*, 2 juillet 1898, p. 7-13 ; texte commenté par Pierre Birnbaum dans *Destins juifs. De la Révolution française à Carpentras*, Paris, Calmann-Lévy, 1997, p. 91-95 et par A. Compagnon, *Connaissez-vous Brunetière ?*, *op. cit.*, p. 150-151.

16. Émile Durkheim, *L'Éducation morale*, Paris, 1992, p. 214-239.

17. Georges Sorel, *Réflexions sur la violence*, [1906], préface de Jacques Julliard, Paris, Éditions du Seuil, 1990, p. 93 et 104. Sur Sorel, voir Schlomo Sand, *L'Illusion du politique. Georges Sorel et le débat intellectuel, 1900*, Paris, La Découverte, 1984.

18. Georges Sorel, *Les Illusions du progrès*, [1908], Paris, 1921, p. 37 et 44-45. Voir aussi Édouard Berth, *Les Méfaits des intellectuels*, Paris, 1914, p. 289 (l'ouvrage regroupe des articles parus entre 1905 et 1908).

19. Voir à ce sujet Zeev Sternhell, *La Droite révolutionnaire, 1885-1914. Les origines françaises du fascisme*, [1978], Paris, Gallimard, 1997, p. 527 et suiv. Georges Valois présentait le rapprochement de Proudhon et de Sorel comme « la rencontre des deux traditions françaises qui se sont opposées au cours du XIXe siècle : le nationalisme et le socialisme authentique, non vicié par la démocratie, représenté par le syndicalisme » (cité *ibid.*, p. 528).

20. G. Sorel, *Réflexions sur la violence*, *op. cit.*, p. 138. Sorel est aussi lecteur précoce de Vico : il publie en 1896 une longue étude sur lui dans *Le Devenir social*. Sur l'influence de Vico au XIXe siècle, on consultera Patrick H. Hutton, « Vico's Theory of History and the French Revolutionary Tradition », *Journal of the History of Ideas*, XXXVII (2), 1976, p. 241-256.

21. G. Sorel, *Les Illusions du progrès*, *op. cit.*, p. 41.

22. É. Berth, *Les Méfaits des intellectuels*, *op. cit.*, p. 289.

23. *Ibid.*, p. 290 et suiv.

XIV. DESCARTES AU MIROIR DES NATIONALISMES

1. Parmi les travaux qui m'ont été les plus utiles, je citerai : Z. Sternhell, *La Droite révolutionnaire*, *op. cit.* ; Michel Winock, *Édouard Drumont et compagnie. Antisémitisme et fascisme en France*, Paris, Éditions du Seuil, 1982 ; Gilles Le Béguec et Jacques Prévotat, « 1898-1919. L'éveil à la modernité politique », *in* J.-F. Sirinelli, *Histoire des droites*, *op. cit.*, t. I, p. 213-289 ; Yves-Marie Hilaire, « 1900-1945. L'ancrage des idéologies », *ibid.*, p. 521 et suiv. Voir aussi William D. Irvine, *French Conservatism in Crisis. The Republican Federation of France in the 1930s*, Baton Rouge, Louisiana State University Press, 1979.

2. Paul Bourget, *Nos actes nous suivent*, Paris, 1926, p. 23-24 : « Mes maîtres de l'École normale m'avaient nourri [...] à la vieille discipline française, qui vient de Descartes, et que

son célèbre *Discours* formule en ces termes [...]. » Sur Bourget, voir Michel Mansuy, *Un moderne : Paul Bourget*, Besançon, 1961.

3. Paul Bourget, *Essais de psychologie contemporaine*, Paris, 1885, p. 88, 93, 104 et 106-108.

4. Paul Bourget, *Le Disciple*, Paris, 1889, p. 5 et 32.

5. Ferdinand Brunetière, « Jansénistes et cartésiens », *Études critiques sur l'histoire de la littérature française*, 4e série, Paris, 1891, p. 127, 150, 173 et suiv. ; « La philosophie de Bossuet », *Études critiques sur l'histoire de la littérature*, 5e série, Paris, 1893, p. 45 et suiv. Voir John Clark, *La Pensée de Brunetière*, Paris, Nizet, 1954, notamment p. 40 et 140. Surtout, Antoine Compagnon, *Connaissez-vous Brunetière ? Enquête sur un antidreyfusard et ses amis*, Paris, Éditions du Seuil, 1997.

6. Ferdinand Brunetière, « Après une visite au Vatican », *La Revue des Deux Mondes*, 1895, t. I ; « La renaissance de l'idéalisme », [1896], *Discours de combat*, 1re série, Paris, 1920.

7. Ferdinand Brunetière, « Les motifs d'espérer », *Discours de combat*, nouvelle série, Paris, 1903, p. 181-182.

8. Ferdinand Brunetière, « Les ennemis de l'âme française », [1899], *Discours de combat*, 1re série, *op. cit.*, p. 163.

9. Ferdinand Brunetière, « La renaissance du paganisme dans la morale contemporaine », *Questions actuelles*, t. III, p. 122, cité par Frédéric Gugelot, *La Conversion des intellectuels au catholicisme (1885-1935)*, Paris, CNRS, 1998, p. 397.

10. Maurice Barrès, *Mes cahiers*, Paris, Club de l'honnête homme, 1968, 7 vol. (t. XIII-XIX de *L'Œuvre de Maurice Barrès*), t. XIV, p. 295. Sur cette question, voir Henri Gouhier, « Pascal et Barrès », in *Maurice Barrès*, Actes du colloque organisé par la faculté des lettres et des sciences humaines de Nancy, Nancy, 1963, p. 309-329.

11. M. Barrès, *Mes cahiers*, *op. cit.*, t. XVI, p. 108.

12. *Ibid.*, t. XVI, p. 261.

13. *Ibid.*, t. XVII, p. 327-328.

14. Cité par Zeev Sternhell, *Maurice Barrès et le nationalisme français*, Paris, Armand Colin, 1972, p. 124.

15. Maurice Barrès, *Scènes et doctrines du nationalisme*, [190], *Œuvres de Maurice Barrès*, *op. cit.*, t. V, p. 57.

16. *Ibid.*, p. 27.

17. Jules Soury, *Campagne nationaliste : 1899-1901*, 2e éd., Paris, 1902, p. 60. Voir aussi ce jugement de Gobineau, dans une lettre à Prokesch-Osten du 20 juillet 1862 : « Je vous avoue en toute humilité que Descartes me paraît misérable et l'idée que l'homme fini peut découvrir l'infini par une série de calculs certains, une des grandes inepties qui ait jamais passé par une tête humaine, mais comme c'est européen ! », *in* Jean Boissel, *Gobineau. Biographie*, Berg International, 1993, p. 164.

18. Charles Maurras, article « Taine », *Dictionnaire politique et critique*, *op. cit.* Je suis de près ici les analyses de R. Rémond dans *Les Droites en France*, *op. cit.*, p. 172 et suiv.

19. Charles Maurras, *L'Avenir de l'intelligence*, Paris, 1925, p. 31.

20. Charles Maurras, *Romantisme et révolution*, Versailles, 1928, p. 6.

21. Charles Maurras, *Quand les Français ne s'aimaient pas*, Versailles, 1928, p. 241-242.

22. Charles Maurras, « Philosophie de l'audience », *La Gazette de France*, Supplément, 6 septembre 1899, cité par Michael Sutton, *Charles Maurras et les catholiques français, 1890-1914. Nationalisme et positivisme*, Paris, Beauchesne, 1994, p. 36.

23. Maurice Barrès et Charles Maurras, *La République ou le roi : correspondance inédite (1888-1923)*, Paris, 1970, p. 174.

24. Ch. Maurras, *Romantisme et révolution*, *op. cit.*, p. 5.

25. *Pascal puni, conte infernal* présenté par Henri Massis, Paris, Flammarion, 1953, p. 4-5.

26. Ch. Maurras, « Idées françaises et idées suisses », *L'Action française*, 15 octobre 1899, p. 314 et suiv.

27. Ch. Maurras, *Romantisme et révolution*, *op. cit.*, p. 145.

28. Ch. Maurras, article « Descartes », *Dictionnaire politique et critique*, *op. cit.*

29. Ch. Maurras, « L'esprit de M. Paul Bourget », *Revue de Paris*, 15 décembre 1895.

30. Louis Dimier, *Descartes*, Paris, 1918, notamment p. 155, 185 et 302-307. Voir aussi, du même, *La Vie raisonnable de Descartes*, Paris, 1926.

31. Henri Clouard, *Les Disciplines. Nécessité littéraire et sociale d'une renaissance classique*, Paris, 1913, p. 97 et 244.

32. Henri Vaugeois, *La Morale de Kant dans l'Université de France*, Paris, 1917, p. 262 :

« Les conclusions à tirer du spectacle de l'univers conçu mécaniquement et géométriquement sont des conclusions de brutalité. »

33. Pierre Lasserre, *Le Romantisme français. Essai sur la révolution dans les sentiments et dans les idées au XIXe siècle*, Paris, 1907 ; *La Doctrine officielle de l'Université*, Paris, 1912, p. 441 ; *Le Germanisme et l'esprit humain*, Paris, 1915, p. 17 ; « Cartésianisme et christianisme », *Mercure de France*, 1er novembre 1927, p. 524.

34. Henri Massis, *Jugements*, Paris, 1923, 2 vol., t. I, p. 284 et suiv.

35. Henri Massis, *Maurras et notre temps*, Paris, 1951, 2 vol., t. II, p. 178.

36. Léon Daudet, *Le Stupide XIXe siècle. Exposé des insanités meurtrières qui se sont abattues sur la France depuis cent trente ans, 1789-1919*, Paris, 1922, p. 151-171.

37. Léon Daudet, *Écrivains et artistes*, Paris, 1927, t. I, p. 49.

38. Léon Daudet, *Courrier des Pays-Bas*, Paris, 1928, 4 vol., t. I : *La Ronde de nuit*, p. 110 et suiv. ; t. IV : *Les Pèlerins d'Emmaüs*, p. 216 et suiv.

39. Jules Lemaître, *Un nouvel état d'esprit*, Paris, 1903, p. 13, cité par F. Gugelot, *La Conversion des intellectuels*, *op. cit.*, p. 135.

40. Lettre du 28 septembre 1870, citée par Jean Bollery, *Léon Bloy : essai de biographie*, Paris, Albin Michel, 1947, 2 vol., t. I, p. 119-120.

41. Léon Bloy, *Belluaires et porchers*, [1892], dans *Œuvres de Léon Bloy*, *op. cit.*, t. II, p. 340 ; *Le Désespéré*, [1887], *ibid.*, t. III, p. 184 ; *Les Dernières Colonnes de l'Église*, [1903], *ibid.*, t. IV, p. 247 ; Lettre à Johannes Jörgensen, avril 1899, *ibid.*, t. XV, p. 270.

42. Léon Bloy, *Le Révélateur du globe*, [1883], *ibid.*, t. I, p. 83-84.

43. L. Bloy, *Journal*, *op. cit.*, t. I, p. 405. Le propos concerne les *Exercices* d'Ignace de Loyola et la *Méthode* de Descartes.

44. *Ibid.*, t. II, p. 273-274.

45. Léon Bloy, *Je m'accuse*, [1900], *Œuvres*, *op. cit.*, t. IV, p. 202 ; *Dans les ténèbres*, [1918], *ibid.*, t. IX, p. 301.

46. Léopold Levaux, *Quand Dieu parle*, p. 204, cité par F. Gugelot, *La Conversion des intellectuels*, *op. cit.*, p. 431.

47. Paul Claudel, « Ma conversion », *Œuvres en prose*, Paris, Gallimard, « Bibliothèque de la Pléiade », 1965, p. 1009.

48. Paul Claudel, « Francis Jammes », [1er septembre 1939], *ibid.*, p. 553.

49. Claudel à Gide, 29 juillet 1923, dans Paul Claudel et André Gide, *Correspondance, 1899-1926*, Paris, Gallimard, 1949, p. 239.

50. Paul Claudel, *Le Poète et la Bible*, Paris, Gallimard, 1998, 2 vol., t. I : 1910-1946, p. 359.

51. Paul Claudel, *Journal*, Paris, Gallimard, « Bibliothèque de la Pléiade », 2 vol., t. I, p. 121 et 910.

52. *Ibid.*, p. 606.

53. *Ibid.*, t. II, p. 510 et 603. Il épingle une phrase d'une lettre à Élisabeth.

54. Paul Claudel, « Le Discours de la méthode », [1937], *ibid.*, p. 439-442.

55. Jacques et Raïssa Maritain, *Œuvres complètes*, Fribourg et Paris, Éditions universitaires et Éditions Saint-Paul, 1986-1997, 16 vol., t. II, p. 928.

56. J. Maritain, « L'esprit de la philosophie moderne. La réforme cartésienne », *Œuvres*, *op. cit.*, t. I, p. 824 et suiv., 867-868 et 878.

57. Charles Péguy, *Deuxième élégie XXX*, [septembre 1908], *Œuvres complètes en prose*, Paris, Gallimard, « Bibliothèque de la Pléiade », 1987-1992, 3 vol., t. II, p. 1049.

58. Charles Péguy, *Par ce demi-clair matin*, [novembre 1905], *ibid.*, t. II, p. 195 et 204.

59. Charles Péguy, *Entre deux trains*, [5 mai 1900], *ibid.*, t. I, p. 499-515.

60. Ch. Péguy, *Par ce demi-clair matin*, *op. cit.*, p. 101.

61. Charles Péguy, *Notre jeunesse*, [17 juillet 1910], *Œuvres complètes en prose*, t. III, p. 99-100.

62. Charles Péguy, *Victor-Marie, comte Hugo*, [23 octobre 1910], *ibid.*, t. III, p. 250.

63. Charles Péguy, *Heureux les systématiques*, [1905], *ibid.*, t. II, p. 285 et suiv.

64. Charles Péguy, *Note conjointe sur M. Bergson et la philosophie bergsonienne*, [26 avril 1914], *ibid.*, t. III, p. 1261.

65. Charles Péguy, *Note conjointe sur M. Descartes et la philosophie cartésienne*, [juillet 1914], *ibid.*, t. III, p. 1286.

66. Charles Péguy, *L'Argent suite*, [27 avril 1913], *ibid.*, t. III, p. 937.

67. Ch. Péguy, *Note conjointe sur M. Bergson*, *op. cit.*, p. 1269.

68. *Ibid.*, p. 1270.

69. Charles Péguy, *Ève*, dans *Œuvres poétiques complètes*, Paris, Gallimard, « Bibliothèque de la Pléiade », 1957, p. 1028 et 1174.

70. Voir l'excellent article de Michel Winock, « Jeanne d'Arc », *in* P. Nora, *Les Lieux de mémoire*, *op. cit.*, t. III, p. 4427-4473. Voir aussi Philippe Contamine, « Jeanne d'Arc dans la mémoire des droites », *in* J.-F. Sirinelli (éd.), *Histoire des droites en France*, *op. cit.*, t. II, p. 399-435. Voir enfin l'ouvrage très complet de Gerd Krumeich, *Jeanne d'Arc in der Geschichte : Historiographie, Politik, Kultur*, Sigmaringen, Jan Thorbeke Verlag, 1989.

XV. D'UNE GUERRE MONDIALE À L'AUTRE

1. *La Réception de Charles Péguy en France et à l'étranger*, Orléans, Centre Charles Péguy, 1991.

2. Sur ce groupe, voir le livre classique de Jean-Louis Loubet del Bayle, *Les Non-Conformistes des années 30. Une tentative de renouvellement de la pensée politique française*, Paris, Éditions du Seuil, 1969.

3. Ch. Péguy, *Note conjointe sur M. Descartes et la philosophie cartésienne*, *op. cit.*, t. III, p. 1280.

4. Noëlle Maurice-Denis, « Descartes et la philosophie française », *La Revue universelle*, t. I, 1920, p. 109.

5. Voir surtout Martha Hanna, *The Mobilization of Intellect. French Scholars and Writers during the Great War*, Cambridge, Harvard University Press, 1996, chap. IV.

6. J. Maritain, *Œuvres*, *op. cit.*, t. I, p. 1025 : « Pour sauver notre race et l'intelligence, c'est à une civilisation purement, intégralement catholique qu'il nous faudra revenir, et [...] en ce qui concerne la philosophie en particulier, ce n'est pas Victor Cousin, ni Auguste Comte, ni Descartes qu'il nous faudra prendre pour maître, mais saint Thomas. Saint Thomas contre Kant ! »

7. Denys Cochin, « La guerre allemande et le catholicisme », *La Revue des Deux Mondes*, 1915, p. 132 ; Henri Bergson, « La philosophie française », [1915], *Mélanges*, éd. A. Robinet, Paris, PUF, 1972, p. 1184-1187.

8. Victor Delbos, *L'Esprit philosophique de l'Allemagne et la pensée française*, conférence faite à Foi et à Vie le 14 mars 1915, Paris, 1915, p. 17 ; Émile Boutroux, « La philosophie », in *Un demi-siècle de civilisation française (1870-1915)*, Paris, 1916, p. 43 et suiv. Voir aussi Vincent d'Indy, *L'Opinion*, 19 août 1916, cité par M. Hanna, *The Mobilization*, *op. cit.*, p. 116 ; Francis de Miomandre, « À propos du Manifeste des cent », cité *ibid.*, p. 98.

9. Jacques Chevalier, *Descartes*, Paris, 1921, p. 4 et 8.

10. Henri Berr, *Le Germanisme contre l'esprit français. Essai de psychologie historique*, Paris, 1919, p. XV.

11. Arnaud Dandieu, *Anthologie des philosophies françaises contemporaines*, Paris, 1931, p. 18.

12. Frédéric Lefèvre, *Entretiens avec MM. Jacques Maritain et Henri Massis*, [1924], dans J. Maritain, *Œuvres*, *op. cit.*, t. II, p. 1245 ; formule analogue dans *Antimoderne*, *ibid.*, p. 1018.

13. Jacques Maritain, *Trois réformateurs. Luther, Descartes, Rousseau*, [1925], dans *Œuvres*, *op. cit.*, t. III, p. 512.

14. Jacques Maritain, *Antimoderne*, dans *Œuvres*, *op. cit.*, t. II, p. 1081.

15. *Ibid.*, p. 931.

16. Fr.-A. Blanche, « La philosophie française », *La Revue des jeunes*, 22, 1919, p. 311-319, cité par P. Chenaux, *Entre Maurras et Maritain*, *op. cit.*, p. 20.

17. N. Maurice-Denis, « Descartes et la philosophie », art. cité, p. 107.

18. Cité par André Laudouze, *Dominicains français. Action française. Maurras au couvent, 1899-1940*, Paris, Éditions ouvrières, 1989, p. 93.

19. Thomas Pègues, *Initiation thomiste*, Paris, 1925, p. 325-326 et *passim.*

20. Reginald Garrigou-Lagrange, *Le Sens commun, la philosophie de l'être et les formules dogmatiques*, Paris, 1909, p. XI-XII et 101-104.

21. Frédéric Lefèvre, *Une heure avec...*, 2e série, Paris, 1924, p. 105.

22. Cité par P. Chenaux, *Entre Maurras et Maritain*, *op. cit.*, p. 40.

23. Henri Ghéon, *Triomphe de saint Thomas d'Aquin*, Saint-Maximin, 1924, p. 96 et suiv.

24. Charles Du Bos, *Journal*, Paris, 1946-1959, 8 vol., t. I, p. 102-103 et 298 ; t. III, p. 164, 166-167 et 227-228.

25. Raymond Aron, « Troisième centenaire de Descartes », *Zeitschrift für Sozialforschung*, VI, n° 3, 1937, p. 648-653.
26. Emmanuel Berl, *La Politique et les partis*, Paris, 1932, cité par J. Touchard, *La Gauche en France depuis 1900, op. cit.*, p. 103.
27. Emmanuel Berl, *Mort de la pensée bourgeoise*, [1929], Paris, 1970, p. 34 et 68.
28. Emmanuel Berl, *Discours aux Français*, Paris, 1934, p. 153.
29. Frédéric Lefèvre, *Une heure avec...*, 4e série, Paris, 1927, p. 267.
30. Léon Archimbaud, *L'Avenir du radicalisme*, Paris, 1938, p. 26-27 et 91-92.
31. Jules Romains, « En buvant des tisanes », *L'Humanité*, 25 février 1921, dans *Chroniques de l'Humanité, 8 juillet 1919-25 février 1921*, Saint-Étienne, 1997, p. 167.
32. Alain, *Propos*, Paris, Gallimard, « Bibliothèque de la Pléiade », 1970, 2 vol., t. II, p. 343.
33. Alain, *Les Idées et les âges*, dans *Les Passions et la sagesse*, Paris, Gallimard, « Bibliothèque de la Pléiade », 1960, p. 274.
34. Alain, *Propos, op. cit.*, t. II, p. 938, 620, 504 et 907.
35. Alain, *Descartes*, dans *Les Passions et la sagesse, op. cit.*, p. 925-927.
36. Alain, *Propos*, février 1932, *op. cit.*, t. II, p. 893-895.
37. Julien Benda, *La Trahison des clercs*, Paris, 1927, p. 196 ; *La France byzantine*, Paris, 1945, chap. I. Maxime Leroy, *Descartes, le philosophe au masque*, Paris, 1929, 2 vol., t. I, p. 195-196, t. II, p. 96 ; *Descartes social*, Paris, 1931, p. 73. Jean Guéhenno, « À propos de Descartes », [1931], *Entre le passé et l'avenir*, Paris, 1977, p. 110-115.
38. Alfred Espinas, *Descartes et la morale*, Paris, 1925, 2 vol.
39. Henri Bergson, « Discours au Comité France-Amérique », [8 avril 1913], *Mélanges, op. cit.*, p. 995.
40. Raymond Boisdé, *Découvertes de l'Amérique. Descartes et les États-Unis*, Paris, 1948, p. 8.
41. Robert Aron et Arnaud Dandieu, *Le Cancer américain*, Paris, 1931, p. 17.
42. R. Rémond, *Les Droites en France, op. cit.*, p. 190.
43. André Tardieu, *La Révolution à refaire*, Paris, 1936, 2 vol., t. I, p. 74. Sur Tardieu, voir notamment François Monnet, *Refaire la République. André Tardieu, une dérive réactionnaire (1876-1945)*, Paris, Fayard, 1993.
44. A. Dandieu, *Anthologie des philosophies françaises contemporaines, op. cit.*, p. 19.
45. *Correspondance d'André Gide et de Paul Valéry (1890-1942)*, Paris, Gallimard, 1955, p. 213.
46. *Ibid.*
47. Paul Valéry, « Descartes », *Œuvres*, Paris, Gallimard, « Bibliothèque de la Pléiade », 1965, 2 vol., t. I, p. 806.
48. Paul Valéry, « Le retour de Hollande », *ibid.*, p. 851.
49. Paul Valéry, « *Cartesius redivivus* », *Cahiers Paul Valéry*, 4, 1986, p. 23.
50. Successivement : « Descartes », art. cité, p. 806 ; *Cahiers*, Paris, Gallimard, « Bibliothèque de la Pléiade », 1973-1976, 2 vol., t. I, p. 518.
51. Paul Valéry, « Fragment d'un Descartes », *Œuvres, op. cit.*, t. I, p. 790.
52. P. Valéry, « Descartes », *op. cit.*, p. 807.
53. P. Valéry, *Cahiers, op. cit.*, p. 601.
54. « Descartes », *op. cit.*, p. 807.
55. Louis Aragon, *Le Paysan de Paris*, Paris, Gallimard, « Folio », s.d., p. 9-16.
56. Paul Nizan, *Les Chiens de garde*, Paris, 1932, p. 56 et 215.
57. Paul Nizan, *L'Humanité*, 30 décembre 1932, repris dans *Pour une nouvelle culture*, textes réunis par S. Suleiman, Paris, 1971, p. 47-50.
58. Paul Nizan, « Sur l'humanisme », Europe, 1935, dans *Paul Nizan intellectuel communiste. Écrits et correspondance, 1926-1940*, Paris, Maspero, 1967, p. 226-227 ; « André Gide », *Littérature internationale*, n° 4, 1934, *ibid.*, p. 108.
59. Paul Nizan, « Présentation d'une ville », *Littérature internationale*, n° 4, 1934, *ibid.*, p. 133-134.
60. Thierry Maulnier, *Ordre nouveau*, n° 4, octobre 1933, p. 3, cité par J.-L. Loubet del Bayle, *Les Non-Conformistes des années 30, op. cit.*, p. 241.
61. Georges Bernanos, dans F. Lefèvre, *Une heure avec...*, 4e série, *op. cit.*, p. 166.
62. Pierre Drieu La Rochelle, *La Comédie de Charleroi*, Paris, 1934, p. 205.
63. Pierre Drieu La Rochelle, *Notes pour comprendre le siècle*, Paris, Gallimard, 1941, p. 172.
64. Emmanuel Mounier, *Révolution personnaliste et communautaire*, dans *Œuvres*, Paris, Éditions du Seuil, 1961-1963, 4 vol., t. I, p. 390-392.
65. Henri Brémond, *La Poésie pure*, Paris, 1926, p. 144.

66. Robert Aron et Arnaud Dandieu, *Décadence de la nation française*, Paris, 1931, p. 64.
67. Jacques Maritain, *Le Songe de Descartes*, dans *Œuvres*, *op. cit.*, t. V, p. 161.
68. E. Mounier, *Révolution personnaliste*, *op. cit.*, p. 154.
69. E. Mounier, *Manifeste au service du personnalisme*, *ibid.*, p. 494. Voir François Furet, *Le Passé d'une illusion. Essai sur l'idée communiste au XX*[e] *siècle*, Paris, Robert Laffont et Calmann-Lévy, 1995, p. 356 et suiv.
70. Pierre Drieu La Rochelle, *Chroniques politiques*, Paris, Gallimard, 1943, p. 161 et 165.
71. Pierre Drieu La Rochelle, *Journal, 1939-1945*, éd. J. Hervier, Paris, 1992, p. 109.
72. Cité par J.-L. Loubet del Bayle, *Les Non-Conformistes des années 30*, *op. cit.*, p. 208.
73. Pierre Drieu La Rochelle, *Le Français d'Europe*, Paris, 1944, p. 25.
74. R. Aron et A. Dandieu, *Le Cancer américain*, *op. cit.*, p. 17-19.
75. *Revue des vivants*, décembre 1933, p. 1844, cité par J.-L. Loubet del Bayle, *Les Non-Conformistes des années 30*, *op. cit.*, p. 209.
76. Emmanuel Mounier, *Les Certitudes difficiles*, dans *Œuvres*, *op. cit.*, t. IV, p. 62.
77. E. Mounier, *Révolution personnaliste*, *op. cit.*, p. 133.
78. Daniel-Rops, *Les Années tournantes*, Paris, 1932, p. 106.
79. *Ordre nouveau*, n° 3, juillet 1933, p. 3.
80. P. Drieu La Rochelle, *Notes pour comprendre le siècle*, *op. cit.*, p. 143.
81. Marcel Déat, *Inventaires II*, Paris, 1937, p. 205-225. Voir Philippe Burrin, *La Dérive fasciste. Doriot, Déat, Bergery, 1933-1945*, Paris, Éditions du Seuil, 1986.
82. Marcel Déat, « Organisation sociale et philosophie », *Bulletin de la Société française de philosophie*, mars-avril 1938, p. 42-64.
83. Marcel Déat, *De l'école d'hier à l'homme de demain*, Discours prononcé le 20 septembre 1943 au Congrès de l'union de l'enseignement, Paris, s.d., p. 7-8.
84. Cité par Maurice Thorez, « Le 350e anniversaire de Descartes », *Œuvres de Maurice Thorez*, Paris, 1950-1965, 23 vol., t. XXII, p. 67.
85. Marcel Déat, *Pensée allemande et pensée française*, Paris, 1944, p. 68, 71, 83 et 152. Voir aussi ses *Mémoires politiques*, éd. L. Theis, Paris, 1989, p. 23-24.
86. Louis Lavelle, « L'esprit cartésien », *Le Temps*, 26 janvier 1936.
87. Jean Rimaud, « Les malheurs de Descartes. Petite préface aux solennités d'un tricentenaire », *Études*, t. CCXXIX, 1936, p. 748.
88. Henri Bergson, « Message au Congrès Descartes », *Mélanges*, *op. cit.*, p. 1574-1579.
89. Albert Bayet, « Le tricentenaire du *Discours de la méthode* », *Les Cahiers rationalistes*, n° 59, mai 1937, p. 127-150.
90. Jacques Duclos, *Les Droits de l'intelligence*, Paris, 1938, p. 28-29.
91. M. Thorez, « Le trois cent cinquantième anniversaire de Descartes », art. cité, p. 60-68.
92. *Inauguration de la Nouvelle Sorbonne par M. le président de la République, le lundi 5 août 1889*, Paris, 1889, p. 42.

INDEX

TABLE DES MATIÈRES

Deuxième partie
Lumières et anti-Lumières

Troisième partie
L'ère des révolutions (1789-1848)

L'ESPRIT DE LA CITÉ

Volumes publiés

ALAIN BESANÇON, *L'Image interdite. Une histoire intellectuelle de l'iconoclasme.*

JEAN-CLAUDE BONNET, *Naissance du Panthéon. Essai sur le culte des grands hommes.*

RÉMI BRAGUE, *La Sagesse du monde. Histoire de l'expérience humaine de l'univers.*

PIERRE CHUVIN, *La Mythologie grecque, du premier homme à l'apothéose d'Héraclès.*

CHRISTIANE KLAPISCH-ZUBER, *L'Ombre des ancêtres. Essai sur l'imaginaire médiéval de la parenté.*

PIERRE MANENT, *Tocqueville et la nature de la démocratie.*

PIERRE MANENT, *La Cité de l'homme.*

PIERRE MANENT, *Cours familier de philosophie politique.*

HARVEY C. MANSFIELD JR., *Le Prince apprivoisé. De l'ambivalence du pouvoir.*

MOISEI OSTROGORSKI, *La Démocratie et les partis politiques.*

MONA OZOUF, *Les Mots des femmes. Essai sur la singularité française.*

MONA OZOUF, *Les Aveux du roman. Le* XIX*e* *siècle entre Ancien Régime et Révolution.*

EMMANUEL SIVAN, *Mythes politiques arabes.*

GIAMBATTISTA VICO, *La Science nouvelle.*

Achevé d'imprimer en février 2002
sur presse Cameron
dans les ateliers de
Bussière Camedan Imprimeries
à Saint-Amand-Montrond (Cher)
pour le compte de la librairie Arthème Fayard
75, rue des Saints-Pères - 75006 Paris

35-24-1245-01/6

ISBN 2-213-61045-2

Dépôt légal : février 2002.
N° d'Édition : 20243. – N° d'Impression : 020613/4.

Imprimé en France